Le Guide Vert

Corse

Editions des Voyages

46, avenue de Breteuil – 75324 Paris Cedex 07
☎ 01 45 66 12 34
www.ViaMichelin.fr
LeGuideVert@fr.michelin.com

Manufacture française des pneumatiques Michelin
Société en commandite par actions au capital de 304 000 000 EUR
Place des Carmes-Déchaux – 63 Clermont-Ferrand (France)
R.C.S. Clermont-Fd B 855 200 507

Toute reproduction, même partielle et quel qu'en soit le support,
est interdite sans autorisation préalable de l'éditeur.

© Michelin et Cie, Propriétaires-éditeurs, 2001
Dépôt légal mars 2001 – ISBN 2-06-031904-8 – ISSN 0293-9436
Printed in Belgium 10-01/4.4

Compogravure : Le Sanglier à Charleville-Mézières
Impression : Casterman à Tournai
Brochage : Casterman à Tournai

Maquette de couverture extérieure : Agence Carré Noir à Paris 17ᵉ

LE GUIDE VERT,
l'esprit de découverte !

Avec Le Guide Vert, voyager c'est être acteur de ses vacances, profiter pleinement de ce temps privilégié pour se faire plaisir : apprendre sur le terrain, découvrir de nouveaux paysages, goûter l'art de vivre des régions et des pays. Le Guide Vert vous ouvre la voie, suivez-le !

Grands voyageurs, nos auteurs parcourent chaque année villes et villages pour préparer vos vacances : repérage et élaboration de circuits, sélection des plus beaux sites, recherche des hôtels et des restaurants les plus agréables, reconnaissance détaillée des lieux pour réaliser des cartes et plans de qualité...

Aujourd'hui, vous avez en main un guide élaboré avec le plus grand soin, fruit de l'expérience touristique de Michelin. Régulièrement remis à jour, Le Guide Vert se tient à votre écoute. Tous vos courriers sont ainsi les bienvenus.

Partagez avec nous la passion du voyage qui nous a conduits à explorer plus de soixante destinations, en France et à l'étranger. Laissez-vous guider, comme nous, par cette curiosité insatiable, qui donne au voyage son véritable esprit : l'esprit de découverte.

Jean-Michel DULIN
Rédacteur en Chef

Sommaire

Cartographie   6
Légende   8
Carte « Les plus beaux sites »   10
Carte « Circuits de découverte »   14

Informations pratiques

Avant le départ   20
Hébergement, restauration   23
Propositions de séjour   27
Circuits de découverte   30
Découvrir l'île autrement   32
Sports et loisirs   35
Forme et santé   43
Souvenirs   44
Escapade dans les îles italiennes   45
Kiosque   46
Cinéma   48
Calendrier festif   49

Invitation au voyage

Une montagne dans la mer   54
Une nature généreuse   60
Une histoire mouvementée   66
ABC d'architecture   74
Art et architecture   80
L'identité insulaire   86
Les plaisirs de la table   90

*Statue-menhir du site
de Filitosa,
premier gardien
du patrimoine corse.*

*Les îles Lavezzi :
un coin de paradis
à l'extrémité Sud
de la France.*

4

Villes et sites

Les **A**griates 94 – Forêt d'**A**itone 97 – **A**jaccio 99 – Golfe d'**A**jaccio 110 – **A**léria 117 – **A**lgajola 121 – L'**A**lta Rocca 123 – **A**ntisanti 126 – Vallée d'**A**sco 127 – **A**ullène 130 – La **B**alagne 132 – **B**astelica 139 – **B**astia 143 – Aiguilles de **B**avella 157 – **B**ocognano 159 – **B**onifacio 160 – Cirque de **B**onifato 174 – Le **B**ozio 176 – Montagne de **C**agna 179 – **C**alacuccia 180 – Les **C**alanche 182 – **C**alenzana 185 – **C**alvi 186 – La **C**anonica 194 – **C**ap Corse 196 – **C**archeto 207 – **C**argèse 208 – La **C**asinca 210 – La **C**astagniccia 212 – **C**enturi 221 – **C**ervione 223 – **C**inarca 225 – **C**orbara 226 – **C**orte 228 – Lac de **C**reno 237 – **E**rbalunga 238 – Golfe de **F**igari 239 – **F**ilitosa 240 – Le **F**iumorbo 243 – Golfe de **G**aléria 246 – **G**hisoni 248 – **G**uano-les-Bains 250 – L'**Î**le-Rousse 252 – L'**I**ncudine 255 – Île **L**avezzi 256 – Pianu de **L**evie 258 – **M**acinaggio 260 – **M**onte Rotondo 263 – **M**orosaglia 264 – Côte des **N**acres 266 – Le **N**ebbio 268 –

Le **N**iolo 270 – **N**onza 276 – Massif de l'**O**spédale 277 – Vallée de l'**O**striconi 280 – **P**atrimonio 282 – **P**igna 283 – **P**onte Nuovo 284 – La **P**orta 285 – **P**orto 286 – Golfe de **P**orto 288 – **P**orto-Vecchio 292 – Golfe de **P**orto-Vecchio 295 – **P**ropriano 300 – **Q**uenza 302 – Gorges de la **R**estonica 303 – **R**ogliano 306 – Golfe de **S**agone 307 – **S**aint-Florent 310 – **S**ainte-Lucie-de-Tallano 312 – Les Îles **S**anguinaires 315 – **S**an Michele de Murato 316 – **S**ant'Antonino 317 – Le **S**artenais 318 – **S**artène 320 – Défilé de la **S**cala di Santa Regina 325 – Réserve naturelle de **S**candola 326 – **S**olenzara – 328 – Gorges de **S**pelunca 330 – Valle de **T**artagine 332 – Valle du **T**avignano 333 – Golfe de **V**alinco 334 – **V**alle-d'Alesani 339 – **V**enaco 340 – Col de **V**ergio 341 – **V**ico 342 – **V**ivario 344 – Forêt de **V**izzavona 347 – **Z**icavo 351 – **Z**onza 352

Index 362

*Le long des routes corses,
les bougainvilliers déploient,
au printemps, leur symphonie
de couleurs.*

*Le pont génois d'Ota
continue à défier
les intempéries et l'usure
du temps.*

Cartographie

Les cartes routières qu'il vous faut

Tout automobiliste prévoyant doit se munir d'une bonne cartographie. Les produits Michelin sont complémentaires : chaque site présenté dans ce guide est accompagné de ses références cartographiques sur la carte de la Corse.

• Pour circuler sur place, vous disposez de la **carte de la Corse** au 1/200 000 n° 90 qui couvre le réseau routier principal et secondaire et donne de nombreuses indications touristiques. Elle permet d'apprécier chaque site d'un simple coup d'œil et signale, outre les caractéristiques des routes, les châteaux, les grottes, les édifices religieux, les emplacements de baignade en rivière ou en lac, les piscines, les golfs, les hippodromes, les terrains de vol à voile, les aérodromes...

• N'oubliez pas la **carte de France** au 1/1 000 000 n° 989 qui offre une vue d'ensemble et vous guide dans votre itinéraire pour rejoindre la Corse.

• La **carte d'Italie** au 1/1 000 000 n° 988, sur laquelle figure la Corse, peut vous être utile si vous souhaitez, depuis " l'île de Beauté ", faire une escapade en Sardaigne ou sur les côtes italiennes.

• Pour vos déplacements en Sardaigne, consultez également la carte au 1/200 000 n° 433.

Enfin sachez qu'en complément de ces cartes, un serveur Minitel **3615 ViaMichelin** permet le calcul d'itinéraires détaillés avec leur temps de parcours, et bien d'autres services. Les **3617 et 3623 Michelin** vous permettent d'obtenir ces informations reproduites sur fax ou imprimante. Les internautes peuvent bénéficier des mêmes renseignements en surfant sur le site **www.ViaMichelin.fr**

L'ensemble de ce guide est par ailleurs riche en cartes et plans, dont voici la liste :

Cartes thématiques

Les plus beaux sites 10
Circuits de découverte 14
Lieux de séjour 26
Réserves et parcs naturels 34
Ports de plaisance 38
Géologie 56
Relief 58

Plans de villes

Ajaccio 104
Bastia 150
Bonifacio 164
Calvi 191
Corte 231
Sartène 323

Plans de monuments

Aléria antique 120
La Canonica et le site de Mariana 195
Site archéologique de Filitosa 242

Cartes des circuits décrits

Forêt d'Aitone 99
Golfe d'Ajaccio 112
Alta Rocca 123
La Balagne 136
Plateau d'Ese et gorges du Prunelli 141
Environs de Bastia 154
Environs de Bonifacio 168
Cirque de Bonifato 174
Le Bozio 176
Les Calanche 184
Le tour du Cap Corse 200
La Casinca 210
La Castagniccia 216
Le Fiumorbo 245
Monte Renoso et col de Verde 249
L'Incudine 255
Le Nebbio 269
Monte Cinto et bassin de Calacuccia 273
Forêt de Valdu-Niellu et lac de Nino 274
Golfe de Porto 290
Golfe de Porto-Vecchio 297
Golfe de Sagone 308
Le Sartenais 318
Gorges de Spelunca 331
Golfe de Valinco 335
Forêt de Vizzavona 349

Légende

Monuments et sites

●——— Itinéraire décrit,
➡ départ de la visite

🏛 ⸸ Église

🏛 ⸸ Temple

✡ ✉ 🕌 Synagogue - Mosquée

▢▢ Bâtiment

■ Statue, petit bâtiment

⸸ Calvaire

◎ Fontaine

●—●—■ Rempart - Tour - Porte

✕ Château

∴ Ruine

⌣ Barrage

✿ Usine

✩ Fort

∩ Grotte

🗿 Monument mégalithique

▼ Table d'orientation

⑊ Vue

▲ Autre lieu d'intérêt

Signes particuliers

⏃ Plage

🏛 Tour génoise

Sports et loisirs

🏇 Hippodrome

⛸ Patinoire

🏊 🏊 Piscine : de plein air,
couverte

⛵ Port de plaisance

⌂ Refuge

□-■-■-□ Téléphérique, télécabine

□++++□ Funiculaire,
voie à crémaillère

🚂 Chemin de fer touristique

◆ Base de loisirs

🎡 Parc d'attractions

🦌 Parc animalier, zoo

❋ Parc floral, arborétum

🦅 Parc ornithologique,
réserve d'oiseaux

🚶 Promenade à pied

😊 Intéressant pour
les enfants

Abréviations

A Chambre d'agriculture

C Chambre de commerce

H Hôtel de ville

J Palais de justice

M Musée

P Préfecture, sous-préfecture

POL. Police

🛡 Gendarmerie

T Théâtre

U Université, grande école

	site	station balnéaire	station de sports d'hiver	station thermale
vaut le voyage	★★★		✻✻✻	‡‡‡
mérite un détour	★★		✻✻	‡‡
intéressant	★		✻	‡

Autres symboles

🄸	Information touristique
═══ ═══	Autoroute ou assimilée
❶ ❶	Échangeur : complet ou partiel
	Rue piétonne
	Rue impraticable, réglementée
	Escalier - Sentier
	Gare - Gare auto-train
	Gare routière
	Tramway
Ⓜ	Métro
	Parking-relais
♿	Facilité d'accès pour les handicapés
✉	Poste restante
☎	Téléphone
✉	Marché couvert
✳	Caserne
△	Pont mobile
∪	Carrière
✕	Mine
B F	Bac passant voitures et passagers
	Transport des voitures et des passagers
	Transport des passagers
③	Sortie de ville identique sur les plans et les cartes Michelin
Bert (R.)...	Rue commerçante
AZ B	Localisation sur le plan

Carnet pratique

20 ch : 38,57 €	Nombre de chambres : prix de la chambre pour une personne/chambre pour deux personnes
demi-pension ou pension : 42,62 €	Prix par personne, sur la base d'une chambre occupée par deux clients
⊐ 6,85 €	Prix du petit déjeuner; lorsqu'il n'est pas indiqué, il est inclus dans le prix de la chambre (en général dans les chambres d'hôte)
120 empl. : 12,18 €	Nombre d'emplacements de camping : prix de l'emplacement pour 2 personnes avec voiture
12,18 € déj. - 16,74/38,05 €	Restaurant prix menu servi au déjeuner uniquement – prix mini/maxi : menus (servis midi et soir) ou à la carte
rest. 16,74/38,05 €	Restaurant dans un lieu d'hébergement, prix mini/maxi : menus (servis midi et soir) ou à la carte
repas 15,22 €	Repas type « Table d'hôte »
réserv.	Réservation recommandée
⊘	Cartes bancaires non acceptées
P	Parking réservé à la clientèle de l'hôtel

Les prix sont indiqués pour la haute saison

Les plus beaux sites

BALAGNE	★★★	Vaut le voyage
BASTIA	★★	Mérite un détour
AGRIATES	★	Intéressant
Levie		Autre site décrit dans ce guide ⚓

La cotation des stations balnéaires ⚓ répond à des critères liés à leur activité.

⚓ Croisières en mer

Liaisons maritimes par car-ferry :

▱ Liaison permanente

▱ Liaison saisonnière

0   10 km

la traversée

EN BATEAU

Les réservations au départ de la France continentale peuvent s'effectuer dans les agences de la SNCM *(liste page suivante)*, les gares principales et bureaux de tourisme de la SNCF, les agences de voyages. Depuis avril 1996, des navires à grande vitesse (NGV) assurent, uniquement pendant l'été, la liaison entre Nice et Calvi ou l'Île-Rousse (2h3/4) et entre Nice et Bastia (3h1/2) aux mêmes tarifs que les car-ferries. Réservations auprès des agences de la SNCM et de Corsica Ferries.

Pour la petite histoire, il faut savoir qu'en 1830, la première liaison maritime commerciale régulière entre le continent et la Corse mettait le port d'Ajaccio à près de 30h de Toulon. À la fin du siècle dernier, les paquebots-courriers de la Cie Freyssinet reliaient Marseille à Ajaccio en 16h et Nice à Bastia en 11 h, à la vitesse de 14 nœuds. Ce délai demeura longtemps la moyenne pour rejoindre l'Île de Beauté par la mer.

Mars 1996 constitua une nouvelle étape dans les avancées technologiques avec le baptême du navire à grande vitesse, *NGV Asco*, de la SNCM. Avec ce « bolide », Nice est désormais à 2h3/4 de Calvi et à 3h1/2 de Bastia. Construit dans des chantiers navals bretons, ce monocoque en aluminium, aux lignes futuristes (sa longueur est de 102 m), atteint une vitesse de croisière de 38 nœuds grâce à quatre moteurs à hydrojet développant 24 000 kW. Conçu pour le transport de 500 passagers et d'une centaine de véhicules légers sur de courtes distances par temps calme (il ne peut naviguer lorsque la mer affiche une force 5), il double en été les liaisons traditionnelles en car-ferries entre la Corse et le continent. Deux autres navires, aux caractéristiques identiques, mis en service sur les mêmes lignes durant l'été 1996, le *Corsica Express II* (reconnaissable à sa livrée jaune), de la compagnie Corsica Ferries, et le *NGV Aliso*, de la SNCM, ont confirmé le succès de cette formule.

Services maritimes passant les véhicules			
TA : toute l'année ES : en saison	Marseille	Nice	Toulon
Ajaccio	TA	TA	TA
Bastia	TA	TA	TA
Calvi	TA	TA	ES
L'Île-Rousse	TA	TA	
Porto-Vecchio	TA		
Propriano	TA		ES

Enfin, au printemps 2000, est apparue une nouvelle génération de navires offrant une capacité doublée et un confort accru. Ce super NGV navigue à la vitesse de 42 nœuds et peut affronter des creux de plus de 5 m ce qui le rend moins tributaire d'une bonne météo.

LES COMPAGNIES MARITIMES

Les liaisons maritimes entre le continent français, l'Italie, la Sardaigne, l'île d'Elbe et les ports corses sont assurées par les NVG et les car-ferries des compagnies suivantes :

SNCM (Sté nationale maritime Corse-Méditerranée) – BP 90, 13472 Marseille Cedex 02, ☎ 08 36 67 95 00, 3615 sncm et www.sncm.fr. Au départ de Marseille, Nice et Toulon.

CMN (Compagnie méridionale de navigation) – ☎ 0 810 20 13 20 ; à Ajaccio, bd Sampiero, port de commerce, ☎ 04 95 11 01 00 ; à Bastia, ☎ 04 95 55 25 55 ; à Marseille, ☎ 04 91 99 45 93.

Corsica Marittima – Nouvelle Gare Maritime, Terminal Sud, 20200 Bastia, ☎ 04 95 54 66 95. Liaison entre les ports italiens et la Corse.

Corsica Ferries – Assure des trajets entre Nice, Toulon, Savone, la Sardaigne et Bastia, Ajaccio et Calvi. Informations et réservations : ☎ 08 03 09 50 95 ; 5 bis r. Chanoine-Leschi, 20200 Bastia, ☎ 04 95 32 95 95 et 3615 corsica ferries.

Moby-Lines (SARL Colonna d'Istria et fils) – 4 r. du Cdt-Luce-de-Casabianca, 20200 Bastia, ☎ 04 95 34 84 94/90.

NGV Asco dans le port de Bastia.

Compagnie italienne de tourisme (CIT) – 3 bd des Capucines, 75002 Paris, ☎ 01 44 51 39 51. Réservations pour liaison maritime entre la Corse et l'Italie, la Sardaigne et l'île d'Elbe.

Depuis juillet 1993, l'Assemblée territoriale de Corse a institué une taxe à acquitter au moment de l'achat du billet par toute personne arrivant et sortant de Corse. Pour connaître le montant de cette taxe, se renseigner auprès des compagnies de transport.

EN AVION

La Corse dispose de quatre aéroports assurant des relations avec le continent, l'Italie et une partie de l'Europe :

Ajaccio (Campo dell'Oro) – ☎ 04 95 23 56 56.

Bastia (Poretta) – À 20 km au Sud de Bastia – ☎ 04 95 54 54 54.

Calvi (Sta Catarina) – À 8 km du centre-ville – ☎ 04 95 65 88 88.

Figari-Sud Corse – ☎ 04 95 71 10 10.

Air France propose des liaisons aériennes régulières de Paris vers Ajaccio et Bastia (4 vols par jour pendant l'été, 3 hors saison) et Calvi (1 vol quotidien en saison, 4 par semaine hors saison). Quelques vols depuis Lyon, Marseille, Toulouse et Nice. Informations et réservations : ☎ 0 802 802 802, ou www.airfrance.fr

CCM-Airlines relie Ajaccio et Bastia à Marseille, Nice et quelques grandes villes d'Europe. Informations et réservations, ☎ 0 820 820 820.

Nouvelles Frontières, avec sa filiale **Corsair**, assure des vols charters durant 6 mois de l'année de Paris vers les 4 aéroports de Corse. Quelques vols de Strasbourg, Lille, Nantes, Bordeaux et Toulouse. ☎ 0 825 000 825.

transports en Corse

EN TRAIN

Facilités de transport – Toute l'année, la carte ZOOM permet de voyager pendant 7 jours en toute liberté sur le réseau corse. 44,21€. Consigne gratuite dans toutes les gares pour un bagage de 20 kg maximum. Renseignement et vente : **Chemin de fer de la Corse (CFC)**, BP 237, 20294 Bastia Cedex, ☎ 04 95 32 80 57.

Informations générales – 3615 ou 3616 SNCF, www.sncf.fr ; informations sur le réseau régional, 3615 ou 3616 TER ; informations, réservation, vente, ☎ 08 36 35 35 35.

EN VOITURE

Quelques recommandations – Les routes de montagne, étroites et extrêmement sinueuses, souvent peu protégées du côté du ravin, exigent du conducteur une grande vigilance, surtout en période de mauvaise visibilité (brouillard d'automne sur le versant oriental, ou changement brusque de visibilité à proximité du col de Teghime), et jusqu'au 15 mai, voire début juin, lorsque l'enneigement ajoute aux difficultés de la chaussée. Les

emplacements de stationnement sont rares et certains hameaux, perchés au bout d'une route en cul-de-sac, peuvent constituer des épreuves redoutables au moment crucial du demi-tour. Sur les routes peu fréquentées, attention au bétail divagant ; utilisez fréquemment l'avertisseur sonore pour éviter des rencontres inopinées ! À l'exception de la route du littoral Est, la vitesse réduite reste le meilleur moyen de maîtriser toute situation inattendue et... de mieux apprécier le paysage. Enfin il est impératif de faire le plein avant un long trajet dans certaines régions où les postes d'essence sont rares, comme le Cap Corse, la Castagniccia, les Agriates.

Voitures de location – Les principales sociétés de location sont représentées dans l'île et mettent des voitures à disposition dans les ports et aéroports. Les compagnies aériennes desservent la Corse proposent également des forfaits avion-auto. Renseignez-vous auprès de ces compagnies.

Informations sur Internet et Minitel – Le site Internet www.ViaMichelin.fr offre une multitude de services et d'informations pratiques d'aide à la mobilité (calcul d'itinéraires, cartographie : des cartes pays aux plans de villes, sélection des hôtels et restaurants du Guide Rouge Michelin,...) sur 43 pays d'Europe. Les calculs d'itinéraires sont également accessibles sur Minitel (3615 ViaMichelin) et peuvent être envoyés par fax (36 17 ou 3623 Michelin).

tourisme et handicapés

Un certain nombre de curiosités décrites dans ce guide sont accessibles aux handicapés. Elles sont signalées par le symbole ♿. Pour de plus amples renseignements au sujet de l'accessibilité des musées aux personnes atteintes de handicaps moteurs ou sensoriels, contacter la Direction des musées de France, service des Publics, 6 r. des Pyramides, 75041 Paris Cedex 1, fax 01 40 15 35 80.

Guides Michelin Hôtels-Restaurants et Camping Caravaning France – Révisés chaque année, ils indiquent respectivement les chambres accessibles aux handicapés physiques et les installations sanitaires aménagées.

Comité national français de liaison pour la réadaptation des handicapés – 236 bis r. de Tolbiac, 75013 Paris, ☎ 01 53 80 66 66. Le **3614 Handitel** et **www.handitel.org** assurent un programme d'information au sujet des transports, des vacances, de l'hôtellerie et des loisirs adaptés, sur toute la France.

Guide Rousseau H... comme Handicaps – Édité par l'association France Handicaps (9 r. Luce-de-Lancival, 77340 Pontault-Combault, ☎ 01 60 28 50 12), il donne de précieux renseignements sur la pratique du tourisme, des loisirs, des vacances et des sports accessibles aux handicapés.

Hébergement, restauration

Séjours sur le littoral, à la campagne ou étapes dans les refuges perchés de la Corse montagneuse pour les mordus du GR 20, à chaque envie son type d'hébergement.

Les vacances au bord de la « Grande Bleue » demeurent la formule favorite des estivants. Les stations balnéaires sont largement pourvues d'hôtels, de pensions, de campings et de logements chez l'habitant et les sports nautiques sont déclinés sous toutes leurs formes dans les moindres criques ou ports de plaisance. Le charme des stations balnéaires corses vient du fait qu'elles sont restées, à quelques exceptions près, à taille humaine ; il y règne souvent une ambiance familiale et le paysage côtier n'a quasiment pas été dénaturé par les gros complexes de béton que l'on retrouve si souvent sur le littoral continental. Pour un séjour en juillet ou août, pensez tout de même à réserver suffisamment à l'avance car le littoral est très fréquenté. Sachez aussi que le tarif des hébergements augmente en juillet et davantage encore en août. Le prix d'une chambre varie en général du simple au double entre fin mai et août.

Plus à l'écart des foules, là où la cour de la ferme abrite les ânes qui vous emmèneront en randonnée, les fermes-auberges (dont le réseau « **Casa Toïa** ») au succès croissant conjuguent avec bonheur authenticité, cadre rustique et respect des traditions locales. Ici, vous serez plus proche de la vie corse et des… Corses.

Plus haut, dans la majesté de la chaîne montagneuse parcourue par le GR 20 et par les multiples sentiers de découverte, l'hébergement rural trouve toute sa raison et peut côtoyer des restaurants dont la réputation gastronomique dépasse largement leur vallée.

Dès l'automne, la saison de la chasse amène sur les tables victuailles et préparations raffinées où le sanglier occupe évidemment une place de choix. Rejoignez les villages perchés où les gîtes demeurent souvent l'unique forme d'hébergement et la meilleure carte de visite pour apprécier l'hospitalité des Corses. En matière d'hébergement et de restauration, tout le monde est sûr d'y trouver son compte…

les adresses du guide

Pour la réussite de votre séjour, vous trouverez la sélection des bonnes adresses de la collection LE GUIDE VERT. Nous avons sillonné la région pour repérer des chambres d'hôte et des hôtels, des restaurants et des fermes-auberges … En privilégiant des étapes, souvent agréables, au cœur des villes, des villages ou sur nos circuits touristiques, en pleine campagne ou les pieds dans l'eau ; des maisons de pays, des tables régionales, des lieux de charme et des adresses plus simples… pour découvrir la région autrement : à travers ses traditions, ses produits du terroir, ses recettes et ses modes de vie. Le confort, la tranquillité et la qualité de la cuisine sont bien sûr des critères essentiels ! Toutes les maisons ont été visitées et choisies avec le plus grand soin, toutefois il peut arriver que des modifications aient eu lieu depuis notre dernier passage : faites-le nous savoir, vos remarques et suggestions seront toujours les bienvenues ! Les prix que nous indiquons sont ceux pratiqués en **haute saison** ; hors saison, de nombreux établissements proposent des tarifs plus avantageux, renseignez-vous…

MODE D'EMPLOI

Au fil des pages, vous découvrirez nos carnets pratiques : toujours rattachés à des villes ou à des sites touristiques remarquables du guide, ils proposent une sélection d'adresses à proximité. Si nécessaire, l'accès est donné à partir du site le plus proche ou sur des schémas régionaux.

Dans chaque carnet, les maisons sont classées en trois catégories de prix pour répondre à toutes les attentes : Vous partez avec un budget inférieur à 40€ ? Choisissez vos adresses parmi celles de la catégorie **« À bon compte »** : vous trouverez là des hôtels, des chambres d'hôtes simples et conviviales et des tables souvent gourmandes, toujours honnêtes, à moins de 15€.

Votre budget est un peu plus large, jusqu'à 75€ pour l'hébergement et 30€ pour la restauration. Piochez vos étapes dans les **« Valeurs sûres »**. Dans cette catégorie, vous trouverez des maisons, souvent de charme, de meilleur confort et plus agréablement

Douceurs et pâtisseries corses

aménagées, animées par des passionnés, ravis de vous faire découvrir leur demeure et leur table. Là encore, chambres et tables d'hôte sont au rendez-vous, avec également des hôtels et des restaurants plus traditionnels, bien sûr.

Vous souhaitez vous faire plaisir, le temps d'un repas ou d'une nuit, vous aimez voyager dans des conditions très confortables ? La catégorie **« Une petite folie »** est pour vous... La vie de château dans de luxueuses chambres d'hôte pas si chères que cela ou dans les palaces et les grands hôtels : à vous de choisir ! Vous pouvez aussi profiter des décors de rêve de lieux mythiques à moindres frais, le temps d'un brunch ou d'une tasse de thé... À moins que vous ne préfériez casser votre tirelire pour un repas gastronomique dans un restaurant renommé. Sans oublier que la traditionnelle formule « tenue correcte exigée » est toujours d'actualité dans ces élégantes maisons !

L'HÉBERGEMENT

LES HÔTELS

Nous vous proposons un choix très large en terme de confort. La location se fait à la nuit et le petit-déjeuner est facturé en supplément. Certains établissements assurent un service de restauration également accessible à la clientèle extérieure.

LES CHAMBRES D'HÔTE

Vous êtes reçu directement par les habitants qui vous ouvrent leur demeure. L'atmosphère est plus conviviale qu'à l'hôtel, et l'envie de communiquer doit être réciproque : misanthropes, s'abstenir ! Les prix, mentionnés à la nuit, incluent le petit-déjeuner. Certains propriétaires proposent aussi une table d'hôte, en général le soir, et toujours réservée aux résidents de la maison. Il est très vivement conseillé de réserver votre étape, en raison du grand succès de ce type d'hébergement.

NB : certains établissements ne peuvent pas recevoir vos compagnons à quatre pattes ou les accueillent moyennant un supplément, pensez à le demander lors de votre réservation.

LES RÉSIDENCES HÔTELIÈRES

Adapté à une clientèle de vacanciers, la location s'y pratique à la semaine mais certaines résidences peuvent, suivant les périodes, vous accueillir à la nuitée. Chaque studio ou appartement est généralement équipé d'une cuisine ou d'une kitchenette.

LES GÎTES RURAUX

Les locations s'effectuent à la semaine ou éventuellement pour un week-end. Totalement autonome, vous pourrez découvrir la région à partir de votre lieu de résidence. Il est indispensable de réserver, longtemps à l'avance, surtout en haute saison.

LES CAMPINGS

Les prix s'entendent par nuit, pour deux personnes et un emplacement de tente. Certains campings disposent de bungalows ou de mobile homes d'un confort moins spartiate : renseignez-vous sur les tarifs directement auprès des campings.

N.B. : Certains établissements ne peuvent pas recevoir vos compagnons à quatre pattes ou les accueillent moyennant un supplément, pensez à demander lors de votre réservation.

LA RESTAURATION

Pour répondre à toutes les envies, nous avons sélectionné des restaurants régionaux bien sûr, mais aussi classiques, exotiques ou à thème... Et des lieux plus simples, où vous pourrez grignoter une salade composée, une tarte salée, une pâtisserie ou déguster des produits régionaux sur le pouce. Quelques fermes-auberges vous permettront de découvrir les saveurs de la France profonde. Vous y goûterez des produits authentiques provenant de l'exploitation agricole, préparés dans la tradition et généralement servis en menu unique. Le service et l'ambiance sont bon enfant. Réservation obligatoire !

Enfin, n'oubliez pas que les restaurants d'hôtels peuvent vous accueillir.

... et aussi

Si d'aventure vous n'avez pu trouver votre bonheur parmi toutes nos adresses, vous pouvez consulter les Guides Michelin d'hébergement ou, en dernier recours, vous rendre dans un hôtel de chaîne.

LE GUIDE ROUGE HÔTELS ET RESTAURANTS FRANCE

Pour un choix plus étoffé et actualisé, LE GUIDE ROUGE recommande hôtels et restaurants sur toute la France. Pour chaque établissement, le niveau de confort et de prix est indiqué, en plus de nombreux renseignements pratiques. Les bonnes tables, étoilées pour la qualité de leur cuisine, sont très prisées par les gastronomes. Le symbole **« Bib Gourmand »** sélectionne les tables qui proposent une cuisine soignée à moins de 21€.

LE GUIDE CAMPING FRANCE

Le Guide Camping propose tous les ans une sélection de terrains visités régulièrement par nos inspecteurs. Renseignements pratiques, niveau de confort, prix, agrément, location de bungalows, de mobile homes ou de chalets y sont mentionnés.

LES CHAÎNES HÔTELIÈRES

L'hôtellerie dite « économique » peut éventuellement vous rendre service. Sachez que vous y trouverez un équipement complet (sanitaire privé et télévision), mais un confort très simple. Souvent à proximité de grands axes routiers, ces établissements n'assurent pas de restauration. Toutefois, leurs tarifs restent difficiles à concurrencer (moins de 38€ la chambre double). En dépannage, voici donc la centrale de réservation d'une chaîne :
Villages Hôtel, ☎ 03 80 60 92 70
Enfin, les hôtels suivants, un peu plus chers (à partir de 46€ la chambre), offrent un meilleur confort et quelques services complémentaires :
Campanile, ☎ 01 64 62 46 46
Kyriad, ☎ 01 64 62 51 96
Ibis, ☎ 0 803 88 22 22

HÉBERGEMENT RURAL

GÎTES DE FRANCE

Maison des Gîtes de France et du Tourisme vert – 59 r. St-Lazare, 75439 Paris Cedex 09, ☎ 01 49 70 75 75. Cet organisme donne les adresses des relais départementaux et publie des guides sur les différentes possibilités d'hébergement en milieu rural (gîte rural, chambre et table d'hôte, gîte d'étape, chambre d'hôte et gîte de prestige, gîte de neige, gîte et logis de pêche, gîtes équestres). 3615 gîtes de France. www.gites-de-France.fr
Le Parc régional diffuse une liste des **refuges et gîtes** à l'usage des promeneurs empruntant les circuits balisés par le Parc, ☎ 04 95 51 79 10.

FERMES-AUBERGES

Casa Toïa – 20259 Pioggiola, ☎ 04 95 61 90 48. Le groupement des auberges corses « Casa Toia » propose un ensemble d'étapes dans un cadre rural.
Maison de l'agriculture – 19 av. Noël-Franchini, 20700 Ajaccio Cedex 9, ☎ 04 95 29 26 40. La Chambre d'Agriculture regroupe les informations sur les accueils et hébergements dans les fermes-auberges.

COUVENTS

Quelques couvents proposent l'hébergement : Bastia, couvent St-Antoine ; en Balagne, couvent de Corbara ; dans la commune de Cateri, couvent de Marcasso ; dans le Cap Corse à Erbalunga, couvent des Bénédictins, et à Vico, couvent de Sainte-Marie. Ces établissements religieux offrent également la possibilité d'effectuer des retraites spirituelles. Se renseigner sur place.

AUBERGES DE JEUNESSE

Ligue française pour les Auberges de la Jeunesse – 67 r. Vergniaud, 75013 Paris, ☎ 01 44 16 78 78. 3615 auberge de jeunesse et www.auberges-de-jeunesse.com. La carte LFAJ est délivrée contre une cotisation annuelle de 10,67€ pour les moins de 26 ans et de 15,24€ au-delà de cet âge.

HÉBERGEMENT POUR RANDONNEURS

Les randonneurs peuvent consulter le guide *Gîtes d'étapes, refuges*, par A. et S. Mouraret (Rando-Éditions, BP 24, 65421 Ibos, ☎ 05 62 90 09 90, service télématique 3615 cadole). Cet ouvrage est principalement destiné aux amateurs de randonnées, d'alpinisme, d'escalade, de ski, de cyclotourisme et de canoë-kayak.
En outre, le **Guide corse de la Corse,** édité chaque année et diffusé dans l'île, fournit des adresses pratiques et d'hébergement en dehors des circuits traditionnels.

choisir son lieu de séjour

La carte des lieux de séjour fait apparaître des **villes-étapes**, localités de quelque importance possédant de bonnes capacités d'hébergement, et qu'il est intéressant de visiter. En plus des **stations de sports d'hiver** et des **stations thermales**, sont signalés les **lieux de séjour traditionnel** sélectionnés pour leurs possibilités d'accueil et l'agrément de leur site.
Les lieux les plus touristiques (Balagne, golfe d'Ajaccio, golfe de Porto, « extrème-Sud », etc.) sont riches en infrastructures.
D'autres régions, moins bien équipées, abritent tout de même quelques bonnes auberges que l'on prendra soin de réserver. À la période de la récolte des châtaignes, consacrez, par exemple, une partie de votre séjour à la Castagniccia, grenier à châtaignes de la Corse : l'animation dans les villages sera une révélation du dynamisme de la région. À l'autre bout de l'île, le désert des Agriates réserve de bien belles satisfactions à qui s'en donne la peine : plages immenses et quasi désertiques (hors l'affluence aoûtienne).

Lieux de séjour

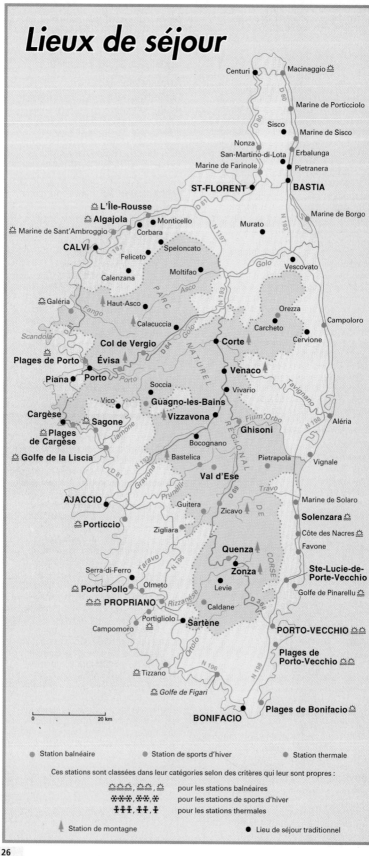

Station balnéaire   Station de sports d'hiver   Station thermale

Ces stations sont classées dans leur catégories selon des critères qui leur sont propres :

⚲⚲⚲, ⚲⚲, ⚲   pour les stations balnéaires
❋❋❋, ❋❋, ❋   pour les stations de sports d'hiver
‡‡‡, ‡‡, ‡   pour les stations thermales

🔺 Station de montagne   ● Lieu de séjour traditionnel

Propositions de séjour

La Corse destination lointaine ? Depuis n'importe quel point de la métropole les liaisons aériennes mettent la Corse à moins de 2h de vol. En voiture, les ports d'embarquement de la côte méditerranéenne offrent une traversée variant entre 6 h pour les ferries et 3 h en moyenne pour les NGV (qui acceptent les voitures particulières). Évidemment, pour une courte escapade de 4 jours, privilégiez l'avion ou le transport en NGV et choisissez votre circuit en fonction des points de liaison de ces navires : Bastia (3h1/2) ou Calvi (2h3/4).

idées de week-end prolongé

AU DÉPART D'AJACCIO

Vous voilà pour quatre jours face au somptueux décor naturel de la baie d'Ajaccio que vous allez découvrir depuis son extrémité Sud, la pointe Guardiola, jusqu'au magnifique finistère de la pointe de la Parata au Nord, prolongée par le chapelet des Sanguinaires.
Le premier jour, imprégnez-vous des senteurs de la ville, flânez sur le marché derrière la mairie et déambulez dans les rues étroites autour du musée Fesch. Ce sera votre premier contact avec l'île. Consacrez quelques heures pour découvrir la richesse des tableaux collectionnés par le cardinal Fesch dans le musée qui porte son nom. Gloire de la ville, ce musée est le second de France pour les primitifs italiens. Le soir, abandonnez-vous au charme et à l'hospitalité insulaire dans l'un des restaurants proposant une vraie cuisine régionale avec souvent, en prime, des récitals de chanteurs (en saison). Humez l'air du port ou partez sur la route de la pointe de la Parata à l'heure du coucher de soleil : souvenirs et spectacle naturel garantis !
Le 2e jour, vous pouvez dédier votre matinée aux deux musées présentant l'histoire d'Ajaccio (musée du Capitello) et l'histoire de l'île (A Bandera). Les fans de Napoléon Ier iront ensuite se recueillir près de la grotte où le petit « Nabulio » aimait jouer puis aux Milleli, maison de campagne où il grandit. Ceux qui auront filé directement vers Porticcio apprécieront les vues grandioses de la côte Sud. Pour rejoindre cette station réputée du golfe, les adeptes du bronzage prendront le bateau navette entre le vieux port d'Ajaccio et Porticcio. Au-delà de Porticcio, la côte ménage de superbes anses de sable séparées par des promontoires rocheux toujours coiffés d'une tour génoise. Alternez baignades et promenades sur le sentier du littoral et allez découvrir un patrimoine peu connu : la forêt d'eucalyptus de Coti-Chiavari, les chapelles isolées... Le périple de l'après-midi aboutit au site archéologique de Filitosa, véritable mémoire de l'humanité. Rentrez ensuite tranquillement à Ajaccio par la route de l'intérieur.
Le lendemain (3e jour), prenez de la hauteur et allez faire connaissance avec la Corse de l'intérieur. Remontez la vallée de la Gravone qui mène au col de Vizzavona. Pour les enfants et les passionnés, une halte au parc des tortues Cuppulata offrira une rencontre unique avec toutes les espèces de tortues. Ensuite marquez un arrêt à Bocognano, village au caractère préservé puis au col de Vizzavona, dont les excursionnistes de la Belle Époque avaient fait leur coqueluche. Si la météo vous le permet, montez au fort de Vizzavona. Des ruines dominant le col, le paysage est saisissant. Vous pouvez ensuite rejoindre Corte pour le déjeuner, puis entamer la visite de la citadelle et du Musée de la Corse. Ce musée offre une remarquable synthèse de la culture traditionnelle corse. Retour sur Ajaccio par la même route ; choisissez, selon votre goût, un restaurant en bord de mer sur la route des Sanguinaires.
Le quatrième jour, la matinée peut être dédiée à l'excursion en bateau aux îles Sanguinaires. L'après-midi dirigez-vous plein Nord par la route de Porto jusqu'à Cargèse, condensé unique de culture latine et grecque. Prenez votre temps, ici la vie présente un autre goût. Pour ceux que rebute une après-midi sur les routes, le temps restant peut être consacré aux emplettes et aux souvenirs.

Le Cap Corse

Au départ de Bastia

Que vous arriviez par l'aéroport de Poretta ou en NGV, vous rejoignez le cœur de l'ancienne métropole corse par son centre névralgique, la place St-Nicolas. Vu du quai des Martyrs, l'animation portuaire se révèle intense et fort tardive. La visite à pied débute par la cathédrale St-Jean-Baptiste puis par le vieux port, au charme si méditerranéen. Atteignez le quartier de Terra-Nova, occupé par l'ancienne citadelle génoise. Un festival d'art baroque vous attend lors de la visite des églises. La tête pleine d'angelots et de volutes dorées, descendez vers le môle du vieux port pour embrasser la vue de la vieille ville. Le soir, profitez d'un repas à la terrasse d'un établissement du vieux port et d'une animation musicale dans l'un des cabarets traditionnels voisins.

Le lendemain, montez sur les « gradins » entourant Bastia. Au col de Teghime, admirez le panorama sur le golfe de St-Florent, le Nebbio, Bastia et la plaine orientale. Flânez à St-Florent et, si vous avez le temps, prenez un bateau pour la plage du Loto dans les Agriates ; vous ne le regretterez pas ! Retour sur Bastia sans oublier une pause dégustation de vins à Patrimonio.

Le troisième jour peut être consacré à la découverte du Cap Corse. Partez de bonne heure. Direction Erbalunga, pittoresque village les pieds dans l'eau, puis San Martino di Lota et ses chapelles dispersées dans la nature. Tout au long de la corniche qui ceinture le cap, vous hésiterez entre les criques aux eaux turquoise (difficile d'y résister en période de canicule !) et les belvédères en bordure des villages dominant le littoral. À Macinaggio, consacrez le temps suffisant à une mini-randonnée sur le sentier du littoral ourlant le secteur de Santa Maria. La nature y est restée comme au jour de la création ! Le moulin Mattei, précurseur de la « réclame », et le charmant port de Centuri vous feront passer sur l'autre versant du cap. En fin de journée, faites une pause à Nonza avant de poursuivre sur Patrimonio et Bastia.

Le dernier jour, découvrez une Corse plus intime dans le Nebbio et l'orée de la Castagniccia. Vous effectuerez une remontée dans le temps jusqu'à l'époque des premiers chrétiens. Commencez par une visite du site de Mariana et de la première cathédrale de l'île, la Canonica. Puis empruntez les chemins de traverse qui sillonnent le Nebbio par le col de San Stefano. Isolée à l'entrée du village, l'église San Michele de Murato apparaît dans un magnifique dépouillement. Votre route longe ensuite un des hauts lieux de l'histoire de la Corse : Ponte Nuovo qui marqua la défaite de Paoli et la fin de l'indépendance. Sur l'autre versant, vous pénétrez dans la verte Castagniccia par la vallée de Murato, dont l'architecture est bien représentative de la région. À Morosaglia, vous retrouverez Pascal Paoli, le père de la nation corse. Retour à Bastia par le littoral.

Au départ de Calvi

Dès l'approche depuis le large, la « cité du vent » (surnommée ainsi depuis la création du Festival du vent) garde fière allure avec sa citadelle plongeant dans les eaux bleues. Au programme du premier jour, notons la visite de la vieille ville et une montée à Notre-Dame-de-la-Serra pour apprécier le panorama sur l'ensemble du golfe de Calvi. Le soir, vous pourrez choisir l'un des restaurants du port et profiter d'une animation chaleureuse.

Le deuxième jour, excursion jusqu'au cirque de Bonifato ; pour mieux saisir toute la magie du lieu, partez dès les premières heures du jour. Vous disposerez ainsi du temps nécessaire pour accéder à la célèbre passerelle de Spasimata (immortalisée dans le film *Les Randonneurs*). Retour par Calenzana et son église au clocher baroque.

Le troisième jour vous permettra de sillonner la Balagne de l'intérieur, par les petites routes en corniche qui relient les villages entre Montegrosso et Palasca. Ne manquez pas les « perles » de la Balagne : Speloncato, Sant'Antonino et Pigna. Les possibilités de restauration à l'Île-Rousse et à Algajola sont nombreuses. Le dernier jour rendra votre séjour inoubliable : la visite de la réserve de Scandola en bateau (à faire par très beau temps). L'excursion dans cette réserve sera le prétexte pour vous faufiler dans l'antre d'un monde minéral très particulier (il a été le premier site de Corse classé au patrimoine mondial de l'UNESCO). Déjeuner à terre à Girolata, avec un peu de chance sous le regard placide des aigles balbuzard qui peuplent ces pointes rocheuses.

idées de séjour d'une semaine

Les charmes du Sud

Départ de Porto-Vecchio qui n'offre pas de monument de premier ordre ; cependant c'est dans l'atmosphère de la vieille ville que l'on aimera se retrouver le soir. Auparavant, vous aurez fait le tour du golfe jusqu'à la pointe de la Chiappa et profité du beau temps pour une première rencontre avec la Méditerranée en vous baignant à Palombaggia.

Au départ de Porto-Vecchio, votre deuxième journée peut être consacrée aux vestiges torréens qui abondent autour de la cité du sel : Castello d'Araghju, Torre. Vous poursuivrez cette découverte de l'intérieur jusqu'à Zonza, étape du soir.

Aux aurores, le lendemain (3e jour), vous accompagnerez les alpinistes qui vont se mesurer aux aiguilles de Bavella mais sagement vous vous contenterez d'une promenade dans le sous-bois jusqu'au trou de la bombe et au panorama offert sur les fameuses aiguilles. Descente en fin de journée par Zonza sur l'Alta Rocca et sa capitale, Levie, où la visite du musée vous préparera à celle, plus champêtre, du site de Cucuruzzu le lendemain matin.

Ainsi vous mesurerez combien la civilisation des Mégalithes avait de l'ambition (taille colossale des pierres), et manifestement du goût (choix de sites qui embrassent des paysages magnifiques). Retour à l'ère chrétienne en faisant un crochet par l'humble église de Carbini dont le clocher roman avait déjà enthousiasmé Mérimée. Puis, par Ste-Lucie-de-Tallano, vous rejoindrez la vallée du Rizzanèse avant de bifurquer sur la droite par la D 19 qui serpente entre Arbellara et Viggianello, procurant presque à chaque virage de superbes échappées sur le littoral et la montagne. Halte du quatrième jour à Propriano, l'un des meilleurs endroits pour savourer un « aziminu », variante corse de la bouillabaisse.

Le cinquième jour débutera par la visite du site mégalithique de Filitosa, l'un des plus étranges que nos ancêtres nous aient légués. Remontez le Rizzanèse jusqu'au fameux pont génois de Spin'a Cavallu, puis rejoignez Sartène et son musée préhistorique, unique dans l'île. Bonne entrée en matière pour vérifier ensuite sur le terrain vos connaissances fraîchement acquises, par exemple au site mégalithique de Cauria. Vous reviendrez sur vos pas pour profiter encore de la « Grande Bleue » à Tizzano, admirable anse dominée par un vieux fort et déguster une préparation de la mer dans une des auberges les pieds dans l'eau. Halte du soir à Sartène.

Le sixième jour, en prenant la route de Bonifacio, accordez-vous une halte au lion de Roccapina puis faites une dégustation de langoustes auprès des pêcheurs de Caldarello et des vins de Sartène aux coopératives de Figari.

Foire de l'olivier.

Faites une pause panorama sur les hauteurs du plateau, à l'ermitage de la Trinité, pour découvrir le site incomparable de Bonifacio. Vous voici maintenant à Bonifacio, vous disposez encore de temps pour arpenter les quais de la marine et les remparts face aux bouches.

La journée suivante (7e jour) peut être, au choix, « vieilles pierres » ou « grand large » : visite des musées et flâneries dans la ville haute, ou excursion en bateau aux îles Lavezzi qui permet de longer les impressionnants à-pics des falaises. Retour à Porto-Vecchio le lendemain.

DES LACS DE MONTAGNE AUX CALANCHE DE PIANA

Départ de Corte, capitale de la Corse de l'intérieur, où l'on visite le premier jour le Musée de la Corse et les chapelles baroques. Puis, en sillonnant les hauteurs du Cortenais, on s'imprègnera des ambiances rudes des villages traditionnels de la Haute-Corse : Soveria, Tralonca, et Sermano. Ici, découvrez un des joyaux de l'art médiéval, les fresques de la chapelle San Nicolao. Si ce registre vous enthousiasme, poussez votre périple dans le Bozio jusqu'au village voisin de Favalello et sa chapelle Ste-Maria-Assunta. En revenant à Corte pour la première étape, empruntez le pont génois d'Altiani, largement remanié par les ingénieurs français.

Le lendemain (2e jour), randonnée vers la vallée de la Restonica au petit matin et excursion au lac de Melo. Les plus hardis (mais sans compétence particulière) pousseront jusqu'au lac de Capitellu. Dépaysement garanti ! Retour en fin d'après-midi à Corte pour rejoindre Aléria par la vallée du Tavignano. Étape à Aléria.

Le troisième jour, visite du site d'Aléria et de son musée avant de remonter la côte vers le Nord jusqu'à Vescovato. Profitez des longues plages de sable pour vous accorder une pause baignade.

Le quatrième jour, retour sur le littoral pour la visite de la Canonica et des fouilles de Mariana (antique cité romaine) puis l'on pénètre dans le Nebbio jusqu'à Murato pour découvrir l'art pisan. Déjeuner à Murato. Rejoignez le littoral à St-Florent, étape du soir. Le cinquième jour, visite de l'ancienne cathédrale du Nebbio, contemporaine de la Canonica, et traversée du désert des Agriates (marquez une pause au col de Vezzu pour apprécier l'immensité désolée du site). Vous rejoignez ainsi la côte fleurie de la Balagne. Étape déjeuner à l'Île-Rousse que l'on découvrira mieux depuis la presqu'île de la Pietra. Puis vous vous dirigerez vers la corniche de la Balagne par les villages de Pigna, Sant'Antonino, Feliceto, Zilia et Calenzana. Étape du soir à Calvi.

Le sixième jour, l'itinéraire épousera la côte jusqu'à Porto (à l'exception du secteur de Scandola). Après un déjeuner dans le petit port, prenez le bateau pour le golfe de Girolata et approchez ainsi ce que la route ne vous a pas permis d'apprécier : la punta Rossa. Remontez ensuite le cours du Porto jusqu'à Évisa. Le septième jour débute par la traversée de la magnifique forêt d'Aitone jusqu'au col de Vergio (saisissez l'occasion pour descendre jusqu'aux bergeries de Grutelle ; en saison, le berger vous proposera de savoureux fromages !). La traversée du Niolo sera ponctuée par la fraîcheur du lac de Calacuccia et celle des gorges de Scala di Santa Regina. Retour à Corte par Castirla.

Circuits de découverte

Pour visualiser l'ensemble des circuits proposés, reportez-vous à la carte p. 14 du guide.

1 CAP CORSE ET NEBBIO

Circuit de 275 km au départ de Bastia – Après la visite de l'ancienne capitale de l'île de Beauté, le vacancier « s'embarque » pour le Cap Corse et ne saura que choisir entre les villages surplombant la mer, les chapelles baroques perdues dans le maquis, les tours génoises dominant les petites marines.
La route en corniche qui ceinture le cap offre autant d'occasions de visites, de balades que de pauses agréables : village marin d'**Erbalunga**, chapelle de **Sisco**, accueillant le port de plaisance de **Maccinaggio** et escapade pédestre par le sentier des douaniers au cœur d'un splendide secteur préservé. Citons également **Barcaggio**, « cap Nord » de la Corse, toujours battu par les vents puis la crique de **Centuri**, véritable port-miniature où cacher ses rêves, et lieu réputé pour la langouste. **Nonza** tout en hauteur sur son promontoire, **Patrimonio** où la dégustation du fameux cru s'impose et enfin **St-Florent** et son port de plaisance. Accordez-vous une journée de détente au cœur des **Agriates** sauvages en prenant le bateau de St-Florent jusqu'à la sublime plage du Loto : un monde à part. Vient ensuite l'Ostriconi et son enfilade de villages cramponnés sur les hauteurs, puis enfin le Nebbio et l'un des joyaux de l'art pisan dans l'île : la chapelle

San Michele de Murato, isolée sur sa colline. Pour conclure ce circuit, découvrez le panorama de Bastia et de la côte Est depuis le col de Teghime.

2 BALAGNE ET NIOLO

Circuit de 283 km au départ de Calvi – Tous les plus beaux sites du Nord-Ouest de la Corse sont au programme de ce circuit. Imaginez plutôt : les villages perchés de Balagne (dont **Sant'Antonino**, l'un des plus célèbres), dominant une côte où alternent immenses plages de sable et criques découpées dans une roche rouge. Derrière s'étend le Niolo, pays difficilement accessible par la route, réputé pour être le grenier des traditions montagnardes insulaires. L'artisanat renommé se déniche à **Pigna**, **Corbara** et **Belgodère**, mais aussi à **Calaccucia** et **Évisa**.

Palombaggia

Le formidable défilé de la **Scala Santa Regina** compose un tableau surprenant d'amas de roches rouges dans lesquels la route réussit à se faufiler. Sur ce trajet, vous ne serez pas seul : ici le voyage se partage avec les troupeaux de moutons en transhumance ! S'offre ensuite le grand spectacle du **golfe de Porto** que vous longerez vers le Nord en contournant la **réserve de Scandola** (accessible uniquement par mer) pour traverser l'étendue sauvage du **Filosorma** autour de Galéria. Enfin embrassez la baie de Calvi depuis la terrasse de Notre-Dame-de-la-Serra.

Diorite orbiculaire travaillée et polie

③ CALANCHE ET CINARCA

Circuit de 245 km au départ de Porto – Première image : un décor exceptionnel que l'imagination humaine la plus débridée n'aurait pas osé inventer, les **calanche de Piana**, châteaux fantasmagoriques de granit rouge qui plongent dans la mer. Profitez-en pour entreprendre l'une des balades décrites dans le chapitre « Les Calanche ». Plus au Sud, c'est **Cargèse**, « la grecque », puis le **golfe de Sagone** qui invite à la baignade. En franchissant le torrent Liamone, on pénètre dans la **Cinarca**, région plus secrète où les villages se font écho du haut de leur colline qui embaument les senteurs du maquis, parfois tardivement dans la saison. Chaque village a son caractère et son église particulière la distingue de ses voisins : vous ne vous en lasserez pas. Pour vous rafraîchir, effectuez la petite randonnée dépaysante qui mène au **lac de Creno**, recouvert de nénuphars. Enfin, depuis les hauteurs d'**Évisa**, appréciez la douceur du soir dans la vallée.

④ CASTAGNICCIA, TAVIGNANO ET BOZIO

Circuit de 223 km au départ de Corte – C'est un peu la Corse intime à laquelle vous invite ce périple. Vous êtes à Corte, où « bat le cœur de la Corse » et vous avez justement apprécié les richesses du patrimoine conservées au Musée de la Corse. Chacune des trois vallées que vous allez maintenant traverser constitue une micro-région aux particularismes parfois étonnamment affirmés et vivaces.
La plus connue, la **Castagniccia,** véritable grenier à châtaignes de la Corse où chaque village est enfoui dans l'épais manteau vert, s'est dotée d'églises richement décorées. La plus discrète, le **Bozio**, vous révélera, au terme d'incroyables méandres de routes minuscules, de surprenantes fresques cachées dans de modestes chapelles de villages encore bien actifs. Cette Corse là se mérite !
Enfin l'axe de la vallée du **Tavignano** permet d'accéder au rivage et à la superbe corniche de la Castagniccia,

façade maritime d'un monde tourné vers la montagne.

⑤ SUR LES PAS DES BERGERS

Circuit de 253 km au départ d'Ajaccio – La Corse traditionnelle n'est jamais loin des villes et des grands axes de communication. Au départ d'Ajaccio, vous quittez l'ombre de Napoléon, omniprésente sur la cité impériale, pour celle plus diffuse des bergers qui vous salueront dès les premiers virages de l'arrière-pays jusqu'au cœur d'une des vallées les plus préservées, la **Restonica**.
Pour y accéder, prenez le chemin des écoliers qui remonte la région du **Taravo** ; oscillez entre les **vallées de Zicavo et de Ghisoni**, sous l'œil du **monte Renoso**. Traversez **Marmano**, l'une des plus belles forêts de Corse, pour atteindre les sauvages **gorges de l'Inzecca** où l'homme – fut-il berger intrépide – n'ose guère s'installer. **Venaco**, aux solides traditions fromagères saura vous charmer par ses innombrables troupeaux de chèvres. Enfin, les **gorges de la Restonica**, sans être les plus sauvages de l'île, offrent en toute saison une étonnante palette de couleurs. On retrouve à la fois la végétation méridionale et le paysage de haute montagne plus habituel aux massifs alpins.

⑥ AIGUILLES DE BAVELLA ET FALAISES DE BONIFACIO

Circuit de 220 km au départ de Bonifacio – « À la découverte du Grand Sud » pourrait être le sous-titre de cette excursion ; nous voici en effet dans la partie la plus méridionale de la France métropolitaine. La mer et la montagne conjuguent ici les plus beaux paysages. N'oubliez pas votre maillot pour vous plonger dans les eaux des plus belles plages de la côte Est **(Rondinara, Sta Giulia, Palombaggia)**. Après une visite de la vieille ville de **Porto-Vecchio**, rejoignez les **sites torréens** de Araghju et Torre avant de prendre contact avec la montagne au **col de Bavella**. N'hésitez pas à consacrer quelques heures à l'excursion du **trou**

de la Bombe. Votre route sera ensuite ponctuée de multiples vestiges : forteresse de **Cucuruzzu**, campaniles romans, et ponts pisans de **Carbini** et de **Spin'a Cavallu**. Depuis la plus « corse des villes corses », **Sartène,** allez savourer la lumière qui joue sur les rochers de granit de la côte de Roccapina. Vous y reconnaîtrez des animaux gigantesques, taillés dans la roche ; ils vous accompagneront jusqu'au terme de votre périple à Bonifacio.

7 LES GRANDS SITES NATURELS

Circuit de 649 km au départ d'Ajaccio ou de Bastia – C'est votre premier contact avec la Corse et vous ne disposez que d'une semaine pour ne rien rater des « must » de l'île de Beauté. Ce sera le circuit des superlatifs que vous amorcerez de l'un des deux grands ports corses, Bastia ou Ajaccio. Ciel et mer unis au bout du **Cap Corse**, cimes tardivement enneigées et majestueuses futaies de pins laricio du centre, falaises blanches de l'extrême Sud, théâtre de granit plongeant dans la mer à **Porto** et **Scandola**. Les villages perchés sauront vite vous faire oublier la longueur des étapes : à l'ombre d'une treille, savourez la pause devant une préparation de charcuterie, de fromage ou une alléchante composition de poissons.

Découvrir l'île autrement

en train

Le premier coup de pioche annonçant l'introduction du chemin de fer en Corse (CFC) fut donné en 1878. Dès 1888, un train relia Bastia à Corte. La ligne fut ensuite prolongée jusqu'à Ajaccio, puis vers Calvi par Ponte-Leccia. À son développement maximum en 1935, le réseau couvrait 360 km avec la mise en service du tronçon Bastia-Porto-Vecchio. Mais la ligne de la côte orientale, gravement endommagée lors de la Seconde Guerre mondiale, fut abandonnée. Les 230 km à voie unique et métrique actuellement en service constituent à plus d'un titre la liaison ferroviaire « la plus pittoresque d'Europe ». Le train est certainement le moyen le plus original de découvrir des sites naturels de l'île difficilement accessibles par la route. Le trajet offre des panoramas sous un angle unique, même en hiver, puisque le tronçon principal est constamment déneigé. Le parcours montagnard Bastia-Ajaccio via Corte compte parmi les plus beaux d'Europe. Partant du niveau de la mer, la voie franchit la chaîne centrale pour culminer à Vizzavona à 906 m, puis redescend au niveau de la mer. L'ensemble du réseau ne comprend pas moins de 38 tunnels dont le plus remarquable, celui de Vizzavona, en forte pente est en ligne droite rigoureuse sur 4 km : dès l'entrée on en voit la sortie, minuscule point de lumière. La voie emprunte sur l'ensemble du réseau 12 ponts et 34 viaducs dont le plus célèbre est le pont du Vecchio. Le fleuron des CFC est sans doute le superbe parcours « aérien » Bocognano-Corte.

Train CFC en gare de Vizzavona.

L'autre originalité de ce réseau est la desserte, en saison, du littoral de Calvi à l'Île-Rousse sur un trajet épousant au plus près les plages le long desquelles les nombreux arrêts sont autant de possibilités de découvertes.

en bateau

Pour apprécier pleinement l'aspect préservé du littoral en Corse, la promenade en mer reste un moyen peu exigeant en effort et procurant un grand dépaysement. Ce sera souvent le clou d'un séjour.

en pleine nature

À TRAVERS LE PARC NATUREL RÉGIONAL DE CORSE

Le Parc naturel régional de Corse s'étend sur environ 350 500 ha soit plus du tiers de l'île, et concerne le territoire de 143 communes. Il

PORT D'EMBARQUEMENT	DESTINATIONS
Ajaccio	Les îles Sanguinaires, la réserve de Scandola et Bonifacio : Cie des promenades en mer ☎ 04 95 51 31 31.
Bonifacio	Les îles Lavezzi et Cerbicale (plusieurs compagnies), l'archipel italien de la Maddalena (Cie Starimar).
Calvi	Calanche de Piana et réserve de Scandola : Colombo Lines ☎ 04 95 65 32 10.
Porto	Calanche de Piana et réserve de Scandola.
Porto-Vecchio	Les îles Lavezzi et Cerbicale.
Propriano	Tour du golfe de Valinco.
St-Florent	Navette vers les Agriates (plage du Loto).
ESCAPADE EN ITALIE	
Île d'Elbe	Au départ de Bastia, sur deux jours minimum en voiture : traversée Bastia-Piombino, puis Piombino-Porto-Ferraio. Cie Moby Lines à Bastia.
Sardaigne	Se reporter au carnet pratique sarde, p. 172.

englobe le cœur montagneux de l'île : massifs du Monte Cinto, Monte Rotondo, Monte d'Oro, Monte Renoso, Monte Incudine. À l'Ouest, sa façade maritime, longue de 80 km, est centrée sur les remarquables golfes de Porto et de Girolata et la presqu'île de Scandola (elle-même classée en réserve naturelle).

Ce parc réunit les principales forêts du centre (Aitone, Valdo-Niello, Vizzavona, Bavella, l'Ospédale...) et les plus beaux sites de l'île (Calanche de Piana, gorges de Spelunca et de la Restonica, col de Bavella, lacs d'altitude, lac de Nino...). Il a été créé en 1972 avec la double mission de favoriser une meilleure connaissance et une vraie protection de la nature d'une part, et de participer à une rénovation de l'économie rurale de l'intérieur de l'île, d'autre part.

Différents itinéraires pédestres pour découvrir la montagne, la mer et les villages, ont été créés et sont régulièrement entretenus : le **GR 20,** les **Sentiers entre mer et montagne, Mare e Monti** entre Calenzana et Cargèse et Propriano à Porticcio, trois sentiers **Mare a Mare, 7 sentiers de pays.** Tout au long de ces voies de pénétration de la Corse intérieure, un réseau de relais, gîtes d'étapes et refuges, se met progressivement en place (*voir le chapitre sports et loisirs*).

Protection de la nature – Elle concerne essentiellement la préservation de la flore et de la faune : le parc abrite un grand nombre d'espèces rares, dont certaines endémiques. La flore insulaire comporte des espèces uniques, protégées et interdites de cueillette. D'autres formations végétales naturelles particulièrement fragiles, comme les pozzines du lac de Nino sont protégées par le Parc régional. La faune est représentée par de nombreuses espèces en danger de disparition (*voir le chapitre sur la faune dans l'Invitation au voyage*) dont le Parc régional s'emploie activement à assurer la protection et la subsistance en période hivernale : mouflon et cerf corse par exemple.

Lutte contre le feu – Le parc tente de prévenir les incendies de forêts et de maquis. Les facteurs favorisant ce fléau sont à la fois le climat méditerranéen à longue saison sèche avec des coups de vent fréquents (*maestrale, libeccio, sirocco*) et la végétation riche en essences très inflammables. Les forêts gardent la mémoire des sécheresses successives sur une dizaine d'années ; celles-ci provoquent l'accumulation de matières végétales non décomposées. Les causes peuvent être la chaleur excessive, la foudre et, trop fréquemment, l'imprudence ou l'insouciance des hommes, voire le déséquilibre mental de pyromanes. La pratique millénaire de l'écobuage par les bergers consiste à provoquer des incendies pour dévorer un couvert végétal dense de type maquis et permettre ainsi le dégagement d'un terrain de pâture pour le bétail. Mais avec la disparition de la société rurale et le développement de certains élevages, la technique du contre-feu s'est perdue et l'écobuage est devenu un fléau.

Pour lutter contre les incendies, le parc a incité à la mise en place d'agents pastoralistes apportant un soutien technique aux éleveurs pour la création de pâturages et la mise en place de plans de débroussaillement (*smacchjaggia* en corse). De même, l'activité des sapeurs-forestiers, agissant dans les forêts communales, a permis des résultats encourageants dans la prévention des incendies.

Protection des sites – Elle se manifeste par le classement de certains d'entre eux, par la sauvegarde des constructions traditionnelles (bergeries, moulins, vieilles maisons), par la restauration et la mise en valeur des monuments (chapelles...) ou des vestiges archéologiques (Pianu de Levie).

Rénovation rurale – Pour rendre vie aux villages de l'intérieur, le parc tente de relancer l'élevage ovin et porcin par la réhabilitation de la châtaigneraie et de développer le tourisme en montagne par l'aménagement de domaine skiables, parcours d'escalade, circuits équestres.

À TRAVERS LA FORÊT

Office national des forêts – Cet office met en place pendant l'été des visites thématiques payantes axées sur les singularités de certaines forêts domaniales de l'île. La réservation se fait directement sur place le jour de la visite ou auprès de l'ONF à Ajaccio, ☎ 04 95 23 78 21. Ces visites concernent les forêts d'Aitone, de Bavella, de Chiavari, Bonifatu, de l'Ospédale et de Vizzavona. Les Offices de tourisme des localités limitrophes peuvent fournir des renseignements sur les lieux de rendez-vous (généralement la maison forestière principale).

DANS LA MER

Afin d'assurer la préservation du patrimoine naturel, de maîtriser les activités touristiques et de favoriser le maintien des activités professionnelles de pêche, une partie de la côte

Panneaux des sentiers de randonnées près de Propriano.

occidentale de l'île fait l'objet d'un projet de création de parc national : le **Parc national marin de Corse** sera implanté autour de l'actuelle réserve de Scandola, qu'il englobera. Il s'étendra de la pointe de Revellata, au Nord, jusqu'au Capu Rossu, au Sud. La réserve « Man and Biosphere » du delta du Fangu fera également partie du futur parc. Actuellement, une exposition saisonnière dans l'ancienne poudrière à Porto présente l'ensemble de ce projet.

avec vos enfants

Dans la partie « Villes et sites », la pictogramme ⌂ signale les parcs, musées et autres attractions susceptibles d'intéresser vos chères têtes blondes.

Réseau Ville et Pays d'art et d'histoire

Le réseau Villes et Pays d'art et d'histoire (ministère de la Culture et de la Communication) propose des visites-découvertes et ateliers du patrimoine aux enfants. Munis de livrets-jeux et d'outils adaptés à leur âge, ces derniers s'initient à l'histoire et à l'architecture et participent activement à la découverte de la ville. En atelier, ils s'expriment à partir de multiples supports (maquettes, gravures, vidéo) et au contact d'intervenants de tous horizons : architectes, tailleurs de pierre, conteurs, comédiens. Ces activités ont lieu pendant les vacances d'été dans le cadre de l'opération l'été des 6-12 ans.
En Corse, seule Bastia a reçu le label Ville d'art et d'histoire.

Sports et loisirs

canoë-kayak

De nombreux cours d'eau corse peuvent être descendus en toutes saisons, mais la période optimale s'étale de fin mars à fin mai. Les rivières, s'apparentent plus à des torrents de montagne, qui offrent les parcours les plus attrayants sont Taravo et le Rizzanese ; l'Asco, le Liamone, le Golo, le Vecchio et le Tavignano ont également des itinéraires réputés. Le niveau sportif généralement affirmé des parcours exige une bonne forme physique, un matériel robuste et un équipement de qualité. Méfiez-vous des crues subites, très dangereuses.

Kayak sur le Taravo

Informations et adresses pour la pratique du canoë-kayak en Corse :
Bureau d'informations du Parc naturel régional – 20000 Ajaccio, ☎ 04 95 51 79 00.
Comité régional corse de canoë-kayak – Corri Bianchi, 20117 Eccica-Suarella, ☎ 04 95 25 92 78.
3615 canoeplus.

canyoning

La technique du canyoning emprunte à la fois à la spéléologie, à la plongée et à l'escalade. Il s'agit de descendre, en rappel ou en saut, depuis des parois abruptes jusqu'au lit de torrents dont on suit le cours au fil de gorges étroites (clues) et de cascades. La variété des reliefs traversés : gorges profondes à l'abri de la lumière, cascades irisées, dalles de schiste chauffées au soleil et invitant à la halte, fonds de bief tapissés d'une végétation dense, combinée à la symphonie de couleurs des roches, font toute la magie du canyoning.
Le canyoning se pratique généralement l'été, mais l'état de la météo reste déterminant pour une sortie. Deux techniques de déplacement sont particulièrement utilisées : le **toboggan** (allongé sur le dos, bras croisés) et le **saut** (hauteur moyenne 8 à 10 m), plus délicat, où l'élan du départ conditionne la bonne réception dans la vasque. Il est impératif qu'un participant se « sacrifie » et descende effectuer un sondage de l'état et de la profondeur du plan d'eau avant tout saut. C'est le manquement à cette règle élémentaire qui constitue le cas le plus fréquent d'accident.
L'initiation débute par des parcours n'excédant pas 2 km, avec un encadrement de moniteurs. Ensuite, il demeure indispensable d'effectuer les sorties avec un moniteur sachant « lire » le cours d'eau emprunté et connaissant les particularités de la météo locale. Le respect de l'environnement traversé reste le garant d'une activité pleinement acceptée par les riverains des torrents empruntés.

Dans la région décrite par ce guide, les cours d'eau de montagne conservent en été un débit suffisant pour offrir de multiples occasions de descendre en rappel et de sauter dans les « pozze », limpides qui ponctuent les parcours. Les principaux secteurs de référence sont, dans le centre et le Nord, la clue de la Richiusa, le défilé de la Spelunca, le ravin du Dardo, la Haute-Gravona, le Cap Corse et, dans l'extrême Sud de l'île, le canyon de Baraci et les gorges de la Solenzara.

Voir nos adresses d'organismes proposant des activités de canyoning dans les carnets pratiques de la partie « Villes et sites ».

chasse

La chasse au fusil est très appréciée dans l'île en raison de son caractère sportif et de l'abondance du gibier, de nombreuses espèces d'oiseaux migrateurs venant y passer l'hiver. La plupart des villages organisent dans le maquis, chaque semaine des battues au sanglier qui tiennent une grande place dans la tradition cynégétique corse, et auxquelles les touristes sont parfois admis. S'adresser pour cela aux mairies concernées ou la Fédération départementale. La chasse est ouverte, pour tous gibiers, généralement du 1er dimanche de septembre au 1er dimanche de janvier.
Se renseigner pour toutes confirmations auprès de la **Fédération départementale des Chasseurs**, Résidence les Lacs, av. du Mont Thabor, 20090 Ajaccio, ☎ 04 95 23 16 91.

chasse sous-marine

Les meilleures conditions sont réunies pour pratiquer ce sport : douceur de la température, limpidité exceptionnelle de l'eau et abondance des poissons de roche. Les endroits les plus favorables se situent aux abords des îlots, au large de Galéria et de Calvi, dans la baie d'Ajaccio, le long de la côte entre Propriano et Bonifacio, dans le golfe de Porto-Vecchio et dans les criques du Cap Corse.
Nous rappelons que pour pratiquer la chasse sous-marine, il faut être âgé de 16 ans au moins, avoir souscrit une assurance, avoir fait une déclaration auprès des Affaires maritimes ou posséder une licence de la Fédération française des sports sous-marins et respecter la réglementation nationale et régionale qui interdit :
– de chasser avec un appareil permettant de respirer en plongée,
– la vente des prises,

– d'approcher à moins de 150 m des embarcations ou filets de pêche signalés par des balises,
– la chasse de nuit avec l'utilisation d'un foyer lumineux.
– La chasse est interdite dans 8 cantonnements : secteur de Revellata à Calvi, de Miomo à Bastia, l'Île-Rousse, Nonza, au large des îles Cerbicale à Porto-Vecchio, à Piana-Porto, de Campomoro à Propriano, sur l'ensemble des bouches de Bonifacio, les deux réserves naturelles de Scandola et Lavezzi et les deux réserves de biotopes (îles Bruzzi et îles des Moines).

La pêche des espèces suivantes est interdite :
– tous les crustacés (araignées de mer, cigales de mer, homards), tous les types de mérous, ainsi que les mollusques (grandes nacres et dattes de mer) ;
– la pêche à la langouste est interdite toute l'année, la pêche des oursins du 1er avril au 30 novembre ;
– la pêche et la cueillette du corail sont interdites sur tout le littoral corse (pêche réservée aux professionnels disposant d'une licence).

Direction départementale des Affaires maritimes de la Corse du Sud – 4 bd du Roi-Jérôme, BP 312, 20176 Ajaccio, ☎ 04 95 51 75 10.
Direction départementale des Affaires maritimes de la Haute-Corse – Quai Nord du Vieux Pont, 20200 Bastia, ☎ 04 95 32 84 60.

escalade

Le relief de la Corse permet une ample pratique de l'alpinisme et de l'escalade. L'**alpinisme** se pratique surtout sur les sommets surplombant la vallée d'Asco (massif du Monte Cinto et de la Paglia Orba), autour du col de Vergio, dans la vallée de la Restonica. L'**escalade** « sportive » (sur sites équipés) peut s'exercer dans une dizaine de sites. Il est possible de grimper sur du calcaire autour de Ponte Leccia (Pietralba), dans la vallée du Vecchio (Caporalino) ou au sud de Solenzara (Conca, Monte Santu). Les amateurs d'escalade granitique bien équipés peuvent se rendre aux falaises de A Richiusa à proximité de Bocognano ainsi qu'au Monte Gozzi au-dessus d'Ajaccio où les voies (difficiles) atteignent 230 m de hauteur. D'autres sites d'escalade granitiques se trouvent dans le bas de la vallée de la Restonica. Les amateurs d'escalade « aventure » trouveront toutes les difficultés dans le cadre grandiose des aiguilles de Bavella.

La **via ferrata de la Manicella** a été aménagée avec des câbles dans la vallée d'Asco *(voir ce nom).*

Voir nos adresses d'organismes d'escalade proposant un encadrement dans les carnets pratiques de la partie « Villes et sites ».

Fédération française de la montagne et de l'escalade – 8-10 quai de la Marne, 75019 Paris, ☎ 01 40 18 75 50. 3615 ffme, www.ffme.fr. Consulter également le *Guide des sites naturels d'escalade en France,* par D. Taupin (Éd. Cosiroc/FFME) pour connaître la localisation des sites d'escalade dans la France entière.

kayak de mer

La pratique du kayak de mer ne nécessite qu'une courte initiation, mais exige un effort soutenu lors des sorties qui s'effectuent généralement en groupe. Les secteurs du Cap Corse et du Sartenais sont parmi les plus favorables au maniement des frêles esquifs. Sur la face Ouest du Cap Corse, une succession d'anfractuosités et de grottes, seulement accessibles par mer, offrent les plus belles opportunités pour convertir les néophytes à une pratique plus régulière du kayak de mer, incluant des randonnées de plusieurs jours avec bivouac.

Voir nos adresses d'organismes proposant le kayak de mer dans les carnets pratiques de la partie « Villes et sites ».

navigation de plaisance

Quelle chance de pouvoir découvrir la Corse en bateau. Les plaisanciers choisiront de rayonner à partir d'un port de base ou de naviguer de port en port. Les principaux mouillages et les particularités de la navigation corse sont signalés sur la carte qui suit.

La situation météorologique évoluant avec rapidité, il importe, avant de partir en mer, de consulter le bulletin météo diffusé par les principales stations de radio et affiché dans la plupart des ports et clubs de voile. Attention aux annonces de brusques coups de mistral.

La côte Ouest – De St-Florent à Propriano, la côte offre de larges golfes dentelés et ourlés de plages de sable ou de galets, mais ils sont mal abrités des vents dominants. Seuls quelques ports ou mouillages comme Centuri, St-Florent, l'Île-Rousse, Sant'Ambroggio, Calvi, Girolata, Ajaccio, Campomoro et Propriano, constituent des abris sûrs.

La côte Sud – De Propriano à Solenzara, les ports sont peu nombreux (Propriano, Bonifacio, Porto-Vecchio, Solenzara), mais cette côte sauvage compte une multitude de criques où les bateaux de croisière ne peuvent accéder que par très beau temps. Le mouillage dans les sites classés comme les îles Lavezzi est limité à 24h.
Éviter de s'engager dans les Bouches de Bonifacio, lorsque le *mistral* ou le *libeccio* sont annoncés.

La côte Est – De Solenzara à Bastia, seuls les vents d'Est sont dangereux (exceptionnels en été). On compte trois bons abris : Bastia, Campoloro, Solenzara.

Le Cap Corse – Il offre quelques mouillages qui s'avèrent difficiles d'accès à cause du *libeccio.* Macinaggio est le véritable port de plaisance du Cap. Les bateaux peuvent s'abriter dans les nombreuses criques de galets roulés.

Les vents dominants – La frange littorale de l'île est soumise en été aux brises de mer durant le jour et de terre durant la nuit dont les effets perturbent ou renforcent ceux des vents dominants.
Le **libeccio,** venant de Gibraltar, souffle sur toute l'île, surtout dans le Cap Corse et à Bonifacio. Sec et chaud en été, il devient frais en hiver et déverse de copieuses ondées sur le versant occidental.
Le **ponente** est un vent d'Ouest.
Le **maestrale,** issu du mistral de Provence, se manifeste surtout sur l'Ouest de l'île (36 jours à Ajaccio, 11 jours dans le Cap, 17 jours à Bonifacio). Sec et violent en été, il souffle en courtes rafales et soulève alors une mer très forte entre Galéria et l'extrémité du cap. En hiver, il apporte la pluie.
La **tramontane,** grand vent froid provenant de la plaine du Pô, sévit surtout en hiver, mais sa fréquence est faible (57 jours à Ajaccio, 10 jours au Cap).

Le **grecale** souffle sur tout le versant tyrrhénien ; il apporte la pluie dans le Nord de l'île mais demeure sec dans le Sud.

Le **levant** est un vent d'Est.

Le **sirocco,** venant d'Afrique du Nord, sec et brûlant, chargé de grains de sable, affecte seulement la côte orientale (105 jours à Bastia, 54 jours au Cap).

Les vents locaux – Sur la frange littorale, le contraste des températures entre la mer et le rivage provoque, l'été, des brises dont les effets viennent s'ajouter à ceux des vents dominants.

Le matin, le sol de l'île s'échauffe plus vite que la masse d'eau maritime ; aussi, vers 9h se lève une brise de mer appelée localement **mezzogiorno** (maximum vers 13h). Dans l'après-midi, cette brise se calme pour disparaître vers 19h. Une brise de terre ou **terrane** lui succède au coucher du soleil et prend fin au matin.

Confédération des ports de plaisance de la Corse-du-Sud – Hôtel consulaire, BP 253, 20180 Ajaccio cedex 01. ☎ 04 95 51 55 55.

parapente

C'est l'activité sportive aérienne la plus développée. Le relief tourmenté et les espaces dégagés du littoral offrent de superbes terrains d'évolution et plus particulièrement le Cap Corse, la Balagne et le Nebbio. Les falaises de Bonifacio, bien qu'elles soient plus exposées aux risques, attirent quelques adeptes du parapente.

Plusieurs organismes privés proposent des stages d'initiation et des séjours pour pratiquants autonomes ; l'**Agence du tourisme de la Corse** à Ajaccio vous fournira une liste complète des divers prestataires. Citons tout de même **Altore** à Saint-Florent (voir le carnet pratique de cette ville), qui s'est fait une spécialité de l'initiation au parapente et de l'approfondissement des techniques aérologiques.

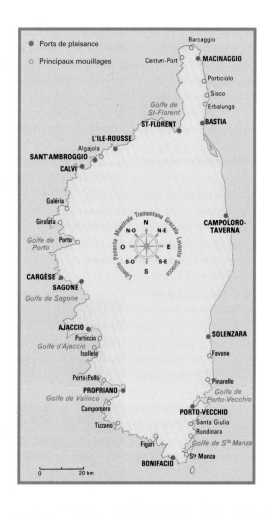

pêche en mer

La pêche se pratique depuis le rivage, ou d'une embarcation, à la palangrotte, au lancer (pour les dentis et les bars) ou au vif (pour les loups). Amateur de pêche en surface, vous n'aurez que l'embarras du choix face à la richesse de la faune marine du littoral : poissons de roches (rascasses, bars...) et de sable (rougets, daurades) propres à alimenter une savoureuse bouillabaisse.

Vous pourrez satisfaire votre passion le long des côtes du Cap Corse, de la Balagne, au Sud du golfe de Valinco et au Nord de Porto-Vecchio.

Attention, la pêche aux oursins est interdite du 1er avril au 30 novembre. Dans le périmètre des réserves naturelles, toute forme de pêche est sévèrement réglementée.

Se conformer aux indications sur place.

Magie des fonds sous-marins au milieu des gorgones.

pêche en rivière et lac

La plupart des rivières de montagnes sont peuplées d'anguilles et de truites fario. Les cours d'eau suivants sont propices à de belles prises que l'on effectue au lancer ou au coup : Asco, Golo, Fango, Restonica, Vecchio, Tavignano, Fium'Orbo, Prunelli, Gravone, Rizzanese, Travo et Taravo. Les lacs de montagne (Nino, Melo, Bastiani) sont régulièrement alevinés en petites truites et en saumons de fontaine. Des lacs-réservoirs sont peuplés de sandres. La plupart des étangs du littoral oriental sont des plans d'eau privés.

Fédération interdépartementale de pêche en Corse – 19 av. Noël-Franchini, 20000 Ajaccio, ☎ 04 95 23 13 32.

plongée sous-marine

Les rivages corses sont réputés pour la richesse et la diversité de leur flore et de leur faune sous-marines, ayant parfois élu domicile dans l'épave d'un navire ou d'un avion de combat.

Par temps calme et avec une eau claire, les plongeurs bénéficieront de superbes vues jusqu'à une profondeur maximale de 15 m, et cela même depuis la surface, simplement avec un masque et un tuba.

Pour les plongées à faible profondeur, préférez le golfe de Valinco, le secteur de Tizzano, la baie de Figari et les îles Bruzzi jusqu'à Porto-Vecchio, la face Ouest du Cap Corse, notamment le secteur de Centuri. Les fonds du golfe de Porto se laissent surtout découvrir

dans le cadre de plongées avec bouteilles. Le golfe de Pero (au Nord de Cargèse) et la pointe d'Omigna recèlent une végétation sous-marine d'une étonnante richesse.

Quant aux épaves peu profondes, citons les suivantes : au Sud de Porticcio, face à la pointe di Castagna, un navire de combat gît à une dizaine de mètres de la surface ; au large de la pointe de Zivia (au Sud de Tizano), une épave d'avion repose par 10 m de fond ; à l'entrée du golfe de Porto-Vecchio, à moins de 10 m de profondeur, un chalutier est visible depuis la surface. D'autres épaves nécessitent un équipement plus perfectionné : forteresses volantes à Calvi et à Campoloro.

Baptême de plongée à « Mérouville » – Au large du littoral entre Porto-Vecchio et Bonifacio, des fonds inférieurs à 10 m offrent de superbes opportunités pour découvrir la faune méditerranéenne. Le périmètre des réserves des îles Cerbicale et Lavezzi, en particulier, recèle une densité insoupçonnée de poissons ; à Lavezzi, un site particulièrement apprécié des plongeurs a été surnommé « Mérouville ».

Le baptême se déroule habituellement aux heures les moins torrides de la journée. Après une brève présentation des moniteurs et de l'équipage, on rallie le site de plongée à bord d'une embarcation. La première demi-heure est consacrée aux démonstrations du fonctionnement de l'équipement de base, à l'enseignement des principes de la plongée avec bouteilles, des signes de communication entre plongeurs et des gestes et attitudes au cours de cette initiation. Après avoir revêtu la combinaison et vérifié l'ajustage de son équipement, l'apprenti-plongeur se met à l'eau et endosse le gilet solidaire de la bouteille. Chaque néophyte est

Méduse de l'espèce courante
pelagica noctulica

Avertir – Avant toute sortie en mer et toute plongée sous-marine, il est recommandé de communiquer son programme et l'heure estimée du retour à des tiers.

Attention aux méduses – Quel baigneur, pénétrant dans la mer, n'a pas ressenti une appréhension en constatant la présence de méduses ? Les années à méduses (la *pelagica noctulica*, notamment) gardent une part de leur mystère. Les scientifiques ont cependant pu démontrer que les invasions de pelagica, dont la périodicité est d'environ 12 ans, étaient précédées de printemps chauds et secs.

Les méduses des côtes méditerranéennes ne sont pas agressives mais leur contact est toxique. Ce contact urticant provient de la libération instinctive du venin par les tentacules. Ce dernier, sans grand danger pour l'homme, nécessite cependant quelques précautions.

Tout d'abord, ne pas s'agiter afin d'éviter la diffusion du venin dans le corps. À l'aide d'une serviette, nettoyer très doucement la plaie avec de l'eau de mer (l'eau douce active la décharge des cellules urticantes), ou avec de l'urine, excellent produit grâce à ses anticorps.

D'autres solutions sont possibles : racler doucement la peau afin d'enlever les cellules encore intactes, approcher de la plaie une flamme ou la chaleur d'une cigarette.

Enfin appliquer une pommade antihistaminique, qu'on aura pris soin d'emporter avec soi.

La sécurité en milieu sous-marin – L'engouement croissant pour la découverte des superbes paysages sous-marins que propose la Corse ne doit cependant pas faire oublier le respect par le plongeur occasionnel des règles élémentaires de sécurité qui éviteront des accidents aux conséquences souvent graves :

– ne jamais plonger seul, ni après un repas copieux ou arrosé, ou après avoir pris des boissons gazeuses, et en état de fatigue ;

– éviter les chenaux de passage des embarcations et les lieux d'évolution des véliplanchistes ;

– signaler aux secours à terre la nature de l'accident afin qu'ils préparent des soins en milieu hyperbare, seul remède aux accidents de décompression même minime.

obligatoirement accompagné par un moniteur. Par un signe convenu, et si nécessaire l'encourageant en lui donnant la main, celui-ci l'invite à partir à la rencontre des habitants des profondeurs. Lors d'un baptême, la profondeur ne peut excéder 5 m et le « baptisé » n'a pas le droit d'utiliser seul les éléments essentiels de son équipement. Malgré cette absence relative d'autonomie, le plongeur, même s'il a déjà pratiqué l'apnée, découvrira un nouvel espace et éprouvera des sensations inconnues et magiques. La durée moyenne de la plongée est de 30mn.

Cette initiation pourra inciter le néophyte à poursuivre par une formation comportant 3 niveaux. Le premier niveau, permettant d'acquérir une pleine autonomie au sein d'une palanquée (groupe de plongeurs), est maîtrisé au bout de 15 jours. L'ensemble du littoral corse offre les meilleures conditions pour gravir ces degrés de la découverte du milieu sous-marin. Cependant, les stations de St-Florent, Calvi, Porto, Ajaccio, et l'extrême Sud (de Porto-Vecchio à Bonifacio) apparaissent les mieux placées pour accéder aux sites les plus remarquables.

Station de recherches sous-marines et océanographiques (Stareso) – Pointe de Revellata - BP 33, 20260 Calvi, ☎ 04 95 65 06 18. Animée par des scientifiques, elle propose à la fois des stages de perfectionnement à la plongée et une initiation à l'environnement sous-marin et à sa protection.

Comité corse de la Fédération française de sports sous-marins (FFESSM) – BP 12, 20145 Solenzara, ☎ 04 95 57 48 31, fax 04 95 57 48 32. Il fournit la liste des clubs de plongée et tous renseignements sur la législation locale.

Les carnets pratiques, contenus dans la partie « Villes et sites » de ce guide, mentionnent quelques clubs locaux.

randonnée équestre

La Corse fournit un terrain de prédilection à cette activité qui allie la découverte des sites difficilement accessibles aux véhicules à la préservation de la nature. On dénombre plus de 1 000 km de pistes qui sont souvent d'anciens chemins muletiers, très fréquentés jusqu'au début de ce siècle et qui restent encore les meilleurs et plus rapides moyens de liaison entre deux vallées ou deux villages. Des vallées presque inaccessibles deviennent le but d'agréables randonnées d'une journée. La Castagniccia, par son relief complexe, offre un terrain de choix à ce type d'excursions qui bénéficient par ailleurs dans toute l'île d'un grand développement. Le littoral du Cap Corse constitue une base de superbes balades (centre équestre de Brando) et la vallée de l'Ostriconi au départ de Lama permet d'atteindre la Balagne par les chemins de transhumance.

Association régionale du tourisme équestre de Corse – 7 r. du Col.-Feracci, 20250 Corte, ☎ 04 95 46 31 74. Elle dispose d'une liste des centres équestres en Corse.

randonnée pédestre

Nous décrivons dans ce guide de nombreuses promenades et excursions à effectuer à pied pour atteindre les grands sommets, remonter les hautes vallées, parcourir un massif forestier ou gagner des lacs de haute montagne.

Seules les excursions d'une heure ou deux, à basse altitude (moins de 1 000 m) s'apparentent à de la promenade touristique. La plupart des excursions pédestres exigent du randonneur un sens éprouvé de l'orientation, un équipement de moyenne montagne et une bonne condition physique. Le relief très accusé, l'éloignement des points de ravitaillement et de secours, les forts contrastes de températures, surtout en hiver et en automne, accentuent le caractère alpin de la montagne corse.

Les itinéraires de randonnées peuvent être modifiés à la suite des dégâts provoqués par les incendies ou les éboulements consécutifs aux orages. Lorsqu'un itinéraire ne correspond pas à la description donnée, il est raisonnable de faire demi-tour et de se renseigner auprès des personnes habitant le secteur.

Le GR 20, ROI DE LA MONTAGNE

Long de 220 km, il traverse dans sa longueur le Parc régional, de Calenzana à Conca. Suivant régulièrement la ligne de partage des eaux, il dépasse souvent les 2 000 m d'altitude, ce qui ne le rend accessible dans sa totalité que du 15 juin à fin octobre. Il reste un modèle de difficulté pour l'ensemble des sentiers de randonnée en France. En effet, seulement le quart des randonneurs qui l'empruntent effectue la totalité du trajet. La description minutieuse et le balisage de ce parcours très sportif sont l'œuvre d'un précurseur de la randonnée en montagne : Michel Fabrikant *(voir également le chapitre kiosque)*.

Le topo-guide consacré au GR 20 prévoit 16 étapes que les bons marcheurs, bien équipés et bénéficiant d'une excellente forme physique, peuvent accomplir en 15 jours environ. Les changements brutaux de conditions climatiques constituent un risque réel et permanent. La partie Nord, la plus dure, reste réalisable par les sportifs de haut niveau.

Refuges du parc – Ils sont ouverts toute l'année et gardés de mi-juin à début septembre. Le tarif d'une nuitée est généralement compris entre 7,62€ et 9,15€. L'aménagement du refuge comprend, outre une cuisine approvisionnée en eau courante potable, un dortoir composé de bat-flanc sans couvertures, des sanitaires et une douche chaude ainsi qu'un incinérateur à ordures. Les aires de bivouac ne sont aménagées et le bivouac autorisé qu'à la périphérie des refuges ; un droit doit être acquitté auprès du gardien. Aucune vente de boisson ou nourriture n'est généralement permise dans les refuges du parc *(se renseigner néanmoins sur les éventuelles modifications auprès du Bureau Rando du Parc régional à Ajaccio)*.

Deux tronçons du GR 20 peuvent être aisément praticables par tout promeneur : celui du col de Vergio *(décrit à ce nom)* et celui du col de Palmente *(décrit à Vizzavona)*.

Randonneurs sur le GR 20.

Les sentiers
« Randonnées-découvertes »

Cinq grands itinéraires aménagés sont proposés par le Parc régional de Corse. *Pour leur localisation, se reporter à la carte du Parc régional. Les guides correspondants sont en vente au « Service randonnée » du Parc régional à Ajaccio.*

« Mare e Monti Nord » – De Cargèse à Calenzana, le plus fréquenté, se développe entre mer et montagne. Il est conseillé plutôt au printemps et à l'automne. L'itinéraire (balisé en orange) s'effectue en 10 étapes de 4 à 7h offrant une vue panoramique alternative sur la mer et la montagne. L'hébergement se fait en gîtes d'étape situés dans les villages. Ce parcours, sportif mais sans difficulté notable, nécessite une bonne condition physique.

« Mare e Monti Sud » – De Porticcio à Propriano en 5 étapes de 4 à 6h ; praticable toute l'année *(décrit à golfe de Valinco)*.

Les itinéraires « Mare a Mare » (balisés en orange) relient les deux côtes et présentent trois variantes. Ils sont également jalonnés de gîtes d'étape mentionnés dans le topo-guide correspondant :

« Mare a Mare Nord » – De Pianello à Cargèse via Corte en 10 étapes de 4 à 6h ; praticable de mi-mai à octobre.

« Mare a Mare Centre » – De Porticcio à Ghisonaccia en 7 étapes de 4 à 6h ; fréquentable de mai à novembre.

« Mare a Mare Sud » – De Porto-Vecchio à Propriano en 6 étapes de 4 à 5h ; peut être réalisé toute l'année.

Les sentiers de pays

Accessibles par tous et d'une durée maximale de 6 h, la plupart sont balisés de marques orange par le Parc régional de Corse qui diffuse des brochures sur chacun d'eux. Ils sont regroupés par micro-région, ou pays :

Alta-Rocca – Dominée à l'Est par le massif des aiguilles de Bavella, cette région bien vivante offre 5 circuits à la journée au départ de Quenza, Zonza et San Gavino.

Bozio – S'étendant à l'Est de Corte, cette région austère est riche en chapelles ornées de fresques. Elle reste réputée pour la qualité de ses chants « paghjella ». Au départ de Sermano, 4 sentiers, rayonnant en boucles (durée environ 5 h chacun), permettent de dénicher des chapelles blotties dans des vallons ou perchées sur une crête.

Fiumorbu – Ce pays de collines, difficilement pénétrable, offre une vue dominante du littoral oriental.

Depuis les villages d'Ania et de Chisa, cinq circuits d'une journée sont proposés.

Giussani – Cette micro-région *(décrite p. 332)* établit la liaison entre la Haute-Balagne et la vallée de l'Asco. À l'écart des grands secteurs touristiques, 7 itinéraires rayonnent au départ d'Olmi-Capella.

Niolo – Cette région, paradis des alpinistes et amateurs de haute montagne, regroupe autour de Calacuccia et Albertacce 5 sentiers de pays permettant en 5 à 6h de parcourir de profondes forêts de pins laricio et de franchir les torrents sur de vénérables ponts génois.

Taravu – Cette vallée ombragée, au Sud d'Ajaccio, dispose de nombreux sentiers sous couvert, à parcourir dans la journée au départ de Guitera de Cozzano.

Venachese – 5 itinéraires (de 4 à 5h) sont réalisables au départ de Venaco et St-Pierre-de-Venaco.

Quelques suggestions d'itinéraires
AU DÉPART DE BONIFACIO

Capo di Feno – Sans difficulté – 2h AR – Départ depuis la Bocca d'Arbia RN 196, près de Bonifacio.

L'Uomo d'Ovace – Difficulté moyenne – 4h AR – Départ de Gianuccio près de l'**Uomo di Cagna**. *Ce dernier est décrit à son nom.*

AU DÉPART DE ZONZA

Cascade de Piscia di Gallo – Sans difficulté – *Décrit au massif de l'Ospedale.*

Refuge de Paliri par le GR 20 – Difficulté moyenne – 4h AR – 200 m de dénivelé – Départ depuis l'auberge du col de Bavella.

Trou de la Bombe – Sans difficulté – *Décrit à Bavella.*

AU DÉPART DE CORTE

Lacs de Melo et de Capitello – Difficulté moyenne – *Décrit aux gorges de la Restonica.*

Le cirque de Bonifato.

Refuge de Carozzu (depuis l'auberge de Bonifatu) – Difficulté moyenne – 5h AR – L'accès au refuge de Carozzu permet la descente vers le torrent de Spasimata, que l'on traverse sur la célèbre passerelle qui procure des frissons dignes de films d'aventure. L'itinéraire du GR 20 l'emprunte d'ailleurs. *Début de l'itinéraire décrit au cirque de Bonifato.*

RANDONNÉES ACCOMPAGNÉES

Les accompagnateurs en montagne et professionnels des activités sportives de montagne proposent leurs services généralement par le biais de prestataires. Ceux-ci commercialisent des programmes de randonnées, habituellement sur plusieurs jours, empruntant les itinéraires de découverte des massifs de l'île et comprenant, si le niveau des participants le permet, l'ascension de sommets remarquables sans moyen technique particulier. Ces circuits peuvent s'effectuer avec portage et ravitaillement sur les refuges. D'autres activités peuvent également être encadrées par des accompagnateurs possédant les qualifications correspondantes : découvertes en raquettes à neige, VTT ou canyoning.

Muntagne corse in libertà – 2 av. de la Grande-Armée, 20000 Ajaccio, ☎ 04 95 20 53 14. www.montagne-corse.com. Organise des randonnées pédestres et des séjours sur mesure pour groupes.

Cap-Rando – Orneto, 20233 Pietracorbara, ☎ 04 95 35 22 01.

Compagnie régionale des guides et accompagnateurs en montagne de Corse – Rte de Cuccia, 20224 Calacuccia, ☎ 04 95 48 10 43.

A Montagnola – 20122 Quenza, ☎ 04 95 78 65 19. www.a-montagnola.com

D'autres adresses sont données dans les carnets pratiques de la partie « Villes et sites ».

ski

L'important enneigement des montagnes permet la pratique du ski en hiver et même au printemps.
Pour le **ski alpin,** les stations aménagées, souvent dénommées stades de neige, sont :
– Ghisoni (1580 m-1960 m), station du Renoso,
– Col de Vergio (1400 m-1600 m),
– Bastelica (1600 m-1950 m), station du Val d'Ese.
Foyers de ski de fond à Albertacce, Bastelica, Évisa, Quenza, Soccia et Zicavo.

La **haute route à ski** (l'**Alta Strada**) offre aux skieurs bien entraînés un parcours de randonnée d'un haut niveau sportif. Empruntant une partie de l'itinéraire du GR 20, elle relie la vallée d'Asco à Bastelica. Un topoguide est disponible au Parc régional.

Comité régional du ski alpin – Bât. P, av. du Prés.-Kennedy, 20090 Ajaccio, ☎ 04 95 10 72 98.

VTT

Le relief tourmenté de la Corse, à l'exception de la plaine orientale, dirige la pratique du cyclisme vers le VTT. De nombreux organismes et associations proposent la location de ce type de vélo ainsi que des circuits balisés ou aménagés. La fédération française de cyclotourisme propose en outre pour les pratiquants aguerris un itinéraire de 1 148 km à parcourir en 12 à 15 jours sur route.

Vivre la Corse à vélo – Résidence Napoléon, 23 cours Gén.-Leclerc, 20176 Ajaccio, ☎ 04 95 21 96 94.

Fédération française de cyclotourisme – 12 r. Louis-Bertrand, 94200 Ivry-sur-Seine, ☎ 01 56 20 88 88. Elle fournit des fiches-itinéraires pour toute la France avec kilométrages, difficultés et curiosités touristiques.

Forme et santé

thermalisme

La richesse thermale de la Corse est peu connue. Elle fit l'objet d'aménagements nombreux déjà du temps des Romains, notamment à Baracci, Speluncato et Pietrapola. Plus près de nous, Gustave Flaubert, sur le conseil de son père médecin, vint conforter sa santé en Corse et fit le tour des stations thermales.

Aujourd'hui, la Corse dispose d'un ensemble de petites stations thermales dont la modernisation témoigne de l'effort accompli pour relancer le thermalisme dans l'île. Les stations les plus connues sont **Guagno-les-Bains** (pour les affections liées aux rhumatismes), **Pietrapola** (pour les rhumatismes et la rééducation) et les Bains d'Urbalacone à **Zigliara** (pour les affections des voies respiratoires et les dermatoses).

L'île dispose par ailleurs de plusieurs sources minérales (Caldaniccia, Guitera et Caldanelle) qu'elle embouteille et commercialise. La plus connue de toutes, pétillante et revitalisante, est **l'eau d'Orezza.** L'eau de Zilia, et l'eau St-Georges ont également la faveur des consommateurs de l'île.

thalassothérapie

Deux établissements proposent des cures marines :
Thalassa Porticcio Sofitel – 20166 Porticcio, ☎ 04 95 29 40 40.
Hôtel Eden Roc – Rte des Sanguinaires, 20000 Ajaccio, ☎ 04 95 51 56 00.

adresses utiles

Sur la carte des lieux de séjour, p. 26, sont localisés les stations thermales et les centres de thalassothérapie de la région couverte par ce guide. Le Guide Rouge France signale les dates officielles d'ouverture et de clôture de la saison thermale.

Baignade dans le Rizzanèse.

Fédération thermale et climatique française – 16 r. de l'Estrapade, 75005 Paris, ☎ 01 43 25 11 85. 3615 therm.
Chaîne thermale du Soleil/Maison du Thermalisme – 32 av. de l'Opéra, 75002 Paris, ☎ 01 44 71 37 00 ou 0 800 05 05 32 (n° vert). 3614 novotherm. www.sante-eau.com
Fédération Mer et Santé – 8 r. de l'Isly, 75008 Paris, ☎ 01 44 70 07 57. 3615 thalasso, www.mer-et-sante.asso.fr
Maison de la thalassothérapie – 5 r. Denis-Poisson, 75017 Paris, ☎ 0825 07 97 07.

Souvenirs

objets d'artisanat

Depuis quelques années, plusieurs régions font renaître l'artisanat et redonnent ainsi un peu de vie aux villages dépeuplés de l'intérieur. C'est le cas surtout en Castagniccia et en Balagne. Les artisans commercialisent eux-mêmes leur production, sélectionnée dans les maisons d'artisanat « **case di l'artigiani** » et les magasins et ateliers à l'enseigne « **Corsicada** » : paniers, couteaux, objets en bois, instruments de musique, céramiques.

Production du coutelier J. Biancucci à Cuttoli-Corticchiato.

En Castagniccia, laissez-vous tenter par les superbes **pipes en bruyère** dans le village d'Orezzo ou par de magnifiques **objets en bois** d'aulne, d'olivier et de châtaignier à Piedicroce.
En Balagne, la « route des artisans » conduit vers les plus beaux villages de la région et fait découvrir les métiers ancestraux. Pigna par exemple est devenu un véritable foyer du renouveau musical, les artisans y fabriquent des **instruments de musique** traditionnels. Lumio a conservé vivaces les techniques de la **coutellerie** : on produit toujours le *temperinu*, petit couteau traditionnel corse. Au Nord-Est d'Ajaccio, le village de Cuttoli-Cortichiato se consacre à l'**ébénisterie** et à la **coutellerie**.
Une petite mise en garde à propos du couteau effilé baptisé « vendetta » qui, bien souvent, n'est pas produit localement.

produits du terroir

Lorsque l'on quitte la Corse, comment résister à l'envie de charger ses sacs de succulents produits locaux ? Les **charcuteries** bien sûr (« **coppa** », « **lonzu** », etc.), mais aussi du miel du maquis, des apéritifs ou de l'**huile d'olive** de Balagne.

Sucreries – La grande diversité de la flore corse donne des **miels** très typés que l'on aura aussi plaisir à goûter une fois de retour chez soi. L'appellation AOC « mele di Corsica » concerne six catégories de miels : de printemps (très clair), fleurs du maquis (couleur ambré, produit pendant l'été), miellat du maquis (très foncé, à la saveur prononcée), de châtaigneraie (récolté en juillet et août), d'été (couleur dorée, produit à la fin de l'été en montagne), et d'automne-hiver (clair, récolté en hiver, au goût légèrement amer). Vous trouverez par exemple de bons miels dans les villages de Quenza, Belgodère, Bastelica et Moltifao qui conservent une forte tradition apicole. Peut-être préférerez-vous certaines des délicieuses **confitures** élaborées à partir des riches vergers de la plaine orientale ? Figue, abricot, orange, châtaigne, et, plus original, myrte, arbouse ou cédrat. Le **cédrat,** étonnant fruit peu comestible à l'état naturel, devient un confit exquis après un assez long passage dans des fûts remplis d'eau de mer.

Le roi des fromages corses – L'excellent « **brocciu** » que l'on trouve partout en Corse ne voyage malheureusement pas facilement. Oublions le transport du *brocciu* frais. En revanche, vous pouvez très bien quitter l'île avec un *brocciu* sec, emballé dans de multiples couches de papier pour ne pas incommoder les voisins !

Vins et alcools – La réputation des cépages corses a été confirmée par 8 appellations contrôlées. Si vous souhaitez rapporter quelques bouteilles, procurez-vous auprès d'un office de tourisme la carte des AOC-vins de Corse, vous y trouverez la liste des caves ouvertes aux visites et dégustations. Si vous préférez les apéritifs, pourquoi ne pas céder à l'achat d'un « **Cap Corse** », d'un *rappu,* mélange de moût de vin rouge et d'eau-de-vie ou d'une **cédratine,** liqueur authentiquement corse ? Quant aux amateurs de bière, ils pourront emporter une variété originale : la bière à la châtaigne, la « **Pietra** ».

quelques adresses

Maison de l'agriculture – 8 cours Napoléon, 20000 Ajaccio, ☎ 04 95 51 86 00. Dispose de la liste des producteurs de châtaignes.

Parc naturel régional de Corse – 2 r. du Major-Lambroschini, BP 417, 20184 Ajaccio Cedex, ☎ 04 95 51 79 10/00.

Brasserie Pietra – Rte de la Marana, 20600 Furiani, ☎ 04 95 30 14 70. Lun.-ven.

Les producteurs du Taravu – www.gietaravu.com. Vente en ligne de produits du terroir : farine de châtaigne, charcuteries, miels, vins, mais aussi couteaux.

La Pietra, la bière corse qui allie originalité et tradition.

Escapade dans les îles italiennes

La proximité de l'Italie qui entoure la Corse sur deux faces paraît un bon prétexte à une escapade d'une journée ou plus, au départ des ports corses qui servent de tremplin : Bastia vers l'île d'Elbe et Bonifacio pour la Sardaigne.

informations pratiques

DOCUMENTATION

Cartes Michelin régionale sur l'Italie n°s 9430 (Italie du Centre) et 433 (Sardaigne) et, dans la collection Le Guide Vert, Florence et la Toscane, et Italie, enfin Le Guide Rouge Italie.

Office national du tourisme italien – 23 r. de la Paix, 75002 Paris, ☎ 01 42 66 03 96.

FORMALITÉS

Pour un séjour touristique , les ressortissants de l'Union européenne doivent être en possession d'une carte nationale d'identité.

Pour le véhicule : permis international ou permis national à trois volets pour le conducteur et carte grise et carte internationale d'assurance dite « carte verte » pour le véhicule. Les motos sont soumises au même régime avec port du casque obligatoire.

la traversée

Des liaisons régulières ont lieu toute l'année entre Bastia et Livourne et entre Bonifacio et Santa Teresa di Gallura (Sardaigne). En saison, Bastia est relié à Piombino, et Porto-Vecchio à Palau (Sardaigne) et à Livourne.
La liaison avec l'Italie est assurée, outre la Corsica Ferries (voir adresse dans le chapitre Avant le départ) par les compagnies italiennes suivantes :
Moby-Lines – SARL Colonna d'Istria et fils, 4 r. du Cdt-Luce-de-Casabianca, 20200 Bastia, ☎ 04 95 34 84 94/90.
Saremar – Gare maritime, 20169 Bonifacio, ☎ 04 95 73 00 96.
Traversées vers la Sardaigne.

en Sardaigne

Une escapade d'une journée est, en toute saison, aisément réalisable depuis Bonifacio. On se cantonnera au secteur du littoral face à la Corse, ou à l'île de La Maddalena. Pour plus de précisions sur les modalités du voyage reportez-vous au chapitre Bonifacio qui détaille cette escapade. Pour de plus long séjours en saison, il vaut mieux choisir au préalable les lieux d'hébergement et s'assurer d'une réservation : la destination Sardaigne est très prisée par les Italiens du continent !

retour à l'île d'Elbe

Même sans être un admirateur inconditionnel du Petit Caporal, l'île d'Elbe, bien visible comme ses sœurs de l'archipel toscan depuis la corniche de Bastia, reste une destination appréciée pour des estivants disposant d'un peu de temps. L'accès à l'île d'Elbe s'effectue en saison depuis Bastia via le port de Piombino. Ce dernier, aisément accessible par NGV, permet ensuite de rejoindre Portoferraio, principal port et capitale de l'île d'Elbe, par une navette (une dizaine de services par jour) assurée par Moby Lines et Torremar.
Les amateurs d'histoire ne manqueront pas de visiter à Portoferraio le musée Napoléonien où résida l'empereur, et à San Martino di Campo la villa Napoleone. Pour apprécier l'ensemble de l'archipel d'un seul coup d'œil, une solution : emprunter la télécabine du Monte Capanne.
Plus proche de la Corse, mais moins facile d'accès (à moins de disposer de sa propre embarcation), l'île de Capraia conserve une nature sauvage propice à la randonnée, la plongée et la planche à voile.
Enfin, pour les plus aventureux ou les plus romanesques, l'île de Montecristo existe bien à proximité, mais à défaut de trésor du héros d'Alexandre Dumas, elle offre une remarquable zone de quiétude naturelle préservée (accès interdit, réserve naturelle).

Kiosque

livres

OUVRAGES GÉNÉRAUX - TOURISME - GASTRONOMIE

Guide pratique de la Corse, O. Jehasse, La Marge.
La Bonne Cuisine corse, C. Schapira, Solar.
L'Inventaire du patrimoine culinaire de la France, Corse, Albin Michel.
La Corse des châtaignes, L. Schapira, L'Astragale.

RANDONNÉE PÉDESTRE - MONTAGNE - PLAISANCE

Escalade Bavella, J.-P. Quilici et B. Vaucher, Envol, 2000.
Sentiers de Corse Cuscione et Bavella, J.-P. Quilici et A. Gauthier, Albiana 2000.
Paysages de Corse (excursions-pique-niques), Rochford, Sunflowers Book.
Montagnes de Corse, J.-P. Quilici, Milan, répertorie tous les sommets de l'île.

Topoguide du sentier GR 20 de Calenzana à Conca, Féd. fr. de la randonnée pédestre – Comité nat. des sentiers de grande randonnée.
Randonnée découverte en Corse « Entre mer et montagne ; 2 Mare è monti, 3 Mare a mare », Coédition Parc naturel régional, FFRP.
Corse, les plus beaux sentiers, J.-F. Devaud, Glénat.

GÉOGRAPHIE - NATURE

Noms de lieux de Corse, Bonneton, 2001.
La Corse, Collection Guides naturalistes des côtes de France, Delachaux et Niestlé.
Plantes et fleurs rencontrées, M. Conrad, Parc naturel régional.
Roches et paysages de la Corse, A. Gauthier, Parc naturel régional et BRGM.
Savoirs populaires sur les plantes corses, Parc naturel régional.
Terres de Corse, G.-X. Culioli et E. Saïller, La Marge.

Sept promenades en forêts - Découvrir la forêt corse, Puydarieux et Rivière, ONF.

Les plus belles balades en Corse, R. Colonna d'Istria, Créations du Pélican, 1999.

HISTOIRE - ARCHÉOLOGIE - ART - ACTUALITÉ

Histoire de la Corse, M. Vergé-Francheschi, Du Félin, 1996.

M. de Bonaparte ou le livre inachevé, première biographie du père de Napoléon, X. Versini, Albatros.

Pasqual Paoli, père de la patrie Corse, M. Bartoli, Albatros.

Préhistoire d'une île, G. Camps, Errance.

Arts traditionnels corses, Loviconi, Édisud.

Chroniques historiques corses, É. Papadacci, Albatros.

La Corsophonie, un idiome à la mer, P. Marchetti, Albatros.

Le Naufrage du Tasmania, C. Finidori, Piazzola.

Corse, quel avenir : l'indépendance ?, Franc-Valluet, R.Castells.

Le problème corse, N. Giudici, Les essentiels Milan.

Histoire des Grecs en Corse, P. Staphanoli, Lacour, 1999.

Comprendre la Corse, J-L. Andréani, Gallimard, 1999.

Lumière dans la tempête corse, J.-F. Bernardini (le chanteur d'I Muvrini), Mango, 1999.

L'Histoire de la Corse, P. Arrighi, PUF, 2000.

LITTÉRATURE

Colomba, P. Mérimée, Pocket.

Les Agriates, P. Benoit, La Marge.

Matteo Falcone, P. Mérimée, Nouveaux Classiques, Larousse.

La Corse, D. Carrington, Arthaud, 1999.

Les romans de Marie Susini, à caractère autobiographique, ont pour cadre la Corse.

Les Frères corses, A. Dumas, La Marge.

La Vraie Colomba, L. Di Bradi, La Marge.

En Corse avec Francis Rose, D. Carrington, A. Piazzola.

Voyage en Corse, abbé Gaudin, Lacour, réimpression du récit d'un voyage fait en 1787.

La paille et le feu, P. Gattaceca, Belles Lettres, 2000.

Contes et légendes de l'île de Corse, G.-X. Culioli, DCL, 2000.

vidéo

Des reportages et présentations historiques sont disponibles sur cassettes vidéo : *Corse, mare nostru,* spécial épaves, par M. Reboul-PSV Vidéo Nice.

Plusieurs cassettes éditées par France 3-Corse *(Lacs de montagne, la transhumance, la Castagniccia)* disponibles auprès de France 3-Corse, av. Noël-Franchini à Ajaccio.

Pascal Paoli de Naples à Ponte-Nuovo, Médiascope Ajaccio.

La Corse, U Viaghju nº 40, Éd. VidéoVisite.

Pour associer l'image forte des groupes de chanteurs à l'harmonie de leur voix, des cassettes vidéo sont disponibles dont *I Muvrini à Bercy* et, concernant l'art du chjama è rispondi, *U Furcatu,* diffusés par le Parc régional.

cédéroms

Les plus belles randonnées en Corse, Éd. Combo, 1998.

Corsica discovery, la Haute-Corse, Éd. CTI, 1998.

musique

L'engouement pour les chants polyphoniques a désormais largement dépassé un public simplement fidèle à sa culture. Les enregistrements sont disponibles sur cassettes et CD souvent produits par des sociétés corses. La principale, « Studio Ricordu », à Bastelicaccia, assure la diffusion de la plupart des vedettes corses.

Canta U Populu Corsu, Chjami Aghjalesi, Donninsulanna, A Filetta, I Muvrini, Les Nouvelles Polyphonies corses (qui ont interprété l'ouverture des Jeux olympiques d'Albertville) et **Les Hommes de Sartène** (avec **J.-P. Poletti**), sont parmi les principaux groupes d'interprètes. Plus récents, les groupes **I Surghjenti, Diana di l'Alba** et **Cinque Sù** confirment la vitalité de l'expression musicale corse. Pendant la période estivale, la plupart de ces groupes organisent des récitals dans des tournées de villages.

D'autres chanteurs comme **Antoine Ciosi** et le compositeur **Henri Tomasi** maintiennent le dynamisme de la chanson traditionnelle et folklorique.

Deux compilations de chansons corses offrent un éventail représentatif des voix insulaires : *Les Plus Belles Voix corses* et *Canta Corsica.*
Pour apprécier les chants en paghjella ; *Messa corsa in Rusio* (Éd. Adès nº 111622) et *Chants polyphoniques traditionnels.*

Cinéma

Depuis la naissance du septième art, la Corse est vite devenue une terre de prédilection pour les tournages d'extérieurs.

Le premier film parlant français fut tourné en Corse en 1920 : **Les Trois Masques** d'André Hugon. Les premières scènes du **Napoléon** d'Abel Gance (1927) furent réalisées en Corse. Les années 1920 virent également la présence de réalisateurs russes réfugiés tel A. Volkoff avec **Les ombres passent**.

Ensuite de nombreuses réalisations eurent pour cadre les paysages de Corse, même si parfois l'intrigue se situe hors de l'île de Beauté. Parmi les principales, on peut citer :

Napoléon, empereur des Français de J. Tedesco, 1951 (*filmé sur les lieux où vécut Napoléon*)

Casabianca de G. Péclet, 1951 (*dans la région d'Ajaccio*)

Manina, la fille sans voile de W.Rozier, 1952, avec B. Bardot (*à Bonifacio*)

Cela s'appelle l'aurore de L. Buñuel, 1956 (*dans la région de Bastia*)

L'Œil du monocle de G. Lautner, 1962, avec P. Meurisse (*recherche d'un trésor de guerre à Bonifacio*)

Le Jour le plus long de D. Zanuck, 1962 (*le débarquement se déroule dans les Agriates, voir ce nom*)

Rosebud de Otto Preminger, 1974, avec I. Huppert (*à L'Île-Rousse et Bastia*)

Nous deux de H. Graziani, 1992, avec P. Noiret (*à Pietracorbara et Sisco*)

Les Randonneurs de P. Harel, 1996 (*aventures sur le GR 20*).

D'autres films traitent de la Corse et de ses coutumes sans avoir été tournés en Corse :

Ademaï, bandit d'honneur de G. Grangier, 1943, avec Noël-Noël

L'Île d'amour de M. Cam, 1944, avec Tino Rossi (*la romance d'un pêcheur*).

Les cinéphiles pourront assister aux projections organisées par la **Cinémathèque régionale de Corse** à Porto-Vecchio (route de Bastia, BP 50 ☎ 04 95 70 35 02) et au Festival Cinémaffiche qui s'y déroule en juillet, au cours duquel sont diffusés des films corses peu connus et restaurés par la cinémathèque.

La plage de Saleccia (Agriates) cadre du tournage de certaines scènes du débarquement de Normandie dans le film Le jour le plus long.

Calendrier festif

fêtes religieuses

Janvier
Procession en l'honneur de saint Antoine ;
Fête des Oranges.

Corbara et Aregno

Mars
Fête de N.-D.-de-la-Miséricorde, patronne de la ville :
procession, illuminations, messe solennelle (le 18).

Ajaccio

Carême
Procession du saint Crucifix (3e vendredi de carême).

Muro

Semaine sainte
Procession de la Cerca (le Jeudi saint au soir et le
Vendredi saint au matin) ;
Procession de la Granitola avec pénitents en cagoule
(le soir du Vendredi saint).

Erbalunga

Procession du « Christ mort », dans la vieille ville
illuminée par des chandelles (le Jeudi et le Vendredi saint).

Corte

Dans l'après-midi, bénédiction des gâteaux
« canistrelli » et procession (le Jeudi saint après-midi).

Calvi

Procession des confréries de la pieve portant des objets
en palmes (le Jeudi saint).

San Martino di Lota

Procession des cinq confréries à travers la ville jusqu'à
l'église Ste-Marie-Majeure pour y vénérer la relique de
la Sainte Croix (le Jeudi et le Vendredi saint).

Bonifacio

Procession de la Granitula avec pénitents en cagoule
et pieds nus (le Vendredi saint de 21h à 23h).

Calvi

Procession du Catenacciu (ou Grand Pénitent) dans la
ville illuminée aux chandelles (le Vendredi saint à 21h30).

Sartène

Procession orthodoxe grecque (lundi de Pâques).

Cargèse

Juin
Procession en mer en l'honneur de saint Érasme,
patron des pêcheurs (le 2).

**Ajaccio, Bastia,
Calvi, Propriano**

Saint-Jean Baptiste, fête patronale de la ville (le 24).

Bastia

Août
Cérémonies religieuses de l'Assomption et fêtes
commémoratives de la naissance de Napoléon
(les 13, 14 et 15).

Ajaccio

Cérémonies religieuses de l'Assomption suivies
de 3 jours de fêtes profanes (du 15 au 18).

Calvi

Septembre
Pèlerinage annuel à Notre-Dame-des-Grâces avec
procession aux flambeaux la veille (le 7 au soir et le 8).

Lavasina

Procession à l'ermitage de la Trinité (le 8).
Fête de la « Santa » di U Niolo. Procession
de la Granitola (les 7, 8 et 9).

**Bonifacio
Casamaccioli**

manifestations culturelles

Mai
« Nautival » : animations autour de la mer
(un week-end fin mai/début juin), ☎ 04 95 35 40 34.

Macinaggio

« Festimusica » : carrefour des cultures corses, toscanes
et sardes (début mai)), ☎ 04 95 60 24 22.

Juin
Journées médiévales, ☎ 04 95 73 00 15.

Bonifacio

La nuit du conte, ☎ 04 95 52 86 94/81 22.

Vero

« San Ghjuva » : journée de conférences et de concerts
autour de la musique et de la poésie traditionnelle
corse (le 23), ☎ 04 95 45 25 44.

Corte

Festival de jazz (la dernière semaine), ☎ 04 95 65 16 67.

Calvi

Juillet

« Estivoce » : musique traditionnelle (du 3 au 13), **Pigna (et la Balagne)**
☎ 04 95 61 77 81/73 13.

La relève des gouverneurs (2ᵉᵐᵉ samedi de juillet) ; **Bastia**
☎ 04 95 54 20 40.

Les nuits de la guitare, classique et jazz **Patrimonio**
(2ᵉ et 3ᵉ semaines de juillet). ☎ 04 95 37 12 15.

« Festimusica » : carrefour des cultures corses, toscanes **L'Île-Rousse**
et sardes (mi-août), ☎ 04 95 60 24 22.

Foire du livre corse (à la fin du mois), ☎ 04 95 60 05 28.

Août

Festival de musique, jazz et guitare (1ᵉʳᵉ quinzaine), **Erbalunga**
☎ 04 95 33 20 73.

« Festa Antica » : la ville revit à l'époque romaine **Aléria**
(2 jours durant la 1ʳᵉ semaine), ☎ 04 95 57 01 51.

Festival du film européen (début du mois), **Lama**
☎ 04 95 48 21 60.

« Porto Latino » : concerts de musique sud-américaine, **Saint-Florent**
(mi-août), ☎ 04 95 31 22 24.

Septembre

Festival de l'eau (du 14 au 16). ☎ 04 95 76 70 00. **Propriano**
Rencontres polyphoniques (mi-septembre) **Calvi**
☎ 04 95 65 23 57.

Octobre

Musicales (mi-octobre), ☎ 04 95 54 20 40. **Bastia**
« Festiventu » : le vent sous toutes ses formes **Calvi**
(la dernière semaine), ☎ 04 95 65 16 67.

Novembre

Festival du film des cultures méditerranéennes **Bastia**
(une semaine mi-novembre), ☎ 04 95 32 08 32.

événements sportifs

Mai

Le Tour de Corse cycliste : épreuve cycliste par étapes ; **Toute la Corse**
équipes insulaires, continentales et individuelles (4 jours),
☎ 04 95 10 70 74.

« Corsica Raid Aventure » : course en montagne, **Toute la Corse**
passages de cordes, VTT, canyoning, kayak de mer
(dernière semaine de mai), ☎ 04 95 65 16 67.

La production du berger

Procession de la Santa di U Niolo.

Juin

« Ripcurl » : manche du championnat de France de funboard (5 jours en début de mois), ☎ 04 95 73 11 59.
Bonifacio (Santa Manza)

Juillet

Grand raid inter-lacs : course pédestre individuelle dont le tracé passe par sept des plus beaux lacs d'altitude de Corse (2 jours mi-juillet), ☎ 04 95 46 12 48.
Corte

« Mediterranean trophy » : compétition de voile une semaine fin juillet), ☎ 04 95 23 89 00.
Corse et Sardaigne

Septembre

Les 6 jours cyclotouristes de l'île de Beauté.
☎ 04 95 51 53 03.
Toute la Corse

Octobre

Tour de Corse automobile (à la fin du mois).
☎ 04 95 23 62 60.
Toute la Corse

foires artisanales et rurales

Février

« A Tumbera » : foire aux cochons (1ᵉʳ week-end).
Renno

Mars

« Festa di l'oliu novu » : grand marché de l'huile d'olive (mi-mars).
Sainte-Lucie-de-Tallano

Avril

Journée du brocciu (fin avril).
Piana

Juin

« Cavall'in festa » : foire régionale du cheval.
Corte

Juillet

Foire du vin (1ᵉʳ week-end).
Luri
Foire de l'olivier (3ᵉ week-end de juillet).
Montemaggiore

Août

Foire à l'amandier.
Aregno
« Festa di u legnu e di a furesta » : foire autour du bois, animations, artisanat.
Vezzani

Septembre

Foire du Niolo, l'une des plus anciennes et importantes de Corse (3 jours autour du 7 septembre).
Casamaccioli
Foire artisanale (4 jours mi-juillet).
Porto-Vecchio

Novembre

Fête du marron (mi-novembre).
Évisa

Décembre

« Fiera di a castagna » : foire à la châtaigne, la plus importante foire régionale de Corse (3 jours autour du 9 décembre).
Bocognano

Golfe de Porto

*Invitation
au voyage*

Une montagne dans la mer

En découvrant la Corse, on comprend qu'elle a inspiré tant d'écrivains et de peintres. Matisse disait que son émerveillement pour le Sud était né de son séjour à Ajaccio. Troisième grande île de la Méditerranée occidentale, après la Sicile et la Sardaigne, la Corse (8 720 km²) promet un voyage fantastique : falaises empourprées qui plongent à pic dans la mer, villages accrochés à la montagne, gorges taillées dans la pierre, collines tapissées de châtaigniers ou d'oliviers.

Les célèbres aiguilles de Bavella.

Une île continent

Longue de 183 km et large de 83 km, la Corse déploie 1 047 km de côtes en une succession de magnifiques caps, falaises, golfes et plages. C'est la plus montagneuse des îles de la Méditerranée. En un éclair, on passe des plages dorées à la haute montagne : à 25 km seulement du littoral, le Monte Cinto, point culminant éternellement enneigé, dresse ses 2 706 m. La proximité du rivage italien (83 km), français (170 km) et espagnol (450 km) explique l'importance commerciale et stratégique de l'île au cours des siècles.

Le golfe de Girolata, veillé par sa tour génoise.

D'après les géologues, la Corse formait jusqu'à l'ère secondaire un microcontinent avec la Sardaigne, soudé à la Provence. Un ébranlement du système alpin et une cassure provoquèrent une lente dérive des ces terres et donnèrent naissance à l'étonnante « île de Beauté ».

Trois grandes régions font la richesse des paysages : la **Corse occidentale** (**Corse cristalline ou « ancienne »**) qui couvre près des 2/3 du territoire, la **Corse orientale** (**Corse schisteuse**) au Nord-Est et, séparant ces deux entités, le **sillon central**, qui s'étend de l'Île-Rousse à Solenzara.

La côte Sud de Porto-Vecchio abrite de très belles anses : pins parasols, maquis, sable fin et mer turquoise.

La Corse occidentale

Elle porte les plus hauts sommets de la Corse. Ceux-ci dessinent au centre de l'île une épine dorsale discontinue qui délimite deux régions historiques : l'**Au-Delà-des-Monts** et l'**En-Deçà-des-Monts**, correspondant approximativement aux départements actuels de Corse-du-Sud et de Haute-Corse. De part et d'autre de cette ligne faîtière, des chaînons transversaux bordés de vallées et de gorges s'abaissent graduellement vers la mer.

Les massifs du centre – Tout en pics, en aiguilles et en gorges encaissées, cette haute montagne alpine fait la joie des randonneurs en quête de paysages sauvages et exceptionnels. Les crêtes demeurent enneigées tard dans le printemps. Le climat de type alpin, avec ses fortes précipitations et ses basses températures, rend la vie rude et pauvre. Les bergers pratiquent l'élevage extensif du mouton en été. Aujourd'hui, les bourgs de montagne sont désertés, à l'exception de ceux qui orientent leurs activités vers le ski ou la randonnée (Soccia, Évisa, Zivaco, Quenza, Bastelica...).

Les extrémités Nord et Sud de l'île – Elles ont conservé un relief moins tourmenté de montagnes anciennes. **La Balagne**, terre de collines, s'ouvre sur la mer par une série de petites plaines côtières. Elle s'allonge

Les roches rouges de la réserve naturelle de Scandola.

de Galéria à Calvi et porte sur ses coteaux des oliviers et des vignes. Véritable « Riviera » de la Corse, son climat méditerranéen, ses plages et ses marinas attirent de nombreux estivants.

Appuyé sur le Monte Incudine, le **Sud de la Corse** s'ouvre en éventail, du golfe de Valinco à Porto-Vecchio. Son paysage montagneux, moins escarpé que le centre de l'île, rend les communications plus faciles et ses vastes plateaux favorisent l'élevage. Le climat sec et chaud est propice à la culture de la vigne (Ste-Lucie-de-Tallano, Figari, Porto-Vecchio) et au développement du chêne vert et du chêne-liège. À l'extrême Sud, Bonifacio forme une étonnante enclave de falaises calcaires.

Zone cristalline
Zone schisteuse
Bassins tertiaires
Plaines d'alluvions

La Corse orientale

Elle constitue le tiers Nord-Est de l'île, formé de monts schisteux orientés Nord-Sud, bordés d'une plaine côtière. Moins accidentée que la Corse occidentale, elle culmine en Castagniccia au San Petrone (1 767 m).

Les secteurs montagnards – Ils offrent deux magnifiques visages bien distincts.

Le Cap Corse présente un squelette montagneux en arêtes de poisson avec des crêtes émoussées par l'érosion. Une splendide route du littoral permet d'en faire le tour. Les pentes du Cap, façonnées en terrasses par l'homme et aujourd'hui abandonnées à la végétation, gardent les traces d'une activité agricole qui fut pro-

*Culture de clémentines
dans la plaine orientale.*

digue. Autour des villages subsistent quelques vergers et l'activité viticole, toujours existante, fit dès le Moyen Âge la renommée de la péninsule. Cependant, la mer demeure la principale ressource.

La Castagniccia est délimitée par les fleuves du Golo au Nord et du Tavignano au Sud. Elle forme un moutonnement de larges collines, entaillées par les torrents. Elle est couverte d'un épais manteau de châtaigniers qui firent autrefois sa richesse.

La plaine orientale – Terrain sédimentaire enrichi par les alluvions des torrents descendus de la Castagniccia, elle offre un paysage morne de collines, plateaux et plaines littorales. On distingue au Nord la plaine de Bastia, dominée par la Casinca, et au Sud, la plaine d'Aléria. Très favorable à la culture depuis son assainissement en 1945 (éradication de la malaria), elle accueille aujourd'hui des exploitations agricoles intensives où prévalent les agrumes et la vigne.

Le sillon central

Cette fracture élargie par les cours d'eau est la partie la plus ancienne de la Corse orientale. Elle marque la zone de contact avec la Corse occidentale. D'une altitude

Le Cap Corse, longue échine montagneuse plongeant dans la mer.

L'étang de Diane, centre d'élevage d'huîtres et de moules.

moyenne inférieure à 600 m, elle relie l'Est du désert des Agriates à Solenzara, en passant par Corte.
C'est au centre de l'île que la dépression est la plus affirmée : le « **sillon de Corte** », drainé par le Golo puis le Tavignano, offre un paysage attachant où coteaux et plateaux s'enchevêtrent dans un cadre montagneux.

Un don du ciel

La Corse bénéficie de ressources en eau beaucoup plus importantes que celles des autres îles de la Méditerranée.

Les précipitations
Le nombre de jours de pluie dans l'année est faible (95 jours à Ajaccio) mais l'île reçoit environ 900 mm d'eau, moyenne annuelle supérieure à celle du Midi de la France. Il pleut plus à l'Est qu'à l'Ouest, à l'intérieur que sur les côtes, au Nord qu'au Sud. Certains cols (Vizzavona, Vergio) sont régulièrement enneigés et parfois bloqués en hiver. L'été est synonyme de longue saison sèche ; pour pallier cette mauvaise répartition annuelle des pluies, divers lacs de barrage ont été aménagés.

Au fil de l'eau
Tous les fleuves et rivières sont irréguliers : maigres de juin à octobre, volumineux et même impétueux d'octobre à avril, limpides à l'Ouest, boueux à l'Est. Parvenant difficilement à la mer, ils charrient des masses importantes d'alluvions. Le réseau hydrographique est aussi constitué de nombreux cours d'eau. Leur lit, caillouteux en été, peut devenir abondant et dangereux lors des orages.

Les ressources minières

Les minerais ont été découverts et exploités très tôt. La Corse orientale, riche en ressources minières, a fait l'objet d'exploitation de nombreux gisements : fer à Farinole, dans le Cap Corse, manganèse à Morosaglia, cuivre à Ponte-Leccia, près du défilé de Lancone et aux abords de Vezzani, plomb argentifère près de Ghisoni, anti-

moine dans le Nord du Cap et amiante à Canari, sur la côte Ouest du Cap. La Corse occidentale détient quelques minerais difficilement exploitables : antimoine à Vico, plomb argentifère en Balagne, fer à Calvi et cuivre dans le golfe de Sagone. Les tentatives récentes de mise en valeur ont révélé que les gisements de Corse présentent plus d'intérêt pour les minéralogistes que pour les entreprises minières.

Village de Castagniccia noyé dans les châtaigniers.

Taffoni (trou dans la roche), élément original de la nature corse.

Les sculptures minérales

L'infinie variété des roches corses est un paradis pour les minéralogistes et un régal pour les yeux et l'imaginaire des voyageurs. Certaines régions constituent de véritables forêts de pierres aux formes presque surnaturelles.

Les roches magmatiques

Elles sont nées de la montée de matériaux en fusion situés sous l'écorce terrestre et couvrent la majeure partie de la Corse occidentale. Le **granit** est à l'origine de paysages célèbres : les aiguilles de Bavella, taillées par l'érosion ou encore le rivage découpé de la côte Ouest dont les *calanche* de Piana constituent le fleuron. Dans ces aiguilles de granit rouge, l'eau et le vent ont creusé d'étonnantes cavités appelées « **taffoni** » (« trou », en corse) et sculpté de surprenantes silhouettes.

Si vous passez par le village de Sainte-Lucie-de-Tallano dans l'Alta Rocca, vous aurez la chance de découvrir la **diorite orbiculaire**, pierre rarissime et extrêmement belle. Utilisée à des fins ornementales, elle fut surnommée « corsite » jusqu'à ce qu'on découvre l'existence d'un autre gisement en Finlande.

Les **rhyolites** et les **ignimbrites** (roches volcaniques) se rencontrent en abondance dans le Nord-Ouest. Elles forment des paysages spectaculaires caractérisés par un relief élevé et des teintes allant du vert au rouge en passant par d'innombrables nuances. La presqu'île de Scandola, avec ses falaises et ses orgues, en est une des plus belles représentations.

Les roches sédimentaires

Elles proviennent de dépôts de minéraux et d'organismes vivants et forment de nombreuses enclaves dans l'ensemble de la Corse. Le **calcaire** est fortement présent dans la région de Corte et de Saint-Florent. Mais c'est Bonifacio et ses hautes falaises blanches modelées par le vent et les vagues qui constitue le plus spectaculaire bassin calcaire. D'autres formations sédimentaires ont laissé des traces : **charbon** dans le golfe de Porto, **moraines** à l'emplacement d'anciens glaciers et **argile** dans le golfe d'Ajaccio.

Les falaises calcaires de Bonifacio.

Les roches métamorphiques

Ces roches tiennent leur nom des modifications qu'elles ont subies dans leur composition et leur structure lors de mouvements tectoniques. Elles se reconnaissent à leur aspect feuilleté et habillent presque l'intégralité de la Corse orientale. Les **schistes** ont modelé un paysage massif, aux monts moins élancés et plus larges qu'en Corse occidentale. Les croupes de la Castagniccia et du Bozio, noyées sous la châtaigneraie, en constituent l'un des visages. Ces roches sont débitées en lauzes ou *teghie* pour assurer la couverture des maisons.

Les célèbres « **roches vertes** », plus résistantes que les schistes, façonnent des paysages aux reliefs abrupts et découpés. Les torrents les ont fendues en gorges étroites et profondes : c'est le cas du défilé de Lancone et de la haute corniche du Golo. La roche connue sous le nom de « **Vert de Corse** », pierre ornementale très prisée, contient de splendides cristaux vert jade. On en trouve des gisements en Castagniccia et dans le Cap Corse, près de Canari.

POLYCHROMIE

Les amateurs d'art remarqueront le **schiste lustré**, à l'aspect soyeux, souvent employé dans les églises pisanes (chapelle San Quilico de Cambia, par exemple), le **calschiste**, pierre dorée aux teintes pâles orange, vertes, bleues (église de Canonica) ou encore les **roches vertes**, utilisées pour l'édification de monuments polychromes (San Michele de Murato).

Diorite orbiculaire dans le village de Ste-Lucie-de-Tallano.

Arbousier

Une nature généreuse

Contrairement à la plupart des îles méditerranéennes souvent sèches et pelées, la Corse est un véritable festival de couleurs et de senteurs malgré des incendies récurrents et très médiatisés. Pour apprécier les mille et une beautés de la végétation et de la faune, il ne faut pas hésiter à écouter, observer, respirer les parfums du maquis, se rafraîchir l'été dans les denses forêts, refuges de quelques porcs coureurs, se promener dans les hautes montagnes baignées de lacs et habitées de mouflons.

Une végétation étagée

Surnommée avec justesse par les Anglais « l'île parfumée », la Corse apparaît étonnamment verte, boisée et fleurie. Napoléon disait qu'il reconnaissait sa terre natale à son odeur. On ne saurait énumérer toutes les espèces végétales de l'île : il y en a plus de 2 000. Certaines sont communes à la flore continentale, d'autres à celle du bassin méditerranéen, mais surtout on dénombre 78 variétés endémiques. Les végétaux, que l'on découvre au gré des randonnées, ont su s'adapter à un milieu biologique difficile : sécheresse prolongée, vent violent ou froid rigoureux. Chaque essence évolue dans une zone d'altitude particulière, avec toutefois quelques variations selon la nature du sol, l'exposition des versants et l'orientation des vallées. On distingue, dans l'ensemble, trois étages caractéristiques.

Hellébore corse

Couleurs et senteurs :
l'étage méditerranéen inférieur

Jusqu'à 500 m d'altitude se mêlent les fleurs exotiques et le maquis. Le **figuier de Barbarie,** cactus originaire d'Amérique centrale, donne un fruit comestible. Soyez prudents en cueillant les figues car elles sont hérissées de piquants. L'**agave d'Amérique,** plante grasse aux longues feuilles bordées d'épines brunes, est ornée de fleurs jaunes. L'**aloès** aux feuilles charnues offre de janvier à avril un panache de fleurs rouges ou jaunes. L'**eucalyptus**, introduit en Corse au 19e s. pour ses vertus médicinales et sa faculté à assécher les zones marécageuses, embaume les régions de Porto et d'Ajaccio et la plaine orientale. Les **cédratiers** produisent des fruits ressemblant à de gros citrons que l'on consomme confits, en liqueur ou en confiture.

Ciste de Crète

Lentisque

Myrte

Eucalyptus

Figuier de Barbarie

« Prendre le maquis » – Constitué par un tapis végétal extrêmement dense pouvant atteindre 6 m de hauteur, le **maquis** a de tout temps servi d'abri à de nombreux bandits et résistants. Il s'étend sur d'immenses surfaces, y compris sous les pins maritimes, les chênes et dans les châtaigneraies abandonnées. Cette couverture végétale éminemment combustible favorise la propagation des incendies mais a le mérite de retenir la couche d'humus et de fournir du bois de chauffage. Au printemps, le promeneur appréciera les arômes puissants et la profusion des couleurs du maquis en pleine floraison. Le **ciste de Montpellier** et le **ciste à feuilles de sauge** constellent les basses pentes de leurs fleurs blanches, alors que le **ciste de Crète** apporte des touches mauve-rose. Les **calycotomes,** sorte de genêts épineux, forment de magnifiques buissons fleuris de jaune et parfumés d'une odeur de miel. Le **cyclamen** égaye de ses petites fleurs violettes le littoral et les sous-bois. Dans le bas maquis pousse aussi le **myrte** dont les baies d'un noir bleuâtre servent à la fabrication d'une liqueur réputée. Les autres plantes caractéristiques sont l'**asphodèle** avec ses fleurs blanchâtres, le **lentisque** que l'on reconnaît à son odeur résineuse et à ses baies virant au noir à maturité et le **genévrier** dont les baies d'un brun rouge font le délice des merles.

Le maquis arboré se compose de **bruyères**, de **chênes-lièges** (présents surtout dans le Sud-Est de l'île), de **chênes verts** et d'**arbousiers**. Ceux-ci portent, d'octobre à janvier, des fleurs blanches et des fruits rouge vif de la taille d'une grosse fraise (d'où son nom d'arbre aux fraises), consommés sous forme de gelée ou d'eau-de-vie.

Vous l'avez compris, une balade dans le maquis s'impose, excepté les jours de grand vent où les incendies peuvent se propager à vive allure. N'ayez crainte, vous n'aurez pas la mauvaise surprise de croiser des vipères puisqu'il n'y en a pas sur l'île mais vous rencontrerez certainement des porcs à demi sauvages se régalant de glands et d'arbouses.

DES HECTARES EN FUMÉE

Chaque été, les incendies corses reviennent à la une de l'actualité. Par exemple, en 1999, plus de 700 incendies ont brûlé environ 3 900 hectares sur les seuls mois de juillet et d'août ; la surface était à peu près similaire l'été précédent. Les agriculteurs, les éleveurs, les pompiers, les promoteurs immobiliers, les industriels du feu... on entend toutes les hypothèses sur les auteurs de ce fléau. Une chose est sûre : la plupart des incendies sont d'origine criminelle.

Renaissance de la végétation un an après l'incendie

*Récolte des olives
en Balagne*

Un vaste couvert forestier : l'étage médian

Entre 500 et 1 500 m d'altitude s'étend le royaume du châtaignier et du pin laricio. Introduit par l'homme au 15ᵉ s., le **châtaignier** est très répandu entre 500 et 800 m. Il tapisse quelque 15 000 ha dans la région de la Castagniccia et environ 31 000 ha sur toute l'île. Le châtaignier était jadis appelé « arbre à pain » en raison de sa forte capacité nourricière ; aujourd'hui les châtaignes ne sont plus guère récoltées que comme aliment d'appoint.

Vous reconnaîtrez le **pin laricio** à son tronc immense et parfaitement rectiligne ; il dépasse souvent 40 m de hauteur. Cet arbre emblématique des futaies corses croît entre 700 m d'altitude sur les versants exposés au midi et 1 800 m sur certaines faces Nord. Il compose l'essentiel des splendides forêts d'Aitone, Vizzavona et Valdo-Niello ; parfois en association avec le **pin de Corte**, le **pin maritime**, le **sapin pectiné**, voire le **cèdre** en forêt de Bavella. Le **hêtre** peut aussi se mêler au pin laricio entre 1 000 m et 1 500 m d'altitude. De beaux massifs de hêtres s'élèvent au Nord-Est de l'île (massif de San Petrone, plateau de Coscione). Le **bouleau** apparaît surtout à la limite supérieure de la forêt ; on le trouve au col de Vergio et sur la face Nord du Monte Cinto.

Dans son ensemble, la surface forestière ne diminue pas, malgré les incendies qui détruisent surtout le maquis. La régénération spontanée, les reboisements, les repousses sur les terrains pastoraux délaissés assurent en quelque sorte sa continuité.

Les **sous-bois** se parent souvent d'**aspérules odorantes** surnommées « petits muguets » ou « reines des bois » et d'**hellébores corses**, grandes plantes à fleurs vertes et à feuilles luisantes et coriaces. Les pelouses se couvrent parfois de **thym herbe-à-barons** dont les fleurs mauves embaument et de **thym aux chats**.

MARCELLE CONRAD (1897-1990)
Botaniste et peintre, Marcelle Conrad parcourut la Corse pendant 60 ans afin d'étudier et faire connaître le patrimoine végétal insulaire. Elle participa à la révision fondamentale de la classification de la flore corse ; elle est l'auteur d'un recueil d'aquarelles de plantes corses et cyrno-sardes inconnues sur le continent.

Sur les hauteurs : l'étage alpin

Les terrains compris entre 1 500 à 1 900 m sont dominés par l'**aulne odorant**. Ses feuilles poisseuses et odorantes le distinguent de son proche parent des Alpes. Fréquentes sur les versants Nord, les aulnaies aiment aussi les rives des torrents et les versants exposés au Sud.

*Les châtaigniers occupent
de vastes forêts*

Démasclage des chênes-lièges

Les **pozzines** (du mot corse *pozzi* : « puits ») font la grande originalité du paysage corse de haute montagne. Ce sont des pelouses spongieuses qui entourent et couvrent en partie certains lacs de montagne, celui de Nino en particulier. Elles créent de surprenants puzzles de terre et d'eau. Formées par l'accumulation de matière végétale non dégradée, elles s'habillent d'un gazon régulièrement tondu par le bétail.

Au-dessus de 1 600 m apparaissent d'autres plantes typiquement corses : le **genévrier nain,** arbrisseau couché sur le sol et l'**épine-vinette de l'Etna,** à fleurs jaunes et aux rameaux garnis de fortes épines.

Sur les hauteurs peu accessibles s'épanouissent quelques fleurs : l'ancolie de Bernard, la violette corse et la marguerite cotonneuse, sorte de chrysanthème à fleurs blanches. Ces fleurs, trop cueillies, tendent à se raréfier.

LE CONSERVATOIRE DU LITTORAL

La tradition d'insécurité des côtes corses jusqu'au 19e s. et le peu d'intérêt économique porté par les habitants ont préservé une partie du littoral d'une urbanisation anarchique. Aujourd'hui, afin de protéger ces sites, le Conservatoire du littoral acquiert de vastes surfaces non bâties qu'il aménage : sentiers du littoral, restauration de tours génoises, reconstitution de dunes... Parmi les plus remarquables **sites naturels préservés**, on distingue, sur le littoral Ouest, les Agriates, la vallée du Fango, Campomoro-Senetosa et Roccapina ; sur le littoral oriental, le golfe de Santa Giulia, l'île de Pinarellu, Fautea, la pinède de Pinia et le secteur de Capandula dans le Cap Corse. Les écosystèmes particulièrement fragiles et protégés sont classés en **réserves naturelles** ; Scandola, les îles Bruzzi et des Moines, Lavezzi, Cerbicale, Finocchiaroli et l'étang de Biguglia en font partie.

On se sent tout petit sous les pins laricio

Mouflon

Une faune protégée

Au détour des sentiers et des petites routes corses, vous croisez des **ânes**, qui furent pendant des siècles les fidèles compagnons des bergers et des apiculteurs, des familles de **cochons** en semi-liberté et vous devez ralentir pour laisser passer les troupeaux de **vaches**, de **chèvres** et de **brebis**. La Corse accueille une faune d'un type méditerranéen assez classique mais l'insularité a favorisé le développement de quelques espèces animales endémiques, parfois communes avec la Sardaigne. Certains animaux furent menacés de disparition il y a quelques années et sont désormais protégés par le Parc naturel régional. Citons ici les espèces les plus rares ou les plus caractéristiques de l'île.

L'emblème de la montagne corse

Seul mouton sauvage d'Europe, le **mouflon** se réfugie dans les montagnes. Les bons marcheurs munis de jumelles et de patience pourront observer l'animal au pelage brun dans la vallée d'Asco, les massifs de Bavella et du Monte Cinto. On trouve des mouflons ailleurs dans le monde mais l'espèce corse est particulière par sa petite taille. *I Muvrini* signifie « les petits mouflons » en corse : le célèbre groupe de chanteurs a choisi ce nom car l'animal symbolise la paix et la liberté.

Toute la petite famille de cochons en semi-liberté

L'âne, fidèle compagnon

LA RÉINTRODUCTION DU CERF

Disparu depuis 1968 (après avoir occupé toute l'île au 18ᵉ s.), le **cerf Élaphe corse** (*U Cervu*, en corse) fait l'objet de soins attentifs de réintroduction à partir d'individus identiques prélevés en Sardaigne. Plus petit que son congénère du continent, il est aussi plus sombre. Plusieurs enclos de reproduction ont été aménagés à Quenza et à Chisa et certains animaux ont retrouvé la liberté. Ainsi, on dénombre aujourd'hui plus de 100 cerfs.

Gypaète barbu

Sittelle corse

Les oiseaux

Reconnaissable à son bec rouge et noir, le **goéland d'Audouin** cherche refuge dans les zones rocheuses et escarpées. La Corse est le seul endroit de France où il se reproduit, notamment dans les îles Finocchiarola, au Nord-Est du Cap Corse.

La colonie corse **de cormorans huppés** demeure l'une des plus importantes de la Méditerranée. L'oiseau se reproduit sur tous les îlots de Corse classés « réserve naturelle » (Finocchiarola, Cerbicale, Bruzzi...) et se nourrit uniquement de poissons.

La **sittelle corse** est l'espèce emblématique de la faune endémique corse. Cet oiseau sédentaire occupe les forêts centrales de pins laricio. Il niche dans le tronc d'arbres morts à une dizaine de mètres du sol et se déplace souvent à la verticale la tête en bas. Vous reconnaîtrez la sittelle à son bec fin et droit et son sifflement modulé.

Le **gypaète barbu** (*altore* en corse) vit dans les régions rocheuses. Ce grand rapace charognard est tributaire de la présence d'ovins en transhumance dont la raréfaction oblige à l'alimentation de charniers par le Parc régional.

Le **balbuzard**, sorte d'aigle pêcheur, niche sur les pitons rocheux en bord de mer. En voie d'extinction il y a une vingtaine d'années, l'espèce a survécu grâce à l'action et la protection du Parc naturel. On observe aujourd'hui une vingtaine de couples de balbuzards dans la réserve naturelle de Scandola.

Les reptiles

Le **lézard de Bédriaga**, espèce endémique à la Corse et à la Sardaigne, se distingue par son museau pointu. Il se nourrit de sauterelles, d'araignées et de grillons et habite en milieu rocheux, principalement dans le massif du Monte Cinto.

Un autre reptile endémique cyrno-sarde, le **lézard Tiliguerta,** occupe la quasi-totalité de l'île depuis le bord de la mer jusqu'à 1 800 m d'altitude.

La **tortue d'Hermann**, espèce quasiment en voie de disparition en France, a été victime de l'urbanisation du littoral méditerranéen et surtout des incendies de forêts. Elle n'est plus représentée que dans le massif des Maures et en Corse, où elle demeure encore abondante sur la plaine côtière orientale et dans les maquis du Sud. En période estivale, elle peut s'enterrer jusqu'aux premières fraîcheurs de l'automne. Vous pourrez rencontrer ces spécimens dans le village des tortues, aménagé à Moltifao en Haute-Corse.

Proche de la famille des reptiles, l'**euprocte**, sorte de salamandre endémique, aime les eaux claires et les cailloux des torrents.

Lézard de Bédriaga

Tortue d'Hermann

Sous l'eau

Les fonds sous-marins corses, épargnés de la pollution, abondent de poissons et de crustacés. On trouve notamment des congres, des mérous, des rascasses, des murènes, des barracudas, des langoustes et des homards, sans oublier la très abondante faune fixée, les gorgones, mais surtout le corail rouge.

L'**aphanius de Corse**, petit poisson endémique, fréquente les eaux douces et saumâtres des estuaires et les lagunes de Biguglia, les étangs de Diana et les marais salés de Porto-Vecchio.

Mérou brun de Méditerranée

Une histoire mouvementée

Sampiero Corso
prépare ses troupes
à une insurrection contre Gênes.

Convoitée à toutes les époques, l'île a une histoire tumultueuse et une grande diversité d'origines. Elle est passée dans les mains des Grecs, des Romains, des Pisans, a vécu cinq siècles sous l'emprise des Génois avant de connaître une courte période d'indépendance. Depuis plus de 200 ans, elle est intégrée à la France.

Chronologie

Du pré-néolithique à l'Antiquité romaine

Avant J.-C.

On relève quelques témoignages d'une fréquentation épisodique de l'île antérieure à 10000 ans mais ce n'est qu'à partir du 8e millénaire que les premiers vrais occupants du pré-néolithique s'installèrent.

● **6570** – C'est à cette date que remonte le squelette de « la dame de Bonifacio », plus ancienne trace humaine découverte en Corse.

● **Fin du 6e - milieu du 5e millénaire** – Le néolithique ancien pénétre en Corse, on ne sait pas s'il s'agit de l'arrivée d'un nouveau peuplement ou d'une acculturation engendrée par le commerce et la navigation. L'agriculture et l'élevage complètent désormais la chasse, la pêche et la cueillette.

● **Entre 4000 et 2500** – Avec le néolithique évolué, les premiers villages se forment et le mégalithisme (de mégalithe : grande pierre) se manifeste. On commence à construire les *castelli*, sortes de villages fortifiés défendus par des tours imposantes, les *torre*. Au milieu du 4e millénaire apparaissent les premières techniques du bronze.

● **Vers 2600** – Métallurgie du cuivre à Aléria.

● **Entre 2500 et 2000** – Le néolithique terminal voit la floraison de statues-menhirs.

● **Vers 565** – Les Phocéens (Grecs) s'installent à Alalia, future Aléria.

● **540** – Au cours de la bataille navale d'Alalia, les Carthaginois défont les colons grecs.

● **259** – Les Romains conquièrent Aléria : la Corse est lentement romanisée.

● **100** – Marius fonde la colonie romaine de Mariana.

Après J.-C.

● **3e s.** – La Corse vit un réel brassage entre les habitants de souche, les colons latins et les étrangers de toute origine. À partir des colonies romaines d'Aléria et de Mariana, l'île est vite christianisée. Elle connaît quelques martyres comme sainte Restitude, sainte Julie et sainte Dévote.

Les invasions

Du 5e au 11e s., la Corse est régulièrement envahie par les Vandales puis par les pirates barbaresques. Les insulaires quittent le littoral pour se réfugier dans les montagnes.

● **5e s.** – La Corse est ravagée par les Vandales, puis par les Ostrogoths.

● **Vers 420** – Ruine d'Aléria.

Alignement de Palaggiu dans le Sartenais.

Sampiero Corso reste une figure emblématique de la lutte contre l'occupation génoise au 16e s.

- **590-604** – Grégoire le Grand réorganise les diocèses de Corse.
- **774** – Le Saint-Siège affirme ses droits d'administration temporelle et de possession de l'île.
- **8e-9e-10e s.** – Les raids sarrasins harcèlent la Corse, menaçant l'intérieur des terres.
- **Vers 1020** – Pise et Gênes s'entendent pour combattre les bases sarrasines en Corse, menaces permanentes pour leur puissance maritime.
- **11e s.** – Les premiers féodaux de l'île s'entre-déchirent ; la Corse connaît la pauvreté et la misère.

La « paix » pisane (1077-1284)

Durant cette période, l'île passe sous l'autorité de la florissante république pisane qui apporte une paix relative et une certaine prospérité. Gênes, éternelle rivale, est jalouse et revendique des droits. L'architecture pisane s'exprime par l'édification de remarquables couvents et églises.

- **1133** – Le pape Innocent II confirme à Pise l'autorité sur les évêchés d'Aléria, Ajaccio et Sagone et accorde à Gênes ceux d'Accia, Mariana et St-Florent.
- **1195** – Les Génois s'installent à Bonifacio et colonisent la cité.
- **1268** – Les Génois fondent Calvi.
- **1284** – L'effondrement de Pise à la bataille navale de la **Meloria** consacre la suprématie de Gênes.

Pont génois de Pianella dans les gorges de Spelunca.

LA CRISE DÉMOGRAPHIQUE

La Corse, avec ses 260 000 habitants, est la moins peuplée des îles de la Méditerranée occidentale. Elle a connu, depuis la période génoise, une émigration régulière qui s'est accrue avec la désertification rurale. L'hémorragie démographique s'est accentuée avec les lourdes pertes de la Première Guerre mondiale. Malgré l'arrivée, entre 1958 et 1964, de 17 000 Français repliés d'Algérie, la Corse n'a pas aujourd'hui retrouvé sa population du début du 20e s. Le Midi méditerranéen, la région parisienne et la région Rhône-Alpes comptent les plus grandes communautés corses du continent.

Cinq siècles d'occupation génoise (1284-1768)

Du 13ᵉ au 16ᵉ s. Gênes doit affronter tantôt les révoltes des seigneurs de la Cinarca, fidèles à Pise, tantôt les révoltes populaires, appuyées à l'occasion par des puissances étrangères : l'Aragon au début du 15ᵉ s., la France au mileu du 16ᵉ s. Les Génois laissent en héritage leurs célèbres ponts et tours.

● **1297** – Le pape Boniface VIII donne l'investiture de la Corse et de la Sardaigne au roi d'Aragon. Gênes, aux prises avec Venise, délaisse momentanément la Corse.

● **1348** – La Corse perd le tiers de sa population lors de la grande peste.

● **1376-1434** – L'Aragon, implanté en Sardaigne, se souvient de son « investiture » et convoite la Corse.

● **1420** – Vincentello d'Istria, « lieutenant du roi d'Aragon en Corse », construit la citadelle de Corte.

● **1453** – Gênes confie la gestion de la Corse à l'Office (banque) de St-Georges, sorte d'établissement financier para-étatique, alors tout puissant dans la République.

● **1553** – Les troupes du roi de France Henri II, appuyées par Sampiero Corso, débarquent en Corse.

● **1559** – Le traité de Cateau-Cambrésis restitue l'île aux Génois.

● **1559-1569** – Sampiero Corso entretient des soulèvements dans l'île jusqu'à son assassinat. Le littoral est ceinturé de tours de guet pour lutter contre les raids barbaresques. À partir de la fin du 16ᵉ s., la Corse va connaître 160 ans de paix relative.

● **17ᵉ s.** – Renouveau religieux : la Corse se couvre d'églises baroques.

● **1676** – 600 Grecs, fuyant les Turcs, s'installent à Paomia, près de Sagone, puis un siècle plus tard à Cargèse.

● **18ᵉ s.** – Décadence de Gênes, ruinée et divisée.

● **1729-1769** – Succession de soulèvements populaires appelés guerre d'Indépendance. Des notables mettent en place d'éphémères gouvernements d'un « royaume corse ». En 1736, Théodore de Neuhoff est proclamé roi de Corse. Interventions militaires françaises en 1738 et 1748 pour rétablir l'ordre.

La Corse indépendante (1755-1769)

La Corse connaît 14 années d'indépendance sous l'action de Pascal Paoli, homme de démocratie et de progrès. Paoli est élu « général de la nation corse » en 1755. Il proclame un « gouvernement de la nation corse » à Corte.

La Corse française

● **1768** – Par le traité de Versailles, Gênes cède la Corse à la France.

● **1769** – Le 8 mai, les Paolistes sont vaincus par les troupes françaises lors de la bataille du Ponte Nuovo ; Paoli s'exile en Angleterre. Le 15 août, Napoléon Bonaparte nait à Ajaccio.

● **1789** – L'Assemblée constituante proclame la Corse « partie intégrante de l'empire français ».

● **1790** – Paoli regagne la Corse après 21 ans d'exil.

● **1794-1796** – Un royaume anglo-corse est constitué avec Sir Gilbert Elliot pour vice-roi. Paoli reprend le chemin de l'exil.

● **1796** – La France reconquiert la Corse. L'île est divisée en deux départements.

● **1811** – L'île est réunifiée en un seul département dont Ajaccio devient le chef-lieu.

● **À partir de 1830** – Apaisement des divisions locales, de la vendetta et du banditisme.

● **1840** – Prosper Mérimée, inspecteur des Monuments historiques, rentrant d'un séjour en Corse, publie son roman *Colomba*.

Sceau de la Corse

Les femmes corses protestent contre la violence : « Manifeste pour la vie », 9 juin 1996.

- **1894** – Inauguration de la voie ferrée Ajaccio-Bastia.
- **1914-1918** – La guerre accentue l'hémorragie démographique amorcée à la fin du 19ᵉ s. : 14 000 morts. Il reste très peu d'hommes valides pour reprendre les exploitations agricoles, les savoir-faire ne se transmettent donc presque plus.
- **1942-1943** – La Corse est occupée par les troupes allemandes et italiennes. En septembre 1943, elle est le premier département libéré.
- **1944** – Éradication de la malaria dans la plaine orientale par les troupes américaines.
- **1970** – La Corse est séparée de la région Provence-Côte d'Azur et devient la 22ᵉ région de France.

Éveil de l'identité corse

- **1975** – La Corse est divisée en 2 départements : Haute-Corse (2B) et Corse-du-Sud (2A). En août, un commando de militants autonomistes occupe une cave viticole d'Aléria pour stigmatiser les privilèges réservés aux agriculteurs pieds-noirs. La répression est brutale et deux gendarmes sont tués. Cet événement devient le symbole du réveil de l'indépendantisme corse.
- **1976** – Fondation du Front de libération nationale de la Corse (FLNC).
- **1981** – Création à Corte de l'université de Corse.
- **1982** – Élection de la première assemblée de Corse au suffrage universel.
- **1991** – La Collectivité territoriale de Corse devient l'organisme régional exécutif doté de pouvoirs plus étendus.
- **1995** – Création de l'IMEDOC : regroupement d'intérêt économique des trois grandes îles de la Méditerranée occidentale (la Sardaigne, la Corse et les Baléares).
- **1996** – Mise en service des navires à grande vitesse (NGV) entre Nice, Livourne et la Corse. Plus de 2 000 femmes défilent dans les rues d'Ajaccio pour protester contre la violence.
- **1998** – Assassinat du préfet Claude Érignac. Plus de 40 000 personnes défilent dans l'île pour se dresser contre les dérives sanguinaires et mafieuses.
- **2000** – Accords de Matignon prévoyant d'ici 2004 des pouvoirs renforcés à l'assemblée territoriale de Corse.

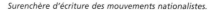

Surenchère d'écriture des mouvements nationalistes.

Napoléon Bonaparte

L'Empereur des Français (1769-1821), né de parents ajacciens, voulut que son île « soit une bonne fois française », même s'il dut pour cela entretenir la rivalité Nord-Sud et s'opposer à Paoli. C'est lui qui « francisa » les emplois gouvernementaux. Pourtant, ses rêves de pouvoir le conduisant vers des contrées plus lointaines, il n'eut en définitive que peu d'action en Corse. Ajaccio perpétue cependant le souvenir de « l'enfant de la Corse » et de sa famille.

Nabulio et la vie à la Casa Buonaparte

Au 16e s., des Bonaparte auraient quitté Sarzana en Italie pour s'installer à Ajaccio qui relevait alors de la même souveraineté génoise. Deux siècles plus tard, Charles-Marie, le père de Napoléon, épousa à 18 ans Letizia Ramolino âgée de 14 ans. Le 15 août 1769, ils donnèrent naissance à leur deuxième fils prénommé **Napoleone** en mémoire d'un parent de Letizia. Ce nom peu commun fut vite remplacé au sein de la famille par le diminutif de Nabulio, « Touche à tout ».

Les Bonaparte habitaient une grande maison d'un extérieur très simple à Ajaccio. Letizia veillait avec rigueur à la bonne marche du foyer et s'occupait des enfants (13 dont 5 morts en bas âge). Cette « femme rare conduisait tout, administrait tout avec une sagesse, une sagacité qu'on attendait ni de son sexe ni de son âge ». L'éducation était sévère et le jeune Nabulio dut souvent supporter ses réprimandes justifiées. L'empereur reconnut plus tard : « J'étais querelleur, lutin, rien ne m'imposait. Je ne craignais personne, je battais l'un, j'égratignais l'autre. Je me rendais redoutable à tous ».

Napoléon 1er (1769-1821), Empereur des Français, par François Gérard.

D'une famille anoblie mais modeste, Charles-Marie sollicita une bourse d'études pour ses deux aînés ; ainsi, en 1779, Napoléon fut admis à l'école militaire de Brienne dans l'Aube.

L'officier d'artillerie

Après Brienne, Napoléon poursuivit ses études à l'école militaire de Paris dont il sortit lieutenant d'artillerie à l'âge de 16 ans. Ses projets étaient alors modestes : retourner en Corse pour y faire une carrière politique et militaire. Dès 1789, il fut acquis aux idées de la Révolution.

La guerre civile

La loi n'autorisait les officiers français à s'engager dans les régiments de Gardes nationaux corses que s'ils étaient élus lieutenants-colonels. Napoléon, désireux de suivre au plus près les événements qui se déroulaient en Corse, se porta candidat et fut élu le 1er avril 1792 au poste de lieutenant-colonel en second du 2e bataillon des Volontaires corses

1789, rencontre du jeune Napoléon et de Paoli.

d'Ajaccio-Tallano derrière Jean-Baptiste Quenza. Quelques jours plus tard, à la suite d'une émeute entre les Volontaires corses des Gardes nationaux et les citadins, le bataillon Quenza-Bonaparte tua plusieurs personnes à la sortie de la cathédrale d'Ajaccio. L'événement engendra 8 jours de guerre civile dont la population garda longtemps rancune au futur empereur. La ville, alors acquise aux idées de Paoli, se dressa contre les Bonaparte qui affichaient leur fidélité à la Convention.

Charles-Marie Bonaparte,
par Anne-Louis Girodet Trioson.

L'insurrection gagna toute l'île et Napoléon dut rejoindre le continent en juin 1792. Il ne revint en Corse qu'en 1799, à son retour d'Égypte.

L'ascension vers l'Empire

C'est seulement en métropole que commença la fulgurante carrière de Napoléon. Capitaine d'artillerie, il se distingua à Toulon en 1793 puis comme général de brigade dans les campagnes d'Italie en 1796 et d'Égypte en 1798. Après le coup d'État du 18 brumaire an VIII (1799), il devint Premier Consul puis Consul à vie. En moins de 5 ans le Consulat lui permit de centraliser les pouvoirs au profit de son ambition : le 2 décembre 1804, à l'âge de 35 ans, il fut sacré empereur des Français à Notre-Dame. En 1807, après une série de campagnes, il domina l'Europe et édifia le Grand Empire. En 1815, quelques jours après la foudroyante défaite de Waterloo, Napoléon se replia en France et abdiqua. Suivront 6 ans de séjour forcé à l'île de Sainte-Hélène où il mourut en 1821. On raconte que durant ses années d'emprisonnement, Napoléon pensait avec nostalgie à son île natale.

Marie-Laetitia
Bonaparte,
par François Gérard.

Le nom de
Napoléon est
utilisé sur
toutes sortes
de produits.

NAPOLÉON ET LA LÉGENDE
Personnage de l'Histoire et grand communicateur, Napoléon appartient aussi à la littérature, au théâtre, à la peinture, au cinéma et à la publicité. Il bénéficie d'une filmographie considérable puisqu'en un siècle, il a été le sujet de six cents films l'idéalisant ou le critiquant. Utilisé à des fins commerciales, on retrouve son effigie sur des boissons apéritives et sur toutes sortes d'articles.

L'aigle impérial

La Corse indépendante

La Corse a connu sa seule période d'indépendance entre 1755 et 1768 sous l'égide de Pascal Paoli. Aujourd'hui, elle est un peu « l'enfant terrible » de la France : à la fois atta-chante et rebelle, secrète et démonstrative, elle ne cesse de susciter les passions.

Un éphémère royaume corse

En 1736, Théodore de Neuhoff, un baron allemand qui avait pris cause pour des exilés corses, débarque sur l'île avec des armes. Redonnant espoirs aux insurgés, il est cou-ronné roi de Corse sous le nom de Théodore 1er. Mais il doit quitter l'île quelques mois plus tard en raison de la résistance génoise et de la méfiance des généraux corses.

Le « Père de la Patrie », Pasquale Paoli

Pour la plupart des Corses, nationalistes ou non, Pasquale Paoli est un « héros » qui permit à la nation corse, pour la première fois, de s'affirmer et qui dota l'île d'une constitution républicaine bien avant la France.

La bataille du Ponte Nuovo, 8 mai 1769.

Né en 1725 en Cas-tagniccia, Pascal Paoli accompagne son père en exil à Naples. Il y reçoit une formation intellectuelle pous-sée, s'intéresse aux idées des Lumières, aux doctrines étrangères et suit avec attention l'évolution de son île. De retour en Corse en avril 1755, il prend la tête de l'insurrection contre les Génois ; le 13 juillet 1755, il est proclamé « général de la Nation ». Il fixe sa capitale à Corte et dote l'île d'une organisation politique démocratique et moderne : il fait voter une constitution avec séparation des pouvoirs, fait frapper monnaie, fonde l'université de Corte, dote la justice de tribunaux réguliers, etc.

Les Génois, toujours présents dans l'île mais affaiblis, demandent secours à la France. En 1768, après des négociations entre la République de Gêne et la France, le traité de Versailles confie l'administration de la Corse aux Français. Paoli orga-nise la résistance armée mais est vaincu à la bataille du Ponte Nuovo en 1769. C'est le début de la Corse française et Paoli s'exile en Angleterre. Après un retour dans sa patrie entre 1790 et 1795, il meurt en exil à Londres en 1807.

La tête de Maure

Désormais indissociable de l'identité insulaire, la tête de Maure a marqué les com-bats de la Résistance pendant la Deuxième Guerre mondiale, puis celles des mul-tiples revendications autonomistes.

L'emblème apparaît à la fin du 13e s. dans les armoiries du **roi d'Aragon** en sou-venir de la reconquête de l'Espagne sur les Arabes. La tête de Maure est ensuite accordée, au cours du 15e s., à des chefs corses partisans des Aragonais. Tombée plus ou moins dans l'oubli, le roi Théodore l'adopte en 1736 avec les insignes d'ori-gine : bandeau sur les yeux, boucles d'oreilles et chaînes au cou. C'est avec

Théodore de Neuhoff,
roi des Corses en 1736.

Pascal Paoli et le manuscrit
de la constitution de 1755.

Pascal Paoli que la tête de Maure devient le symbole officiel de la nation corse. Il décide de supprimer les chaînes et autres marques de soumission et de relever le bandeau qui couvre les yeux : « Les Corses veulent y voir clair. La liberté doit marcher au flambeau de la philosophie. Ne dirait-on pas que nous craignons la lumière ? », déclare le chef des insurgés.

Les mouvements autonomistes et nationalistes

Les événements d'Aléria en 1975 marquent le réveil des sensibilités nationalistes et la création, un an plus tard, du Front de libération nationale de la Corse (FLNC). Autonomie, défense de la langue et de la culture, protection des sites, etc. sont au programme des revendications qui s'illustrent par de multiples plasticages, dont certains ont le mérite de préserver le littoral. Mais une partie du mouvement s'éloigne des aspirations initiales et dérape dans la violence. Le FLNC est dissout en 1983 mais plusieurs groupes nationalistes restent très actifs. Les différents gouvernements ont du mal à appréhender ce délicat « malaise corse » et alternent périodes de laxisme, de fermeté et de trêve monnayée en secret. En février 1998, l'épisode tragique de l'assassinat du préfet Érignac provoque un réveil des consciences et une volonté de rétablir l'État de droit. Après s'être heurtées, les différentes tendances nationalistes essaient aujourd'hui de renouer le dialogue. L'indépendance de l'île est toujours rejetée par plus de 80 % de ses habitants mais la question d'un aménagement politique, laissant une plus grande autonomie tout en conservant les liens avec le continent, constitue la base des accords en cours.

L'emblème de la tête de Maure.

ABC d'architecture

Architecture religieuse

LURI (hameau de Piazza) – Plan de l'église St-Pierre (17ᵉ s.)

Campanile

Collatéral ou bas-côté

Sacristie

Pilier

Chœur

Porche

Travée : division transversale de la nef comprise entre deux piliers

Abside : extrémité de la nef principale d'une église ; sa partie extérieure s'appelle le **chevet**.

Chapelle orientée

LUCIANA – Coupe en élévation de la Canonica (12ᵉ s.)

Comble

Voûte en berceau : en demi-cercle

Toit en appentis

Nef

Bas-côté

MARIANA – Église San Parteo (11ᵉ et 12ᵉ s.)

Contemporaine de la cathédrale de Pise, l'église fut bâtie en deux étapes : abside (11ᵉ s.) et nef (début du 12ᵉ s.). La sobriété des lignes et du décor caractérise le premier art roman pisan.

Tuiles canal ou creuses

Toit en croupe ronde

Arcature

Colonne engagée

Appareil assisé : constitué d'éléments de grosseur variable

Trou de boulin : espace laissé dans la maçonnerie, dans un but décoratif, après la dépose des pièces de bois **(boulin)** de l'échafaudage

Soubassement

ST-FLORENT – Église Santa Maria Assunta (12ᵉ s.)

L'ancienne cathédrale du Nebbio, inspirée de la Canonica, illustre la seconde période de l'art roman pisan : un décor extérieur plus important y tire parti de l'architecture.

Arcature aveugle

Croix grecque formée par un vide laissée entre les pierres

Corniche d'arcature

Niche

Statue nichée

Linteau

Oculus

Modillon sculpté : petites consoles soutenant une corniche

Fenêtre-archère ou fenêtre meurtrière

BASTIA – Nef de l'église St-Jean-Baptiste (17ᵉ-18ᵉ s.)

Voûtain ou quartier : portion de voûte délimitée par des arêtes ou par des nervures

Fenêtre haute

Caisson : compartiment creux ménagé comme motif de décoration dans un plafond ou une voûte

Écoinçon : surface comprise entre l'arc et son encadrement

Abat-voix

Chapelle latérale

Chaire à prêcher

Pilastre : pilier engagé dans un mur sur lequel il fait une faible saillie

Autel

Balustrade : garde-corps formé d'une file de balustres

LA PORTA – Façade de l'église (17ᵉ s.)

L'art baroque né de la Contre-Réforme se développe en Corse dans la région du Cap et à Bastia. La Castagniccia concentre le plus grand nombre d'églises baroques.

Fronton curviligne

Rinceaux

Volute

Vase d'amortissement ; l'amortissement est le couronnement d'un édifice ou d'une partie d'édifice.

Coquille motif baroque

Entablement : couronnement en saillie d'une façade, constitué par l'architrave, la frise et la corniche.

Cartouche

Colonne adossée à un pilastre

Piédestal

AJACCIO – Cathédrale de l'Assomption Maître-autel baroque (fin du 17ᵉ s.)

Les retables baroques sont nombreux dans l'île. Celui-ci, offert par la sœur de Napoléon, Elisa, princesse de Lucques, provient d'une église de cette ville italienne.

Ange

Chérubin : ange représenté par une tête d'enfant ailée

Colonne torse

Crucifix

Candélabres

Attique : petit étage supplémentaire couronnant une construction

Fronton curviligne brisé

Chapiteau corinthien orné de deux rangs de feuilles d'acanthe, plante méditerranéenne de la famille du chardon.

Tabernacle

Antependium : devant, parement d'autel

CALENZANA – Campanile baroque (reconstruit au 19ᵉ s.)

Œuvre de l'architecte bastiais Guasco, il reproduit fidèlement le modèle d'origine.

Coupole

Lanternon

Garde-corps en fer forgé

Colonne en délit : isolée de la paroi par un bref intervalle

Chambre des cloches : étage d'une tour abritant les cloches

Balustre en double poire

Table : surface plane verticale

Agrafe : élément ornemental placé sur la clé d'une baie

Console à volutes

Soubassement

BALAGNE – Mausolée (19ᵉ s.)

Ces tombes familiales, souvent majestueuses, se dressent sur des terrains privés, au bord de petites routes à la sortie des villages. Leur décor puise dans les styles baroque et néoclassique.

Cuir : ornement imitant un morceau de cuir aux bords enroulés sur eux-mêmes

Statue de la Vierge

Pot-à-feu : élément décoratif en forme de vase coiffé d'une flamme, caractéristique de l'architecture classique.

Fronton triangulaire

Fronton triangulaire à base interrompue

Denticules : frise formée de petites découpures rectangulaires en ressant

Imposte : partie supérieure d'une baie de porte ou de fenêtre

Colonne : support de forme cylindrique composé de trois éléments nommés la **base** (pied), le **fût** (partie centrale) et le **chapiteau** (partie supérieure).

Vantail

Architecture traditionnelle

BASTIA - Maisons du quartier Terra Vecchia (19ᵉ s.)

Les hautes maisons serrées autour du port, au crépis ocre délavé par l'air marin, dissimulent les grandioses façades des églises, physionomie commune aux ports méditerranéens traditionnels.

Pièces de bois utilisées comme pare-vent sur les arêtes de toiture

Lucarne

Jouée côté d'une lucarne

Mitron : extrémité supérieure d'une cheminée

Couverture en teghie (lauze) donnant un ton gris bleuté uniforme aux maisons

Fenêtre en chien assis

balcon

Persienne génoise

Sanitaire sur balcon

Génie civil

PONTE LECCIA – Pont sur le Golo (1782)

Le pont génois (à arche unique) ne peut franchir plus de 20 m. Dès le rattachement de la Corse, les ingénieurs français adoptent donc le pont à piles en pierres de taille, très souvent orné d'une arcature moulurée.

Culée : massif de maçonnerie qui contient la poussée des arches

Bec ou avant-bec : massif de maçonnerie angulaire renforçant une pile en amont

Tablier : sol du pont servant de voie

Œil de pont (ici, obturé) destiné à l'écoulement des eaux en cas de crue submergeant le tablier

Crèche : empierrement autour des piles destiné à protéger des dégradations provoquées par la force de l'eau.

Rein : partie de la voûte entre l'arche et le tablier

Maîtresse-arche

Pile

Architecture militaire

CALVI - Citadelle génoise (15e-16e s.)

L'Office de St-Georges, organisme génois tutélaire de l'île, fortifia à partir de 1453 cette position stratégique. Percé à 81 m d'altitude, l'unique accès à la citadelle est commandé par un pont-levis et des portes blindées.

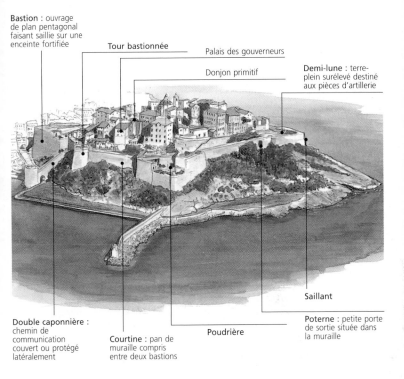

Bastion : ouvrage de plan pentagonal faisant saillie sur une enceinte fortifiée

Tour bastionnée

Palais des gouverneurs

Donjon primitif

Demi-lune : terre-plein surélevé destiné aux pièces d'artillerie

Saillant

Double caponnière : chemin de communication couvert ou protégé latéralement

Courtine : pan de muraille compris entre deux bastions

Poudrière

Poterne : petite porte de sortie située dans la muraille

CAP CORSE – Tour génoise (16e s.)

Pour prévenir les razzias barbaresques, Gênes fit édifier, à partir de 1530, un réseau de 85 tours rondes de vigie sur le littoral de l'île. Les plus nombreuses subsistent dans le Cap Corse.

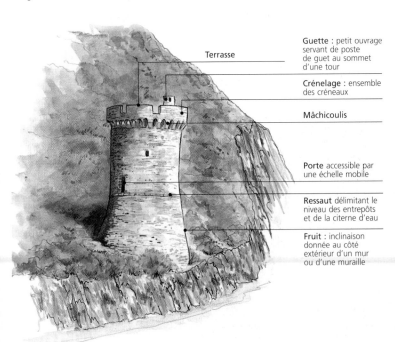

Terrasse

Guette : petit ouvrage servant de poste de guet au sommet d'une tour

Crénelage : ensemble des créneaux

Mâchicoulis

Porte accessible par une échelle mobile

Ressaut délimitant le niveau des entrepôts et de la citerne d'eau

Fruit : inclinaison donnée au côté extérieur d'un mur ou d'une muraille

Art et architecture

La Corse conserve une surprenante variété de trésors archéologiques dont les mystérieuses statues-menhirs et quelques vestiges gréco-romains. Mais l'île compte aussi à son patrimoine des chapelles romanes aux lignes pures, des églises baroques, des ponts génois ou encore des tours et des citadelles perchées sur des promontoires.

Au cœur des mégalithes

À partir du 4ᵉ millénaire avant J.-C. apparaît un ensemble de civilisations fécondes en monuments originaux. La richesse de la Corse est, à ce sujet, exceptionnelle dans le bassin de la Méditerranée. On a repéré plusieurs centaines de menhirs dans l'île et sans doute un certain nombre d'autres dort encore sous la terre.

L'art des Mégalithiques

La civilisation mégalithique (de mégalithe : grande pierre) se développe dans l'île vers 4000 avant J.-C. et s'y maintient jusqu'aux environs de l'an 1000 avant J.-C.

Cette civilisation élabore ses techniques et son propre mode de vie agro-pastoral. On note la pratique des inhumations dans des **coffres,** puis dans des **dolmens,** grandes pierres plates posées sur des pierres dressées verticalement. Dans le même temps apparaissent des blocs monolithes dressés : les **menhirs.** Ils se présentent isolés ou groupés en alignements ou en cercles.

À la fin du néolithique (2500-2000 avant J.-C.), naissent les mystérieuses **statues-menhirs.** Environ 80 statues anthropomorphes sont connues en Corse.

Statue-menhir sur le site archéologique de Filitosa.

Munies d'un nez, d'une bouche et d'une paire d'yeux, elles sont parfois sexuées, et alors en majorité féminines. Celles du Sud de la Corse sont souvent armées (poignards, épées). Selon certains archéologues, les Mégalithiques auraient représenté ainsi leurs ennemis tués au combat. Cette explication reste très controversée ; la statue-menhir serait plus simplement la représentation d'un personnage défunt ou d'une divinité.

La région de Sartène et la basse vallée du Taravo conservent les monuments les plus caractéristiques de cette époque : ne manquez pas de visiter le site de Filitosa et les mégalithes de Cauria. Des vestiges subsistent aussi dans le Niolo, le Nebbio et la Balagne.

Dolmen de Fontanaccia dans le Sartenais.

Les monuments torréens

Vers le milieu du 4ᵉ millénaire avant J.-C. apparaît la civilisation torréenne qui doit son nom aux nombreuses tours (« **torre** ») qu'elle édifie. D'une dizaine de mètres de diamètre, les tours disposent d'une petite pièce centrale. Certaines forment un ensemble beaucoup

Rhyton attique en forme de tête de chien (musée Jérôme Carcopino à Aléria).

plus vaste avec le village appelé « **castellu** » et une enceinte fortifiée. Des murs cyclopéens protègent les lieux : ils sont constitués de gros blocs de pierre irréguliers, assemblés sans mortier. On a long-temps cru que ces vertiges étaient l'œuvre d'un peuple d'envahisseurs, les Shardanes. On pense aujourd'hui que la civilisation torréenne est une évolution du peuplement insulaire mégalithique liée aux échanges maritimes avec le reste du monde méditerranéen.

Les monuments torréens les mieux conservés se situent sur le plateau de Levie et dans la région de Porto-Vecchio. Le gisement de Filitosa, dans la basse vallée du Taravo, présente un intérêt exceptionnel.

Serpentine vert sombre et calcaire, église San Michele de Murato.

Les vestiges de l'Antiquité

Art et urbanisme grecs et romains

Les vestiges grecs et romains ne se rencontrent en Corse que dans les sites archéologiques d'Aléria et de Mariana. **Aléria** fut surtout une base navale, important relais commercial avec la Grèce et l'Italie. On découvre dans le musée une collection de cratères et de pièces provenant de l'Attique (territoire de la cité d'Athènes), de bronzes, de mosaïques, de monnaies, de poteries. Cet art témoigne de la perméabilité du milieu insulaire aux influences artistiques du monde méditerranéen.

À l'embouchure du Golo, jouxtant l'église de la Cano-nica, **Mariana** était une cité antique et un port où sta-tionnait une partie de la flotte de Misène.

L'art paléochrétien

Le christianisme se répand en Corse sans doute au 3e s. La plus ancienne tradition qui soit établie avec quelque sérieux remonte au martyre de sainte Dévote en 202. Différents indices archéologiques permettent de penser qu'entre le 3e et le 5e s. tout un art fleurit sur l'île et qu'il connaît son âge d'or durant la deuxième moitié du 4e s. Des **basiliques paléochrétiennes** ont été localisées à Calvi, Ajaccio, St-Florent, Sagone, Mariana... Le baptistère et les mosaïques découvertes sur le site de Mariana donnent une idée assez précise du milieu artistique évolué de la Corse à cette époque. Mais il ne nous reste que peu de témoignages paléochrétiens car au 5e s., tous les bourgs situés le long des côtes furent pillés et saccagés par les hordes d'envahisseurs arrivés par mer.

L'héritage roman

L'art roman de Corse est considéré comme l'un des plus beaux d'Europe. Il éclôt sur l'île dès le 9e s., atteint sa pleine maturité durant la deuxième moitié du 11e s. et se perpétue avec la même qualité jusqu'à la fin du Moyen Âge.

Les églises pré-romanes

Dès le 9e s., des dizaines de petites églises et de chapelles rurales sont édifiées. La présence de bénédictins des îles toscanes stimule l'architecture romane primitive qui fleurit surtout, à l'écart du littoral, dans les lieux protégés des raids. Malheureusement, il ne reste aujourd'hui sur l'île qu'une quinzaine d'édifices, la plupart très ruinés. Citons St-Jean-Baptiste de Corte (9e s.) avec son baptistère à peu près intact et Santa Maria de Valle-di-Rostino (10e s.).

L'harmonie de l'art roman pisan

Dès la fin du 11e s., la république de Pise entreprend de réédifier les cathédrales côtières afin de repeupler les plaines littorales abandonnées. Elle reconstruit aussi les principales églises des vallées, les « **piévannies** ». Architectes, tailleurs de pierre, maîtres maçons et sculpteurs toscans viennent apporter leurs connaissances aux artisans corses. Ils élèvent des églises, principalement dans la Castagniccia, le Nebbio et la Balagne ; celles-ci servent également de maison du peuple et de tribunaux. L'église piévane de Carbini et l'abside de la cathédrale de Mariana représentent des

Détails de l'église de la Trinité à Aregno, bel exemple de l'art roman pisan.

Statuette représentant une femme en robe longue, sur la façade de l'église.

Claveaux sculptés d'animaux sur l'église romane de la Canonica.

chefs-d'œuvre du début de cette époque. Entre 1125 et 1160, période de maturité, on remarque en particulier la cathédrale du Nebbio à St-Florent et l'église St-Jean-Baptiste à Ste-Lucie-de-Tallano. À partir du milieu du 12e s. apparaissent quelques édifices polychromes dont San Michele de Murato et la Trinité d'Aregno constituent les plus beaux exemples.

Le caractère si harmonieux de l'architecture pisane de Corse vient de la simplicité des lignes et de la pureté des volumes. Dans les édifices, seule l'abside est voûtée (d'un cul-de-four), mais jamais la nef, couverte d'une simple charpente, à l'exception de la chapelle San Quilico près de Figari.

Plan et dimension – La plupart des églises présentent une nef rectangulaire et un chœur semi-circulaire. Elles sont de dimensions modestes : 33 m de long pour la plus grande, la Canonica ; 7,5 m pour la plus petite, la chapelle San Quilico.

Matériau et appareillage – Les pierres, d'excellente qualité (schistes de Sisco, calschistes de la Canonica, granits de Carbini...), sont appareillées de la façon la plus heureuse. L'architecte conserve souvent les trous de boulin qui servaient à caler les échafaudages, et dans lesquels jouent l'ombre et la lumière. Les chevets ornés de bandes lombardes et de colonnettes engagées, les fenêtres-meurtrières ouvertes dans les murs latéraux, les losanges, rosaces et marqueteries, les toitures en lauzes ou pierres plates *(teghje)* constituent une architecture sobre et équilibrée.

Décoration – Des motifs sculptés apparaissent en façade, à la base des toits, aux encadrements des fenêtres. À partir de 1135, la polychromie naturelle de la pierre participe souvent à la décoration de l'église. La Trinité d'Aregno allie les sculptures de sa façade et la polychromie de son appareil, San Michele de Murato est aussi célèbre pour son parement en serpentine vert sombre et en calcaire blanchâtre que pour sa naïve décoration sculptée.

Les **sculptures** archaïques ornent parfois les corniches, les arcatures, les tympans des portails. D'un dessin stylisé elles représentent des figures géométriques, des dents d'engrenage, des entrelacs, des animaux fabuleux, des scènes symboliques et des personnages énigmatiques exécutés en ronde bosse.

Des **fresques** habillent parfois l'intérieur de modestes sanctuaires. D'inspiration byzantine, elles seraient des œuvres d'artistes locaux du 15e s. On admire les plus belles dans les chapelles de St-Michel de Castirla, San Nicolao de Sermano et Ste-Christine, près de Cervione. Le haut de la voûte est toujours occupé par le Christ en majesté entouré des symboles des évangélistes, tandis qu'en bas figurent les apôtres et les saints. Le style de ces fresques où dominent le vert clair, l'ocre et le rouge, rappelle l'art des peintres de Sienne au 13e s.

Les canons de l'art roman continueront longtemps d'être appliqués en Corse : la chapelle Ste-Catherine de Sisco, par exemple, est de style roman et date pourtant du 15e s. L'île passe ensuite presque sans transition du roman au baroque. On ne connaît que deux églises gothiques en Corse : St-François et St-Dominique à Bonifacio.

La floraison de l'art baroque

L'ancienne cathédrale de Cervione marque sans doute le point de départ, en 1584, de l'art baroque. Plus qu'un choix esthétique délibéré, le baroque corse apparaît comme une expression artistique du renouveau religieux lié à la Contre-Réforme.

L'expression d'un renouveau religieux

Aux 17e et 18e s., sous l'occupation génoise, un style baroque très inspiré de l'Italie du Nord se développe dans les régions les plus aisées de l'île : la Balagne, la Castagniccia et la région de Bastia. Sans profusion monumentale extérieure, les églises offrent toutefois une façade ornée de corniches, pilastres, colonnes engagées supportant un décor de pinacles, volutes et coquilles, et sont souvent embellies d'un parement de pierres dorées. Un solide clocher carré, à plusieurs étages ajourés, domine l'édifice. Dans certains cas, il se dresse à l'écart de l'église.

Feliceto, village de Balagne.

Fresque de la chapelle San Nicolao à Sermano.

Dans les villes génoises, notamment à Bastia, les sobres lignes de certaines façades d'églises contrastent avec des intérieurs somptueusement décorés d'ors, de marbres, de peintures en trompe-l'œil, de meubles en bois sculpté, de stucs dorés de style baroque en honneur à Gênes au 17e s. Dans les églises baroques de villages, on découvre de riches autels et des balustrades de chœur en mosaïques de marbre polychrome, importés de Ligurie. Les artistes locaux ont parfois exprimé un art haut en couleur et plein de saveur : l'église de Carcheto est un bon exemple de ce courant populaire.

Le rôle social des confréries – Apparues au 14e s., les chapelles de confréries fleurissent par la suite dans toute la Corse en empruntant leur décor intérieur au riche répertoire baroque tout en conservant un extérieur des plus simples.

L'architecture militaire

Littoral ceinturé de tours de guet, citadelles perchées sur des éperons, les témoignages d'architecture militaire sont toujours présents en Corse.

Les citadelles

Afin de développer les relations commerciales avec le monde méditerranéen tout en améliorant le système de défense de l'île, Gênes fonde à partir de la fin du 12e s. les places fortes de Bonifacio, Calvi, Bastia, St-Florent, Ajaccio, Algajola et Porto-Vecchio. Les citadelles, dans lesquelles se serrent les hautes maisons, sont entourées de remparts défendus par des bastions.

Les tours

Pour lutter contre les invasions des pirates venus d'Afrique du Nord, l'**Office de Saint-Georges** *(voir chapitre sur l'Histoire)* organise un système de surveillance et d'alerte sur 500 km de côtes en construisant des tours de vigie et de refuge. Dès que des voiles barbaresques se pointent à l'horizon, les guetteurs allument au sommet de l'édifice des feux qui alertent les villages. En outre, les notables font édifier des tours carrées qui servent d'habitation et, en cas de péril, d'abri. Aujourd'hui, sur les 85 tours dénombrées au début du 18e s., 67 sont encore debout, notamment le long du Cap Corse et sur la côte Ouest. D'une architecture rudimentaire, hautes de 12 à 17 m, elles donnent au paysage une note romantique.

Les forts

Dans le Cap Corse (Rogliano) et en Corse-du-Sud (Tiuccia...), on observe des ruines de châteaux médiévaux qui appartenaient aux seigneurs de l'île. Quelques ouvrages militaires, conçus pour la défense d'un lieu stratégique, subsistent en partie. C'est le cas du fort défendant le goulet de Tizzano dans le Sartenais.

L'architecture traditionnelle

Les ponts génois

On désigne volontiers sous ce terme général tous les ponts tant soit peu anciens de l'île. En fait, quelques-uns datent de la période pisane. Puis, à partir du 16e s., Gênes en fait construire un grand nombre sur des itinéraires très fréquentés afin de développer les échanges commerciaux et agricoles dans l'île. Ces ponts portent une arche unique et une étroite chaussée empierrée, à la brisure très accentuée. Leur hauteur et leur position à un endroit large du cours d'eau sont calculées en prévision des crues parfois subites et violentes sous le climat méditerranéen.

Les villages

Dans les villages anciens, les maisons sont groupées dans un apparent désordre qui masque une organisation en blocs familiaux. Ils forment souvent un charmant dédale de ruelles empierrées en escaliers

Maison forte à Ste-Lucie-de-Tallano.

La citadelle de Calvi.

et de passages couverts où il fait bon errer. Promenez-vous par exemple à Sant'Antonino en Balagne ou à Vescovato en Casinca. De rares villages conservent une maison forte *(casa torra)*, ancien habitat noble qui avait aussi une fonction défensive communautaire. On peut en observer à Ste-Lucie-de-Tallano, à Bicchisano, à Sainte-Marie-Sicché.

La maison traditionnelle (« a casa »)

Tout comme le village, la maison est très importante pour un Corse. Il répugne à la vendre et même à la louer. Toujours simple et sobre, elle abritait autrefois la famille à son grand complet. C'est une « maison bloc » à quatre pans, construite avec les pierres locales : blocs de schiste dans le Nord de l'île, granit dans le centre et au Sud, calcaire à Bonifacio et St-Florent. En montagne, les murs très épais sont percés d'étroites fenêtres empêchant le soleil d'entrer en été et les vents de s'infiltrer en hiver. Les toits sont recouverts de tuiles canal en Corse occidentale et de dalles de schiste lustré appelées *teghje* en Corse orientale, ce qui donne de jolis tons gris-bleu à Corte, verts à Bastia, gris-argent en Castagniccia. En Balagne, les toits sont remplacés par des terrasses utilisées pour le séchage des fruits au soleil.

Les bergeries

Disséminées dans les montagnes, elles sont plus ou moins abandonnées en raison de la décadence de la transhumance, mais abritent encore de mai à octobre quelques bergers et leurs bêtes. Ce sont de grossières constructions autour d'un assemblage de pierres sans mortier. L'installation du berger y est rudimentaire : sa **cabane** *(capanna)* n'offre qu'une pièce sans fenêtre. Le berger dort sur un matelas de fougères disposé sur un bat-flanc. Il confectionne le fromage et le *brocciu* puis les dispose dans des caves-saloirs *(cagiles)*. Si vous vous promenez dans le désert des Agriates, vous découvrirez quelques **« paillers »**, humbles constructions quadrangulaires en pierres sèches autrefois couvertes de branchages et d'un épais revêtement de glaise. En Castagniccia, on rencontre parfois, sous l'apparence de « bergeries », des séchoirs à châtaignes. Certains ont gardé leur plafond à claire-voie par lequel montait la fumée du feu allumé à même le sol.

Les fontaines

Au bord des chemins, à l'entrée des villages ou en forêt, on peut se rafraîchir à la source de charmantes fontaines rustiques faites de galets.

L'art populaire montagnard

Du Moyen Âge au 18ᵉ s. les artisans montagnards ont sculpté le bois, réalisant des œuvres étonnantes de verve et de fraîcheur ou empreintes d'un réalisme bouleversant : saints naïfs, Christ de Vico, de Bustanico, de Calacuccia, de Casamaccioli... En confectionnant les originales **chaires en bois** supportées par des dragons reposant sur une tête de Maure (églises d'Aullène et de Quenza), ils se sont sans doute rappelé les raids barbaresques. Ce sont aussi des artistes locaux qui ont réalisé les **chemins de croix** du 18ᵉ s., peintures naïves qui ornent maintes églises paroissiales.

L'identité insulaire

Malgré le dépeuplement des villages et le développement du tourisme, la Corse cultive son particularisme en maintenant vivantes les traditions qui font une de ses grandes richesses.

L'image des Corses

Les Français « du continent » se font de la Corse une image où surgissent pêle-mêle un empereur, un chanteur de charme, des avocats, de brillants administrateurs, une longue liste de fonctionnaires, d'hommes politiques et de militaires et quelques bandits célèbres.

Ils admettent comme acquis que leurs compatriotes insulaires soient affligés de quelques travers comme la nonchalance, la susceptibilité, l'esprit de clan, un chauvinisme de terroir, une certaine propension à la tricherie fiscale ou électorale. Sur place la vision est tout autre. Sous le couvert d'une austérité volontiers grave, de quelque manifestation d'exubérance latine, du sens de l'humour et de la repartie, apparaissent des qualités rares : sobriété, bravoure, culte de la famille, sens intransigeant de l'honneur, fidélité à l'amitié et à la parole donnée.

Foncièrement hospitalier, le Corse a un rare sens de l'accueil et ignore les calculs. Fier de sa patrie, il apprécie qu'on vienne en goûter les attraits et contribuer à son mieux-être ; mais moins qu'on y réalise des profits dont il est exclu ou qu'on y introduise des modes ou des mœurs qu'il réprouve. Les Corses peuvent être, chez eux, fatalistes et routiniers, catholiques pratiquants et cependant enclins à la superstition. Ils chérissent leur île par-dessus tout mais, loin d'elle, de ses usages et conventions, ils font preuve d'une étonnante faculté d'adaptation et d'un remarquable esprit d'entreprise servi par une vive curiosité intellectuelle. Nombreux sont les Corses qui ont joué un rôle éminent dans l'État ou incarné la présence française dans les terres lointaines.

Brigand corse

LES « PINZUTTU »

Les Corses ont été façonnés par une histoire mouvementée et une vie difficile. Le Corse est parfois un peu sur ses gardes en face de l'Italien et du Français du continent, qu'il surnomme respectivement *Luchesu* (Lucquois) et *pinzuttu*. Le terme un peu ironique de **pinzuttu** (pointu) est peut-être une allusion aux chapeaux tricornes que portaient les soldats de Louis XV envoyés en Corse en 1764.

La « vendetta »

La *vendetta*, la vengeance, est une coutume sanglante qui a fait beaucoup parler d'elle. Elle est née de l'éloignement et des défaillances de la justice génoise. Celui qui avait subi une offense grave était ainsi poussé à faire sa propre justice ; le code de l'honneur l'y obligeait et il devait suivre des règles bien précises. Le fléau fut tel

Scène de vendetta

que l'on vit des familles entières se livrer de véritables guerres. De là sont nés les « bandits d'honneur » car la règle voulait que le justicier « prît le maquis » : dans un pays occupé par une administration étrangère, le rebelle était une sorte de héros populaire. Les plus célèbres au cours de ces deux derniers siècles furent : les frères Bellacoscia de Bocognano, Nicolaï de Carbini, F.-M. Castelli de Carcheto, Romanetti de Calcatoggio, A. Spada de Lopigna et Micaelli d'Isolacciodi-Fiumorbo. Suite à la répression de la France, la vendetta s'estompa à partir de 1830.

Le chant et l'expression musicale

Les chants traditionnels, proches des mélopées arabes et du chant grégorien, reflètent les luttes du passé et la profondeur des sentiments. Ils étaient autrefois souvent improvisés et marquaient chaque étape de l'existence. Avec l'abandon du mode de vie pastoral, ces chants, transmis de génération en génération et de vallée en vallée lors de la transhumance, auraient pu totalement disparaître. Même si les « **nanne** » (berceuses), les « **serinati** » (sérénades), les « **lamenti** », complaintes funèbres et les « **voceri** », chants mortuaires et de vengeance se sont progressivement perdus, la musique et les chants restent bien vivants en Corse.

Les **polyphonies** resurgissent avec vitalité du passé, surtout la « **paghjella** », ce chant à trois voix a capella. Depuis quelques années, on voit réapparaître sur le devant de la scène des chanteurs et groupes insulaires qui

Groupe polyphonique A Filetta

réussissent à marier avec conviction création et tradition. La paghjella a été redécouverte dans les années 1970 par le groupe « *Canta U Populu Corsu* ». Aujourd'hui, d'autres groupes polyphoniques ont acquis une forte renommée : « *A Fileta* » (la fougère), « *I Muvrini* » (les petits mouflons), « *Chjami Aghjalesi* », etc. ainsi que des solistes accompagnés, comme Petru Guelfucci.

Le « **chjama e rispondi** » (« appelles et réponds »), forme de poésie orale, est toujours répandue. À l'origine essentiellement masculin, ce chant ludique ou libérateur d'angoisse et de passions s'improvise vite à l'issue d'un repas ou d'une réunion, à l'occasion de foires pour marquer la convivialité.   *La cetera*

Les travaux de recherche et de restauration entrepris par des musiciens ont permis la redécouverte d'instruments traditionnels comme la « **cetera** », cithare à seize cordes dont l'usage avait disparu depuis les années 1930, ainsi que la « **pifane** » (flûte en corne de chèvre) et la « **pirule** » (flûte en roseau), instruments utilisés par les bergers.

Les traditions religieuses

Les traditions catholiques sont encore très vivantes dans l'île et vont parfois de pair avec certaines pratiques liées à la magie. Si vous vous promenez en Corse à Pâques, ne ratez pas les processions de la Semaine sainte organisées par les confréries avec leurs cortèges de pénitents en cagoule. La tradition pascale veut que le prêtre visite et bénisse chaque logement. Les villes et villages fêtent aussi en grande pompe leurs saints patrons, la Vierge Marie et quelques saints protecteurs de corporations comme saint Érasme, patron des marins.

La Corse a adopté en 1735 l'hymne de la Vierge « Dio vi salvi, Regina » et le jour de l'Immaculée Conception, le 8 décembre, fut choisi comme fête nationale.

POUR LE PLAISIR DES OREILLES Des festivals de qualité sont organisés pour entretenir et faire découvrir la richesse du patrimoine musical corse : **Estivoce**, à Pigna, durant la 1re quinzaine de juillet et **les Rencontres de Chants Polyphoniques de Calvi**, mi-septembre.

La langue corse

Le corse est désormais enseigné dans les écoles et la toponymie locale est mise en valeur : sur les pancartes, on lit depuis peu le nom des localités en français et en corse. Cependant, la France n'a pas ratifié la charte européenne des langues régionales ou minoritaires ; il lui faut auparavant opérer un changement constitutionnel, délicat débat qui reste d'actualité. En vous promenant dans les villages, vous entendrez le chant de cette langue riche et savoureuse, qui présente des analogies avec d'autres langues romanes, l'italien surtout.

Des origines diverses – Idiome aux racines celto-ligures, le corse s'est lentement latinisé, puis a subi à partir du 9e s. une forte influence toscane. Contrairement à une idée reçue, les Sarrasins n'ont laissé que peu de mots. Présents en Corse

Berger corse vers 1900.

durant cinq siècles, les Génois ont surtout légué un vocabulaire technique, maritime et administratif. La syntaxe du corse reste proche du toscan médiéval, ce qui permet de considérer cette langue comme le reflet de celle de l'époque de Dante.

La langue présente quelques dissemblances entre le Sud-Ouest et le Nord-Est de l'île, la frontière étant parfois difficile à saisir. Le corse du Nord-Est est plus musical ; celui du Sud-Ouest reste plus original. La prononciation varie d'un village à l'autre et certains mots diffèrent.

Une tradition orale – La langue corse resta longtemps essentiellement orale. Jusqu'au milieu du 19e s. la communication écrite se faisait en italien. L'influence du français se fit sentir à partir de 1840 et s'accrut à la fin du siècle avec la scolarisation obligatoire. Il faudra attendre le début du 20e s. pour voir la publication du premier journal en corse *A Tramuntana*. Longtemps refuge de l'expression écrite, la poésie compte parmi ses plus notables auteurs, Francescu Filippini. Quant au roman, des écrivains tel Rinatu Coti lui ont donné un renom. Actuellement, la langue parlée « corsifie » peu à peu les nouveaux mots français.

La Granitula (procession de la Santa) à Casamaccioli.

Procession à Calenzana.

QUELQUES CLÉS POUR COMMUNIQUER

• Sachez qu'en Corse, la fin des mots est souvent avalée et que les voyelles qui se suivent sont prononcées séparément. Par exemple, on dira « Porto-Vec » et non Porto-Vecchio ; forêt d' « A-i-tone » et non d'Aitone.

• Autre élément important, les lettres *k*, *w*, *x* et *y* n'existent pas ; le *u* se prononce « ou », le *t* « d » et le *tt* « t ».

• En ce qui concerne les noms des localités, la plupart ont été transcrits au 18e s. d'après la forme toscane. Ainsi la majorité des villes et villages dont le nom finissaient en *u* ont pris la terminaison *o*.

Quelques dictons corses

Per cunosce una persona, bisogna manghjà cun ella una somma di sale : pour connaître une personne, il faut manger beaucoup de sel avec elle.

A lavà u capu a l'asinu, si perde fatiga e sapone : à vouloir laver la tête de l'âne, on perd fatigue et savon.

Buciardu cume a scopa : menteur comme la bruyère... (qui fleurit mais ne donne pas de fruits).

Les plaisirs de la table

Une simple omelette au brocciu et à la menthe accompagnée de quelques tranches de coppa et arrosée d'un « patrimonio » : en Corse, le plaisir du voyage se retrouve aussi dans l'assiette et dans le verre.

Cochonnailles

Goûtez la charcuterie corse, vous ne pourrez plus vous en passer ! Elle constitue le fleuron de la gastronomie insulaire en raison de sa saveur parfumée et incomparable. La recette est simple : les porcs, élevés en pleine nature et en semi-liberté, se nourrissent de bons produits, tels que les châtaignes, les glands et les herbes odorantes. Le goût de la charcuterie est encore relevé par un fumage au bois de châtaignier. Deux préparations sont particulièrement renommées : la « **coppa** », constituée d'échine, et le « **lonzu** », à base de filet. Leur font concurrence le « **prisuttu** », jambon cru qu'on déguste avec des figues fraîches, et les « **figatelli** », saucisses fumées faites avec les rognons, le cœur et le foie.

Fromages

La vedette revient au fameux « **brocciu** » *(prononcez broutch),* fromage de brebis ou de chèvre confectionné avec du petit-lait mêlé à du lait réchauffé et battu *(broussé)*. Il entre dans la composition de maints plats locaux (omelettes, tartes, crêpes, beignets). D'octobre à juin, on le consomme généralement frais, nature ou sucré, arrosé d'eau-de-vie. Salé, il se conserve toute l'année et peut être dégusté très sec. On trouve aussi des fromages de chèvre ou de brebis secs et très forts dont le plus connu est le **Niolo**.

Poissons et fruits de mer

Le long du littoral, on se régale de poissons de roche, utilisés dans la bouillabaisse corse, « **aziminu** », de fritures, de rougets ou de loups braisés aux sarments, de sardines grillées, etc. La langouste règne partout sur la côte, avec une prédilection pour le Cap Corse ; les huîtres et les moules viennent des étangs de Diane et d'Urbino, dans la plaine orientale. En montagne, les gourmets apprécient les truites de torrent.

Potages

En dehors des concoctions de légumes *(minestra)* et de poissons en bouillabaisse, les Corses sont friands de soupes aux haricots rouges, aux petits oignons, aux herbes sauvages, aux pâtes avec addition de brocciu. Après moult efforts le long du GR 20, une soupe corse est un véritable bonheur !

Récolte des olives pour la fabrication de l'huile.

Échantillon de spécialités corses.

Viandes et gibiers

Les Corses importent une partie de leur viande du continent. Au printemps, ils font honneur aux côtelettes d'agneau et au chevreau rôti aux herbes du maquis. Le ragoût de cabri aux poivrons, « **piverunata** », est une grande spécialité. La chasse (d'août à février) fournit son lot de sangliers et de marcassins, servis rôtis ou en ragoûts et accompagnés d'une « **pulenta** », purée de châtaignes. Depuis l'interdiction des pâtés de merles, on déguste toute l'année les **pâtés de sansonnets** (étourneaux) à la chair parfumée. Côté triperie, goûtez les andouillettes de Bonifacio, faites d'abats de chevreau ou d'agneau, et les tripes aux oignons « à la mode de Bastia ».

Pâtes

L'influence italienne l'emporte dans la pâte sèche *(past'asciutta)* cuite à l'eau, tandis que la personnalité corse domine dans le « **stufatu** », pâte cuite à l'étouffée avec une sauce à la viande, et dans les raviolis ou les lasagnes garnis de brocciu (spécialité bastiaise). La « **pulenta** », composée de farine de châtaigne, est servie en bouillie épaisse ou en galette et accompagne bien les plats de viande et les *figatelli*.

Douceurs

Le brocciu intervient dans la confection de plusieurs pâtisseries : les « **falculelle** », brioches de Corte et le « **fiadone** », flan aromatisé à la fleur d'oranger. Pour vous adoucir le palais, testez le beignet dit « **frittella** », la « **torta castagnina** », tourte piquée de noix, amandes, pignons, raisins secs et rhum, et le « **canistrelli** », gâteau mêlé d'amandes et de noisettes et parfumés à l'anis. Parmi les sucreries, citons les compotes et gelées d'arbouses, les cédrats confits et une grande variété de miels.

« A saluta », à votre santé

Les vins – La Corse possède plus de trente cépages ; les meilleurs sont le *nielluccio* et le *sciacarello* pour les vins rouges, le malvoisie (*vermentino*) et le muscat pour les vins blancs. Ils produisent des crus corsés et bouquetés. Actuellement, 8 appellations contrôlées couronnent les efforts de sélection des producteurs corses. Le **patrimonio** comprend des vins rouges, rosés et blancs, il a acquis une renommée internationale. Les rouges comptent au moins 60 % de nielluccio, vins généreux qui accompagnent bien charcuterie et gibier. Le **Cap Corse** produit d'excellents vins blancs moelleux de muscat et de malvoisie, et quelques apéritifs. Les vins rouges d'appellation « **Ajaccio** » comprennent au moins 40 % de sciacarello. Le **Sartenais** produit des vins rouges. Au **Sud de l'île,** sous l'appellation « Porto-Vecchio » et « Figari-Pianottoli », on trouve des vins rouges, rosés et blancs. La **côte orientale** de Bastia à Solenzara, la **Balagne** et les environs de Ponte-Leccia élaborent aussi des vins fruités de haute qualité.

Les bières – La Corse brasse sa propre bière, à Furiani. La **Pietra** (du nom du village d'un de ses créateurs) est apparue sur les zincs en 1996 ; elle est élaborée à base de châtaignes et offre une saveur originale. Deux nouvelles bières sont récemment sorties : la **Serena** et la **Colomba**.

Fromages corses, dont le célèbre « brocciu ».

Vivier à crabes et langoustes.

Porche de San Michele de Murato

Villes
et sites

Les Agriates ★

Désert de collines pierreuses semé d'un maquis odorant et serti de quelques somptueuses plages, les Agriates offrent un paysage désolé et saisissant. Sauf en juillet et août, où la chaleur est écrasante, prenez le temps de découvrir à pied cette région insolite et sauvage. Le sentier côtier permet d'approcher ce décor caillouteux et aride tout en profitant de haltes rafraîchissantes sur des plages aux eaux cristallines.

La situation

Carte Michelin nº 90 plis 3, 13 – Haute-Corse (2B). Ouvert sur la mer par une côte dentelée de 36 km entre St-Florent et l'embouchure de l'Ostriconi, qui marque la limite de la Balagne, le désert des Agriates est dominé par quelques sommets d'altitude modeste : la **Cima d'Ifana,** point culminant, atteint 478 m. La D 81 est la seule route asphaltée qui traverse le désert de collines ; de Saint-Florent, elle rejoint Lozari.

🛈 *Syndicat mixte des Agriates, 20217 Casta,* ☎ *04 95 37 09 86.*

Le nom

Viendrait d'une altération du mot latin *ager,* signifiant « terre cultivée » en référence au riche passé agricole que connut la région.

Les gens

Autrefois royaume des bergers et des cultivateurs, les Agriates sont de nos jours dépourvus d'habitat, à l'exception du hameau de Casta.

> **GRENIER À BLÉ DE GÊNES**
>
> Tel était jadis le surnom des Agriates. Les cultivateurs de Saint-Florent et du Cap Corse venaient alors travailler la terre (blé, oliviers, vignes et vergers) de juin à l'automne ; ils laissaient ensuite la place aux bergers du Nebbio et de l'Asco qui faisaient paître troupeaux de brebis et de chèvres. Les « **pagliaghj** » (paillers), basses constructions de pierre qui jalonnent toujours les Agriates, servaient d'abri pour les bergers et les récoltes. Un troc s'établissait entre la production fromagère des uns, le blé, l'huile et les fruits des autres. Du 16ᵉ s. jusqu'au milieu du siècle dernier, cette civilisation agricole originale s'est développée dans les Agriates.

circuits

Pour accéder au rivage, il faut suivre l'une des deux pistes cahoteuses qui s'embranchent de la D 81 vers la mer. La première débute vers le Nord non loin de la sortie du hameau de Casta, elle rejoint la plage de Saleccia (13 km) ; la seconde s'amorce au Nord du col de Bocca di Vezzu et mène à l'anse de Malfaco (11 km). Attention, ces 2 pistes ne sont praticables qu'en 4 x 4 à vitesse très

UN SITE PROTÉGÉ
Depuis quelques années, le Conservatoire du littoral corse et le syndicat mixte des Agriates ont entrepris une politique de préservation du site. La visite du domaine sauvegardé (5 000 ha comprenant les 36 km de côte) est régie par une réglementation affichée sur place.

PRUDENCE
Promeneurs, campeurs, fumeurs... soyez prudents !
Le feu est le plus terrible ennemi du maquis et de la forêt.

Pagliaghj (pailler) dans l'anse de Malfacu. Ces constructions en pierre sèche servaient d'abri au berger et au bétail.

carnet pratique

TRANSPORTS

Navettes maritimes le Popeye et le Saleccia – ☎ *04 95 37 19 07 ou 04 95 36 90 78. De mi-juin à déb. sept. : navettes reliant la plage du Loto au port de St-Florent. 8,38€ AR.*

RESTAURATION

• *Valeur sûre*

Ferme-auberge de Pietra Monetta – *Rte de l'Ostriconi (sur N 1197) - 20226 Palasca - 7 km à l'E de Lozari dir. St-Florent - ☎ 04 95 60 24 88 - fermé oct. à fév. et mer. sf juil.-août - 10€ déj. - 19/20€.* Cet ancien relais de poste du 19e s., joliment aménagé par ses propriétaires agriculteurs, est une étape agréable aux portes du désert des Agriates. Sous la treille, vous dégusterez spécialités corses et produits de la ferme. Quatre chambres très simples, claires et plaisantes.

HÉBERGEMENT

• *À bon compte*

Le Relais de Saleccia – *Au village - 20217 Casta - ☎ 04 95 37 14 60 - fermé oct. à mars - 12 ch.: 40/55€ - restaurant 17€.* Arrêtez-vous dans ce paysage spectaculaire de rochers bruts dévalant vers la mer et la plage de Saleccia. Ce relais modeste mais accueillant dispose de chambres, certaines avec vue, simples et confortables.
Cuisine familiale et petite restauration toute la journée.
Si vous choisissez de suivre le sentier du littoral sur toute sa longueur, il faudra faire étape. Sachez qu'il n'y a pas d'hôtel sur le parcours ; vous pourrez cependant trouver un hébergement sommaire et en pleine nature à l'adresse suivante
Gîte d'étape de Ghignu – *Réservation nécessaire auprès du syndicat mixte des Agriates -* ☎ *04 95 37 09 86.*
Gîte d'étape installé dans l'un des pagliaghj restauré et sobrement aménagé.

réduite, en VTT ou, pour les plus courageux, à pied. Les amateurs de marche pourront aussi aborder les Agriates par le sentier du littoral au départ de Saint-Florent.

L'INTÉRIEUR : DE SAINT-FLORENT À LOZARI★

38 km. Quitter Saint-Florent par la D 81.
C'est l'unique route en dur qui traverse d'Est en Ouest le massif. Au Bocca di Vezzu, dominé par la Cima d'Ifana, la **vue★** s'étend à l'Est sur le Nebbio, au Nord-Ouest sur les Agriates et au Sud-Est sur la vallée de l'Ostriconi et la Balagne. Avant les falaises de la Punta d'Arco, la route offre une perspective séduisante à l'embouchure de l'Ostriconi sur l'anse de Peraiola.

FLORE ET FAUNE DES AGRIATES

L'uniformité du maquis n'est qu'apparente. En bordure de la mer, plus résistants aux embruns et aux rafales de vent, on rencontre des lentisques et des myrtes. Les vallons plus abrités accueillent cistes, arbousiers, genêts et chênes verts. C'est le domaine d'un papillon emblématique des Agriates : le **jason,** que l'on repère aisément sur les arbousiers, les anciens arbres fruitiers et les excréments des bovins. Une multitude d'espèces de fauvettes, dont la fauvette sarde (la plus répandue), ont élu domicile dans ce maquis. L'**engoulevent** assure également ment par ses frôlements une présence discrète.

LE SENTIER DU LITTORAL★★

C'est la formule la plus exaltante pour découvrir pleinement l'originalité de la région.
Partir avec plusieurs litres d'eau, un chapeau et de la crème solaire. À la sortie Ouest de St-Florent, après avoir franchi le pont sur l'Aliso, poursuivre au-delà de la plage la Roya, puis emprunter le sentier qui s'amorce à gauche et contourne des propriétés. Après la deuxième crique, le tracé rejoint le littoral.
L'itinéraire proposé par le Conservatoire du littoral se fait en 2 étapes au minimum, 3 si possible.

De St-Florent à Saleccia

🚶 *5h1/2 environ.* Le sentier des douaniers longe et parfois traverse un maquis odorant d'épineux denses d'où émergent des escarpements rocheux séparés par de

« Les Agriates ! Une espèce de chaos rocheux (...) limité au sud par les ombrages et les vallées du Nebbio, au nord par la mer... » Pierre Benoît, Les Agriates, 1950.

Sable blanc, eau cristalline : la plage du Loto est un petit paradis à l'écart de toute agitation. Elle est accessible à pied ou en bateau depuis Saint-Florent.

petits torrents. Ces ravins deviennent en périodes de pluies les seules sources d'alimentation de petits étangs où se rassemble une faune originale.

Le sentier aborde la **tour de la Mortella**, construite au 16e s. par les Génois *(illuminée la nuit)*.

On atteint ensuite la **plage du Loto** , tapissée de sable fin et enchâssée entre deux promontoires rocheux.

De la plage du Loto à celle de Saleccia, compter 1h de marche. Le sentier reprend à l'extrémité Ouest de la plage *(prendre le chemin qui monte vers les terres et non celui de droite)*. Après environ 20mn à travers la végétation arbustive, on atteint un ensemble de bergeries que l'on quitte par la droite. À nouveau 20mn plus tard, on arrive à une petite mare (asséchée en été) que l'on franchit à l'aide d'une planche posée du côté gauche. Quelques centaines de pas plus loin, tourner à droite sur le sentier qui se rétrécit. Longer, puis contourner le camping U Paradisu ; 5mn plus tard, vous voici dans un petit paradis : la **plage de Saleccia**. Elle s'étend sur plus d'un kilomètre le long d'une pinède de pins d'Alep plantés au 19e s. Ce cadre magnifique est rehaussé par la blancheur et la finesse du sable, et la limpidité d'une mer prenant de superbes teintes turquoises.

À l'entrée de la plage, un **pagliaghj** restauré abrite des expositions et fait fonction de poste de surveillance. *Maison d'accueil de Saleccia. De juin à mi-sept. : 10h30-12h, 17h-20h. S'adresser au Syndicat mixte des Agriate, 20217 Casta,* ☎ *04 95 37 09 86.*

Dans une étape au camping, il est possible d'effectuer en 4h environ une excursion dans l'intérieur jusqu'à l'ancienne bergerie de Chiosu qui permettra de se familiariser avec un maquis plus sauvage.

De Saleccia à Malfalcu

🚶 *2h1/2 environ.* L'anse double de Malfalcu compose un paysage plaisant ombragé de pins et de cyprès. Vers l'Est, le chemin bordé d'eucalyptus et de figuiers de Barbarie mène au promontoire de Ghignu ; vers l'Ouest, s'étire la grande plage de sable blanc de Malfalcu.

De Malfalcu à la plage de l'Ostriconi

🚶 *6h1/2 environ.* C'est la partie la plus sportive, car le sentier épouse les nombreuses anfractuosités de la côte. Il est fortement déconseillé d'emprunter d'hypothétiques raccourcis. Après la punta d'Acciolu, le sentier dévie vers l'intérieur à la hauteur de l'anse Pinzuta. L'itinéraire ménage de belles vues sur les criques dont les rochers rouges des criques tranchent avec la limpidité des fonds marins. Au débouché de la vallée de l'Ostriconi, l'anse de Peraiola, où déferlent les vagues, forme un site sauvage ceinturé de dunes plantées de genévriers et limité par une zone de marécages.

Prévoir une voiture à l'arrivée.

Forêt d'**Aitone**★★

L'une des plus belles et plus typiques de Corse, la forêt d'Aitone s'étend sur 2 402 ha, d'Évisa au col de Vergio, et s'étage de 800 à 2 057 m d'altitude.
Elle se compose de majestueux pins laricio (pouvant atteindre 52 m de haut, avec un tronc de 95 cm de diamètre) auxquels se mêlent hêtres, sapins pectinés et pins maritimes. On rencontre les plus beaux sujets autour de la maison forestière d'Aitone où certains s'épanouissent depuis plusieurs siècles.
Englobant celle de Lindinosa, la forêt représente un îlot de fraîcheur baigné de quelques petites piscines naturelles, et un admirable lieu de promenade.

La situation
Carte Michelin nᵒ 90 pli 15 – Corse-du-Sud (2A). La forêt occupe le bassin supérieur de l'Aitone, affluent du Porto, sur le versant Ouest de la ligne de faîte des « 2 000 » qui s'abaisse à 1 477 m au col de Vergio. En venant de Porto, emprunter la D 84 jusqu'à Évisa *(22 km)* qui marque la lisière inférieure de la forêt. La route oscille ensuite au cœur de la futaie et dessert les accès aux sites que nous décrivons. 🛈 *Bureau d'information du Parc naturel régional, Païsolu d'Aitone, rte du col de Vergio, 20126 Évisa,* ☎ *04 95 26 23 62. De mi-juin à mi-sept., horaires flexibles, téléphoner.*

Le nom
Viendrait du mot latin *abies* signifiant « sapin ».

Les gens
Au siècle dernier, la forêt d'Aitone abrita le célèbre bandit **Théodore Poli**, originaire de Guano. Après avoir fusillé un brigadier pour se venger d'une injustice, il vint se réfugier plusieurs années dans les bois, se fit élire « **roi de la montagne** » faisant régner, avec l'aide de sa petite armée, sa propre loi (peines, impôts prélevés auprès des riches, etc.). Attiré dans un guet-apens, Poli trouva la mort en 1827.

visiter

D'Évisa au col de Vergio, la route *(12 km)* monte de 647 m et constitue le grand itinéraire touristique de la forêt. Tracée sur la face Nord du Capo di Melo et dominant la vallée d'Aitone, elle parcourt de remarquables futaies. Les sous-bois offrent fraises des bois en juillet et août ; cèpes, morilles et bolets en septembre et octobre. Si vous ne connaissez pas bien les champignons, soyez vigilant.

Évisa
Station climatique appréciable, Évisa est établie à 830 m d'altitude à l'entrée des gorges de la Spelunca et à la lisière de la forêt d'Aitone. Le village est cerné de châtaigneraies.

Le pin laricio est un des plus grands arbres d'Europe. Ce résineux au fût parfaitement rectiligne peut vivre 600 ans.

Le village d'Évisa s'ouvre sur les parois rocheuses qui dominent le golfe de Porto. Elles se parent, au soleil couchant, d'une chaude couleur orangée.

carnet pratique

Cascades d'Aitone★★

4 km au Nord-Est d'Évisa, sur la D 84. 🚶 *Du côté gauche, une*
pancarte de bois marque le point de départ. 1/2h à pied AR.
On descend parmi les pins jusqu'au torrent d'Aitone dont
les eaux coulent en cascade successives par-dessus
d'énormes blocs rocheux. Certains, creusés par la force
du courant, forment des petites piscines aux eaux claires
(et revigorantes !), propices à la baignade.

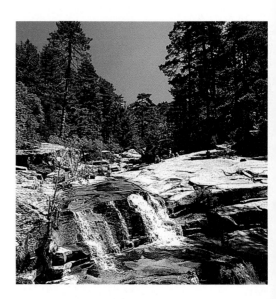

Venez vous rafraîchir dans
les piscines d'eau pure
creusées par les cascades
d'Aitone.

randonnées

1 « Sentier de la Sittelle »★

🚶 *circuit de 1h1/2 environ. Point de départ : replat dans le*
virage, quelques centaines de mètres au-dessus du village de
vacances (Païsolu d'Aitone). À droite dans le replat ; pan-
neau indicatif. Niveau facile (pas de dénivelé).
Aménagé par l'Office national des forêts, ce parcours
progresse parmi les superbes pins laricio. Il est balisé de
poteaux à l'effigie d'une sittelle et quelques bancs invitent à de petites haltes permettant d'observer le milieu
environnant.

2 Circuit en forêt★★

🚶 *3h environ par un chemin forestier partant à 9 km au*
Nord-Est d'Évisa.
Ce chemin d'exploitation décrit une grande boucle à travers la forêt. Suivi dans ce sens, il permet d'apercevoir,
derrière le Capo di Melo et en arrière-plan de superbes
pins laricio, le golfe de Porto.

③ Excursion au col de Salto et au col de Cocavera (Cuccavera)★★

🥾 *5h environ AR. Même point de départ que pour le sentier de la Sittelle. Le chemin se trouve sur la gauche du replat. Niveau moyen, emporter de l'eau et être bien chaussé.*

On atteint en 1h le **col de Salto** (1 391 m). Sur le versant Ouest du col, dominé par le Capo a la Scalella (1 480 m), la **vue**★★ se dégage sur le golfe de Porto. Poursuivre à travers les pins laricio de la **forêt de Lindinosa** jusqu'au **col de Cocavera** (alt. 1 475 m) *(1h 1/2),* par le sentier qui s'embranche à droite dans le premier lacet après le col de Salto. Il offre un **panorama**★★ sur la vallée, le golfe de Porto et la forêt d'Aitone.

Retour possible par le chemin d'exploitation reliant les deux cols.

Col de Vergio *(voir ce nom)*

Ajaccio★★

Ajacciu

Ajaccio mérite mieux qu'une brève halte sur le chemin des plages ou de la montagne. Chaque matin, derrière l'hôtel de ville, le marché du square César-Campinchi, anime la place et les rues adjacentes. Sur le port, les pêcheurs écoulent leurs poissons frais, tandis que, sur les bancs, les retraités discutent au soleil. Le soir, poussez jusqu'au bout de la jetée de la citadelle : le port, la ville basse et les collines environnantes commencent à scintiller dans la nuit.

La situation

Carte Michelin n° 90 pli 17 – Corse-du-Sud (2A). Coincé entre la montagne et la mer, au creux du plus grand golfe de l'île, Ajaccio s'étend le long du rivage et sur les hauteurs. Au Nord de la ville, la jetée du Margonajo abrite le nouveau port de plaisance (Charles-Ornano) ; quelques centaines de mètres plus bas, la jetée des Capucins accueille les ferries et le port de commerce, enfin,

> **A**u petit matin comme au coucher du soleil, la **pointe d'Aspreto** offre une belle vue d'ensemble. Au-dessus des vieux quartiers paisiblement posés à fleur d'eau, dans une harmonie de tons pastel, ocre, rose, jaune, la ville nouvelle grimpe à flanc de montagne.

devant la face Nord de la citadelle, on accède au petit port de pêche et de plaisance (Tino-Rossi). La vieille ville se visite aisément à pied ; vous pouvez laisser votre véhicule au parking souterrain place du Gén.-de-Gaulle ou square César-Campinchi.

🏛 *3 bd du Roi-Jérôme, 20181 Ajaccio,* ☎ *04 95 51 53 03, fax 04 95 51 53 01. Haute sais. : lun.-ven. 8h-19h, sam. 9h-18h, dim. 9h-13h ; basse sais. : lun-ven. 8h30-12h, 14h-18h.*

Le nom

Serait un dérivé du mot latin *adjacium*, signifiant « halte », « lieu de repos ».

Les gens

52 880 Ajacciens. « Cité impériale » qui vit naître Napoléon, Ajaccio conserve avec piété le souvenir de « l'enfant prodigue de la gloire » que célèbre l'hymne local, « l'Ajaccienne ». Ses rues, ses monuments, ses musées rappellent partout l'homme illustre.

carnet pratique

TRANSPORTS

À L'AÉROPORT (CAMPO DELL'ORO)

Bus – ☎ *04 95 23 29 41.* Pour la gare routière d'Ajaccio, 6h20-19h10, 21h45-23h05 ; pour l'aéroport depuis la gare routière, 6h25-19h25. Dép. toutes les heures sur la gauche en sortant de l'aéroport. Trajet 20mn (hors embouteillages). 3,97€.
Taxi – Pour Ajaccio, compter entre 16,77€ et 24,39€.
Location de véhicules – Les principales compagnies sont présentes sur le parking en sortant de l'aéroport.

À AJACCIO

Location de voitures – *Avis* - ☎ *04 95 23 92 50.* **Budget** – ☎ *04 95 21 17 18.* **Citer** – ☎ *04 95 51 21 21.*
Location de motos, scooters et vélos – *BMS, quai de la Citadelle* - ☎ *04 95 21 33 75 ou 06 09 24 56 55 - Lun.-sam. 9h-18h, dim. matin.*
Trains – *Gare ferroviaire* - ☎ *04 95 23 11 03.*
Bus – *Gare routière - Quai L'Herminier -* ☎ *04 95 51 55 45.* Une dizaine de compagnies desservent les principales localités de Corse.
Port de plaisance Tino-Rossi – *Quai de la Citadelle* - ☎ *04 95 51 22 72.*
Port de plaisance Charles-Ornano *(ou l'Amirauté) – Av. Charles-Bonaparte -* ☎ *04 95 22 31 98.*

Il fait bon flâner à la terrasse d'un café en observant l'activité du port de pêche.

VISITE

Petit train des îles – *Pl. Foch -* ☎ *04 95 51 13 69 - 9h-20h (nocturnes en été), dép. toutes les heures, selon demande.* Fatigué de marcher ? Laissez-vous porter sur l'un des 2 circuits : visite des principales curiosités d'Ajaccio (3/4h, 5,34€) ; balade dans la ville et sur la route des Sanguinaires, avec arrêt à la pointe de la Parata (1h1/2, 7,62€).
Compagnie des Promenades en mer – *2 r. Jean-Baptiste-Marcaggi,* ☎ *04 95 21 83 97.* Excursions commentées au dép. d'Ajaccio-Porticcio-Porto-Sagone-Gargese. **La réserve naturelle de Scandola** (de 28,97€ à 38,11€). **Les Calanques de Piana-Capo Rosso** (18,29€). **Les Falaises de Bonifacio** (33,64€). **Les Iles Sanguinaires** (18,29€). Navettes quotidiennes pour Ajaccio/Porticcio/Ajaccio : 6,10€ AR.

RESTAURATION

• À bon compte

Le Piano – *13 bd du Roi-Jérôme -* ☎ *04 95 51 23 81 - fermé 1ᵉʳ au 15 fév., 1ᵉʳ au 15 nov. et dim. - 10,67/25,92€.* Vous passerez ici un moment bien agréable dans une ambiance sympathique. D'autant plus que les prix sont vraiment raisonnables. Cuisine traditionnelle et poissons.

• Valeur sûre

Marinella – *Rte des Îles Sanguinaires - Pointe du Scudo - 5 km à l'O d'Ajaccio -* ☎ *04 95 52 07 86 - 16/23€.* Près de la maison du célèbre chanteur corse Tino Rossi, dans une atmosphère musicale, posez-vous sur cette terrasse au bord de l'eau comme Pagnol, Raimu et Fernandel l'ont fait. Appréciez la gargoulette, les poissons du jour, pâtes et pizzas au feu de bois.
Le 20123 – *2 r. du Roi-de-Rome -* ☎ *04 95 21 50 05 - fermé 15 janv. au 15 fév., le midi du 15 juin au 15 sept., lun. et mar. - ✉ - réserv. obligatoire - 25,15€.* De la vallée de Taravo, le patron a rapporté des saveurs authentiques et recréé un cadre pittoresque évoquant un village corse. Ici, une place avec sa fontaine, là une salle rustique avec sa cheminée et même un décor de bergerie... C'est souvent bondé !

Grand Café Napoléon – *10 cours Napoléon - ☎ 04 95 21 42 54 - fermé sam. soir et dim. - 30,49€.* Une belle terrasse de grand café pour l'apéro, une immense salle de style Second Empire pour déjeuner, dîner ou prendre une collation l'après-midi... Cette prestigieuse maison, l'une des plus anciennes d'Ajaccio, est depuis peu dirigée par un jeune chef prometteur.

Chez Maïsetti – *Sur N 193 lieu-dit Baleone - 20167 Mezzavia - 6 km au N d'Ajaccio par N 194 (dir. Bastia) - ☎ 04 95 22 37 19 - fermé dim. - 20/39€.* La cuisine est ici affaire de famille puisque mère et fille font équipe pour vous régaler. Choisissez entre l'intimité des petites salles ou la terrasse couverte, pour déguster plats traditionnels et bons produits du terroir.

• Une petite folie !

U Licettu – *Plaine de Cuttoli - 20167 Mezzavia - 15 km au NE d'Ajaccio par rte de Bastia, puis rte de Cuttoli (D 1) et rte de Bastelicaccia - ☎ 04 95 25 61 57 - fermé janv. et lun. - réserv. obligatoire - 33,54€.* Quel bonheur de trouver cette jolie villa perdue dans le maquis et de s'y attabler autour d'une généreuse cuisine corse ! Terrasse, jardin fleuri et grande cheminée où rôtissent les viandes : que demander de plus si ce n'est un accueil chaleureux, garanti ici. Un seul menu gourmand incluant les boissons.

Hébergement

• Valeur sûre

Hôtel Kallisté – *51 cours Napoléon - ☎ 04 95 51 34 45 - fermé nov. - 50 ch.: 45/65€ - �_ 6€.* Cet hôtel occupe une maison ajaccienne de 1864 au cœur de la ville. Avec sa belle façade colorée, son entrée voûtée et ses briques, elle a gardé son caractère. Pour votre confort, les chambres sont modernes. Prix très raisonnables hors saison.

Hôtel Spunta di Mare – *Quartier St-Joseph - ☎ 04 95 23 74 40 - fermé mi-déc. à fin janv. - 🅿 - 60 ch.: 48/65€ - �_ 6€ - restaurant 12€.* Entre le centre-ville et l'aéroport, cet hôtel bénéficie d'une vue sur le golfe d'Ajaccio depuis sa terrasse-solarium et de la majorité de ses chambres. Fonctionnelles et blanches, elles s'égaient de meubles de couleur.

Hôtel Marengo – *2 r. Marengo - ☎ 04 95 21 43 66 - fermé 11 nov. au 19 mars - 🅿 - 16 ch.: 54,12/60,98€ - �_ 5,34€.* Voilà une petite adresse pas chère, dans un quartier légèrement excentré mais plutôt calme. Ses chambres claires sont simples et bien entretenues... Accueil aimable.

Hôtel Costa – *2 r. Colomba - ☎ 04 95 21 43 02 - 🅿 - 50 ch.: 56,10/84,30€ - �_ 5,79€.* Dans un quartier résidentiel et calme, voici un hôtel confortable, avec un charmant perron fleuri. Les chambres, au décor un peu désuet, sont spacieuses, côté mer et jardin.

Hôtel Impérial – *6 bd Albert-Ier - ☎ 04 95 21 50 62 - fermé déc. à fév. - 57 ch.: 63,72/72,87€ - �_ 6,10€ - restaurant 17/19€.* Cet hôtel au décor désuet se transforme peu à peu sous l'impulsion du fils de la famille, artiste-peintre et collectionneur.

Si sa situation, en dehors de la ville, et sa plage privée à proximité restent ses atouts majeurs, on retiendra aussi ses prix, assez raisonnables.

Hôtel San Carlu – *8 bd Casanova - ☎ 04 95 21 13 84 - fermé 20 déc. au 31 janv. - 40 ch.: 68,60/106,71€ - �_ 6,86€.* De certaines chambres, vous apercevrez la mer ou la célèbre citadelle du 15e s. Situé sur un boulevard un peu passant, l'hôtel est bien insonorisé. Hélas, pas de climatisation.

Sorties

Le Pavillon Bleu – *26 cours du Gén.-Leclerc - ☎ 04 95 51 12 90 - tlj 6h30-2h.* Sous la férule de Charly Taverni, ancienne gloire du football, cet établissement datant de 1949 est devenu un haut lieu de la fiesta ajaccienne. Un décor au design élégant, bleu et blanc comme la cabine d'un bateau, où se produisent régulièrement les meilleurs chanteurs et musiciens corses.

Le Pigale – *6 av. de Paris - ☎ 04 95 21 20 46 - lun.-sam. 8h-23h - fermé j.fériés sf 14 juil., 15 août et Noël.* Situé au cœur de la ville, face à la place du Diamant, ce bar-brasserie branché est une étape agréable pour siroter un rafraîchissement à la terrasse ombragée de platanes ou à l'intérieur dans une sympathique ambiance musicale.

Au Son des Guitares – *7 r. Roi-de-Rome - ☎ 04 95 51 16 47 - janv.-nov. 23h-5h.* Depuis près de 50 ans, ce cabaret perpétue la mémoire de Tino Rossi et offre une belle programmation de chants corses traditionnels dont les polyphonies qui racontent les hommes, l'histoire et le malheur de cette terre mille fois occupée, jamais conquise.

Achats

Marché – *Tlj. 7h30-12h (sf. lun. hors-sais.).* Campinchi. Nombreuses spécialités (lonzu, copa, miel, tarte au brocciu, etc.). Vente de vêtements sam.-dim.

A Casa Napoleon – *3 r. du Card.-Fesch - ☎ 04 95 21 47 88 - juil.-août : tlj 8h30-21h ; hors sais. : lun.-sam. 8h30-12h30, 14h-19h.* Dans une rue animée proche du marché aux poissons, cette boutique décline toutes les saveurs du terroir : vins blancs du Cap Corse, vins rouges d'Ajaccio, patrimonio, sartenais, liqueurs, fromages fermiers de chèvre et de brebis, poutargue (œufs de mulet fumés), canistrelli (gâteaux à l'anis).

A Casetta – *3 av. du 1er-Consul - ☎ 04 95 21 77 12 - été : tlj 9h-13h, 15h-20h30 ; reste de l'année : 9h-13h, 15h-19h30.* Dans ce petit magasin de spécialités situé à deux pas de la place du Diamant, la charcuterie traditionnelle est à l'honneur : saucisse (figatellu), jambon fumé (coppa et lonzu) ou cru (prisuttu). De nombreuses confitures, confiseries et fromages figurent aussi parmi les bons souvenirs gustatifs à emporter ou à expédier.

Boulangerie Galeani – *3 r. du Card.-Fesch - lun.-sam. 6h-20h, dim. 6h-13h.* Dans cette boulangerie traditionnelle, vous trouverez de succulentes pâtisseries corses faites maison : ambrucciata (petite tarte à la crème au lait), beignets au brocciu et bien sûr les canistrelli (anis, raisins, châtaignes, amandes et citron). Madame Viccilione, la propriétaire se fera un plaisir de vous les faire découvrir, un vrai régal.

Charcuterie Pantalacci – *1 bd Pugliesi Conti -* ☎ *04 95 21 15 28 - mar.-dim. 8h-12h30, 15h45-19h30 - fermé oct.* Cette charcuterie, dans la famille depuis quatre générations, offre à une clientèle de connaisseurs d'excellents produits. Vous y découvrirez coppa, lonzu, prisuttu (jambon sec) et figatellu (saucisse de foie), affinés pendant les longs mois d'hiver.

Atelier du Couteau – *Port de l'Amirauté -* ☎ *04 95 10 16 52 - lun.-sam. 9h-12h, 14h30-20h - fermé j.fériés.* Dans cette boutique de style moderne, Messieurs Bellini et Caggiari vous feront partager leur passion pour la coutellerie artisanale. Vous y découvrirez un grand choix de couteaux traditionnels, de répliques anciennes et de créations personnalisées.

La Maison du Corail – *1 r. du Card.-Fesch -* ☎ *04 95 21 47 94 - juin -sept. : lun.-sam. 9h30-12h30, 14h30-19h30 ; oct.-mai : mar.-sam. 9h-12h, 14h-19h - fermé fév. et j.fériés sf juil.et août.* Dans cette magnifique boutique vous y trouverez de splendides bijoux tous ornés de corail. Les plus beaux sont ceux fait avec du corail rouge directement prélevé sur les côtes corses par des pêcheurs professionnels.

Domaine Comte Peraldi – *Chemin de Stiletto - 20167 Mezzavia – 6 km au N d'Ajaccio par D 31, N 194, N 193, D 1 et D501 -* ☎ *04 95 22 37 30 - lun.-sam. 8h-12h, 14h-18h - fermé j.feriés.* Dominant le golfe d'Ajaccio, le domaine appartient à la famille Péraldi depuis le 16e s. La façade des caves est ornée d'une magnifique fresque représentant la vie du domaine lors des quatre saisons. Souvent primés, les vins du domaine Péraldi se veulent les ambassadeurs d'Ajaccio à travers le monde amateur de bons vins. Dégustation et vente.

Samira e Ghjilormu Pierlovisi – *Funtanaccia - 20167 Cuttoli-Corticchiato -* ☎ *04 95 25 61 49 - téléphoner pour RV.* Éleveur-transformateur, M. Pierlovisi propose ses excellents produits alimentaires : charcuteries (coppa, salamu, prisuttu, lonzu…), châtaignes transformées (liqueur, farine faite maison avec un moulin traditionnel) au label « Bio », terrines et liqueurs.

Loisirs

Baignade – Les plages les plus agréables se situent sur la route des Sanguinaires et vers Porticcio. Des bateaux-navettes assurent régulièrement la liaison entre le port d'Ajaccio et la plage de Porticcio.

E Ragnole – *12 cours Lucien-Bonaparte -* ☎ *04 95 21 53 55 - avr. -oct. : tlj ; nov.-mars : w.-end et vac scol.* E Ragnole, centre de plongée agréé, propose des baptêmes pour les novices et des explorations pour les plongeurs plus aguerris. Découvrir le monde sous-marin du golfe d'Ajaccio lors d'un baptême (à 6 m de profondeur accompagné, d'un moniteur) d'environ 20 mn restera pour vous un merveilleux souvenir.

comprendre

Une colonie génoise – Une cité romaine, prospère au Bas-Empire, a existé au Nord de la citadelle. Mais la fondation d'Ajaccio sur son site actuel est l'œuvre accomplie en 1492 par l'Office de Saint-Georges qui, depuis 1453, administrait la Corse pour le compte de la république de Gênes.

Une centaine de familles ligures et quelques familles nobles génoises furent ainsi établies dans la nouvelle colonie dont le séjour fut dès lors interdit aux Corses : si bien qu'Ajaccio demeura purement génoise jusqu'à sa prise en 1553 par Sampiero Corso. Des familles corses s'y fixèrent alors et obtinrent, en 1592, le droit de cité.

L'essor de la ville – Le 17e s. marqua le début de la croissance de la cité : entre 1584 et 1600 la population passa de 1 200 à 5 000 habitants mais beaucoup vivaient misérablement.

La vieille ville et la citadelle se développèrent à l'abri des remparts (démolis en 1801) tandis que vers le Nord, un faubourg, le **« Borgo »**, grandissait dans l'axe de l'actuelle rue Cardinal-Fesch. Les habitants vivaient surtout du commerce et de la pêche du corail.

Mais le véritable envol de la ville date du 18e s. Il est dû essentiellement à des facteurs politiques. Dès 1715, le commissaire des provinces de l'Au-Delà-des-Monts qui résidait à Ajaccio reçut les mêmes prérogatives que celui de Bastia. Plus tard, en 1793, la Convention divisa la Corse en deux départements : celui du Golo et celui du Liamone dont Ajaccio devint le chef-lieu. Puis un décret impérial de 1811 réunit les deux départements en un seul, sous l'administration d'Ajaccio. Dès lors, la cité ne cessa de grandir. Aujourd'hui chef-lieu du département de Corse-du-Sud, elle est le siège de l'Assemblée territoriale de Corse créée en 1991.

Origines de l'Empereur

En 1764, Charles-Marie, le père de Napoléon, épouse Letizia Ramolino à Ajaccio. En 1768, Charles-Marie combat aux côtés de Pascal Paoli contre les Français pour l'indépendance de l'île ; sa femme le suit dans toutes ses expéditions. Quelques mois après la bataille de Ponte Nuovo naît à Ajaccio leur deuxième fils, Napoléon (1769-1821).

Au contraire de Paoli, Charles-Marie se rallie très vite à la France, quémandant places et faveurs auprès du comte de Marbeuf tandis que grandit la famille Bonaparte *(voir le chapitre « Une histoire mouvementée » dans l'Invitation au voyage).*

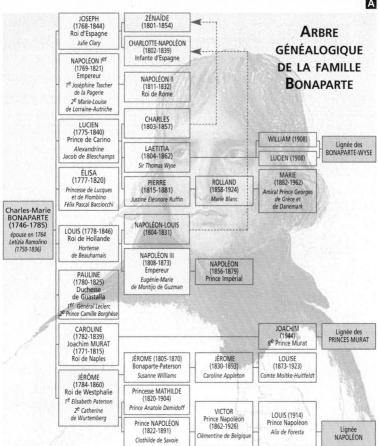

Le général Bonaparte,
par David.

Premier débarquement sur le sol français - Parti d'Alger, le sous-marin *Casabianca*, commandé par le capitaine de frégate L'Herminier, après avoir à plusieurs reprises ravitaillé en armes et en munitions les francs-tireurs et les partisans corses, débarqua à Ajaccio, le 13 septembre 1943, à 1h du matin, 109 combattants du 1er bataillon de choc des Forces françaises libres venus aider les résistants locaux à libérer l'île *(plaque commémorative quai L'Herminier près de la gare maritime)*. Ce fut la première unité française à mettre pied sur le sol de France *(se reporter également à la plage de Saleccia aux Agriates)*.

se promener

LA VIEILLE VILLE★

Jetée de la Citadelle
Longue de 200 m, elle offre de son extrémité une excellente **vue**★ sur le front de mer et une partie du golfe d'Ajaccio. Elle abrite le port de pêche et de plaisance. La citadelle date du milieu du 16e s. ; aujourd'hui domaine militaire, elle n'est pas ouverte au public.
En sortant, suivre le boulevard Danielle-Casanova qui longe la forteresse.

Au n° 18, maison natale de **Danielle Casanova**, résistante morte à Auschwitz en 1943.

> **REPÈRES**
> **L'**ancienne cité génoise est délimitée par la place du Gén.-de-Gaulle à l'Ouest, la citadelle au Sud-Est et la place du Mar.-Foch au Nord. Elle se prolonge rue du Card.-Fesch par le **Borgo** (faubourg).

AJACCIO

Albert-1er (Bd) . . . . . . Y 2
Austerlitz (Pl.) . . . . . . Y
Bévérini Vico (Av.) . . . Y 4
Blancarello
 (Chemin de). . . . . . Y
Bonaparte (Bd Ch.) . . Y
Bonaparte (R.) . . . . . Z 6
Campi (R. Gén.) . . . . Z
Campinchi (Sq.César) Z
Casalonga
 (R. Sergent) . . . . . . Z
Citadelle (Jetée de la) Y
Cuneo d'Ornano
 (Av. D. F.) . . . . Z
Diamant (Pl. du) . . . . Z
Dr-Ramaroni (Av. du). Z 17
Eugénie
 (Av. Impératrice) . Z
Fesch (R. Cardinal) . . Z
Fiorella (R. du Gén.) . Z 19
Foch (Pl. Mar.) . . . . . Z
Forcioli-Conti (R.) . . . Z 20
Gaulle (Pl. Gén. de). . Z
Grande Armée
 (Av. de la) . . . . Y
Grandval (Cours) . . . . Y
Griffi (Square P.) . . . . Y 22

Herminier (Q. l') . . . . Z 23
Lantivy (Bd) . . . . Z
Leclerc (Cours Gén.) . . . . Z 25
Letizia (Pl.) . . . . Z
Loretto (Chemin de). . . . . Y
Macchini (Av. E.) . . . . Z 27
Madame-Mère (Bd) . . . . Y 29
Maillot (Bd H.) . . . . Y 30
Masséria (Bd). . . . . Y 32
Napoléon (Cours). . . . . YZ
Napoléon-III (Av.) . . . . YZ 37
Nicoli (Cours J.) . . . . Y 38

Notre-Dame (R.). . . . . Z 39
Ornano (Av. Col. d') . . . . Y 40
Ornano (R. Mar.d') . . . . Z
Paoli (Bd D.). . . . . Y 41
Paris (Av. de) . . . . Z
Pietri (Av. N.) . . . . Y
Pozzo-di-Borgo (R.). . . . . Z 44
Premier-Consul (Av.). . . . . Z 45
République
 (Q. de la). . . . . Z 48
Roi-de-Rome (R.) . . . . Z 49
Roi-Jérôme (Bd) . . . . Z 50

Rossini (Bd Pascal). . . . . YZ
St-Jean (Montée). . . . . Y 51
Salario (Rte du) . . . . Y
Sébastien (R. Gén.) . . . . Z 53
Sérafini (Av. A.). . . . . Z 55
Sœur-Alphonse (R.) . . . . Z 56
Spinola (Pl.) . . . . Z
Trois Marie (R. des) . . . . Z
Verdun (Av. de) . . . . Y
Vero (R. Lorenzo) . . . . Z 58
Vitullo (Rte de) . . . . Y
Zévaco-Maire (R.). . . . . Z 60

Assemblée de Corse . . . . . . Z
Bibliothèque . . . . Z
Cathédrale. . . . . Z
Citadelle . . . . Z
Chapelle impériale . . . . Z D
Église St-Érasme . . . . Z
Hôtel Cuneo d'Ornano . . . . Z E

Hôtel Pozzo di Borgo . . . . . Z F
Maison Bonaparte . . . . Z
Monument de Napoléon. . . Z K
Monument de
 Napoléon 1er. . . . . Y L
Musée A Bandera. . . . . Z M²
Musée du Capitellu . . . . . . Z M³

Musée Fesch . . . . Z
Musée napoléonien
 (Hôtel de ville), ... Z H
Préfecture. . . . . Z P
Statue de Bonaparte. . . . . . Z Q
Statue de
 la Madonuccia . . . . Z R

Église St-Érasme

C'est l'ancienne chapelle du collège des jésuites, bâti en 1617. En 1656, les Anciens, réunis dans ce sanctuaire, consacrèrent Ajaccio à N.-D.-de-la-Miséricorde, désirant ainsi préserver la cité d'une épidémie de peste. L'église fut fermée sous la Révolution. En 1815, le sanctuaire désormais dédié à saint Érasme, patron des marins, fut rendu au culte. L'église est décorée de maquettes de navires ; elle contient trois beaux christs sur croix processionnelles, une statue de saint Érasme entouré d'angelots et un ensemble de chapes et dalmatiques du service pontifical.

Cathédrale

9h-11h30, 14h30-17h30, dim. 9h-11h30. ☎ *04 95 21 07 67.*
Construite à partir de 1582 dans le style Renaissance, elle présente une façade très simple. Par crainte de voir les travaux traîner en longueur, l'évêque fit réduire les dimensions de l'édifice conçu par l'architecte Giacomo della Porta. Les travaux s'achevèrent en 1593.

En juillet 1771, Napoléon, âgé de deux ans, reçut le baptême sur les fonts baptismaux, à droite de l'entrée.

En longeant la nef sur la gauche on trouve une chapelle élevée au 16e s. par Pierre-Paul d'Ornano, ornée d'une peinture de Delacroix : *Vierge au Sacré-Cœur*.

Le maître-autel monumental en marbre blanc, surmonté de quatre colonnes torses de marbre noir, fut offert à l'église en 1811 par Élisa Bacciocchi, sœur de Napoléon. Au-dessus du faux transept, remarquez la coupole peinte en trompe-l'œil.

Notez sur la droite une belle **Vierge** en marbre blanc, du 18e s., sous un dais aux draperies élégantes et, accolée à un pilier carré de la nef, la chaire en forme de calice.

Prendre la rue Notre-Dame qui longe le flanc droit de la cathédrale.

Au **nº 3** s'élève la longue façade très sobre de l'**hôtel Cuneo d'Ornano**. Remarquez la porte aux piédroits et au linteau de marbre surmontée d'un ornement aux armes de la famille d'Ornano.

Prendre à gauche la rue du Roi-de-Rome puis à droite la rue St-Charles.

On débouche dans la rue Bonaparte, l'ancien *carrughju drittu* (« rue droite ») de la cité génoise où résidaient les marchands et qui divisait la vieille ville en deux quartiers distincts : au Nord s'étendait le quartier pauvre du Macello (de la boucherie), tandis qu'au Sud se groupait la bourgeoisie.

Au nº 15, l'**hôtel Pozzo di Borgo** est habillé en palais italien par les trompe-l'œil en camaïeu d'ocre qui décorent ses fenêtres. Au rez-de-chaussée, une porte monumentale de marbre blanc, avec un fronton armorié, donne un air solennel à l'édifice.

Place Maréchal-Foch

Auparavant nommée place des Palmiers, ce bel espace rectangulaire ombragé de palmiers et de platanes s'ouvre face au port. C'est un lieu central de la vie ajaccienne : on y vient pour déambuler, discuter ou se reposer sur les bancs. Le côté Sud est bordé de petits restaurants. Remarquez la petite **statue de la Madonuccia** ou N.-D. de la Miséricorde, exposée dans la niche d'une maison en haut de la place (nºS 7-10, avenue Sérafini). Elle protège la ville depuis 1656 *(voir église St-Érasme)* et est fêtée en grande pompe le 18 mars : ville illuminée, messe solennelle à la cathédrale, procession dans les rues.

La statue de marbre blanc de **Bonaparte Premier Consul** surmonte la fontaine des Quatre Lions, œuvre de Maglioli, peintre et sculpteur ajaccien. Sur la gauche, en bas de la place, s'élève l'hôtel de ville qui abrite l'Office de tourisme et le Musée napoléonien.

CALENDRIER

Chaque 2 juin une procession haute en couleur promène jusqu'à la mer la statue de **Saint Érasme, le patron des marins :** elle rassemble les autorités civiles et militaires, le clergé et une foule mi-recueillie mi-joyeuse.

À VOIR

Sur le premier pilastre à gauche de l'entrée de la cathédrale sont gravées les dernières paroles de l'Empereur prononcées à Ste-Hélène, le 29 avril 1821 : « Si on proscrit de Paris mon cadavre comme on a proscrit ma personne, je souhaite qu'on m'inhume auprès de mes ancêtres dans la cathédrale d'Ajaccio, en Corse. ». Le caveau de la famille Bonaparte se trouvait en effet dans la cathédrale avant la construction de la chapelle impériale en 1857.

Le marché se tient tous les matins dans le square Campinchi, à côté de la place Maréchal-Foch. Au programme, « brocciu », charcuterie et autres spécialités corses.

Rue Cardinal-Fesch

Longue et commerçante, cette rue traverse l'ancien « Borgo ». Remarquez au n° 27 une curieuse façade présentant deux étages de galerie à arcades.

UN AUTRE EMPEREUR

La fabuleuse carrière artistique de Tino Rossi (1907-1983) débuta à 20 ans à l'Alcazar de Marseille avant de recevoir la consécration à Paris dans les revues de Vincent Scotto et le film *Marinella* (1936). Après avoir enregistré plus de mille chansons, participé à 24 films et animé quatre opérettes, le chanteur ajaccien à la voix veloutée demeure une référence dans la chanson de charme.

Les inconditionnels de l'auteur de *Petit Papa Noël* iront voir **sa maison natale** *(47 r. Card.-Fesch)* et se recueillir sur son tombeau en granit blanc *(situé à gauche de la 1re entrée du cimetière d'Ajaccio)*.

Poursuivre la rue Card.-Fesch. Tourner à gauche dans la rue des Trois-Marie et descendre le cours Napoléon, principale artère commerçante.

Passer devant la **préfecture**, dont le hall abrite un sarcophage romain du 3e s. après J.-C.

Reprendre le cours Napoléon jusqu'à la ville moderne.

LA VILLE MODERNE

Place Général-de-Gaulle ou place du Diamant

Ce vaste espace fait le lien entre les quartiers anciens et ceux qui se développent en bordure de la route des Sanguinaires. C'est l'ancienne **place du Diamant**, cœur de l'animation ajaccienne. La place, prolongée par une terrasse, offre une splendide **vue★** sur le golfe d'Ajaccio.

> **A**u centre de la place se dresse le solennel monument en bronze de **Napoléon en empereur romain** et de ses quatre frères, dessiné par Viollet-le-Duc.

Cours Grandval

Aéré, agréablement bordé de palmiers et de platanes, le cours monte en pente douce de la place du Gén.-de-Gaulle vers la place d'Austerlitz qui clôt son élégante perspective.

À droite, dominant un jardin fleuri et planté de palmiers élancés, l'**Assemblée territoriale de Corse**, organe exécutif de la région, tourne vers la mer sa haute façade au charme désuet. Elle occupe les bâtiments composites et crépis en ocre de l'ancien hôtel Continental.

Place d'Austerlitz (U Casone)

Elle est dominée par l'imposant **monument de Napoléon Ier** qui ferme l'axe ouvert 1 500 m plus bas, place Foch, par la statue de Napoléon, Premier Consul. Précédé de deux aigles et d'une immense stèle inclinée rappelant ses victoires, l'empereur, coiffé du bicorne, regarde la ville dans une attitude familière (réplique de la statue située dans la cour d'honneur des Invalides).

> **SOUVENIRS**
> Avant d'être envoyé à l'école de Brienne, Napoléon, enfant, aurait joué parmi les rochers et dans la grotte *(à gauche)* qui porte aujourd'hui son nom.

visiter

Musée Fesch★★

&. *Avr.-juin et sept. : 9h15-12h15, 14h15-17h15, lun. 13h-17h15 ; juil.-août : mar.-ven. 9h-18h30 (ven. nocturne 21h-00h), lun. 13h30-18h, w.-end et j. fériés 10h30-18h ; oct.-mars : tlj sf dim. et lun. 9h15-12h15, 14h15-17h15. 5,33€.* ☎ *04 95 21 48 17.*

On accède au musée par la cour d'honneur qui correspond au 2e niveau (expositions temporaires).

Le musée présente une remarquable collection des tableaux des écoles italiennes du 14e au 18e s. (Sandro Botticelli, le Titien, Giovanni Bellini, Cosimo Tura, etc.)

Peinture italienne du 14e au 16e s. – *1er étage.* On peut admirer l'illustre **triptyque de Rimini** (14e s.), des œuvres de Jacopo Sellajo, et le triptyque du *Mariage mystique de sainte Catherine* (de Nicoló de Tommaso) présentant sur les volets saint Jean Baptiste et saint Dominique.

La Vierge à la guirlande,
par Botticelli.

Le thème de la Vierge à l'Enfant, traité en particulier par deux grands maîtres : **Giovanni Bellini** (1430-1516), de l'école vénitienne et **Sandro Botticelli** (1440-1510), de l'école de Florence, illustre l'art du Quattrocento (15e s.). Tendresse, charme et sensibilité se dégagent de la madone de Bellini, tandis que la ***Vierge à la guirlande*** de Botticelli, peinte en 1470, enchante par sa grâce et son naturel. La très belle ***Vierge à l'Enfant*** de Giovanni Boccati, chef de file de l'école des Marches influencé par Fra Angelico, illustre par ailleurs la haute époque florentine. La persistance du gothique et le goût des ruines antiques se retrouvent dans la madone de Cosimo Rosselli. ***La Madone entre les deux saints,*** de Cosimo Tura, au réalisme accentué, appartient à l'école de Ferrare.

Du 16e s., on retient en particulier, deux œuvres de l'école de Venise : ***Léda et le cygne*** de l'atelier de Véronèse et l'***Homme au gant*** du **Titien** ainsi qu'une belle ***Adoration des Mages,*** œuvre anonyme flamande.

Œuvres du 17e et 18e s. – *2e étage.* Remarquer la très riche collection de natures mortes (Cittadini, Boselli, G. Recco, Ruoppolo, Castelli dit Spadino) ainsi que les paysages de Gaspard Dughet (1613-1675), peintre français (né à Rome) qui a fortement subi l'influence de son beau-frère Nicolas Poussin. Les œuvres d'Amorosi témoignent de l'influence qu'exerça Le Caravage sur la peinture de l'époque. Les écoles flamandes du 17e s. sont représentées par une série de paysages tels ceux de Nicolaes Berchem. Dans les salles napolitaines on remarque particulièrement **Le Départ de Rebecca** par Solimène. La visite se poursuit par des œuvres du 18e s., notamment celles de Pierre Subleyras et de Louis-Gabriel Blanchet. Le 19e s. est représenté essentiellement par des paysages.

L'exposition à ce niveau s'achève par la **grande galerie** qui abrite les tableaux italiens de grandes dimensions classés par écoles d'origine.

Le rez-de-marine (rez-de-chaussée côté mer) est consacré aux souvenirs des Premier et Second Empires.

Bibliothèque du palais Fesch

Tlj sf w.-end 14h-18h (juil.-août : tlj sf w.-end 9h-12h, 13h-16h). Fermé j. fériés. Gratuit. ☎ *04 95 51 13 00.*

Elle occupe le rez-de-chaussée du palais Fesch. Fondée en 1801 par Lucien Bonaparte alors ministre de l'Intérieur, elle regroupe environ 50 000 volumes.

UN ONCLE COLLECTIONNEUR

Installé dans le palais Fesch, construit à partir de 1827, ce musée abrite la plus importante collection de **peintures italiennes★★★** conservée en France, après celle du Louvre, ainsi que des œuvres des écoles française, espagnole, flamande et hollandaise. Ces toiles furent léguées à la ville par le *cardinal Fesch*, oncle maternel de Napoléon et archevêque de Lyon, qui les avait collectionnées tout au long de sa vie.

Chapelle impériale

S'adresser au musée Fesch pour l'achat du billet. 1,52€.

Elle fut édifiée par Napoléon III, en 1857, pour servir de sépulture à la famille impériale. De style Renaissance, elle est construite en pierre de St-Florent. La grande coupole en trompe-l'œil peinte par l'architecte de la ville Jérôme Maglioli ainsi que les vitraux sont décorés aux armes du cardinal Fesch. Un beau Christ copte, cadeau du général Bonaparte à sa mère lors de son retour d'Égypte, orne le maître-autel.

Dans la crypte circulaire située sous la coupole reposent plusieurs membres de la famille Bonaparte. De part et d'autre de la crypte, dans l'escalier d'accès, sont inhumés la princesse Clémentine de Belgique et le prince Victor, mort à Bruxelles en 1926.

Maison Bonaparte★

Avr.-sept. : 9h-12h, 14h-18h (dernière entrée 1/4h av. fermeture), lun. 14h-18h ; oct.-mars : 10h-12h, 14h-16h45, lun. 14h-16h45. Fermé 1er janv., 25 déc. 3,35€, gratuit 1er dim. du mois. ☎ 04 95 21 43 89.

Devant la petite **place Letizia** ornée du buste du roi de Rome enfant, sculpté par E.-J. Vezien en 1936, s'élève la maison natale de l'Empereur. Remontant au 17e s., elle présente une façade très sobre, sans décoration ni signe distinctif, hormis les armes de la famille.

LA MAISON À TRAVERS LES ANS

La demeure entra dans le patrimoine familial en 1682. Charles Bonaparte s'y installa en 1743, occupant le rez-de-chaussée et le premier étage, tandis que ses cousins Pozzo di Borgo logeaient au second. Elle ne ressemble plus guère, intérieurement, à la Casa Buonaparte que connut le jeune Napoléon.

En mai 1793, menacés par les partisans de Paoli, les Bonaparte durent s'enfuir d'Ajaccio, ville alors ardemment paoliste. Leur maison fut saccagée. Pendant l'occupation anglaise (1794-1796), elle fut réquisitionnée et, ironie du sort, Hudson Lowe, le futur geôlier de l'Empereur à Ste-Hélène, y aurait logé. Le rez-de-chaussée fut transformé en dépôt de munitions.

De retour à Ajaccio, en 1797, Letizia put remettre la maison en état grâce à une indemnité que lui versa le Directoire. Le mobilier actuel date de cette époque. À son retour d'Égypte, le 29 septembre 1799, le général Bonaparte fit escale dans la demeure familiale ; il ne devait plus jamais la revoir. En 1805 l'Empereur fit don de cette maison au cousin de sa mère, André Ramolino. En 1923, le prince Victor-Napoléon, descendant du roi Jérôme, la donna à l'État.

La visite débute par le 2e étage.

> **R**emarquer, dans la seconde salle, les deux plus anciens **masques mortuaires de l'Empereur**, réalisés à Ste-Hélène juste après son décès par Antommarchi, son médecin.

◀ **2e étage** – Quatre salles très claires aux plafonds peints à l'italienne sont dallées de tommettes rouges. Elles sont consacrées respectivement aux **origines de la famille**, au **Premier Empire, au retour d'Égypte** et à **Napoléon III et l'impératrice Eugénie**.

1er étage – Dans la « **chambre natale** » de Napoléon, on admire un secrétaire italien du 18e s. incrusté de pierres dures (lapis-lazuli, nacre...), et une crèche en ivoire rapportée d'Orient par Bonaparte à sa mère. La **grande galerie,** longue de 12 m, présente un beau parquet de noyer en point de Hongrie et un intéressant plafond à l'italienne. Tapissée de vert pâle et meublée en style Directoire très sobre, elle compose un harmonieux salon et forme un trait d'union entre la maison principale et les pièces de la **petite maison** achetée en 1797. Cette dernière se compose d'un salon de musique et de deux petites chambres. Dans l'une d'elles, une trappe communiquant avec le rez-de-chaussée permit, dit-on, en 1799, au général Bonaparte de s'échapper avec Berthier et Murat pour éviter que « son cœur ne faiblisse devant le bon cœur de ses amis » qu'il devait quitter.

Le salon de style Louis XVI et la chambre de Madame Letizia au beau mobilier Louis XV sont richement tendus de rouge et ornés d'un lustre en verre de Venise.

Le retour dans le corps principal de la maison mène à la salle à manger, peinte en faux marbre, dont les fenêtres donnent sur la place Letizia.

En sortant, prendre la première rue à gauche, strada di U Peveru.

On aperçoit par les ouvertures les caves voûtées du sous-sol.

> **A**u rez-de-chaussée se trouve la **chaise à porteurs** qui aurait servi à ramener en hâte de l'église Letizia sur le point de mettre au monde Napoléon.

Musée napoléonien★

&. *Tlj sf w.-end 9h-11h45, 14h-16h45. 2,28€.* ☎ *04 95 21 48 17.* Aménagé au 1er étage de l'hôtel de ville, il détient des souvenirs, documents et tableaux se rapportant à l'Empereur et à sa famille. Dans le hall se dresse une statue de marbre de Jérôme Bonaparte par Bosio (1812).

Grand Salon – On découvre la photocopie de l'acte de baptême de Napoléon (21 juillet 1771), rédigé en génois, et un moulage en bronze de son masque mortuaire réalisé à Ste-Hélène.

Sur les murs de ce salon de style Empire, sont accrochés de grands portraits de la famille Bonaparte.

Le buste du roi de Rome enfant, par Bartolini, ornait la chambre de l'Empereur en exil. Le magnifique lustre de cristal, qui pèse une tonne, fut offert par l'ex-Tchécoslovaquie, en 1969, pour fêter le bicentenaire de la naissance de Napoléon.

> **P**armi les bustes, remarquez celui de **Letizia** qui, au faîte des honneurs, ne cessait de répéter : « J'ai sept ou huit souverains qui me retomberont un jour sur les bras. »

Salle des médailles – Elle renferme une belle collection de monnaies et de médailles (218 pièces) d'or, d'argent et de bronze de 1797 à 1876 léguées à la ville par le prince Napoléon, fils du roi Jérôme, et une deuxième collection (Vognsgaard) reçue en 1974. Noter à gauche en entrant une bonbonnière sertie de diamants à l'effigie du prince Jérôme.

Musée « A Bandera »

1 r. Gén.-Levie. &. *De juil. à mi-sept. : tlj sf dim. 9h-19h ; de déb. mai à fin juin et de mi-sept. à fin oct. : tlj 9h-12h, 14h-19h ; nov.-avr. : tlj 9h-12h, 14h-18h. Fermé 1er mai. 3,81€.* ☎ *04 95 51 07 34.*

Ce musée offre une bonne initiation historique avant de partir à la découverte de l'île.

Il présente les étapes de l'installation humaine et les événements historiques et militaires qui en découlent. La première salle est consacrée à la préhistoire depuis l'époque des mégalithes et à l'Antiquité. Dans la 2e salle, maquettes de navires, cartes, gravures, armes et diorama illustrent les invasions barbaresques. La 3e salle est dédiée aux guerres d'Indépendance (1729-1769), en particulier à la bataille décisive de Ponte-Nuovo (1769). Les pièces suivantes rendent compte de la place occupée par la Corse dans les grands conflits des deux derniers siècles et de l'action de la Résistance durant la Seconde Guerre mondiale.

> **PAGE D'HISTOIRE**
> La façade est décorée par le peintre Campana d'une fresque en trompe-l'œil figurant les principaux personnages historiques de la Corse.

Musée du Capitellu

 ♿ *De mi-mars à mi-oct. : 10h-12h, 14h-18h, dim. 10h-12h. 3,81€. ☎ 04 95 21 50 57.*

Il présente l'histoire d'Ajaccio depuis sa fondation à travers divers objets ayant appartenu à une vieille famille de la ville. On remarque aussi un service de vaisselle en vermeil qu'utilisait Napoléon durant ses campagnes et deux peintures, copies d'élèves de Raphaël.

alentours

Les Milelli★

5 km au Nord-Ouest. Quitter Ajaccio par le cours Napoléon et, un peu après la gare, prendre à gauche la route d'Alata (D 61) ; puis encore à gauche après un rond-point, une route en montée (plaque indicatrice). Dernière entrée 1/2h av. fermeture, 10h-12h, 14h-17h, lun. 14h-17h (avr.-oct. : 9h-12h, 14h-18h, lun. 14h-18h). 3,35€ (enf. : gratuit). ☎ 04 95 21 43 89.

Entourée d'une oliveraie séculaire, l'**ancienne maison de campagne de la famille Bonaparte** appartient à la ville d'Ajaccio. Les deux étages ouverts aux visites sont aménagés de meubles de facture corse du 19ᵉ s.

UN REFUGE

Lorsque les Bonaparte durent quitter leur maison d'Ajaccio, en mai 1793, Letizia, accompagnée de ses filles Élisa et Pauline et de l'abbé Fesch, vint se réfugier aux Milelli. Dans la nuit du 1ᵉʳ juin, elle parvint avec les siens à quitter la région d'Ajaccio en contournant la ville par le Monte St-Angelo et en gagnant la tour de Capitello. À son retour d'Égypte, Bonaparte séjourna aux Milelli en compagnie de Murat et de Lannes.

Golfe d'**Ajaccio**★★

C'est le plus vaste et le plus profond golfe de la Corse. Sa rive Nord, entre la pointe de la Parata et Ajaccio, est presque rectiligne ; sa rive Sud en revanche se découpe d'anses et de baies isolées par des presqu'îles rocheuses telles la pointe de Porticcio, la pointe de Sette Nave ou celle de la Castagna. La douceur de ses rivages, son calme et l'harmonie de ses couleurs sont à l'origine de sa célébrité.

La situation

Carte Michelin n° 90 pli 17 – Corse-du-Sud (2A). Une route longe presque tout le littoral : la route des Sanguinaires sur la rive Nord , la D 155 vers le Sud jusqu'à Portigliolo. 🛈 *Plage des Marines, 20166 Porticcio, ☎ 04 95 25 01 01. Sais. : lun.-sam. 9h30-12h15, 14h30-19h, dim. 9h-12h15, 14h30-19h.*

Les couleurs

Les noms de lieux parlent d'eux-mêmes : les îles **Sanguinaires** sont constituées d'une roche rouge sombre, le **Campo dell'Oro** (le « champ d'or », en référence peut-être au blé jadis présent) évoque le jaune de la plaine derrière l'aéroport, enfin la mer déploie dans tout le golfe ses tons intensément bleus. Les trois couleurs primaires sont bien là et leurs combinaisons créent une véritable palette de vert, d'orange et de violet. Ajoutons à cela une pointe de gris-blanc scintillant avec la **plage d'argent**.

Amplement ouvert sur le large (17 km séparent la pointe de la Parata au Nord du Capo di Muro au Sud), le golfe d'Ajaccio alterne plages, presqu'îles rocheuses et stations balnéaires.

carnet pratique

RESTAURATION

• **Valeur sûre**

Auberge du Prunelli – *20129 Pisciatello - 12 km à l'E d'Ajaccio par N 194 puis N 196 - ☎ 04 95 20 02 75 - fermé avr. et mar. - 16,77/25,76€.* Légumes du jardin et produits corses au menu de cette maisonnette de Pisciatello, juste à côté de l'ancien pont du Prunelli. Dans sa salle à manger simple et campagnarde, vous pourrez goûter une cuisine du cru sans prétention.

Le Nausicaa – *Rte des Îles Sanguinaires - 20000 Ajaccio - 7 km à l'O d'Ajaccio par D 111 - ☎ 04 95 52 01 42 - fermé mar. d'oct. à mai - 18,29/27,44€.* Poissons et grillades vous attendent sur l'agréable terrasse de cette villa noyée sous les lauriers et les mûriers... Vous aurez envie d'y rester.

L'Ariadne Plage – *Rte des Îles Sanguinaires - 20000 Ajaccio - ☎ 04 95 52 09 63 - fermé nov. à fév. - 19/46€.* Faisant écho à la « world music », chère au patron, la cuisine de ce restaurant fait le tour du monde : de Cuba à la Thaïlande, en passant par les recettes locales de poissons, toutes les saveurs exotiques sont là. Rythmes et ambiance garantis, surtout les soirs de concert sur la plage.

Chez Mico – *20138 Portigliolo - ☎ 04 95 25 47 69 - 22,87/45,73€.* Vous ne rêvez pas ! De la terrasse de ce restaurant au style un peu ginguette, la vue est idyllique sur la mer..., à vos pieds pendant que vous dégusterez les spécialités de poissons. Quelques pâtes et pizzas pour compléter la carte.

• **Une petite folie !**

Chez Séraphin – *20167 Peri - ☎ 04 95 25 68 94 - fermé oct., nov., mer. et jeu. hors sais., lun. et mar. - ⬛ - 33,54€.* Vous vous sentirez comme chez vous dans cette maison en grosse pierre du pays. La salle à manger est tapissée de portraits de famille et l'accueil est chaleureux. Cuisine corse authentique et généreuse avec son menu unique et vin à volonté !

HÉBERGEMENT

• **À bon compte**

Camping U Prunelli – *Bord du Prunelli - 20166 Porticcio - 3,5 km NE de Porticcio par D 55 (rte d'Ajaccio) - ☎ 04 95 25 19 23 - prunelli.camp@infonie.fr - ouv. 30 mars à oct. - ⬛ - réserv. conseillée - 260 empl.: 16,62€.* Dans un environnement sauvage et luxuriant, voici un beau terrain aux emplacements bien délimités et ombragés.

Vous aimerez flâner sous la treille de la terrasse du bar et batifoler dans les eaux des deux piscines à débordement. Location de chalets.

Camping Lecci e Murta – *20138 Portigliolo - ☎ 04 95 76 02 67 - ouv. avr. au 15 oct. - réserv. conseillée - 150 empl.: 19,36€.* Tente ou bungalow ? Vous serez toujours sous les myrtes sauvages, les chênes verts et les eucalyptus géants, à 300 m de la plage. Le bar-restaurant et sa grande terrasse couverte est agréable et bien aménagée avec poutres apparentes et murs aux couleurs locales.

• **Valeur sûre**

Le Belvédère – *20138 Coti-Chiavari - ☎ 04 95 27 10 32 - fermé 11 nov. au 15 fév. - ⬛ 🅿 - 13 ch.: 45,73/60,98€ - ⬛ 4,57€ - restaurant 21/26€.* Tel un nid d'aigle, perché en plein maquis, cet hôtel n'a pas usurpé son nom. La vue sur le golfe d'Ajaccio est à vous couper le souffle, dans votre chambre au mobilier de bois peint ou dans la salle à manger panoramique. Prévenir pour les repas.

Chambre d'hôte Piaggiola – *20166 Porticcio - 13 km au SE de la plage d'Agosta par D 255^A (dir. Pietrosella) puis D 255 à droite - ☎ 04 95 24 23 79 - fermé fin janv. au 15 avr. - ⬛ - 6 ch.: 61€ - repas 19€.* Randonneurs et chasseurs apprécient le vaste domaine qui entoure cette grande bâtisse de granit. Les chambres meublées à l'ancienne s'ouvrent sur la forêt ou le golfe de Valinco. Dans une vaste salle, la table d'hôte fait honneur aux produits du terroir.

ACHATS

Clos Capitoro – *Rte de Sartène - 20166 Porticcio - ☎ 04 95 25 19 61 - lun.-sam. 8h-12h, 14h-18h.* Dans la famille Bianchetti depuis 1856, le clos Capitoro produits des vins AOC Ajaccio et des vins doux naturels d'apéritif (à base de cépage Grenache) et de dessert (les Malvoisies : vins moelleux pouvant aussi accompagnés foie gras et viandes blanches). Visite de la cave, dégustation et vente.

LOISIRS

Maeva Plongée – *Les Marines - BP 48 - 20166 Porticcio - ☎ 04 95 25 02 40 - d'avr. à mi-oct. : tlj 8h-20h - fermé de mi-oct. à avr.* Installé depuis 1986 aux Marines de Porticcio, Maeva Plongée organise des baptêmes pour les novices et des explorations pour les plongeurs plus aguerris.

circuits

1 ROUTE DES SANGUINAIRES ET ANSE DE MINACCIA★

29 km – environ 1h1/2. Quitter Ajaccio par la D 111.

La route borde la côte Nord du golfe ; elle permet de découvrir la « corniche ajaccienne » où s'étendent les quartiers résidentiels, au pied de la ligne de crête. Quelques agréables petites plages font face à l'immensité du golfe.

Chapelle des Grecs

Ce modeste édifice de style baroque très sobre, surmonté d'une jolie croix de fer forgé, s'élève sur la gauche peu après la place Emmanuel-Arène. La chapelle évoque le souvenir de la communauté grecque qui, chassée de Paomia en 1731, s'installa à Ajaccio avant de s'établir à Cargèse. À droite de la place ombragée de micocouliers qui borde l'édifice, un sentier descend vers la mer.

◄ Le long de la mer, les imposantes chapelles funéraires des familles ajacciennes contrastent curieusement avec les villas, immeubles, hôtels et restaurants qui s'élèvent sur les premières hauteurs et en bordure de la route jusqu'à la pointe de la Parata. Plusieurs plages de sable fin caressées d'eaux claires se succèdent, animées par quelques bars d'où l'on peut admirer de superbes couchers de soleil.

> **MARINELLA**
> Cette belle plage, chantée par Tino Rossi, est tapissée de sable fin blanc. De nombreux Ajacciens y viennent le week-end.

Pointe de la Parata

Ce promontoire de granit noir est surmonté de la **tour de la Parata,** édifiée par les Génois pour protéger l'île des incursions barbaresques. La route s'arrête au pied du promontoire. Le chemin qui la prolonge permet de gagner l'extrémité de la pointe (🚶 *1/2h à pied AR*) qui offre une **vue★★** rapprochée sur les îles Sanguinaires. Au soleil couchant, ces îlots rocheux se parent d'une chaude couleur ocre rouge.

Reprendre la route en sens inverse ; au bout de 2 km environ, emprunter à gauche la D 111ᴮ, signalée « Capu di Fenu » (juste après l'hôtel Goéland). Poursuivre pendant 8 km

environ l'itinéraire qui serpente au milieu de pâturages clôturés. Suivre alors la direction « Paillote Capo di Feno, chez Dume », une route non goudronnée (sur 200 m) mène à un terre-plein servant de parking.

Au Nord d'Ajaccio, la belle route côtière s'achève à la pointe de la Parata, veillée par les îles Sanguinaires.

Plage de Grand Capo ≜

On découvre une belle et vaste étendue de sable fin, entourée de collines à la végétation rabougrie ; c'est la plage de prédilection des Ajacciens. Eau turquoise et impression de « bout du monde », les lieux sont restés sauvages. L'ouverture vers le large et l'orientation des vents attirent les adeptes du surf ; des compétitions s'y déroulent.

Rentrer sur Ajaccio par la D 11ᴮ (rte de Saint-Antoine).

② CÔTE SUD DU GOLFE★★

104 km – environ 4h. Quitter Ajaccio par la N 193 puis suivre la route de Sartène (N 196).

Peu après la pointe d'Aspreto, on laisse, à droite, la jolie route bordée de pins qui mène à l'aéroport d'Ajaccio Campo dell'Oro et dessert la grande plage du Ricanto, très fréquentée par les Ajacciens.

Franchir la Gravona, puis le Prunelli, et prendre à droite la D 55 vers Porticcio.

Au Sud de l'aéroport, à l'embouchure de la Gravona, se dresse la **tour de Capitello**. Cette construction génoise rappelle la fuite d'Ajaccio par les Bonaparte sous la pression de la population appuyant la résistance de Paoli à la Convention.

Porticcio ≜

Liaison par bateau-navette avec le port d'Ajaccio en saison. Cette station balnéaire, admirablement située face à Ajaccio, connaît un grand essor touristique. Plages de sable, multiples hôtels et restaurants, institut de thalassothérapie et ensembles résidentiels attirent de nombreux estivants.

De l'extrémité de la pointe, la vue s'étend sur la rade d'Ajaccio et les îles Sanguinaires.

À la sortie de Porticcio, la route borde la longue **plage d'Agosta** et laisse sur la droite la **presqu'île d'Isolella** dont la pointe porte une ancienne tour génoise *(propriété privée)*. Plusieurs petites criques assez mignonnes et plus tranquilles que la plage d'Agosta ornent la presqu'île.

La route contourne ensuite la **plage de Ruppione** dans une anse profonde et passe à la lisière de la forêt de Chiavari.

Au port de Chiavari, prendre à droite la route de la pointe de la Castagne (D 155) qui suit la côte et procure de beaux coups d'œil sur le golfe. On rejoint le sable fin de la belle plage de **Mare e Sole** ≜, dite **plage d'Argent**, ombragée par quelques pins sur son extrémité Sud. Sur la droite apparaît l'île Piana couverte d'une végétation dense.

LOISIRS-DÉTENTE

Acqua Cyrné Gliss –
😊 - D 55 - 20166 Porticcio - ☎ 04 95 25 17 48 - juin-sept. : tlj 10h30-19h.
Dans ce parc de loisirs aquatiques, la glisse est reine. Cinq toboggans avec décors animés font le bonheur des petits mais aussi des plus grands. Aires de jeux, bar et petite restauration.

La route suit la petite **anse de Portigliolo** bordée d'une plage avant de monter au hameau de la Castagna, dominé d'une tour génoise *(terrain militaire)*.

Revenir sur ses pas jusqu'à l'embranchement où l'on prend à droite la route de Coti-Chiavari (D 55).

Forêt de Chiavari★

L'étroite route bordée de majestueux eucalyptus pénètre dans la forêt domaniale, puis longe les bâtiments délabrés de l'ancien pénitencier fermé en 1906. S'arrêter sur un des terre-pleins et grimper sur la butte au-dessus de l'édifice en ruine afin d'apprécier la vue sur les frondaisons et sur le golfe d'Ajaccio.

Entre l'automne et le printemps, l'eucalyptus de Corse se pare de belles fleurs blanches.

> **UN IMMIGRÉ BIEN ASSIMILÉ EN CORSE : L'EUCALYPTUS**
>
> Originaire d'Australie où il peut atteindre des hauteurs impressionnantes (plus de 100 m !), l'eucalyptus (espèce globulus) fut introduit en Corse au 19e s. dans les environs du pénitencier de Chiavari pour en assainir l'environnement. En effet, gros consommateur d'eau, l'eucalyptus pompe le sol et assèche les zones marécageuses, en outre ses feuilles ont des vertus antiseptiques et repoussent les moustiques.
>
> En Corse, la plupart des eucalyptus forment des plantations réalisées dans le cadre des fonds forestiers nationaux destinés au reboisement de domaines jusqu'alors composés de landes ou de terres insalubres. Ainsi près de 900 ha furent plantés dans les plaines côtières orientales jusqu'en 1960.
>
> Certains secteurs de l'île, comme ceux de Coti-Chiavari, de Porto-Vecchio, de Porto ou de Sagone constituent, par la taille impressionnante de leurs peuplements et leur capacité de régénération, une part du patrimoine naturel de l'île.

Coti-Chiavari

> **TOUR D'HORIZON**
>
> Emprunter la route d'accès au relais de télévision et au camp militaire. Elle offre de très belles **vues★★** sur les golfes d'Ajaccio et de Valinco.

Ce village, bâti en terrasse, tire son origine du peuplement de la région au 18e s. par des habitants de la localité ligure de Chiavari. Son esplanade ombragée offre un agréable point d'observation vers la pointe de la Castagne et les îles Sanguinaires.

Poursuivre vers Acqua Doria et la presqu'île du Capo di Muro.

Punta Guardiola

⚐ *1/2h à pied AR.* Le promontoire, dominé par une tour génoise, ferme, au Sud, le golfe d'Ajaccio. À ses pieds s'ouvre le beau golfe d'**Arena Rossa★**, aux contours sauvages et boisés.

Revenir à Coti-Chiavari.

De là, le retour à Ajaccio s'effectue par la **route des Cols★** (D 55) qui embrasse le golfe d'Ajaccio.

Col de Cortone

Par-delà la **forêt de Chiavari, vue★** sur le golfe d'Ajaccio de la pointe de la Castagna à celle de la Parata ; au Sud sur le golfe de Valinco.

Col de Chenova

Vue sur la pointe de Sette Nave avec la tour de l'Isollela, sur les îles Sanguinaires et sur la vallée du Taravo.

La route serpente alors dans un maquis très dense.

Au col d'Aja Bastiano, prendre à gauche la D 302.

Col de Bellevalle

Vue sur le golfe et la plaine alluviale de la Gravona.

randonnées

> **VARIANTE**
>
> Il est possible d'écourter la balade : même point de départ mais, au col de Fortone, bifurquer sur la gauche par le sentier balisé qui rejoint la mer au niveau du parc Berthault. Retour sur Ajaccio par la route. Un peu plus d'une heure pour effectuer la boucle.

③ Le sentier des crêtes★

⚐ *3h aller ; retour en bus, ou à pied environ 1h1/2. Accessible au marcheur non entraîné, le sentier relie les hauteurs d'Ajaccio à la centrale solaire de Vignola sur la route des Sanguinaires ; il est très bien balisé par de grands panneaux de bois. Emporter eau et crème solaire et éviter cette promenade les jours de grand vent (risque d'incendie). Altitude maximum du tracé : 360 m.*

*L'anse de Minaccia,
splendide terre sauvage.*

Point de départ : longer la place d'Austerlitz (ou place du Casone) par la droite puis prendre la rue qui monte sur 200 m environ. À l'arrêt de bus « Bois des Anglais », tourner à gauche. Parking. Un panneau signale le sentier.

Le sentier se hisse en pente douce à travers la végétation du maquis : figuiers de Barbarie mêlés aux chênes verts. Il domine rapidement la ville d'Ajaccio, le golfe puis les Sanguinaires. Superbes points de vue tout au long du chemin. À l'arrivée à Vignola, contourner l'enceinte de la centrale solaire par la gauche avant d'atteindre l'agréable plage pour profiter des plaisirs de la baignade.

Retour par le bus n° 5 reliant la Parata au centre-ville depuis l'arrêt de Vignola (fréquence estivale : ttes les 1/2h). À pied par la route, compter 1h1/2.

④ Anse de Minaccia★

1h jusqu'à Petit Capo, 1h1/2 jusqu'à Grand Capo (anse de Minaccia). Promenade sans difficulté ; bien se chausser et prévoir de l'eau. Point de départ : environ 1 km avant le parking de la Parata, un large chemin de terre s'amorce à une centaine de mètres avant la chapelle précédée d'un obélisque.

Le chemin, bien tracé, franchit une crête qui procure de superbes vues sur les îles et la côte sur ses deux versants avant d'atteindre les belles plages sauvages de Petit Capo et de Grand Capo.

> **LOISIRS**
> **Couleur Corse** –
> *7 domaine de Loretto -
> 20090 Ajaccio -*
> ☎ *04 95 10 52 83.*
> Organisation de séjours découverte en Corse.

itinéraire

⑤ L'ARRIÈRE-PAYS ET LA VALLÉE DE LA GRAVONA★★

50 km au Nord d'Ajaccio. L'itinéraire permet la découverte, sur la rive droite de la Gravona, de la micro-région du Celavo-Mezzana.

Quitter Ajaccio par l'Est et suivre la route de Corte (N 194) sur 11 km. Après avoir traversé la zone industrielle et commerciale qui occupe le bassin inférieur de la Gravona, prendre à gauche la D 1 vers Sarrola.

La route s'élève dans les chênes-lièges et les oliviers et procure, en face, une belle vue sur le Monte Sant'Eliseo.

Sarrola-Carcopino

Le village se compose de trois hameaux qui dominent un affluent de la Gravona : en bas **Carcopino,** au centre **Trinité** et, tout en haut, **Sarrola**. À la sortie de Carcopino, **vue★** sur le golfe d'Ajaccio et la vallée de la Gravona. Le féroce corsaire turc Dragut, qui écumait la Méditerranée chrétienne, pilla et fit brûler les hameaux de Sarrola et Carcopino en 1540.

Revenir sur la N 193 et remonter la vallée de la Gravona puis, après le col de Carazzi, prendre à droite la D 229 en direction de Peri.

La route contourne les contreforts montagneux couverts d'une belle forêt de chênes verts et de châtaigniers. Au cours de la montée, remarquer le pont génois.

> **ENFANTS DU PAYS**
> Du village, sont originaires **Francis Carco** (1886-1958), connu dans le monde littéraire pour ses poèmes, biographies et romans *(Jésus la Caille, L'Homme traqué)* et **Jérôme Carcopino** (1881-1970), dont les ouvrages sur l'archéologie et l'histoire de la Rome antique font autorité. Ce dernier fut élu à l'Académie française en 1955.

Peri

Adossé au relief qui s'élève par paliers jusqu'à la ligne faîtière séparant la vallée de la Gravona de celle du Prunelli, cet humble village présente un intéressant ensemble religieux. De l'église paroissiale St-Laurent, bâtie sur un plan en forme de trèfle, on accède par un perron en escalier double, au campanile et à la chapelle de l'Annonciation du 15e s.

Au Nord du village, un sentier mène à la grotte dite de Sampiero Corso.

Après l'église, poursuivre la D 29 vers Carbuccia.

Dominée par la crête de Falconaia, la route serpente à flanc de coteaux. Elle procure tout au long du trajet de belles **échappées★** sur le versant Nord-Ouest de la vallée. Les villages depuis Sarrola jusqu'à Vero semblent épinglés au relief. Vers le Nord, les contreforts du Monte d'Oro ferment le haut de la vallée.

À la première bifurcation, prendre à gauche pour rejoindre la N 193, puis remonter celle-ci sur 2 km environ.

Parc A Cupulatta

En bordure de la N 193, lieu-dit Vignola, au kilomètre 21. Éviter les heures chaudes pour effectuer la visite. D'avr. à mi-nov. : visite guidée (1h) 10h-17h30 (juin-août : 9h30-19h). 5,34€ (enf. : 3,05€). ☎ 04 95 52 82 34.

Ce centre de protection et d'élevage de la tortue (*cupulatta* signifie « tortue » en corse) occupe une surface de 2,5 ha. Un environnement particulièrement favorable, combinant les milieux terrestre et aquatique, permet de découvrir des tortues, à la morphologie parfois étonnante (tortue-alligator, tortue à carapace molle, etc.) sans oublier les stars des lieux : les énormes tortues seychelloises dont la plus svelte affiche un honorable 150 kg sur la balance !

Continuer sur 8 km, puis prendre à gauche la D 4 en direction de Vero.

Le Parc A Cupulatta accueille plus de 120 espèces de tortues provenant des cinq continents et dont certains spécimens exotiques sont les uniques représentants en Europe.

Vero (Veru)

Étagé à flanc de montagne, ses maisons de granit gris présentent une belle unité architecturale entrecoupée de jardins en terrasses.

Dominant le village, le col de Tartavellu donne accès à la microrégion, plus sauvage, du Cruzini.

Revenir à la vallée de la Gravona et stationner sur les espaces libres à la sortie du nouveau pont.

Pont d'Ucciani

Son arche élégante en forme d'anse de panier enjambe sur 24 m la Gravona. Sa construction à la fin du 18e s. aurait été dirigée par le futur maréchal Bernadotte, alors simple sous-officier d'un régiment du roi.

Le pont est le cadre, tous les ans au 1er mai, d'une foire réunissant bergers et artisans d'art.

Statue-menhir de Tavera

3 km au Nord, à droite de la N 193. Prendre le sentier qui mène aux ruines d'une tour ; 100 m à l'Ouest se dresse la statue. Découverte en 1961, elle date du 2e millénaire (fin de l'âge de bronze). Haute de 2,40 m, son visage est profondément creusé par des yeux et à l'arrière de la tête des croisillons dessinent une résille.

Possibilité de poursuivre l'itinéraire jusqu'à Bocognano (voir ce nom) ou de revenir sur Ajaccio.

Aléria ★

À l'embouchure de la vallée du Tavignano, l'un des meilleurs accès vers l'intérieur de l'île et à proximité d'un abri portuaire naturel, l'emplacement présentait toutes les conditions pour abriter Alalia (ancien nom d'Aléria), la première métropole historique de la Corse. Fondée au 6e s. avant J.-C., la cité connut des fortunes diverses jusqu'à la chute de Rome et les invasions vandales. Les minutieuses fouilles entreprises depuis les années 1950 ont permis à cet unique site archéologique vieux de plus de 25 siècles de voir le jour. Véritable voyage à travers les civilisations méditerranéennes, les lieux offrent aussi d'agréables promenades le long des étangs et des rives du Tavignano.

La situation

Carte Michelin n° 90 pli 6 – Haute-Corse (2B). Aléria se trouve à peu près à mi-chemin entre Bastia et Porto-Vecchio, le long de la N 198. Dominant le cours inférieur du Tavignano, un plateau de 40 à 60 m d'altitude et de plus de 2 km de long s'élève à 4 km de la mer. Au Nord-Est s'ouvre l'étang de Diane, le meilleur abri naturel de la côte pour les vaisseaux de l'Antiquité.

🛈 *Casa Luciana, 20270 Aléria, ☎ 04 95 57 01 51. Le long de la nationale. De mi-juin à mi-sept. : lun.-sam. 9h-20h, dim. 9h-12h ; de mi-sept. à mi-juin : lun.-ven. 9h-12h, 15h-18h.*

Les gens

L'antique cité porte l'empreinte des différents peuples méditerranéens qui l'ont convoitée : Phocéens, Étrusques, Carthaginois, Romains et Génois. À son époque faste Aléria accueillait jusqu'à 80 000 habitants. La bourgade en regroupe aujourd'hui 1 966.

CALENDRIER

Festa antica – Durant deux jours au cours de la première semaine d'août, Aléria replonge dans l'ambiance d'une cité romaine de l'Antiquité (Festa antica) : marché artisanal, joutes, olympiades, groupes de musique, repas et costumes romains, dégustation de vin.

---

carnet pratique

RESTAURATION

• *Valeur sûre*

Aux Coquillages de Diana – *2 km au N d'Aléria par N 198 dir. Bastia -* ☎ *04 95 57 04 46 - fermé 1er nov. à fin avr. - réserv. conseillée - 25/31€.* Une barge de bois est venue se poser sur les berges sauvages de l'étang de Diane. Malgré ses allures de chalet, ce restaurant n'oublie pas sa vocation maritime : objets et bibelots de la pêche et, à table, coquillages et poissons bien sûr. L'hiver retrouve la même équipe à l'enseigne « Le Chalet » sur la N 198.

HÉBERGEMENT

• *À bon compte*

Camping Marina d'Aléria – *Plage de Padulone - 3 km à l'E de Cateraggio par N 200 -* ☎ *04 95 57 01 42 - ouv. Pâques au 15 oct. - réserv. conseillée - 220 empl.: 16,31€.* Parce qu'il est exactement en bord de mer, ce camping est un lieu rêvé pour la farniente, les baignades et les sports nautiques. Belle nature de pins, mimosas, eucalyptus et autres fleurs luxuriantes. Bungalows directement en bord de plage.

Le fort de Matra s'élève juste à côté de la ville antique. C'est dans ce fort que Théodore de Neuhoff (1694-1756), futur roi de Corse, débarquant sur l'île le 12 mars 1736, fut accueilli solennellement.

comprendre

Un relais du commerce attique – Après avoir fondé Marseille en 600 avant J.-C., les Phocéens (Grecs de Phocée, ville d'Asie Mineure) créèrent en Corse, vers 565, un comptoir à Alalia. Vingt ans plus tard, chassés de Phocée par la conquête perse, ils s'installèrent à Alalia et en firent leur métropole (de 540 à 535 avant J.-C.).

Amoindris par les batailles contre les Étrusques et les Carthaginois, les Phocéens transférèrent leur capitale à Marseille et utilisèrent Alalia comme relais commercial. Ce dernier servit d'escale sur les voies maritimes entre la Provence, l'Italie, la Sicile, l'Espagne et l'Afrique du Nord et devint un port d'importation pour la Corse.

La cité et l'intérieur de l'île connurent donc les influences helléniques avant de s'ouvrir aux autres civilisations méditerranéennes.

L'EMPRISE HELLÉNIQUE

Les Phocéens exploitaient les mines de cuivre et de fer de la région de Venaco et de Corte, le plomb argentifère de Ghisoni et les forêts. Ils utilisaient l'argile corse pour leurs céramiques. Ils tiraient parti des étangs voisins riches en huîtres et en anguilles et développèrent les pêcheries et les salaisons. Les salines et le murex, coquillage dont les Anciens tiraient la pourpre, alimentaient une grande part de leur commerce. Ils introduisirent dans la plaine orientale la vigne, l'olivier et le blé.

La base navale de Rome – En 259 avant J.-C., Rome enleva Aléria aux Carthaginois qui la contrôlaient depuis 21 ans, et organisa la conquête de l'île. Jusqu'en 163 avant J.-C, la République dut réprimer de nombreuses révoltes des peuplades de l'intérieur ; la Corse perdit alors plus de la moitié de sa population.

L'île, qui formait avec la Sardaigne une province romaine, fut soumise aux aléas de la politique intérieure de la République. En 81 avant J.-C., Sylla, par mesure punitive, transforma Aléria en colonie militaire. Tour à tour, Pompée, César puis Octave s'emparèrent de la cité. Sous l'empire, Aléria devint la capitale de la province Corse, séparée de la Sardaigne. Auguste (empereur de 27 avant J.-C. à 14 après J.-C.) créa un port de guerre dans l'étang de Diane, un port de commerce au pied du plateau dans un coude du Tavignano (où ont été trouvées les ruines des thermes de Santa Laurina des 2e et 3e s.) et fit entreprendre de vastes travaux d'aménagement. Après lui, les empereurs Hadrien, Caracalla et Dioclétien continuèrent à agrandir et à embellir la cité. Celle-ci connaissait alors un grand rayonnement et, par son intermédiaire, la civilisation romaine se répandit dans l'île. Pourtant Aléria ne résista pas à la lente décadence de l'Empire romain. Resserrée sur son plateau, décimée par la malaria, elle fut incendiée par les Vandales et finalement abandonnée au début du 5e s. après J.-C.

Une terre longtemps déshéritée – Après le départ des Romains, la population, fuyant les incursions barbaresques, abandonna la plaine d'Aléria. Les eaux descendues des montagnes se perdirent alors dans les terres et formèrent des marécages malsains. Le paludisme fit des ravages. Cernés par un haut maquis, les villages de Ghisonaccia, Aghione et Aléria tirèrent, durant des siècles, leurs maigres ressources de l'élevage et d'une agriculture aux techniques archaïques.

visiter

Fort de Matra★

Sur la colline à l'extrémité du village s'élève le fort de Matra. Construit par les Génois à la fin du 15e s. sur un emplacement déjà fortifié, il a subi de nombreux remaniements et a été récemment restauré. Le rez-de-chaussée du fort abrite le musée Jérôme-Carcopino.

Musée Jérôme-Carcopino★★ – *Le musée est en cours de réaménagement ; seul l'étage est ouvert à la visite. De mi-mai à fin sept. : 8h-12h, 14h-19h ; de déb. oct. à mi-mai : 8h-12h, 14h-17h (nov.-mars : tlj sf dim.). Fermé 1er janv., 1er mai, 1er et 11 nov., 25 déc. 1,52€. ☎ 04 95 57 00 92.*

Ce musée, qui porte le nom de l'historien corse, regroupe une collection d'objets provenant de la nécropole préromaine et du site de la colonie d'Aléria fouillés et mis en valeur depuis 1955 par J. et L. Jehasse.

Divers objets de bronze, de fer, de verre et une précieuse collection de céramiques attestent la continuité des relations commerciales entre Aléria, la Grèce et l'Italie.

Parmi les céramiques étrusques, remarquer un groupe d'œnochoes (vases à verser le vin) provenant de Faléries et un cratère de Vulci (vase à large ouverture servant aux mélanges d'eau et de vin) représentant Pirithoos aux enfers. Les plus belles pièces viennent de l'Attique : une coupe attribuée à Panaitios (vers 480 avant J.-C.) ; un **cratère du peintre du Dinos** (vers 425 avant J.-C.) où l'on voit Dionysos assis, entouré de deux satyres et d'une nymphe.

Revenir sur ses pas. Le hall d'entrée et la salle suivante présentent le passé romain d'Aléria (plans, inscriptions, monnaies, amphores, lampes à huile...).

Dans la salle 2, on remarque une superbe tête de marbre : **Jupiter Hammon,** le front ceint de cornes de bélier, datant de l'époque de Trajan.

Dans les salles suivantes sont exposés les objets découverts dans la nécropole, en particulier des **bronzes étrusques** et une collection de **céramiques attiques** (coupes et cratères) des 5e et 4e s. avant J.-C. à figures rouges et noires. Signalons une coupe illustrant le thème d'Héraklès terrassant le lion de Némée (470 avant J.-C.) et un cratère du « peintre de Pan » (460 avant J.-C.) représentant Dionysos et Silène présidant à la vendange.

En sortant du fort, prendre à droite un chemin qui conduit à la cité antique.

A

SAUVÉE PAR L'ONCLE SAM

En 1944, les troupes américaines basées dans la plaine orientale inondèrent cette dernière de DDT, éradiquant définitivement la malaria. À l'heure actuelle, l'irrigation et la modernisation des méthodes agricoles ont transformé en un vaste verger cette région qui fut longtemps la plus déshéritée de Corse.

À LIRE
Pour plus de détails, lire *Aléria antique*, par Jean et Laurence Jehasse, en vente au musée.

Le musée Jérôme-Carcopino présente deux remarquables rhytons attiques (coupes en forme de tête d'animal qui servaient à boire) ; l'une à la tête de chien, l'autre de mulet.

ALÉRIA (LA VILLE ANTIQUE)

La ville antique★

8h-12h, 14h-17h (de mi-mai à fin sept. : 19h). 1,52€ (billet jumelé avec la visite du musée).

Les fouilles ont permis de dégager le forum et le sou-bassement des principaux monuments de la ville romaine. Les lieux ont été replantés de pins et de cyprès.

Forum – On y pénètre par l'axe Nord ou cardo. Cette place de forme trapézoïdale, cœur de la vie publique de la cité, était bordée de portiques au Nord et au Sud. À ses extré-mités se faisaient face un petit temple et le capitole.

Temple – Il date vraisemblablement de l'époque d'Au-guste et offre un soubassement de galets taillés prove-nant du Tavignano. Sur son flanc Nord, l'abside d'un édi-fice chrétien montre la continuité de l'occupation du site à travers les siècles. Plus au Nord ont été dégagés les ves-tiges d'une vaste demeure dite **Domus « au dolium »** car elle possède en son milieu une grande jarre en terre cuite appelée *dolium*.

Balneum – Cet ensemble de plan trapézoïdal est séparé du capitole par le portique Nord. On y reconnaît les citernes, et probablement des chambres, vestiaires et salles chauffées (caldarium) par un système de canali-sations souterraines (hypocaustes). À l'Ouest du bal-neum, en bordure du plateau, était située une vaste *domus* où l'on distingue encore un hypocauste et de nombreuses citernes destinées à des thermes privés.

Église St-Marcel

En cas de fermeture, s'adresser à Mme Martine Fraticelli, au hameau du Fort d'Aléria. ☎ 04 95 57 00 01.

Faisant face au fort, sur le site d'une ancienne cathédrale romane, cette église a été en partie construite avec des pierres provenant de la ville romaine.

alentours

Étang de Diane

3 km au Nord-Est d'Aléria. Cet étang de 600 ha est un centre d'élevage de moules, de clovisses (ou palourdes) et d'huîtres. Dès l'Antiquité, l'étang de Diane, importante base de la flotte romaine, était réputé pour ses huîtres. Les huîtres sont importées de Bretagne à 18 mois ou 2 ans, puis commercialisées après huit mois d'affinage. L'élevage est surtout axé sur l'huître plate. L'îlot des Pêcheurs, au Nord-Est, a été formé par les valves plates de ces mollusques.

Plage de Padulone

3 km à l'Est d'Aléria. Une belle route tracée dans les vignes conduit à une longue étendue de sable gris. Bar et restaurant.

Réserve de faune de Casabianda

5 km au Sud. L'accès à la réserve est réglementé. Elle s'étend sur 1 748 ha entre l'embouchure du Tavignano au Nord et l'étang d'Urbino au Sud. Cette zone d'étangs, de marais et de pâturages est bordée par une véritable brousse de genévriers. La réserve a pour but de préserver certaines espèces animales en voie de disparition dans l'île : tourterelle turque, guêpier d'Europe, héron cendré, busard des roseaux et perdrix rouge trouvent ici le milieu nécessaire à leur survie. On élève aussi le cerf de Corse en vue de sa réintroduction dans d'autres sites de l'île.
Un centre pénitencier en « milieu ouvert », favorisant la rééducation par les travaux agricoles, y est également implanté.

Étang d'Urbino

9 km au Nord de Ghisonaccia. Ce vaste étang est, comme celui de Diane, spécialisé dans l'élevage des moules et des huîtres.

Culture des huîtres et des moules dans l'étang de Diane.

Domaine préservé de Pinia

Il occupe 400 ha au Sud de l'étang d'Urbino et longe 4 km de plage de sable fin. La belle pinède de Pinia, qui faisait la renommée du domaine, a brûlé en 1993. Elle fut le dernier refuge naturel du cerf de Corse avant sa disparition à la fin des années 1960.

Ghisonaccia *(voir Fiumorbo)*

Algajola☼

Algaghjola

Cette agréable petite station balnéaire, établie entre les marines de Davia et de Sant'Ambroggio, possède au fond de sa baie une grande plage de sable.
Aux environs s'ouvrent des carrières de très beau granit porphyrique.

La situation

Carte Michelin n° 90 pli 13 – Schéma p. 137 – Haute-Corse (2B). Accessible par la N 197 et la gare ferroviaire, Algajola se trouve à mi-chemin entre Calvi et l'Île-Rousse.

Le nom

Les plus fantaisistes disent que le nom d'Algajola viendrait « d'algues jolies » puisque la petite plage de San Damiano, au Sud de la ville, est souvent couverte d'algues.

Les gens

La fondation d'Algajola remonte vraisemblablement aux Phéniciens. Selon la tradition, saint Paul, revenant d'Espagne, y aurait accosté.

comprendre

Une vocation de place forte – De son architecture militaire, Algajola ne conserve que des maisons blotties à l'intérieur de remparts, quelques ruelles et passages voûtés et une partie de sa citadelle au bout du promontoire. Jusqu'au 18e s. elle fut une défense génoise avancée de Calvi.
La cité connut son apogée au 17e s. ; elle vivait surtout du commerce des olives et des huîtres. Ses remparts furent édifiés en 1664, pour la protéger d'un éventuel retour des Sarrasins qui l'avaient saccagée le 26 juin 1643. En 1729, les Corses insurgés contre Gênes s'en emparèrent. Par la suite, le marquis de Maillebois commandant les troupes françaises en Corse reconnut son importance de place forte lorsqu'en 1739, il dut réprimer un soulèvement dans l'île. En 1767, elle fut pour Pascal Paoli, fondateur d'un État corse indépendant, une position de premier plan.

TRANSPORTS
Tramway de Balagne (ou train des plages)
– Informations à la gare de l'Île-Rousse ou de Calvi - ☎ *04 95 60 00 50 et 04 95 65 00 61.* D'avril à octobre, il relie Calvi à L'Île-Rousse en passant par Algajola et plusieurs plages du littoral. Prendre son billet dans le train car il n'y a pas de guichet à Algajola.

Algajola

carnet pratique

VISITE

Visite guidée – L'association « Loisirs et culture » organise, en juil.-août, des visites guidées de l'**église St-Georges** et de l'ensemble de la **ville**. Se renseigner à la mairie, ☎ 04 95 60 70 47.

RESTAURATION
• *Valeur sûre*
U Castellu – *10 pl. du Château -* ☎ *04 95 60 78 75 - fermé mi-oct. à mars - 17/30€.* Dans une vieille cave à la citadelle, ce restaurant pittoresque dresse ses tables sur la jolie place dès les beaux jours. C'est là, en face du château du 17e s., que vous profiterez de sa cuisine goûteuse et soignée autour des richesses de la mer et des produits du terroir.

HÉBERGEMENT
• *Valeur sûre*
Hôtel Saint-Joseph – *1 chemin de Ronde -* ☎ *04 95 60 73 90 - fermé mi-oct. à mi-avr. -* 🅿 *- 15 ch.: 64€ - restaurant 17€.*

La gare du tramway de Balagne est proche mais c'est surtout l'emplacement de ce petit hôtel, au bord d'une charmante crique, qui attire les habitués. Empruntez son escalier de bois et vous êtes sur les rochers face aux eaux claires de la mer. Chambres simples et calmes.
Hôtel Stellamare – *Chemin Santa-Lucia -* ☎ *04 95 60 71 18 - fermé 16 oct. au 30 avr. -* 🅿 *- 16 ch.: 76,22€ -* 🍽 *6,86€.* Les chambres de ce petit hôtel, rénové dans le style provençal, dominent la citadelle d'Algajola et la mer. Petit parc, jardin et jolie terrasse pour le farniente.

SPECTACLES
Les Trois Guitares – *Rte de l'Île-Rousse -* ☎ *04 95 60 11 05 - sam. à partir de 22h.* Tout en chantant le répertoire traditionnel, les frères Vicenti interprètent leurs propres textes. Ces Brassens insulaires ont en effet écrit la plupart des chants corses. Deux hommes au charme et à la sensibilité rares à ne manquer sous aucun prétexte.

L'essor de l'Île-Rousse provoqua, à la fin du 18e s., l'abandon presque total de la cité.

se promener

Le bord de mer
La ville est bordée d'une belle **plage** longue de 1,5 km. Quelques bars, des activités nautiques et un camping animent le bord de mer. Au Sud d'Algajola, le quartier **San Damiano** accueille le petit port de pêche.

Citadelle★
Propriété privée, ne se visite pas. Construite au 17e s. autour d'un château (dont subsiste la tour fortifiée), elle conserve son bastion triangulaire et ses échauguettes.
Le « château » servit de résidence au lieutenant-gouverneur de Balagne. En 1643, lors de la destruction d'Algajola par les Sarrasins, la garnison génoise s'y retrancha tandis que l'église St-Georges servait de refuge aux habitants.

Église St-Georges
Visite guidée uniquement. Voir le carnet pratique.

Remarquer la belle toile du 17e s. figurant une **descente de Croix★**, attribuée au peintre italien Le Guerchin (1591-1666) de l'école bolonaise.

Cette église semi-fortifiée, placée sous le vocable du saint patron de la ville de Gênes, a été remaniée au 17e s. après avoir été incendiée par les Sarrasins. L'intérieur est éclairé par de hautes petites fenêtres et présente une abside à voûte génoise. Au fond du chœur, un tableau représente saint Alexandre Sauli *(voir p. 223),* qui vécut à Algajola de 1572 à 1575.

En fin de journée, gagnez l'extrémité Nord de la plage. C'est un bon emplacement pour observer le coucher du soleil et les teintes dorées dont la ville se pare.

L'Alta Rocca★

L'Alta Rocca est la partie orientale et montagneuse de l'ancienne seigneurie de la Rocca. Elle abrite de précieux témoignages d'un habitat préhistorique.

Son paysage de versants boisés (chênes verts, pins maritimes et laricio, châtaigniers) et de plateaux abandonnés à la lande, est semé de beaux villages aux massives maisons de granit et de sentiers balisés.

La situation

Carte Michelin n° 90 plis 8, 18 – Corse-du-Sud (2A). Fermée au Nord par les massifs de l'Incudine et de Bavella, l'Alta Rocca s'ordonne autour de la vallée du Rizzanèse. C'est une région d'élevage extensif. Ses principales localités sont accessibles par la D 268.

🛈 *L'Alta Rocca, 20170 Levie,* ☎ *04 95 78 41 95. Juil.-août : 8h30-12h30, 15h-19h ; mars-oct. : lun.-ven. 9h30-12h, 14h-18h.*

Le nom

Alta Rocca signifie « haute roche » en langue corse en raison de la situation montagneuse de la contrée.

Les gens

Au Moyen Âge, l'Alta Rocca fut le territoire des puissants seigneurs della Rocca.

circuit

DE PROPRIANO À ZONZA

39 km – une demi-journée. Quitter Propriano par la route de Sartène (N 196) ; après le pont sur le Rizzanèse, prendre à gauche la D 268 vers Aullène.

À 4 km sur la gauche, un peu en contrebas de la route, un pont génois enjambe le Rizzanèse dont les eaux claires courent sur les galets.

Spin'a Cavallu (ou Cavaddu)★

C'est sans doute le plus fameux des ponts génois construits dès l'époque pisane. Il constituait le trait d'union entre les « **pièves** » du Vighjanu et de Sartène. Après les graves intempéries de l'automne 1993, une partie du pont a dû être profondément restaurée. Le paysage alentour a aujourd'hui retrouvé son charme bucolique. Une aire de pique-nique est aménagée sur la rive.

Le Spin'a Cavallu se caractérise par une arche unique et une étroite chaussée pavée de grosses dalles, à la brisure accentuée. On comprend pourquoi son nom signifie « dos de cheval ».

Poursuivre la D 268 en direction de Ste-Lucie-de-Tallano puis emprunter à droite la D 148. Après avoir franchi le Fiumicicoli, continuer à gauche jusqu'au bar (propriétaire des bains).

Source thermale de Caldane
À proximité du torrent, dans un joli site champêtre, la piscine thermale, alimentée par une source sulfureuse chaude, est fréquentée par des malades souffrant de rhumatismes et d'affections cutanées.

Revenir sur ses pas et reprendre la D 268.

On traverse un paysage de montagne et de maquis qui exhale de forts parfums, suaves et poivrés, caractéristiques du **ciste**. Ste-Lucie-de-Tallano, première localité d'importance de l'Alta Rocca, apparaît bientôt, accrochée au flanc de la montagne.

Ste-Lucie-de-Tallano★ *(voir ce nom)*
Continuer la D 268 vers Levie. À 5 km tourner à gauche en direction des sites archéologiques du Pianu de Levie (Cucuruzzu).

Castellu de Cucuruzzu★ et Capula *(voir pianu de Levie)*
Reprendre la D 268 jusqu'à Levie.

Levie (Livia)
Le bourg, capitale de l'Alta Rocca, est situé sur un plateau granitique de 800 à 900 m d'altitude. Il est limité par les vallées du Rizzanèse et du Fiumicicoli, d'où émergent plusieurs chaos rocheux qui recèlent d'importants vestiges d'habitants néolithiques et de l'âge du bronze.

Musée de l'Alta Rocca★ – *Entrée à gauche de la mairie. De juil. à mi-sept. : tlj 10h-18h ; de mi-sept. à fin juin : tlj sf. dim. et lun. 10h-12h, 14h-16h30. Fermé 1ᵉʳ janv., lundi Pâques, 1ᵉʳ mai, Ascension, 1ᵉʳ et 11 nov., 25 déc. 2,29€.* ☎ 04 95 78 47 98 ou 04 95 78 46 34.

Il constitue un bon complément à la découverte des sites du Pianu de Levie (Cucuruzzu). Les collections proviennent principalement des fouilles effectuées à Capula, Cucuruzzu, Caleca et Curacchiaghiu. Elles présentent des objets variés relatifs aux modes de vie et aux techniques, du pré-néolithique jusqu'au Moyen Âge.

On notera la présence de l'unique **vestige humain pré-néolithique** mis au jour en Corse (6570 avant J.-C.), la **« dame de Bonifacio »**, ainsi que d'un squelette de Prolagus, mammifère rongeur chassé à cette époque, aujourd'hui disparu.

LOISIRS
Demander à l'office de tourisme *(adresse p. 123)* la brochure sur les sentiers de pays : 4 propositions de balades au cœur des richesses naturelles de la région.

carnet pratique

RESTAURATION
À bon compte
La Pergola – *20170 Levie -* ☎ *04 95 78 41 62 - fermé nov. à avr. - réserv. obligatoire - 12,20/15,24€.* Ce restaurant au centre du village est tout petit et la cuisine corse qui s'y prépare exhale ses saveurs jusque dehors et vous ouvrira l'appétit. Salle à manger modeste mais sympathique ou jolie tonnelle selon la température.

ACHATS
Pâtisserie Léonetti – *À Taschiana - 20170 Levie -* ☎ *04 95 78 41 11 - mar.-sam. 7h-19h, dim. 7h-13h - fermé nov.-avr.* Imbrucciate (gâteau au brocciu), frappes (bugnes), canistrelli et le « sciacci di patati » (sorte de tarte garnie de purée de pomme de terre au fromage corse relevé au poivre) sont les succulents produits maison que vous trouverez dans cette pâtisserie à l'ancienne. Une sympathique halte lors d'une excursion dans la région.

La **période néolithique** (6000 à 3000 avant J.-C.) est illustrée par une poterie ornée au poinçon (le curasien) et à la coquille (le cardial), associée à un outillage de silex et d'obsidienne, et à des éléments de parure en rhyolite.

L'**âge du bronze et l'âge du fer** (1800 à 250 avant J.-C.) sont évoqués par des céramiques, des bijoux en bronze et en pâte de verre. On observe également un squelette féminin bien conservé découvert à Capula dans une couche correspondant à l'âge du fer.

Enfin, le **Moyen Âge** est représenté par des pièces de monnaie et une vaisselle originale (cruchon pisan du 14ᵉ s.). ▶

Quitter Levie par la D 59 en direction de Carbini.

La route passe devant l'église à la jolie silhouette baroque. Elle serpente ensuite à flanc de montagne et traverse une région boisée à perte de vue. La forêt tapisse croupes, thalwegs, crêtes, mamelons, depuis les rives encaissées du Fiumicicole et presque jusqu'aux sommets des monts. Quelques crêtes rocheuses comme la Punta di u Diamante ou la Punta di a Vacca Morta émergent de l'ensemble.

Carbini

Carbini s'élève dans les hautes collines granitiques du Sartenais. Au 2ᵉ s. de notre ère, le géographe grec Ptolémée avait déjà relevé l'existence d'une occupation humaine très ancienne. Le village, avec son haut campanile, se voit à des kilomètres à la ronde.

L'**église San Giovanni Battista**★, superbe église piévane, fait partie d'un ensemble qui comprenait deux églises, un campanile et un baptistère. De nos jours, seuls subsistent l'église San Giovanni et le campanile voisin isolé. Mérimée tenait ce **campanile**★ pour le plus ancien de Corse. Il demanda sa restauration.

L'église San Giovanni remonte probablement à la fin du 11ᵉ s. et relève des débuts de l'art roman pisan en Corse. Elle se distingue par son bel appareillage en moellons de granit et par son décor d'arcatures et de modillons en corniche et sur les frontons. Lors de fouilles archéologiques, on a retrouvé entre l'église et le campanile les bases d'une église San Quilico.

Des « Cathares » insulaires, les Giovannali

Le mouvement des Giovannali (ou Ghjuvannali), branche dissidente d'une confrérie de tertiaires franciscains d'une centaine de personnes, prit naissance à Carbini au milieu du 14ᵉ s. Selon certains, l'appellation de « Giovannali » serait liée au nom du prédicateur, le frère Giovanni Martini ; selon d'autres, ce nom viendrait de l'église San Giovanni de Carbini où les dissidents se réunissaient. Le mouvement se caractérisait par son opposition, au nom de la pauvreté, à tout ordre établi. Dans le contexte déjà troublé du 14ᵉ s., l'affaire semble avoir été très vite prise au sérieux par l'évêque d'Aléria qui excommunia les Giovannali. Le mouvement dégénéra alors en véritable révolte contre toute autorité et s'étendit géographiquement dans tout l'Est de l'île. Taxé d'hérésie, il fut réprimé dans la violence.

*Revenir à Levie. Prendre la D 268 en direction de Zonza.
À la sortie de Levie, on traverse d'abord une forêt de pins, puis une rouvraie magnifique.*

Chaos de Paccionitoli

Dans San-Gavino-di-Carbini, prendre à droite la D 67 vers Paccionitoli. Cette route facile relie en 7 km San-Gavino-di-Carbini et Paccionitoli au col de Pelza, en forêt de Zonza. Le plus souvent enserrée dans des murs de pierres sèches, elle traverse une zone de chaos granitiques aux formes étranges, à moitié enfouis dans une végétation dense de fougères et de maquis. Certains rochers évoquent des silhouettes d'hommes ou d'animaux. Toute la région de Paccionitoli est riche en vestiges préhistoriques.

À VOIR
Le **Christ en ivoire**★, œuvre d'une grande finesse, a été réalisé vers 1516 par un élève du sculpteur florentin Donato di Niccolo de Betto Bardi dit Donatello. On remarque la justesse des proportions, la vérité de l'anatomie, le réalisme des détails évoquant la douleur. Ce crucifix serait un don de Sixte Quint (pape de 1585 à 1590), dont la famille était originaire de Levie.

PROSPER MÉRIMÉE
Lors de la tournée qu'il effectua en Corse en octobre et novembre 1839, Prosper Mérimée fut conquis par Carbini. Il écrivit dans son rapport au ministre : « Ce clocher, très svelte et très élégant, produit un admirable effet dans le paysage lorsque, éclairé par le soleil couchant, il se détache sur les sombres montagnes du Coscione... ».

Le campanile de Carbini, décrit par Mérimée, a effectivement belle allure. Élevé durant la première moitié du 12ᵉ s., il a été restauré au 19ᵉ s. ; sa toiture pyramidale remplace la tour crénelée d'origine.

Remarquer, à hauteur d'une petite bergerie, (1,8 km après San Gavino), un dolmen à 30 m sur la gauche, demeuré intact au milieu de traces d'aménagements plus complexes *(propriété privée)* ; 300 m plus loin, toujours à gauche, une pierre se dresse dans un champ.

Au col *(bocca)* de Pelza, on rejoint la D 368 qui traverse la **forêt de Zonza,** offrant de beaux coups d'œil sur les aiguilles de Bavella et le massif de l'Incudine.

Zonza *(voir ce nom)*

Antisanti

Bâti à 700 m d'altitude sur un éperon, Antisanti offre un panorama★ admirable. Vers l'intérieur, la vue embrasse les principaux sommets, des aiguilles de Bavella jusqu'au San Petrone, en passant par l'Incudine, le Renoso, le Monte d'Oro et le Cinto. Vers la mer, le regard s'étend sur la plaine orientale, jusqu'aux environs de Porto-Vecchio ; on aperçoit au large, vers le Nord, les îles d'Elbe, Monte-Cristo et Pianosa.

La situation
Carte Michelin nº 90 pli 5 – Haute-Corse (2B). Antisanti se perche à une vingtaine de kilomètres au Nord-Ouest d'Aléria. On y parvient par la D 43, charmante route bucolique qui serpente à travers les vignes et les oliviers. La D 43 se poursuit ensuite vers l'Ouest et rejoint en 21 km la N 193 (pour gagner Corte ou Vizzavona), elle est dégagée des deux côtés et offre une **vue★** exceptionnelle sur les montagnes.

Le nom
Sur les cartes anciennes, le village apparaît sous le nom d'« Altisanti » qui signifierait « lieux saints élevés ».

Les gens
Au 12e s., à l'époque pisane, le village était la principale agglomération de la région. Jusqu'au 20e s. la population était assez importante mais elle décrut régulièrement par suite de l'exode qui s'amorça avant la Première Guerre mondiale et s'accentua après la Seconde.

comprendre

Une économie tournée vers l'agriculture - Comme la plupart des localités montagnardes proches de cette plaine, Antisanti se développa à la suite des incursions sarrasines qui refoulèrent les populations côtières vers les hauteurs. Au 16e s., le village soutint Sampiero Corso contre Gênes. Mais au 18e s., il fut incendié par les troupes de Pascal Paoli auxquelles il refusait de se soumettre.

La plaine d'Aléria étant infestée de moustiques jusqu'à la dernière guerre, les Antisantais s'en détournèrent et se contentèrent de cultiver leur territoire, qui suffisait à nourrir la population. Le village se consacrait presque exclusivement à la culture du blé. En échange d'autres denrées, les marchands des régions voisines, notamment de la Castagniccia, venaient s'y approvisionner.

Le territoire communal, qui s'étage du niveau de la mer jusqu'à 800 m d'altitude, se partage en une zone de plaine participant à une activité agricole moderne et une zone intérieure où les terres, faute de bras, sont abandonnées au maquis.

Vallée d'**ASCO**★★

Ascu

Majestueuse vallée qui s'engouffre au pied des plus hautes montagnes corses, l'Asco est le domaine des randonneurs et le refuge d'une faune originale aux espèces parfois endémiques : gypaètes (vautours), sittelles (oiseaux) et mouflons. Genévriers et fleurs sauvages habillent les gorges profondes tandis que les forêts de pins laricio et maritimes verdissent la haute vallée. Constituées de rhyolite et de porphyre rouge violine, les montagnes s'empourprent sous le soleil.

La situation

Carte Michelin n° 90 plis 4, 14 – Haute-Corse (2B). La vallée s'ouvre largement à l'Est sur la dépression drainée par le Golo. Mais elle est fermée à l'Ouest par un cirque de montagnes formé par le Monte Cinto (alt. 2 706 m), point culminant de l'île, la Punta Minuta (alt. 2 556 m), le Capo Stranciacone (alt. 2 151 m), la Mufrella (alt. 2 148 m) et la Punta Gialba (alt. 2 101 m). Seuls quelques cols d'accès difficile permettent aux montagnards de franchir cette barrière : le col de Stranciacone mène dans le Filosorma, celui d'Avartoli dans le cirque de Bonifato, celui de Pampanosa dans le Niolo et celui de l'Ondella dans la vallée de Tartagine. Une route unique, la D 147, dessert la vallée sur toute sa longueur (33 km).

Le nom

Asco se rapporte à la fois à une vallée, une gorge, un torrent, une route, un village, une forêt et un cirque de montagnes.

Les gens

Terre de bergers, la vallée d'Asco est aussi peuplée par les randonneurs et les mouflons.

comprendre

Une vallée à trois visages – L'Asco prend naissance au pied de la Punta Minuta près du col de Stranciacone dont il porte le nom jusqu'à son confluent avec le ruisseau de la Pinara en amont du village de l'Asco. Son cours présente trois parties géologiquement et climatiquement distinctes : la haute vallée, les gorges et la basse vallée.

La **haute vallée** a été creusée dans une gigantesque masse de roches cristallines s'étendant du golfe de Girolata au village d'Asco. Le cours du Stranciacone est impétueux car les neiges du Cinto et de la Punta Minuta alimentent de nombreux torrents. Le climat est alpin : la neige se maintient jusqu'en mai-juin et subsiste en été sur les versants Nord. Les massifs élevés reçoivent près de 2 000 mm d'eau par an (la moyenne annuelle de l'île est de 900 mm). La haute vallée est le domaine des pins : pin maritime appelé « pin de Corte » et pin laricio, fréquent sur les pentes exposées au Nord. Entre 1 700 et 2 000 m d'altitude croît l'aulne odorant ; il joue un rôle important dans le maintien du sol, de la neige et de l'humidité.

En aval, les **gorges de l'Asco**★★, arides et profondes, sont taillées dans les granits et reçoivent de 750 à 1 000 mm d'eau par an.

La **basse vallée** est une plaine alluviale de cailloutis ; chaude, couverte de maquis, de chênes verts et d'aulnes, elle reçoit moins de 500 mm de précipitations et débouche dans la vallée du Golo au Nord de Ponte Leccia. Son maquis dégradé se compose de lavande et de cistes de Montpellier, formant de vastes fourrés très odorants, aux fleurs blanches.

LE GENÉVRIER
Le genévrier oxycèdre s'accroche aux roches nues autour d'Asco. Muni de feuilles très piquantes et de fruits brun-rouge, cet arbrisseau fournit un bois fibreux servant à la confection d'ustensiles. Le genévrier thurifère, reconnaissable à ses feuilles en écailles, vit uniquement dans la vallée d'Asco, indiquant un climat sec, froid l'hiver et très ensoleillé.

Le miel d'Asco, très blanc, doit sa réputation à la manne, exsudation sucrée végétale. De nombreuses ruches parsèment la vallée.

La transhumance, une tradition en déclin – Il y a peu encore, les bergers ascolais pratiquaient en hiver la transhumance vers les pâturages de Balagne (aujourd'hui dégradés par les incendies) pour les moutons et vers ceux des Agriates pour les chèvres. Les bergers logeaient dans de basses maisons en pierres sèches, au toit de schiste et au sol en terre battue.

Fin mai, ils reprenaient le chemin d'Asco et se réunissaient en famille quelques jours. Après avoir tondu les bêtes, ils gagnaient les alpages où ils passaient l'été, occupés par la traite des brebis et la fabrication du fromage. Ils redescendaient à Asco à la mi-octobre.

Aujourd'hui, rares sont ceux qui perpétuent ces traditions.

Activités artisanales – Les femmes, restées au village, cultivaient les jardins potagers, filaient et tissaient la laine de brebis et le poil de chèvre pour confectionner les *panni*, sorte de manteaux, et les *pelone*, pèlerines protégeant des intempéries. Pendant les longues heures de surveillance du troupeau, les bergers fabriquaient, avec le genévrier oxycèdre, les ustensiles nécessaires à la confection du fromage.

Ces activités ne sont plus pratiquées aujourd'hui que par quelques artisans à des fins touristiques.

Des nouvelles ressources – Le fromage demeure la principale production de cette région. Aujourd'hui, tout le lait de brebis de la vallée, dont la production annuelle atteint 10 000 litres, est envoyé dans l'Aveyron pour être transformé en fromage de roquefort. À ces ressources s'ajoutent l'exploitation du bois et de la résine des pins, l'élevage des vers à soie et l'apiculture. Trois micro-centrales électriques ont été construites dans la haute vallée en vue de subvenir aux besoins locaux.

UN REFUGE POUR UNE FAUNE À PRÉSERVER

La vallée d'Asco a conservé une faune aujourd'hui protégée. Le **gypaète barbu**, vautour qui mesure plus de 1 m et dont l'envergure dépasse 2,50 m, est reconnaissable à sa tête blanche, au bandeau noir qui lui cerne l'œil, à une touffe de barbe à la base du bec, à ses ailes pointues et surtout à sa queue en losange. Ce grand vautour appelé « **altore** » en corse (signifiant « celui qui habite les hauteurs ») fait partie des espèces menacées d'Europe. Décimé par la chasse, il peuplait avec **l'aigle royal** les massifs montagneux peu fréquentés. Il ne reste plus aujourd'hui que huit couples de gypaètes en Corse. Le rapace a heureusement retrouvé, dans la vallée d'Asco, un milieu favorable bien préservé. L'oiseau se nourrit principalement d'os de charognes dont il brise les gros morceaux en les lâchant en vol sur des pierriers. Il niche dans des failles de rochers verticaux. Dans le Parc régional, des charniers sont alimentés en hiver pour pallier la raréfaction des troupeaux en transhumance.

visiter

Réserve de faune d'Asco★

S'adresser à la délégation de l'Office National de la Chasse, BP 4267, 95 r. Pierre-Flourens, 34098 Montpellier cedex 05, ☎ 04 67 10 78 00.

La réserve d'Asco, créée en 1953, s'étend au cœur du massif du Cinto sur 3 510 ha et s'étage entre 800 m et 2 200 m, le long de vertigineuses parois rocheuses recouvertes de landes colorées de genêts épineux. Elle occupe tout le versant Sud de la haute vallée.

◄ L'intérêt particulier de cette réserve est d'observer facilement dans son milieu naturel le **mouflon** de Corse dont on dénombre ici plus de 300 individus.

Certains oiseaux sont également typiques de la réserve : la **sittelle corse,** espèce endémique, reconnaissable à son chant particulier, niche dans les arbres morts. Au-dessus de 1 000 m, les vols de bandes de **chocards** à bec jaune sont fréquents et animent de leurs cris strident les vallées encaissées.

Le mouflon, emblème de la montagne corse, habite les versants du Monte Cinto.

circuit

DE PONTE LECCIA À HAUT-ASCO

33 km – environ 2h.

Ponte Leccia *(voir Castagniccia)*

De Ponte Leccia suivre la route de Calvi (N 197), au bout de 2 km, tourner à gauche sur la D 147. La route remonte le cours de l'Asco en empruntant le fond de la vallée.
Emprunter la D 47 sur la droite et poursuivre sur 3 km.

Moltifao

Dominé par les aiguilles rouges de Popolasca, ce village s'étage sur le versant bien exposé des hauteurs verdoyantes séparant la vallée d'Asco de celle de la Tartagine, au milieu de terrasses plantées de vergers et d'oliviers. L'église d'une jolie couleur pain d'épice s'élève au centre du village.
Poursuivre la D 47 sur 3 km.

Castifao

Accroché au-dessus de la vallée de la Tartagine, il se groupe autour d'une charmante place, bordée par l'église et la poste, à laquelle on accède par un petit pont.
Revenir à la D 147, puis poursuivre sur la droite vers Asco.

Village des tortues

⌖ *Au lieu-dit Tizzarella. La visite aura plus d'intérêt aux heures fraîches de la journée.* ♿ *Juin-sept. : visite guidée (3/4h) tlj sf w.-end et j. fériés à 10h, 11h, 14h, 15h, 16h, 17h (juil.-août : tlj à 10h, 11h, 15h, 16h, 17h, 18h). 3,05€.* ☎ *04 95 47 85 03.*
Sur une dizaine d'hectares, le Parc régional a aménagé un centre d'étude, d'accueil, de soins et de présentation pédagogique de la tortue d'Hermann *(voir le chapitre faune)*. L'unique tortue terrestre de France ne se trouve plus que dans une petite partie du massif des Maures et en Corse, notamment dans la plaine orientale. La visite permet de suivre les différents stades de la vie de l'animal.
Reprendre la D 147 et 2 km après un pont, s'arrêter à la hauteur d'une cabane sur la rive opposée reliée par une passerelle.

Via ferrata de la Manicella★

Longueur totale du parcours câblé : 350 m ; durée moyenne du trajet : 2h à 2h1/2 ; dénivelé : 250 m. Stationnement dans le décrochement face à la passerelle. De mai à mi-oct. : présence de l'équipe sur le site et encadrement pour les débutants. 4,57€ (redevance), 10,67€ (location du matériel réglementaire). Gestion du site par la SARL In Terra Corsa, ☎ *04 95 47 69 48. Canyoning, randonnée pédestre, kayak de rivière, location de VTT.*
En contrebas du point d'accueil, les nombreuses criques du torrent invitent à une pause rafraîchissante.

Gorges de l'Asco★★

Creusées dans le granit, ces gorges arides rappellent celles de la Scala di Santa Regina *(voir ce nom)*. Elles sont cependant plus courtes et plus larges ; la végétation y est plus abondante et les crêtes rocheuses d'environ 1 000 m qui les surplombent leur confèrent un aspect plus sauvage. Elles sont dominées par des montagnes déchiquetées comme la Cima a i Mori (alt. 2 180 m) et le Monte Terello (alt. 1 310 m).

La via ferrata permet, grâce à un aménagement de la paroi par câbles, de progresser en toute sécurité au-dessus des gorges de l'Asco. Une signalétique identifie les principaux points qui jalonnent l'itinéraire. Retour par un sentier balisé de points rouges.

De nombreuses ruches s'alignent sur les pentes. Aux abords d'Asco, la rive droite devient très aride, tandis que la rive gauche est tachetée de genévriers oxycèdres.

Asco (Ascu)

Établi au débouché des gorges et bien exposé au midi, c'est le seul village de la vallée. En dépit de quelques bâtiments récents, il est bien intégré aux versants rocheux du Capo Selolla.

Asco est peut-être d'origine ligure ; mais ses annales ne remontent qu'au 16e s., à l'époque de la guerre contre Gênes menée par **Sampiero Corso**, au cours de laquelle le village servit de refuge.

Pont génois

La route étroite descend dans les gorges à la sortie Ouest d'Asco. Les eaux vertes et claires de l'Asco sont enjambées par ce vieux pont en dos d'âne bâti pour permettre l'accès à la bergerie de Pinnera.

À la sortie du village, la route remonte le Stranciacone et les pins laricio font leur apparition, escaladant les versants. On aperçoit encore des ruches. Après avoir franchi un pont, la route longe la rive droite du torrent.

Forêt de Carrozzica

Cette belle forêt de 3 220 ha s'étend sur toute la vallée supérieure d'Asco. D'abord clairsemée, elle devient plus dense et prend fin à 1 900 m d'altitude au pied de la grande barrière rocheuse. Elle se compose surtout de pins laricio qui croissent jusque dans le lit du torrent. Celui-ci coule au milieu de blocs de porphyre rose formant des vasques d'eau claire. Mais cette forêt, autrefois dévastée par les coupes d'arbres, puis par des incendies, a subi jusqu'à récemment les dommages des avalanches.

À 7 km d'Asco, au lieu dit **Giunte**, la route laisse sur la droite le Stranciacone qui reçoit la Tassinetta. Après avoir franchi le ruisseau de Manica, elle atteint le lieu dit **Caldane** (source minérale), puis s'élève jusqu'à Haut-Asco.

Haut-Asco

Alt. 1 450 m. Dans un beau **site★** de montagne, au milieu des pâturages et de pins laricio centenaires, ce replat procure de splendides vues : au Sud, le Monte Cinto et le cirque glaciaire de Pampanosa au pied du Capo Larghia et de la Punta Minuta et à l'Ouest, le col et le Capo Stranciacone. C'est l'une des étapes du célèbre GR 20. À proximité subsistent les aménagements d'une station de ski désormais désaffectée.

À la sortie Ouest du village d'Asco, un pont génois enjambe les eaux vertes du fleuve.

Aullène

Auddè

Ce paisible et joli village de pierre est assis sur une haute croupe granitique du Sartenais. Les alentours, boisés de pins et de châtaigniers offrent un sauvage et magnifique décor de montagne.

Le terrain

Carte Michelin n° 90 pli 7 – Corse-du-Sud (2A). Aullène se situe au croisement de la D 69 et de la D 420, à 13 km à l'Ouest de Quenza et à une vingtaine de kilomètres à l'Est de Petreto Bicchisano.

Le nom

Auddè signifie « carrefour ». En effet, Aullène se trouvait sur la première route stratégique qui reliait Corte à Bonifacio. Les routes qui traversent le village permettent aujourd'hui d'aller vers les 4 points cardinaux.

carnet pratique

Les gens

Le général **Paulin Colonna d'Istria,** grand résistant, est
un enfant du pays. La stèle de granit gris érigée à sa
mémoire *(à l'entrée du village de Petreto sur la gauche),* rappelle aussi le rôle éminent joué par la commune dans la
libération de la Corse lors du dernier conflit mondial.

visiter

Église paroissiale

Elle renferme de belles boiseries rustiques dans le chœur
et une **chaire** du 17e s. La console en bois clair sculpté est
formée de monstres marins prenant appui sur une tête de
Maure, évocation probable des raids barbaresques qui ravagèrent les côtes de Corse jusqu'au 18e s.

*Monstre marin
soutenant la chaire
de l'église d'Aullène.*

circuits

ROUTE DU COL DE ST-EUSTACHE★

20 km par la D 420 jusqu'à Petreto-Bicchisano.

La route monte en lacet au-dessus de la vallée encaissée
du Coscione offrant un beau coup d'œil sur le paysage
rocheux où s'accroche un maigre maquis.
Après le col de St-Eustache, la route, jalonnée d'énormes ▶
blocs rocheux, descend vers la vallée du Taravo. On
observe une démarcation caractéristique de la végétation : alors que le versant Sud est couvert de pins, le
versant Nord est surtout boisé de chênes verts auxquels
se mêlent quelques châtaigniers, des asphodèles et des
fougères.

Petreto-Bicchisano (Pitretu Bicchisgia)

Situé à un important carrefour de routes, ce bourg se
compose de deux villages : Petreto, celui d'en haut, sur
la D 420, et Bicchisano, celui d'en bas, sur la N 196.

Petreto

L'**église paroissiale** abrite un intéressant Christ en bois.
Le maître-autel, le tabernacle et l'autel de saint Antoine,
tous en marbre polychrome du 17e s., proviennent du
couvent de Bicchisano, de même que les quatre

> ### UN PAYSAGE CHAOTIQUE
> Entre le col de Tana et le
> col de St-Eustache, la
> route court à flanc de
> montagne, traversant un
> massif de porphyre, boisé
> de pins et entaillé par de
> nombreux affluents du
> Baracci et du Rizzanèse.
> Des **chaos**★ aux
> silhouettes parfois
> étranges surgissent de la
> végétation.

*Gros bourg montagnard,
Aullène présente une
architecture traditionnelle
de granit gris avec des
maisons à arcades et
quelques passages voûtés.*

superbes **statues** en bois peint représentant la Vierge à l'Enfant, saint François d'Assise, sainte Claire et l'Immaculée Conception. Derrière l'église, la terrasse offre une **vue** sur Bicchisano, la vallée du Taravo, et les montagnes.

Bicchisano

À l'entrée de Bicchisano, en venant de Propriano, admirez la **vue**★ étendue sur la vallée verdoyante du Taravo. Le village dissémine ses massives maisons de granit de part et d'autre de la route. On remarque deux **maisons fortes**, témoignages de l'importance passée du bourg.

Un arrêt à l'**église** paroissiale permet d'admirer un Christ en bois du 16e s. et une chaire sculptée, provenant de l'ancien couvent St-François. Ce dernier *(propriété privée)* dresse encore son vieux bâtiment dans un cadre bucolique à l'écart du village.

Vallée du Taravo

Né sur les pentes du Monte Grosso au-dessus du col de Verde, le Taravo qui se jette dans le golfe de Valinco, près de Porto-Pollo, a formé une grande plaine alluviale, autrefois insalubre. Pour échapper à ses fortes chaleurs estivales et à ses miasmes, les habitants transhumaient de mai à octobre sur le plateau du Coscione *(voir l'Incudine)*. Ils édifièrent leurs villages sur des collines au-dessus des eaux stagnantes.

Les terres de la basse vallée nourrissent des champs de blé et des plantations d'oliviers et de chênes-lièges. La vigne apparaît au-dessous de Sollacaro dans la moyenne vallée et on pratique l'élevage des bovins et des brebis.

VALLÉE DU COSCIONE

Quitter Aullène par la D 69 vers Sartène. 24 km jusqu'au pont d'Acoravo.

La route en corniche descend la vallée très encaissée, venteuse et peu peuplée du Coscione, affluent du Rizzanèse. Elle traverse les villages de **Cargiaca** et de **Loreto** bâtis sur d'aimables collines. L'autre versant de la vallée, moins raide, au climat plus doux, porte un essaim de villages, groupés autour du gros bourg de **Ste-Lucie-de-Tallano** *(voir ce nom)* au milieu des vignes et des oliviers.

À VOIR

La **maison forte** du bas présente encore, aux quatre angles, les corbeaux qui soutenaient les échauguettes, ultime survivance d'un système défensif du 16e s. Tout près, un **campanile** isolé dresse son élégante silhouette, dernier vestige de l'église piévanne St-Jean-Baptiste. L'autre maison forte, flanquée d'une bretèche, domine Bicchisano.

La Balagne★★★

Balagna

La Balagne est une enclave de collines fertiles, au Nord-Ouest d'une île montagneuse et rude.

L'arrière-pays présente deux visages : au Sud de Calenzana s'étend une Balagne déserte et au Nord une Balagne féconde qui a fait autrefois la réputation de cette région et lui maintient aujourd'hui son attrait touristique. Contrée la plus riante de l'île, elle offre sur 40 km de rivage d'agréables stations balnéaires et, sur les collines derrière la plaine côtière, de magnifiques villages entourés de vergers et de vignes. Palmiers, agaves et figuiers de Barbarie témoignent de la douceur du climat.

La situation

Carte Michelin no 90 plis 13, 14 – Haute-Corse (2B). La Balagne descend doucement vers la mer, depuis la ligne de crêtes qui surplombe les gorges de l'Asco au Sud-Est. Elle est délimitée au Nord-Est par le désert des Agriates et au Sud-Ouest par la vallée du Fango. Les deux villes principales, Calvi et l'Île-Rousse, constituent de bons lieux de séjour pour concilier plaisir balnéaire, activités culturelles et visites des villages perchés.

Ensemble de collines tapissées d'oliveraies et d'autres vergers, la Balagne était surnommée au siècle dernier le « jardin de la Corse ».

Le nom

La région tirerait son nom du mot grec *balanos* signifiant « gland » ou « fruit du gland », allusion à la forme de l'olive et aux oliveraies qui couvraient jadis les plaines et les collines.

Les gens

Le village de Lumio est le berceau familial de **Laetitia Casta**, mannequin en vogue en ce moment.

comprendre

Une occupation ancienne – Cette région fut habitée depuis les temps préhistoriques. À l'âge du fer, la Balagne vivait vraisemblablement déjà de la pêche et du commerce maritime. Dans l'Antiquité, Phéniciens, Grecs et Étrusques abordèrent ses rivages. Puis les Romains s'y installèrent et la cultivèrent. Des témoignages de leur présence ont été découverts à Calvi, l'Île-Rousse, Algajola, Speloncato et Calenzana.

Les Sarrasins, attirés par les richesses de cette contrée, y multiplièrent de mémorables razzias dont celle d'Algajola, la plus célèbre.

Le verger de la Corse – La Balagne devint au 11ᵉ s. le fief des « marquis de Massa et Corse », établis par les Pisans pour défendre ce territoire contre les incursions sarrasines.

Pour surveiller le rivage, ils édifièrent des châteaux forts dont subsistent de nombreux vestiges : les ruines de la forteresse des Savelli à Corbara, par exemple.

Ces seigneurs furent les bienfaiteurs des bénédictins qui s'implantèrent solidement en Balagne au 12ᵉ s. et contribuèrent au renouveau agricole de la contrée, ruinée par l'anarchie et les invasions. Corrélativement, le commerce avec la Toscane reçut une nouvelle impulsion. À la fin du 12ᵉ s., la Balagne était la première région viticole de l'île avec Bastia et le Cap Corse.

Une population aisée fit édifier, pendant la période pisane, un grand nombre d'églises, parfois sur d'anciens sites paléochrétiens : à Calenzana, Cassano, Montemaggiore, Lumio, Aregno... si bien que l'on parla de la « sainte Balagne ».

La république de Gênes s'implanta dans la région au 13ᵉ s. ; elle y fonda les places fortes de Calvi et d'Algajola qui disposaient ainsi d'un territoire assez riche pour subvenir aux besoins de la garnison et de la population. Au 17ᵉ s., la Balagne était une région de polyculture méditerranéenne, où dominait l'olivier. Son huile était très prisée. Au 18ᵉ s., Pascal Paoli bâtit l'Île-Rousse, principal débouché de la Balagne fertile.

La Balagne aujourd'hui – La désertification, les menaces d'incendies, l'augmentation de la concurrence et le dépeuplement de la région ont conduit à une baisse d'intérêt pour les activités agricoles traditionnelles au profit du développement touristique. Des ensembles rési-

carnet pratique

RESTAURATION

• À bon compte

Le Cyrnéa « Chez Françoise » – *20124 Montemaggiore -* ☎ *04 95 62 73 16 - 🍽 - 13€.* C'est le café-bar-tabac du village dans une ruelle près de l'église. En toute simplicité la maîtresse des lieux vous propose son menu, souvent composé de charcuterie corse et du plat du jour. Dans la salle voûtée ou sur la petite terrasse, le tout est arrosé avec un vin d'ici.

• Valeur sûre

Ferme-auberge L'Aghjalle – *Hameau de Toro - 20220 Santa-Reparata-Di-Balagna - 2 km au S de Santa-Reparata par D 13 dir. Muro -* ☎ *04 95 60 31 77 - fermé fin sept. à fin mars et le midi - 🍽 - réserv. conseillée - 20€.* Elle nous plaît bien cette ancienne bergerie avec sa salle voûtée et colorée et sa terrasse sous les canisses en pleine campagne. Le patron parle avec ferveur de ses veaux, de son huile d'olive et de ses légumes préparés avec amour par son épouse.

Chez Léon – *20225 Catéri -* ☎ *04 95 61 73 95 - 14€ déj. - 22€.* De ses terrasses panoramiques, le regard s'étend des villages voisins jusqu'à la mer en passant par les montagnes environnantes. Là ou dans la grande salle, le menu se compose de produits locaux. Quelques chambres et studios.

Auberge de Domalto – *Lieu-dit Domalto - 20226 Speloncato - 5 km au N de Speloncato par D 663 (dir. Île-Rousse) puis D 71 (dir. Calvi) -* ☎ *04 95 61 50 97 - fermé dim. midi sf en juil.-août - 🍽 - réserv. obligatoire - 26,68€.* Poussez la porte de cette maison particulière pour dîner à la lueur des chandelles et des lampes à pétrole. Plaisirs d'un copieux repas soigné, entre vin de pêche, liqueur de violettes sauvages et pain maison servis dans une auberge pittoresque chez une dame de caractère.

HÉBERGEMENT

• Valeur sûre

Hôtel Mare E Monti – *20225 Feliceto -* ☎ *04 95 63 02 00 - fermé 15 oct. au 31 mars -* 🅿 *- 16 ch.: 51,83/67,08€ - 🛏 6,10€.* Cette belle demeure familiale fut construite au 19e s. par les ancêtres revenus fortunés de Porto-Rico. Demandez au maître des lieux de vous faire visiter sa petite chapelle. Les chambres sont très simples et très tranquilles.

A Spelunca – *20226 Speloncato -* ☎ *04 95 61 50 38 - fermé 15 oct. au 15 avr. - 18 ch.: 53/60€ - 🛏 5€.* Dressé au cœur de ce village perché, cet ancien palais du cardinal Savelli, ministre de la police de Pie IX, offre un panorama splendide sur toute la haute Balagne. De vastes chambres au luxe discret y voisinent avec de riches salons au décor d'origine.

---

dentiels de vacances avec ports de plaisance privés ont vu le jour ; Calvi est maintenant concurrencée par les stations balnéaires en pleine extension d'Algajola et de l'Île-Rousse. Les villages de l'arrière-pays se sont associés pour mettre en valeur leur patrimoine et faire connaître leurs traditions. Ainsi est née la **route des artisans de Balagne**, circuit touristique à travers les plus beaux villages à la découverte des métiers ancestraux : coutelier, apiculteur, relieur, luthier, céramiste, etc.

Actuellement, un vaste schéma d'aménagement hydraulique dont relève le barrage de Codole, avec réseau de canalisations et stations de pompage établi pour l'ensemble de la Balagne, contribue à un renouveau de l'agriculture dans les plaines de l'Île-Rousse et d'Algajola.

circuits

① BASSIN DE LA FIGARELLA ET COLLINES DE MONTEGROSSO★★

Circuit de 48 km au départ de Calvi – une demi-journée. Quitter Calvi par la N 197.

La route contourne le golfe et franchit la Figarella ; aussitôt après le pont, prendre à droite la D 151 qui remonte la vallée de la Bartasca plantée de vignes.

Calenzana *(voir ce nom)*

Église Ste-Restitude★ *(voir Calenzana)*

À travers les chênes verts, les oliviers et les amandiers, la route contourne alors le bassin du Fiume Secco.

Zilia

Adossé au Monte Grosso, ce village est bâti dans un paysage d'oliviers et d'amandiers. Il conserve de vieilles maisons et offre de sa terrasse, face à l'église, une belle vue sur la vallée verdoyante du Fiume Secco.

LOISIRS

Altore – *Col de Salvi - 20214 Montegrosso -* ☎ *04 95 61 80 09 / 06 08 72 67 19 – selon la météo et sur RV.* Cette annexe du centre sportif de Saint-Florent vous propose des baptêmes et des stages de parapente dans le décor extraordinaire qui domine la baie de Calvi.

Serré autour de son église, le village de Zilia domine une partie de la Balagne.

Cassano

La chapelle St-Alban *(au Sud du village)* abritait, derrière l'autel, un intéressant **triptyque**★ sur fond or représentant la Vierge à l'Enfant sous un dais entre des saints ; cette œuvre de 1505, due à un artiste nommé Simonis de Calvi, est conservée dans l'église paroissiale.

Montemaggiore★

Ce village est bâti sur un promontoire au-dessus du bassin du Fiume Secco et au pied de la chaîne du Monte Grosso. De la terrasse de sa grande église baroque, un vaste **panorama**★★ se développe sur le golfe de Calvi, la presqu'île de la Revellata, Calenzana et son cadre montagneux. Au Nord du village, près d'une fontaine, la vue se dégage sur la chaîne du Monte Grosso.

1 km après Montemaggiore, dans un lacet, prendre à droite un chemin raviné mais carrossable.

Chapelle St-Rainier

Visite sur demande préalable auprès de la mairie. ☎ *04 95 62 72 78 ou 04 95 62 73 60.*

Elle s'élève à mi-pente dans le cimetière. De style roman pisan, elle présente une façade polychrome ; au fronton, une croix ajourée sépare deux figures humaines. Le chevet arrondi a conservé son toit en *teghie (voir p. 85)*. À l'intérieur, les archivoltes surmontant les deux premières fenêtres sont décorées de curieux masques grimaçants. Une pierre cylindrique sculptée de visages servait de bénitier.

Reprendre la D 151 en direction du col de Salvi; 2 km après celui-ci, tourner à gauche sur la D 71. ►

Cateri

Niché dans les oliviers, Cateri s'étage au-dessus du bassin d'Algajola. Gagner l'extrémité du village par des ruelles étroites, pavées, reliées par des passages voûtés et bordées de hautes maisons de granit où travaillent plusieurs artisans (potiers, fromagers...) ; belle vue sur Aregno.

Dans le hameau de **San Cesario**, jolie chapelle romane à la décoration polychrome.

Couvent de Marcasso

Édifié en 1621, il s'élève sur une terrasse entourée d'olivaies et de vergers. L'**église conventuelle** abrite une toile restaurée du 18e s. représentant le Repas pascal, ainsi que des stalles, un beau meuble de sacristie et quatre statues de saints en bois du 17e s.

Lavatoggio

De la terrasse de l'église ou de celle du restaurant « Le Belvédère » *(à l'entrée Ouest du hameau)*, la **vue**★ s'étend sur la belle plage d'Algajola, la côte et les dernières pentes de la Balagne, à l'Ouest de la ligne de crêtes qui les sépare du bassin du Regino. Le village était jadis renommé pour la qualité de ses sources.

> **PANORAMA**
> En montant vers le **col de Salvi**, la route tracée en corniche offre de beaux **coups d'œil**★ sur Calenzana, le bassin du Fiume Secco et la mer. Du col, splendide **panorama** ★★ sur le golfe de Calvi que l'on domine de 500 m et sur la pointe de la Revellata.

> **LOISIRS**
> **Sub Corsica** – *Marine de Sant'Ambroggio - 20260 Lumio -* ☎ *04 95 60 75 38 - Tlj 2 sorties à 9h et 15h. Déc.-avr.* Avec son navire de 17 m, c'est l'un des centres de plongée les mieux équipés de la côte. Il propose des explorations jusqu'à Girolata dans plus de 30 sites répertoriés, dont le célèbre Danger d'Algajola et les impressionnants tombants de la Revellata.

Lumio★

Groupé en amphithéâtre, au-dessus de sa grande église baroque flanquée d'un haut campanile ajouré, ce bourg opulent de Balagne forme un belvédère sur le golfe de Calvi, au milieu des oliviers et des vergers. On prend plaisir à flâner dans sa longue rue sinueuse. La route qui le dessert par les hauteurs offre une large **vue★** sur la plaine littorale, le golfe et la citadelle de Calvi, et la pointe de la Revellata.

Chapelle St-Pierre

1 km au Sud de Lumio par la route de Calvi, puis, à gauche, la route d'accès revêtue.

◄ Cette chapelle romane (11ᵉ s.) en granit ocre relève du début du roman pisan en Corse, mais a subi un remaniement au 18ᵉ s. En façade, deux pittoresques **têtes de lion**, en granit, probablement remployées, encadrent le linteau de sa porte d'entrée.

Retour à Calvi par la N 197.

> **D**ans la chapelle, remarquer surtout le **chevet★** : l'influence pisane se manifeste dans les chapiteaux à palmettes, les archivoltes doubles et les petites ouvertures géométriques.

② BASSIN DU REGINO ET COLLINES DE CORBARA★

57 km au départ de l'Île-Rousse – environ une demi-journée. Quitter l'Île-Rousse par la N 197 vers l'Est.

La route longe la côte jusqu'à Lozari, puis, entre les vallées du Regino, à droite, et de Lozari, à gauche, elle s'élève vers Belgodère.

Belgodère

Ce village dominé par un vieux fort, occupe un séduisant **site**★ de terrasses au-dessus de la vallée verdoyante du Prato.

Église St-Thomas – Dans le chœur, un panneau sur bois (16ᵉ s.) représente la Vierge à l'Enfant entre deux apôtres et les membres d'une confrérie. Un beau retable baroque en bois sculpté orne une chapelle, à droite.

Vieux fort★ – *Accès par une ruelle en escalier.* Des ruines, belle **vue**★ sur la vallée.

Échappée vers Palasca

De Belgodère, suivre la N 197 vers l'Est (sur 7 km), puis prendre à gauche la D 163. Ce village isolé est blotti dans un creux en contrebas de la nationale. Son **église** au joli clocher abrite une belle toile du 16ᵉ s. représentant la Crucifixion. *Possibilité de visite guidée en sem. sur demande auprès de la mairie.* ☎ 04 95 61 33 02.

Revenir ensuite au circuit en rejoignant Belgodère puis prendre la D 71.

Environ 5,5 km après Belgodère, on aperçoit sur la gauche la masse harmonieuse de l'ancien **couvent du Tuani.** Ce couvent franciscain fut repris un temps par les dominicains puis devint propriété privée en 1964. L'église, construite en 1494, fut restaurée en 1898. À 100 m du couvent émergent les ruines de la chapelle St-Jean, édifice pisan du 11ᵉ s.

ACHATS
GAEC de Lozari –
Ham Lozari –
20226 Belgodère -
☎ 04 95 60 18 13 –
tlj 17h-19h et sur RV.
Réputés depuis l'Antiquité, les miels corses sont autant de poèmes célébrant l'île. Leurs noms enchanteurs révèlent des saveurs inattendues et « corsées » que les frères Gacon, artistes du goût, déclinent sous toutes les formes : hydromels, vinaigres…

L'église de la Trinité à Aregno allie avec merveille la polychromie de ses murs et les sculptures de sa façade.

Speloncato★

Perché au-dessus du bassin du Regino sur un éperon détaché du Monte Tolo, ce village doit peut-être son nom au tunnel naturel distant de 2 km (*spelunca* signifie « grotte » en corse). Le village est un charmant dédale de ruelles sinueuses et de passages voûtés bordés de vieilles maisons de granit.

◄ La **place de la Libération**, ornée d'une fontaine, est animée par deux petits bars.

Située un peu au-dessus de la place centrale, l'**église Saint-Michel**, d'origine romane, a été pourvue d'un portail daté de 1509. Elle est devenue collégiale en 1749.

La route tracée à mi-pente contourne en corniche le bassin du Regino.

Feliceto

Ce village entouré de vergers s'étale au-dessus du bassin du Regino. En contrebas s'élève son église baroque au clocher étagé et coiffé d'une coupole.

À l'Ouest de Feliceto, la route serpente à travers un maquis de bruyères et d'arbousiers.

Muro

◄ La grande **église** qui surgit au bord de la route dresse sur la place du village son imposante façade blanche.

C'est à Muro qu'est né **Pietro Morati** (1658-1715), célèbre juriste, auteur de la *Prattica Manuale*, manuel de droit et de jurisprudence qui fit longtemps autorité en Corse. Muro a conservé ses maisons à arcades.

Avapessa

À mi-pente au-dessus de la vallée du Regino, dans un paysage d'oliviers, de figuiers de Barbarie et de jardins en terrasses, ce hameau possède une petite église baroque (1618) dotée d'un joli clocher carré.

Au croisement, que domine à droite la chapelle San Cesareo, prendre à droite la D 151, puis, peu après, à droite encore la route de crête qui sépare les bassins de Regino et d'Algajola et donne accès au village perché de Sant'Antonino.

Sant'Antonino★★ *(voir ce nom)*

Revenir à la D 151 qui domine le bassin d'Algajola et la marine de Sant'Ambroggio.

Aregno

À 1 km au Sud du village s'élève la charmante petite **église de la Trinité★**. Cette chapelle étonne par l'appareillage polychrome de ses murs de granit. Sa façade s'ordonne en trois registres. La porte s'ouvre sous un large linteau pentagonal protégé par un arc en plein cintre aux claveaux de couleur soigneusement alternée. Observer les **statuettes★** de chaque côté : à gauche une femme en longue robe et à droite un homme tenant sur les genoux peut-être les textes de la loi. Au-dessus quatre arcatures aux motifs décoratifs variés prennent appui sur cinq chapiteaux ornés de figures animales naïves. Sous le fronton, huit arcs sur modillons encadrent une fenêtre formée de deux baies géminées, dont le tympan porte un motif de serpents. Au sommet du fronton, un troisième personnage semble s'extraire nonchalamment une épine du pied tout en jetant un regard malicieux sur les passants. Les murs latéraux rythmés par d'étroits pilastres et le chevet semi-circulaire recouvert de pierres plates sont parcourus par une corniche à arcature sur modillons sculptés. Les fenêtres latérales en meurtrières sont surmontées d'archivoltes décorées de motifs symboliques : deux paons affrontés, la croix et l'arbre, une main ouverte et une crosse.

L'intérieur abrite deux intéressantes **fresques** du 15e s. : les quatre docteurs de l'Église latine (Augustin, Grégoire, Jérôme et Ambroise) ; saint Michel pesant les âmes et terrassant le dragon.

Pigna★ *(voir ce nom)*

Couvent de Corbara *(voir ce nom)*

Monte Sant'Angelo *(voir Corbara)*

Corbara *(voir ce nom)*

Peu après Corbara, d'une chapelle, à gauche dans un lacet, la vue s'étend sur la basse Balagne, la marine de Davia, Algajola et sa citadelle. Puis la route tracée en corniche descend vers la plaine littorale couverte d'oliviers et regagne l'Île-Rousse.

3 CORNICHE PAOLI★

Voir l'Île-Rousse.

4 DE CALVI À L'ÎLE-ROUSSE⚓

26 km par la N 197.

Lumio *(voir circuit 1)*

Marine de Sant'Ambroggio⚓

Le port de plaisance de Sant'Ambroggio offre toutes les facilités recherchées par les plaisanciers. En dépit de la multiplicité des lotissements et d'un grand village de vacances, le site a conservé un cadre naturel autour d'une belle plage de sable, au fond de la baie. À proximité, des sentiers conduisent à la Punta Spano, promontoire sauvage qui avance ses chaos granitiques vers l'Ouest et que prolonge l'île de **Spano**. Belles vues sur le domaine protégé de la baie d'Algajola.

Algajola⚓ *(voir ce nom)*

5 CIRQUE DE BONIFATO★

Voir ce nom.

6 LA BALAGNE DÉSERTE★

La côte

38 km de Calvi à Galéria – environ 3/4h. Quitter Calvi par la D 81^B.

La route domine la mer en suivant les contours de la côte déchiquetée où s'abritent de nombreuses criques d'un blanc éclatant mais d'accès difficile. Elle traverse ensuite une zone de vignobles et s'éloigne de la côte entre le cap Cavallo et Ferayola.

Bocca Bassa

Ce col offre une **vue★** étendue sur la baie de Crovani, Galéria et son golfe.

Galéria⚓ *(voir ce nom)*

Vallée du Fango★

De Galéria à Bardiana. Voir golfe de Galéria.

> **TRANSPORTS**
>
> Pour vous déplacer entre Calvi et l'Île-Rousse, vous pouvez prendre le « tramway de Balagne » qui dessert une dizaine de localités le long du littoral *(voir le carnet pratique d'Algajola).*

Bastelica

Ce petit chef-lieu de canton montagnard groupe ses hameaux sur les pentes du Monte Renoso, dans un paysage d'alpages semés de châtaigniers. À 800 m d'altitude, Bastelica est le plus haut village de la vallée du Prunelli ; la vie locale y demeure active et authentique. Il attire en hiver les amoureux du ski (nombreux parcours de ski de fond et station du val d'Ese à 16 km) et constitue en été un lieu de villégiature apprécié des Ajacciens à la recherche de fraîcheur. Bastelica est aussi le point de départ d'une route aux panoramas splendides en direction des champs de neige du plateau d'Ese.

La situation

Carte Michelin n° 90 pli 6 – Corse-du-Sud (2A). À partir d'Ajaccio, prendre la N 196 jusqu'à Cauro (20 km). Tourner alors à gauche sur la D 27, petite route de montagne qui grimpe jusqu'à Bastelica (20 km environ).

carnet pratique

RESTAURATION

• *À bon compte*

Chez Paul – ☎ *04 95 28 71 59 -
12,20/19,06€.* La tradition corse est au
rendez-vous dans ce petit restaurant où
règne une bonne ambiance familiale. Vous
pourrez prolonger votre séjour dans l'une
des chambres équipées de cuisinette.

ACHATS

Urbani François – *À Stazzona -* ☎ *04 95
28 71 83 - vente directe, sonnez à l'entrée.*
François Urbani, éleveur-producteur propose à
la vente ses excellentes charcuteries - coppa,
pancetta, voletto, prisuttu (jambon) et figatellu
(saucisse de foie) - toutes légèrement fumées
au bois de châtaignier. Si vous aimez les
confitures, achetez celles de Marion, la fille de
la maison.

Le nom

Bastelica pourrait être un dérivé de la racine bast qui
signifie « bâtir ».

Les gens

Bastelica est la patrie de **Sampiero Corso**, figure la plus
marquante du 16ᵉ s. en Corse. Chef militaire, il s'est illustré dans ses campagnes contre les Génois.

comprendre

*Au dire du duc de
Bourbon, Sampiero Corso
représente à lui seul
« 10 000 soldats ».*

Révélation d'un chef militaire – Sampiero Corso est
né vers 1498 d'une famille d'origine modeste dans le
hameau de Dominicacci. Très jeune, il quitte la Corse
pour embrasser le métier des armes au service des Médicis à Florence, puis du pape Clément VII. Le cardinal
Jean du Bellay, ambassadeur de France à Rome, prend
sous sa protection l'ardent capitaine, et le fait engager
dans les armées de François Iᵉʳ en 1536. Devenu officier
français, il le restera pendant près de 30 ans.

Aux côtés de Bayard, puis de La Châtaigneraie, il s'illustre
alors dans toutes les batailles menées contre Charles
Quint. À Perpignan il sauve la vie du dauphin Henri, ce
qui lui vaut de porter sur ses armes « deux bandes d'azur
à fleurs de lys d'or ». Auréolé de prestige et fortuné, il peut
épouser en 1545 Vannina d'Ornano, dont la famille
compte au rang des grands de l'île. En 1547, il est promu
colonel par Henri II et reçoit le commandement de l'ensemble des compagnies corses au service du roi.

Serviteur de la France en Corse – Peu après son
mariage, Sampiero est incarcéré à Bastia par le gouverneur génois, dans des circonstances demeurées obs-
cures. Il est rapidement libéré grâce à l'intervention de
Henri II. En 1553, il s'illustre en Italie où la France mène
campagne. Mais c'est lors de la conquête de la Corse par
les Français, dès la fin de la même année, que Sampiero
devient une figure dans l'île. La légende le donne pour
l'initiateur de cette expédition et son promoteur auprès
du roi. On sait en fait aujourd'hui que Sampiero, loin
d'approuver ce projet, avait tenté d'en détourner le
Conseil de guerre. Toujours est-il qu'il seconde avec bravoure les opérations menées par le maréchal de
Thermes. À la tête de 500 mercenaires corses, Sampiero
rallie sans peine à la cause française les chefs de l'île et
une population hostile à la politique de Gênes.

Farouche adversaire des Génois – En 1557, l'administrateur français, Giordano Orsini, successeur du maréchal de Thermes, peu estimé de Sampiero, déclare à Vescovato l'incorporation de la Corse à la Couronne de
France.

Cette déclaration qui trompa les Corses, puis les historiens, n'était que pure invention d'Orsini, sans doute
soucieux de ranimer le zèle défaillant des tenants du
parti français. C'était imprudemment anticiper la tour-
nure que prirent les événements : le 3 août 1559, le
traité de Cateau-Cambrésis rend la Corse aux Génois.
En 1563, Sampiero, retiré en France pour préparer une
nouvelle campagne contre les Génois, tue sa femme

LÉGENDAIRE SAMPIERO
Le 17 janvier 1567, Sam-
piero tombe dans une
embuscade entre Cauro et
Eccica-Suarella *(voir
p. 142),* dirigée par les
frères d'Ornano, cousins
de sa femme ralliés aux
Génois. Sampiero entra
dans la légende, et son
prestige porta en France le
renom des qualités mili-
taires des Corses.

Vannina en fuite vers Gênes avec une partie de sa fortune. Le 14 juin 1564, discrètement appuyé par Catherine de Médicis, il débarque dans le golfe de Valinco : la révolte redémarre. Sampiero se rend vite maître de l'intérieur de l'île, mais Gênes conserve les places maritimes. L'intensité des combats diminue, sans victoire décisive. Les défections se multiplient parmi les insurgés, lassés du pourrissement de la situation.

visiter

Statue de Sampiero
Cette statue monumentale en bronze s'élève devant l'église de Santo, principal hameau de Bastelica. Brandissant son épée, Sampiero symbolise le courage et la force des insulaires. Trois faces du piédestal sont ornées d'un bas-relief en bronze évoquant le combat des Corses contre Gênes au 16e s.

Maison natale de Sampiero
Au hameau de Dominicacci. Incendiée par les Génois, cette modeste demeure fut reconstruite à l'identique au 18e s. Elle porte une inscription en langue corse rédigée en 1855 par William Wyse, petit-fils de Lucien Bonaparte, exaltant pompeusement la vaillance de l'enfant du pays.

> « **A**u plus Corse des Corses, héros fameux parmi les innombrables héros que l'amour de la patrie – mère superbe des mâles vertus – a nourris dans ces montagnes et dans ces torrents... »

circuits

1 ROUTE PANORAMIQUE DU PLATEAU D'ESE★★
16 km – environ 1h. Prendre la D 27[A] à l'entrée de Bastelica, face à la statue de Sampiero.

Cette magnifique route de crêtes mène à la petite station de ski du val d'Ese. Rapidement, le parcours devient aérien et offre des vues exceptionnelles sur Bastelica et le massif montagneux qui sépare les vallées du Prunelli et du Taravo : à la lumière du soir, on peut compter jusqu'à dix plans successifs de lignes de crêtes.

2 GORGES DU PRUNELLI★
50 km – environ 3h. Quitter Bastelica par la D 27 ; à 4,5 km prendre à droite vers Tolla. La chaussée est étroite et de revêtement médiocre.

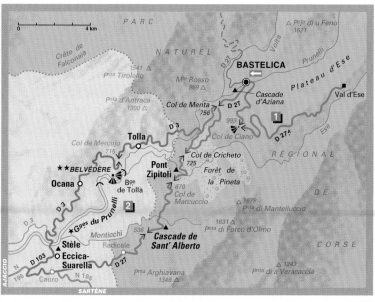

La route descend dans la vallée du Prunelli. Elle pénètre bientôt dans les gorges et ménage de beaux **coups d'œil**★ à gauche sur la Punta di Forco d'Olmo (alt. 1 631 m), la crête dentelée de la Punta Arghiavana (alt. 1 346 m) et le lac de barrage de Tolla.

Tolla

Ce village, entouré de pommiers, de noyers et de châtaigniers, domine un lac de barrage. Haut de 88 m, le **barrage de Tolla** est un ouvrage du type voûte retenant 32 millions de m^3 d'eau. Il alimente à son tour une autre usine hydroélectrique. Le plan d'eau a été peuplé en truites fario et en saumons de fontaine.

◄ *Au col de Mercujo (alt. 715 m), garer la voiture. Emprunter à pied, sur la gauche, le chemin en cul-de-sac qui monte au belvédère.*

Poursuivre la D 3.

La descente en lacet sur le village d'**Ocana** procure un superbe spectacle sur toute la chaîne de montagnes. Le bourg s'accroche à mi-pente au-dessus des gorges face à la chaîne.

À 5 km d'Ocana, prendre à gauche la route d'Eccica-Suarella (D 103).

Stèle de Sampiero Corso
1/4h à pied AR. Stationner près du pont sur le Prunelli. Remonter à pied la D 103 sur 100 m vers Eccica-Suarella. Immédiatement après un petit pont dans un virage à droite, prendre le sentier qui monte sur la gauche à travers un agréable sous-bois.

C'est près de Suarella, en plein maquis, que Sampiero Corso fut assassiné. Une stèle érigée à la fin du 19e s. commémore l'événement.

Eccica-Suarella
Les vignobles de ses coteaux produisent d'excellents vins de table. On fabrique aussi localement de délicieux fromages de chèvre artisanaux.

On atteint bientôt la N 196 que l'on emprunte à gauche vers Cauro. À la sortie de Cauro, suivre la D 27 vers Bastelica.

La route traverse des bois de chênes et débouche sur un paysage de pâturages. Après le hameau pastoral de Radicale, on s'élève vers le col de Sant'Alberto.

Cascade de Sant'Alberto (dite aussi de Carnevale)
1/4h à pied AR. Accès à 5 km de Cauro, au point 435 de la carte Michelin 90, matérialisé par un pont dans un virage à gauche. Stationner à proximité.

À quelques mètres du pont, un sentier escarpé grimpe sur la rive droite du ruisseau, dans les ombrages de beaux chênes. On entend bientôt sur la droite la cascade qui plonge d'une dizaine de mètres.

Continuer la D 27 vers Bastelica et franchir le col de Marcuccio qui offre des vues de qualité.

Pont génois de Zipitoli
10mn à pied AR. En descendant du col de Marcuccio, garer la voiture à hauteur de la maison forestière de Pineta (150 m environ avant le pont de Zipitoli). Prendre à pied sur la gauche un chemin qui descend vers le pont sur l'Ese que l'on aperçoit très vite sur la droite.

Franchir ce joli petit pont à arche unique environné de buis dans un paysage alpestre, continuer le sentier sur ◄ une trentaine de mètres, puis couper sur la gauche pour descendre au bord de la rivière d'Ese.

Reprendre la D 27 vers Bastelica.

La route, tracée à flanc de montagne, descend à travers la **forêt de la Pineta** peuplée de pins laricio auxquels se mêlent des châtaigniers et quelques hêtres. Elle procure de belles échappées sur la vallée du Prunelli et sur les arêtes rocheuses : Punta d'Antraca, Monte Rosso et, en arrière, Punta Tirolello (alt. 1 541 m).

Au col de Menta commence la descente rapide sur Bastelica. À 50 m en contrebas de la route, on aperçoit, au pied de grandes parois rocheuses, la **cascade d'Aziana,** haute de 15 m, formée par le Prunelli.

PANORARAMA
Le belvédère offre une vue★★ plongeante sur le barrage de Tolla et la retenue, et, plus bas, sur les gorges du Prunelli dominées par la Punta Arghiavana, la Punta de Serra Cimaggia et la Punta de Mantellucio.

LOISIRS
Cors'Aventure – *Corri Bianchi -* 20117 Eccica-Suarella - ☎ 04 95 25 91 19. Propose des sorties canyoning, VTT et kayak de mer.

CONSEIL
Amateurs de terres sauvages, rejoignez Bastelica par la route supérieure, du **col de Cricheto** au **col de Menta.** Le parcours (ancienne route forestière), plus tourmenté, étroit et mal goudronné, offre de meilleures **perspectives**★ sur les crêtes.

Bastia★★

Grande ville d'affaires de la Corse et préfecture de la Haute-Corse depuis 1975, Bastia a su préserver au mieux son charme méditerranéen. La cité mérite absolument une visite pour la qualité de ses monuments et pour l'atmosphère de ses anciennes ruelles colorées de quelques balcons fleuris et dominées de hautes maisons aux volets peints. La ville ancienne s'ordonne en deux quartiers autour du ravissant vieux port : la ville basse, Terra-Vecchia, au Nord ; la ville haute (ou citadelle), Terra-Nova, au Sud. Le soir, les illuminations du vieux port, du jardin Romieu, de la citadelle et de St-Jean-Baptiste invitent à la flânerie. Les quais menant vers la place St-Nicolas, récemment aménagés en promenade, accueillent cafés et restaurants. On y consomme les spécialités locales : tripes bastiaises, courgettes et sardines farcies au « brocciu », « aziminu » (bouillabaisse) et maints produits de la mer.

La situation

Carte Michelin n° 90 pli 3 – Haute-Corse (2B). Aujourd'hui, Bastia développe ses immeubles administratifs vers le Nord et étend ses quartiers d'habitation et sa zone industrielle et commerciale dans la plaine littorale, au Sud. Dans le centre-ville, le boulevard Paoli, artère principale, animé et commerçant, connaît les embarras de circulation d'une petite capitale. Laissez votre véhicule au parking de la place Saint-Nicolas ou de la gare ferroviaire ; quelques minutes suffisent alors pour gagner le dédale des ruelles pavées de schiste du vieux port, la place du marché ou la citadelle.

⃝ *Pl. St-Nicolas, 20200 Bastia,* ☎ *04 95 55 96 96. De mi-juin à mi-sept. : 8h-20h ; le reste de l'année : tlj sf dim. ap.-midi 8h30-12h, 14h-18h.*

Le nom

Au 15ᵉ s., les Génois élevèrent sur le rocher du port une *bastiglia* ou « bastille » pour protéger la ville. Celle-ci laissa son nom à Bastia.

Les gens

54 075 Bastiais. En 1380, le gouverneur génois **Leonello Lomellini** choisit la marine de Cardo (crique de « Terra-Vecchia ») pour établir une cité sûre et proche de Gênes. Ce port naturel, étroit, peu profond, exposé aux terribles coups du *libeccio*, était en effet protégé par un rocher aisément défendable.

VISITE

Visite guidée de la ville – Bastia, qui porte le label **Ville d'art et d'histoire**, propose des visites-découvertes animées par des guides-conférenciers agréés par le ministère de la Culture et de la Communication. Renseignements à l'Office du tourisme ou sur www.vpah.culture.fr

Cœur de la vie bastiaise, la place St-Nicolas s'anime à la belle saison avec les concerts, les terrasses de café et les touristes qui débarquent par centaines des ferries.

comprendre

Naissance d'une cité – Bastia ne fut vraiment établie qu'à la fin du 14e s., mais les objets découverts sur les hauteurs environnantes confirment une occupation du site dès 1500 avant J.-C. Les Romains y installèrent une colonie, sans doute **Mantinôn** (citée par le géographe grec Ptolémée) qui ne survécut pas à l'invasion vandale et fut abandonnée à la fin du 6e s. Au début du 11e s., les pêcheurs utilisèrent dans la crique de « Terra-Vecchia » le petit port de Cardo, mais n'y édifièrent que des cabanes, le rivage étant trop vulnérable aux raids barbaresques. À la fin du 12e s., la Balagne, les régions du Cap Corse et de Bastia étaient les plus productives des zones viticoles et exportaient du vin en grande quantité.

Citadelle génoise – Les Génois recherchèrent un emplacement propice à l'établissement d'une cité capable d'assurer un contact permanent et sûr entre leur patrie et leur colonie. C'est ainsi qu'en 1380, le gouverneur Leonello Lomellini choisit la marine de Cardo. En 1480, Tomasino de Campofregoso entreprit la construction de remparts autour de ce site qui devint le quartier de Terra-Nova, tandis qu'autour du port de Cardo, le quartier de Terra-Vecchia poursuivit son extension vers le Nord.

Rayonnement politique et économique – Bastia fut, sous la domination génoise, la capitale de la Corse. Le gouverneur et ses services administratifs y entretenaient un commerce dynamique et établirent quelques manufactures. C'est à Bastia, en 1547 ou 1548, que Sampiero Corso *(voir p. 140)* fut incarcéré par le gouverneur, lorsqu'il fut soupçonné, à son retour d'un voyage dans la ville pontificale, de menées subversives. Il fut relâché sur l'intervention du nouveau roi de France Henri II.

TERRE D'UNION

La position géographique de Bastia en fit un trait d'union entre la terre génoise et les plus riches régions agricoles de la Corse : Cap Corse, Balagne, plaine orientale. Au 17e s. et au 18e s., la bourgeoisie de Bastia rivalisait, par ses constructions et son activité, avec le patriarcat de la Superbe (Gênes).

Bastia connut une forte croissance démographique liée à la vitalité économique de la ville. Terra-Vecchia, érigée en paroisse à partir de 1619, rassemblait autour du Porto-Cardo une population triple de celle de Terra-Nova.

Au 17e s., une floraison d'églises et de chapelles de confréries révéla un regain de ferveur religieuse et témoigna d'une certaine aisance. De cette époque date notamment le somptueux oratoire de St-Roch, décoré par le Florentin Filiberto. Cette expansion de la cité permit une progressive fusion des colons génois primitifs et des Corses venus de l'intérieur. En 1700, Bastia comptait tout un peuple d'artisans et plusieurs fabriques de pâtes alimentaires...

Le sac de Bastia – Bastia, capitale du gouvernement génois de l'île, symbolisait la « tyrannie génoise ». Sa richesse – très relative en fait – suscita bien des incompréhensions en cette période de disette alimentaire. Il n'en fallut pas plus pour que le 19 février 1730, 4 000 montagnards à l'esprit survolté foncent sur Bastia, suivant l'exemple d'attaques déjà menées contre Aléria, le Cap Corse, St-Florent et la Balagne. La citadelle de Terra-Nova ferma ses portes et demeura à l'abri de ses remparts, mais Terra-Vecchia, sans défense, fut pillée et saccagée pendant trois jours. À force d'instances et de promesses, Mari, l'évêque d'Aléria, obtint enfin le départ des envahisseurs.

Bastia vit sa population stagner entre 1740 et 1770 : de nombreux habitants partirent exercer leur métier en des lieux moins troublés. Les **« populani »**, essentiellement des artisans et des marins, gardèrent envers Gênes une certaine fidélité, fondée en bonne part sur cette horreur des paysans montagnards (**« paesani »**) qui avaient mis la ville à sac. En 1768, l'arrivée des Français fut accueillie par des acclamations : ils étaient perçus comme libérateurs du carcan économique génois et comme garants de l'ordre. Gênes était devenue, à ce moment, une cité divisée et affaiblie.

De Terra-Nova, on domine le quartier de Terra-Vecchia et son charmant vieux port, veillé par la silhouette de l'église St-Jean-Baptiste. Hautes maisons polies par le temps, dédale de ruelles, passages couverts, églises baroques, quel plaisir de s'attarder dans cette ville si méditerranéenne.

La Révolution française – L'application de la Constitution civile du clergé, en 1791, sema le trouble dans l'esprit religieux des Corses et engendra de violents incidents à Bastia. L'évêque, Mgr du Verclos, dut s'exiler en Italie et céder son siège épiscopal. À l'appel de certains religieux, les fidèles se révoltèrent et suivirent les directives d'une femme de caractère, **Fiora Oliva**, bientôt surnommée « la colonelle ». À la tête des rebelles, elle réussit à forcer les portes de la citadelle et à faire le siège du palais épiscopal… en vain, puisque le nouvel évêque constitutionnel était absent. Pascal Paoli, qui commençait en cette année 1792 à prendre clairement ses distances avec les partisans corses de la Révolution, réprima ces troubles sans grande vigueur.

Au moment où le Directoire succédait à la Convention, une nouvelle vague de persécutions religieuses s'abattit sur la Corse, déjà bien éprouvée par les excès révolutionnaires. En 1798, une révolte éclata dans le Golo, conduite par **Agostino Giafferi**, âgé de 80 ans, qui vivait retiré sur ses terres. Arborant une petite croix blanche **(la Crocetta)** sur leur coiffure, en signe de reconnaissance, les insurgés se rendirent bientôt maîtres d'une partie de la Castagniccia et de la Casinca. À Bastia, Lucien Bonaparte, anticlérical notoire, dirigea la répression. Devant sa détermination et le supplice de quelques insurgés, le mouvement de la Crocetta se dispersa. Giafferi fut enfermé à Bastia et fusillé sur la place St-Nicolas le 21 février 1798.

Un nouvel essor commercial – En 1796, la Corse fut divisée en deux départements : le Golo, avec Bastia pour chef-lieu, et le Liamone avec Ajaccio. Dès lors, Bastia se tourna résolument vers le commerce et devint une place d'échange entre les produits agricoles du pays et les objets manufacturés du continent. Les industries s'y développèrent, comme les forges du Toga, au Nord de la ville qui exploitaient le fer de l'île d'Elbe et celui de Cardo. La ville poursuivit son essor et sa population dépassait 20 000 habitants à la fin du 19e s. Son nouveau port, commencé en 1862, fut achevé 50 ans plus tard. La construction de la nouvelle préfecture en 1976, puis celle de l'hôtel du département aux allures futuristes, ancrent l'image d'une capitale moderne de la Haute-Corse.

Une capitale économique moderne – L'aéroport de Bastia-Poretta et le port connaissent une activité croissante. Le port, avec 60 % du trafic marchandises et le plus important trafic passagers de l'île, est le deuxième port français de la Méditerranée pour l'ensemble du trafic. Il constitue une des principales têtes de ligne des liaisons maritimes en NGV entre la Corse et le continent depuis l'été 1996.

BASTIA, PAR GUSTAVE FLAUBERT

« Bastia n'est pas comme Ajaccio, une ville de plaisir ; elle ne s'enorgueillit pas d'un casino et ne cherche pas à retenir les étrangers de passage. Si Ajaccio, toute en sourires et en chants, est la cigale de la Corse, Bastia en est la fourmi économe et laborieuse. »

Capitale économique de la Corse, Bastia a conservé ses quartiers anciens.

Le commerce, les nouvelles industries (cigarettes, produits alimentaires), le tourisme, ainsi que la présence des administrations animent la ville dont l'extension s'effectue vers le Sud : quartiers de Lupino et Montesoru et deux zones industrielles de plus de 20 km. Bastia entretient avec l'Italie (et particulièrement la Toscane), par Gênes, La Spezia, Livourne et Piombino, des liaisons qui renforcent son rôle de premier centre économique de l'île et en font un pôle d'attraction pour tout le Cap Corse, le Nebbio, la Castagniccia, la Balagne et une grande partie de la plaine orientale.

carnet pratique

TRANSPORTS
Aéroport Bastia-Poretta – *À 20 km au Sud de Bastia -* ☎ *04 95 54 54 54.* **Bus** *Pour Bastia (préfecture), 7,62€.* **Taxi** *Pour le centre-ville, compter environ 30,49€.*
Location de voitures – **Avis** - ☎ *04 95 31 95 64.*
Budget - ☎ *04 95 30 05 05.*
Europcar - ☎ *04 95 31 59 29.*
Gare ferroviaire – ☎ *04 95 32 80 61.*
Autocars – *Au dép. de la gare routière ou de la gare SNCF, une dizaine de compagnies desservent les principales localités de Corse. Demander la fiche détaillée à l'Office de tourisme.*
Port de plaisance de Toga – *Quartier Toga,* ☎ *04 95 34 90 70.*
Vieux port – *Capitainerie,* ☎ *04 95 31 31 10.*

RESTAURATION
• À bon compte
U San Martinu – *Pl. de l'Église - 20200 San-Martino-di-Lota - 10 km au NO de Bastia par D 31 -* ☎ *04 95 32 23 68 - fermé 15 déc. au 15 janv. et lun. en hiver -* ▱ *- 8/13€.* La petite route qui grimpe jusqu'à cette vénérable maison corse est étroite et sinueuse, mais une fois arrivé, quel bonheur ! La vue sur la mer est féerique et vous vous régalerez de produits et vins du pays, servis dans un très joli cadre campagnard.
• Valeur sûre
La Table du Marché – *Pl. du Marché -* ☎ *04 95 31 64 25 - fermé dim. - 21/39€.* Après avoir parcouru les allées animées du marché, que diriez-vous d'une halte dans ce restaurant reconnaissable à sa jolie façade verte ? Sa carte varie chaque jour en fonction des arrivages de poissons ; l'assiette du marché et son aïoli ne vous décevra pas.
A Casarella – *R. de Ste-Croix -* ☎ *04 95 32 02 32 - fermé nov. et dim. - 22,87€.* Petite adresse simple au cœur de la citadelle : avec sa véranda-terrasse et sa décoration façon jardin d'hiver, elle est appréciée des clients. Quelques tables profitent d'une échappée sur le port. Petite carte bien tournée avec spécialités du terroir.
Lavezzi – *8 r. St-Jean -* ☎ *04 95 31 05 73 - fermé 10 fév. à fin mars et dim. hors sais. - 23/36€.* Le plus ancien restaurant de Bastia et, sans doute, l'une des plus belles terrasses sur le vieux port ! Le décor sans façon s'égaye çà et là de quelques bouquets de fleurs artificielles. La carte, quant à elle, propose un large choix de produits de la mer.
La Citadelle – *R. de Ste-Croix -* ☎ *04 95 31 44 70 - fermé sam. midi et dim. - 27,44€.* Certes, vous n'aurez pas la vue sur le port. Mais il serait vraiment dommage de rater ce petit restaurant, installé dans l'ancien moulin à huile de la citadelle : son joli décor méditerranéen avec son ancienne meule à olive, son menu-carte bien ficelé et ses produits frais méritent une halte.

HÉBERGEMENT
• À bon compte
Hôtel Posta Vecchia – *R. Posta-Vecchia -* ☎ *04 95 32 32 38 - 49 ch.: 38,11/62,50€ -* ▱ *5,34€.* Retenez cet hôtel pour sa situation en plein cœur de la vieille ville, en face du port. Les chambres sont très modestes mais certaines sont climatisées notamment dans l'annexe.
Camping San Damiano – *20620 Biguglia - 9 km au SE de Bastia par N 193 et rte du cordon lagunaire (D 107) -* ☎ *04 95 33 68 02 - ouv. avr. au 15 oct. - 280 empl.: 14,03€.* Belle situation sur le bras de mer de l'étang de Biglulia. Ici, les emplacements, en bord de mer, sur une plage de sable fin et pinède, sont agréablement ombragés et paysagés. Pour les loisirs et les sports, vous aurez l'embarras du choix..
• Valeur sûre
Hôtel Les Voyageurs – *9 av. Mar.-Sébastiani -* ☎ *04 95 34 90 80 - fermé 20 déc. au 10 janv. - 20 ch.: 53,36/76,22€ -* ▱ *4,57€.* Une bonne adresse de Bastia. Sur une des grandes avenues de la ville, cet hôtel moderne accueille ses hôtes dans d'agréables chambres aux goût du jour, décorées de jaune et de bleu.
La Corniche – *20200 San-Martino-di-Lota - 8 km au NO de Bastia par D 80 (vers Cap Corse) puis D 131 à Pietranera -* ☎ *04 95 31 40 98 - fermé janv. -* ▯ *- 18 ch.: 48,78/74,70€ -* ▱ *6,86€ - restaurant 21/34€.* Dans un petit village de l'arrière-pays, cet hôtel propret ouvre les fenêtres de ses chambres sur la vallée et la mer. Une vue époustouflante qui compense nettement le décor un peu anodin de cette maison tranquille. Belle piscine et menus du terroir copieusement servis.
Hôtel Cyrnea – *20200 Pietranera - 3 km au N de Bastia par D 80 -* ☎ *04 95 31 41 71 - fermé 1er déc. au 1er fév. -* ▯ *- 20 ch.: 60,98/76,22€ -* ▱ *6,10€.* Dans cet hôtel situé près de l'église du village de Pietranera, vous descendrez vers la mer par un jardin en espaliers. Les chambres sont sobres, classiques et bien insonorisées.
Chambre d'hôte Château Cagninacci – *20200 San-Martino-di-Lota - 8 km au NO de Bastia par D 80 (vers Cap Corse) puis D 131 à Pietranera -* ☎ *04 95 31 69 30 - fermé oct. au 14 mai -* ▱ *- 4 ch.: 71/78€.* À flanc de montagne, cet ancien couvent du 17e s., remanié au 19e s. dans l'esprit des demeures toscanes est splendide. Noyé dans la verdure,

d'un calme absolu, il vous ouvre ses grandes chambres confortables, meublées à l'ancienne, avec vue sur l'île d'Elbe et la mer.

SORTIES

Le soir l'animation se concentre sur la place St-Nicolas et le pourtour du vieux port. Les établissements qui alignent leurs terrasses sur la partie Nord de la place St-Nicolas constituent un bon point d'observation de la vie bastiaise et des mouvements des navires du port de commerce. Le vieux port offre son cadre incomparable à une animation typiquement méditerranéenne. Certains soirs d'été, quelques établissements proposent des soirées musicales à leur clientèle.

Café Wha – *Vieux-Port* - ☎ *04 95 34 25 79 - tlj 11h-1h.* Référence directe au club newyorkais où Jimmy Hendrix se fendit de ses premiers riffs, cette « cantine mexicaine » invite chaque soir en été (le jeudi hors saison) un groupe du coin pour mettre le feu aux planches. Fiesta y musica donc, mais également petite restauration en service continu.

Cotton Café – *Quai des Martyrs* - ☎ *04 95 32 36 18 / 04 95 32 36 31 - été : tlj 9h30-2h ; reste de l'année : lun.-sam. 9h30-2h.* Après un verre ou une collation sur la terrasse située face à la mer, laissez-vous tenter par les banquettes profondes près du comptoir. Vous y goûterez mélodies suaves et rythmes syncopés dans un cadre exotique et chaleureux. Concerts de rock, de jazz, de reggae et de variétés, chants corses... tous les soirs en été (jeudi, vendredi et samedi hors saison).

Pub Assunta – *4 r. Fontaine-Neuve* - ☎ *04 95 34 11 40 - lun.-sam. 11h-2h, dim. 18h-2h.* Autres temps, autres mœurs : cette ancienne chapelle privée s'est reconvertie en adresse branchée. Ses arcades de brique rouge et ses piliers de schiste résonnent désormais au rythme des concerts live et de la diffusion sur écran géant de clips, d'événements sportifs et de films. Mais l'endroit regorge en recoins et autres balcons intimes et possède aussi une terrasse tout à fait tranquille.

U Fanale – *Pl. Galetta* - ☎ *04 95 32 68 38 / 04 95 31 12 05 - tlj 22h-5h - fermé Noël.* Depuis 30 ans, U Fanale (le phare en corse) brille par sa programmation musicale de plus en plus variée : groupes africains, mexicains, antillais, brésiliens et chanteurs corses se succèdent dans cette cave voûtée qui fut jadis un entrepôt à cédrat (une variété d'agrume) puis une forge s'ouvrant sur le vieux port.

Établissements Mattei

ACHATS

Marché – Tous les matins, et en particulier le samedi et le dimanche, de nombreux vendeurs de spécialités, de fleurs et de vêtements se retrouvent place du Marché, dans une ambiance animée et colorée.

U Paese – *4 r. Napoléon* - ☎ *04 95 32 33 18 - lun.-sam. 9h-12h, 15h-19h.* Dans sa boutique, où le bois et la pierre évoquent les origines paysannes du propriétaire, Ange Bereni aime partager sa passion pour la gastronomie corse. Ce charcutier de talent ne propose que des produits de saison, ce qui est un gage de qualité.

Brasserie Pietra – *Rte de la Marana - 20600 Furiani* - ☎ *04 95 30 14 70 - juil.-août : lun.-ven. 9h-12h, 14h-17h30 ; reste de l'année sur demande préalable.* Fondée en 1996, c'est la première brasserie de l'île et la première au monde à brasser une bière à la farine de châtaigne. A peine nées et déjà traditionnelles, les délicieuses Pietra et Colomba (aux herbes du maquis) se retrouvent partout en Corse.

Jo Antonini – *33 r. Chanoine-Letteron.* Ce n'est pas tant le couteau qui intéresse cet ethnographe du métal que la trace de la culture insulaire et de la taillanderie méditerranéenne. Outre la beauté de ses créations, ce coutelier est une source intarissable de savoir sur l'histoire corse.

LOISIRS

Plage de Toga – *De la pl. Saint-Nicolas, prendre l'av. Émile-Sari. 1/4h à pied.* Toga, le nouveau port de plaisance, s'étend à la sortie Nord de Bastia. La marina regroupe restaurants, glaciers et bars. Juste après la sortie du port, on accède à une petite plage de galets.

Plage de l'Arinella – *Se diriger vers le S, dir. Bonifacio. Juste avant la caserne des pompiers, tourner à gauche, suivre les panneaux. 3,5 km du centre-ville.* Une plage de sable fin gris s'étend sur des kilomètres. Restaurants, bars, centre nautique.

Thalassa Immersion – *Lieu-dit Minelli - Base nautique* - ☎ *04 95 31 78 90 - été : tlj 8h15-18h, hors sais. sur demande préalable.* Ce grand centre très bien équipé propose des baptêmes, des stages de perfectionnement (passage des différents niveaux), des plongées de nuit ou l'exploration de nombreuses épaves d'avions et de bateaux datant de la Seconde Guerre mondiale (P47, Heinkell 111, canonnière...).

Club Nautique Bastiais – *Lido de la Marana - Plage de l'Igesa - 20600 Furiani* - ☎ *04 95 32 67 33/ 06 11 83 09 14 - fév.-nov. : 9h-12h, 14h-18h ; été : 9h-18h30.* Installé sur la plage durant tout l'été, le club propose des locations de catamarans, planches à voile, optimists... mais également des cours, des raids maritimes en canoë ou des découvertes du littoral en bateaux.

Objectif Nature – *3 r. Notre-Dame-de-Lourdes* - ☎ *04 95 32 54 34 - lun.-sam. 9h-12h, 14h30-18h.* Kayak de mer, plongée sous-marine, parapente, activités équestres, randonnées pédestres, VTT, mais aussi rafting, hydrospeed, canyoning... Cette boutique réunit toutes les activités sportives de la région.

CALENDRIER

Bastia entretient une vie culturelle animée. La ville organise notamment chaque automne le **festival du Film et des Cultures méditerranéennes.**

se promener

TERRA-VECCHIA★

Environ 2h. Au cœur de la vieille ville bastiaise, cet itinéraire permet de découvrir la ville basse organisée
autour d'une petite crique qui fut autrefois la marine
d'un village de pêcheurs, **Cardo**. Elle offre aujourd'hui
le visage d'un petit port méditerranéen.

> **AUX PUCES**
> Tous les dimanches,
> un marché aux puces
> vient réveiller la place
> St-Nicolas.

Place St-Nicolas

Cette vaste esplanade, longue de 300 m, doit son nom à
une ancienne chapelle pisane détruite au 19e s. Ouverte
à l'Est sur le port où se profilent régulièrement les silhouettes des gigantesques ferries, elle a la noblesse et
l'ampleur d'une place royale. Ceinturée d'une allée de platanes et de palmiers, elle offre un ombrage apprécié à la
belle saison. À l'Ouest et au Sud, de hauts immeubles couverts de lauzes dressent leurs sobres façades. En arrière-
plan, la montagne abrupte et dénudée clôt l'horizon.

La place a été achevée à la fin du 19e s. Au Nord du
kiosque à musique, on remarque un monument aux
morts de la guerre de 1914-1918, œuvre d'artistes locaux.
Ses bas-reliefs représentent le *vocero*, chant de deuil
corse. Au Sud se dresse la statue de Napoléon en empereur romain, due au sculpteur florentin Bartolini en
1853.

Prendre vers le Sud le cours H.-Pierangeli.

Sur la gauche, un ensemble de bâtiments abrite l'Institut régional d'administration et le lycée commercial.
Il occupe l'ancien palais des missionnaires.

Place du Marché

Bordée au Nord-Ouest par l'ancienne mairie, cette ample
place a retrouvé son cachet originel.

Ses vieilles maisons – plusieurs datent du 17e s. – aux
façades hautes et percées de fenêtres souvent occultées
de persiennes, donnent une bonne idée du Bastia
ancien. Le tour de la place, planté de platanes et dallé
de schiste, s'anime chaque matin du bagout des commerçants du marché. Au Sud-Ouest, l'église St-Jean-Baptiste communique avec la place par une porte percée
dans son flanc Sud et surmontée d'un portique à quatre
colonnes.

Église St-Jean-Baptiste

La haute façade classique de ce vaste édifice, calée entre
deux fines tours, domine Terra-Vecchia et veille solennellement sur le vieux port.

À l'intérieur, la haute nef et ses deux collatéraux, à l'ordonnance caractéristique du baroque bastiais, ont reçu
au 18e s. un décor où se mêlent les marbres précieux
(fonts baptismaux), l'or des stucs et les peintures en
trompe-l'œil (celles de la voûte datent de 1871). C'est la
plus vaste église paroissiale de Corse, elle fut élevée de
1636 à 1666. Parmi les personnalités qui reposent sous
le dallage de la nef, on distingue les armes du comte de
Marbœuf.

> **D**ans l'église, remarquer
> en particulier l'élégante
> **tribune d'orgues**
> (1742), les quelques
> **tableaux** de la collection
> du cardinal Fesch, les
> beaux **meubles de la
> sacristie** (18e s.) et le
> curieux **Christ en papier
> mâché** du maître-autel
> (17e s.).

*En sortant par le porche latéral, passer devant la façade
monumentale et remonter la rue St-Jean.*

Au n° 4 de la rue, remarquer le vestibule décoré de
fresques. Cette demeure et celle qui lui fait face passent
pour être les deux plus vieilles habitations de Bastia.
Elles appartenaient à deux familles rivales.

Prendre à droite la rue des Terrasses.

Oratoire de l'Immaculée-Conception★

Donnant sur un minuscule parvis à mosaïque de galets,
cette chapelle de confrérie cache la richesse de son décor
intérieur sous une apparence extérieure des plus
modestes. Cet édifice à nef unique fut commencé en

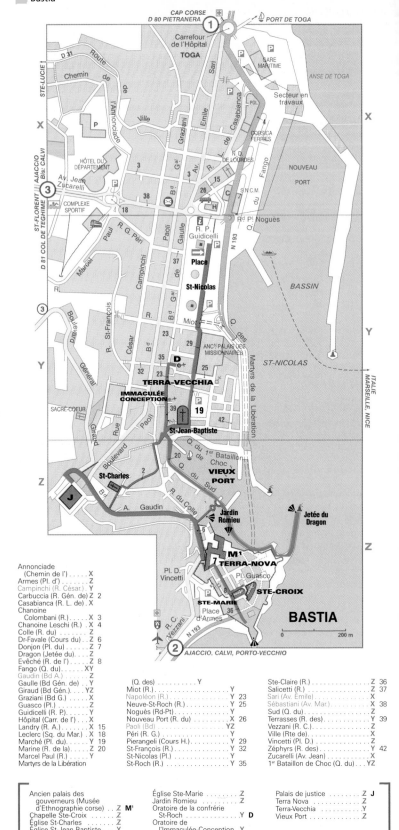

Annonciade
  (Chemin de l') X
Armes (Pl. d') . . . . Z
Campinchi (R. César.) . . Y
Carbuccia (R. Gén. de) Z 2
Casabianca (R. L. de) . X
Chanoine
  Colombani (R.). . . . . X 3
Chanoine Leschi (R.) . X 4
Colle (R. du) . . . . Z
Dr-Favale (Cours du) . . Z 6
Donjon (Pl. du) . . . . . . Z 7
Dragon (Jetée du). . . . Z
Evêché (R. de l') . . . . . Z 8
Fango (Q. du). . . . . . XY
Gaudin (Bd A.) . . . . . . Z
Gaulle (Bd Gén. de) . . Y
Giraud (Bd Gén.) . . . . YZ
Graziani (Bd G.) X
Guasco (Pl.) . . . . Z
Guidicelli (R. P.). . . . . . Y
Hôpital (Carr. de l') . . . X
Landry (R. A.). . . . . . . Z 15
Leclerc (Sq. du Mar.) . X 18
Marché (Pl. du). . . . . Y 19
Marine (R. de la). . . . Z 20
Marcel Paul (R.) . . . . . Y
Martyrs de la Libération

(Q. des) . . . . Y
Miot (R.). . . . . Y
Napoléon (R.) . . . . Y 23
Neuve-St-Roch (R.). . . . . Y 25
Noguès (Rd-Pt). . . . . Y
Nouveau Port (R. du) . . . . X 26
Paoli (Bd) . . . . YZ
Péri (R. G.) . . . . Y
Pierangeli (Cours H.) . . . . Y
St-François (R.). . . . . Y 32
St-Nicolas (Pl.). . . . . Y
St-Roch (R.) . . . . Y 35

Ste-Claire (R.) . . . . Z 36
Salicetti (R.). . . . . Z 37
Sari (Av. Émile). X
Sébastiani (Av. Mar.) . . . . X 38
Sud (Q. du). . . . . Z
Terrasses (R. des) . . . . Y 39
Vezzani (R. C.). . . . . Z
Ville (Rte de). X
Vincetti (Pl. D.) . . . . Z
Zéphyrs (R. des) . . . . Y 42
Zucarelli (Av. Jean) X
1er Bataillon de Choc (Q. du) . . . YZ

Ancien palais des
  gouverneurs (Musée
  d'Ethnographie corse) . . Z M¹
Chapelle Ste-Croix . . . . . Z
Église St-Charles . . . . . . Z
Église St-Jean Baptiste . . . Y

Église Ste-Marie . . . . Z
Jardin Romieu . . . . Z
Oratoire de la confrérie
  St-Roch . . . . Y D
Oratoire de
  l'Immaculée-Conception .Y

Palais de justice . . . . Z J
Terra Nova . . . . Z
Terra-Vecchia . . . . .Y
Vieux Port . . . . Z

1589. Dans ce monument se tinrent au 18ᵉ s. de nombreuses réunions politiques et historiques, dont les assises du parlement anglo-corse dirigées par le vice-roi Elliot.

L'intérieur, richement paré au 18ᵉ s., offre des murs ► couverts de boiseries dans leur partie basse et tendus de damas de velours de Gênes cramoisi pour le reste. Une symphonie de dorures et de marbres s'étale sous un plafond peint à fresque. La décoration de la voûte représente l'Immaculée Conception et les 18 médaillons ovales sous la corniche, les apôtres et les évangélistes. Le maître-autel de 1624, rénové en 1763, est orné d'une copie de l'Immaculée Conception de Murillo.

Sur la gauche, une armoire-vitrine abrite la statue de la Vierge, portée en procession solennelle chaque 8 décembre à travers les rues de Terra-Vecchia jusqu'à l'église St-Jean-Baptiste.

La chapelle de droite abrite un beau crucifix de bois génois du 18ᵉ s. Remarquer les superbes lustres d'époque Directoire. La chaire à prêcher en marbre polychrome est décorée d'un trompe-l'œil. Elle présente l'originalité de n'être accessible que de l'extérieur de la chapelle.

Oratoire de la confrérie St-Roch

La décoration de cette chapelle élevée en 1604 est l'œuvre de maîtres ligures et le retable du maître-autel est dû au Florentin Giovanni Bilivert. Remarquer la statue processionnelle de saint Roch et les belles boiseries d'applique de facture génoise du 18ᵉ s. qui courent le long des murs. Avant de sortir, admirer la tribune d'orgue en bois sculpté et doré. Le buffet d'orgue, en noyer, abrite un rare instrument de 1750.

LA RELÈVE DU GOUVERNEUR
Le deuxième week-end de juillet, le vieux port de Bastia retrouve les fastes d'une cérémonie datant de plus de 500 ans. Elle rappelle la passation des pouvoirs entre les gouverneurs nommés par Gênes et dont le protocole, scrupuleusement reproduit, est inspiré de l'étiquette de la cour d'Espagne. Selon ce rite, l'ancien gouverneur quitte le donjon vers 21h (l'actuel musée d'Ethnographie) pour accueillir, sur le môle génois, son successeur à bord de la galère d'honneur. Cette brillante rétrospective historique, ponctuée de nombreuses joutes (archers, ballets de drapeaux), est animée par plusieurs centaines de figurants bastiais en costume d'époque.

Vieux port★★

La petite crique de l'ancienne marine de **Cardo** abrite le ► port de pêche et de plaisance, au pied de la citadelle et de son donjon. Les vieux immeubles de Terra-Vecchia s'ordonnent en amphithéâtre autour de l'anse. Yachts au mouillage, barques de pêche en bois peintes aux couleurs vives, pêcheurs ravaudant leurs filets, invitent à la flânerie aux terrasses des cafés. En saison, des chanteurs viennent, le soir, animer les lieux.

Bastia vit au rythme de la mer et a conservé sa vocation commerciale. Dans le vieux port se trouvait Cardo, le petit village de pêcheurs à l'origine de Bastia.

Les hautes façades, serrées les unes contre les autres, usées par les ans et polies par le vent du large courent le long des quais. On se perd avec plaisir dans le dédale des rues étroites et mouvementées de Terra-Vecchia : ruelles en escalier, linge suspendu aux cordes, passages couverts, venelles tortueuses réservent mille surprises.

Le front de mer (quai des Martyrs) relie le vieux port à la place St-Nicolas. Il est occupé par les terrasses des cafés d'où l'on peut apprécier le ballet des car-ferries. Remarquer, face à la mer, l'intéressante façade du 17e s. du palais Galeazzani.

Depuis les quais du port, prendre au fond de la crique la rue Gén.-Carbuccia, en forte montée.

Au n° 23 de cette rue, Honoré de Balzac fit un séjour d'un mois durant l'année 1838. Au terme de la montée, on accède à l'église St-Charles.

Église St-Charles

En sem. 9h-12h. Sur demande préalable.

Elle a été construite par les jésuites pour servir de chapelle au collège qu'ils fondèrent à Bastia en 1635. La façade, très classique avec ses deux étages de pilastres et son fronton triangulaire, est vraiment imposante. Les deux statues de marbre blanc représentent saint Ignace de Loyola et saint François-Xavier.

La quasi-totalité de la décoration peinte a disparu. Seul subsiste, au maître-autel, un triomphal retable. La toile, encadrée d'une très riche décoration de bois, représente la vénérée **Vierge de Lavasina** *(voir ce nom dans Cap Corse)*. En sortant, remarquer à gauche le bel alignement des façades ornées d'encorbellement.

Prendre à droite les escaliers jusqu'au boulevard Gaudin et poursuivre à droite.

Palais de justice

De majestueuses proportions avec ses deux pavillons latéraux surmontés d'un fronton, il a reçu une colonnade de marbre bleu de Corte. Il fut bâti au milieu du 19e s.

Revenir jusqu'au terme du boulevard Gaudin et prendre la rue en pente vers le vieux port.

Remarquer l'immeuble à arcades réalisé en 1955 par l'architecte Pouillon, dans le cadre de la reconstruction d'après-guerre du vieux port.

Quai du Sud, un escalier à double révolution mène au jardin Romieu.

Jardin Romieu

Sur les pentes qui montent à la citadelle, ce jardin verdoyant apporte fraîcheur et calme. Un sentier tortueux se hisse parmi les palmiers, les lauriers, les pins et les plantes grasses jusqu'à un point de vue d'où l'on contemple une nouvelle fois le vieux port et les vieilles maisons du quartier de Terra-Vecchia.

TERRA-NOVA★

Visite, 1h1/2. On peut y accéder à pied, depuis le vieux port en empruntant le quai du Sud vers le jardin Romieu, d'où l'on gagne le cours du Dr-Favale, ouvert sur l'emplacement des anciens fossés. En voiture, après le boulevard Paoli, prendre le boulevard Gaudin vers la citadelle. Laisser la voiture au parking indiqué sur le plan.

Ceinturée de remparts du 15e siècle, la citadelle fut édifiée par les Génois entre le 15e et le 17e s. Y pénétrer par la porte monumentale, dite porte Louis-XVI (fin 18e s.), qui mène à la **place du Donjon**.

Ancien palais des gouverneurs

À l'intérieur du fortin, les bâtiments accolés au donjon bordent une petite cour et des jardins. Ils constituèrent le palais des gouverneurs génois du 15e au 18e s., puis celui du Conseil supérieur créé par Louis XV. Ils abritent aujourd'hui le musée d'Ethnographie corse.

Musée d'Ethnographie corse★

Fermé pour travaux de réaménagement jusqu'en 2002.

Depuis la place du Donjon, plusieurs ruelles bordées de très vieilles maisons traversent la citadelle et mènent à l'ancienne cathédrale.

Église Ste-Marie★

Sa façade restaurée donne sur une petite place. Au n° 12 remarquer le presbytère, où séjournèrent de 1803 à 1805 le général Hugo et son fils Victor. Élevée à partir de 1495 par l'évêque de Mariana, cette église fut érigée en cathédrale en 1570 et le resta jusqu'au transfert de l'évêché de Corse à Ajaccio en 1801. Certaines transformations, ainsi que le clocher, datent du début du 17e s.

L'intérieur majestueux, aux trois nefs richement décorées dans une harmonie joyeuse de rose et d'or, est un bon reflet du goût baroque en honneur aux 17e et 18e s. On remarquera : le dallage polychrome en marbres, blanc de Carrare, bleu de Corte, rouge d'Oletta (ce pavage n'est pas l'original, il a été posé en 1869 lors de la visite de l'impératrice Eugénie) ; les soubassements des piliers et des murs de l'église, plaqués de roche verte du Bevinco.

Dans le chœur, au-dessus de l'autel, se font face les « **cantorie** », tribunes des chanteurs pratiquées dans l'épaisseur du mur. Surmontant l'autel du Sacré-Cœur, dans le bas-côté gauche, un panneau peint sur bois de l'**Assomption** de Leonoro d'Aquila (1512) est la seule œuvre signée de ce peintre italien de renom.

Dans les bas-côtés, s'ouvrent des **chapelles de confréries**. Dispersés dans l'église, on découvre de belles statues de bois polychrome du 17e s. et des tableaux de la **collection du cardinal Fesch**. Et lorsque la sacristie est ouverte, on peut apprécier un très beau mobilier ainsi que le trésor de la cathédrale. Les orgues réputées provenant de la maison Serassi de Bergame datent de 1845.

En sortant de Ste-Marie, tourner à droite et suivre le long du bas-côté gauche de l'église la rue de l'Évêché, dallée en escalier, jusqu'à l'entrée de la chapelle Ste-Croix.

Remarquer dans une niche vitrée du bas-côté droit, le groupe de l'Assomption de la Vierge★★. Composée d'argent, la statue fut ciselée au 18e s. à Bastia par un artiste siennois, Gaetano Macchi.
Le 15 août, cette sculpture est portée en procession à travers la citadelle et Terra-Nova.

Chapelle Ste-Croix★

Tlj sf w.-end.

Elle fut construite par les deux plus puissantes confréries bastiaises de pénitents afin d'abriter un crucifix miraculeux, repêché en 1428. Ce **Christ des miracles★**, œuvre la plus vénérée des paroissiens de Bastia, est exposé dans la chapelle latérale droite. Le 3 mai, une procession solennelle honore le Christ des Miracles, patron des pêcheurs bastiais.

L'intérêt de l'édifice réside aussi dans le somptueux **décor★★** rococo du 18e s., représentatif du style « **barocchetto** » génois. Sur le fond bleu du plafond de la nef se détachent harmonieusement des angelots et les gracieuses arabesques des stucs recouverts d'or.

Le maître-autel en marbre polychrome est dominé par un majestueux retable de Giovanni Bilivert, *L'Annonciation*, de 1633. Remarquer également l'intéressant buffet d'orgue du 18e s. et un groupe processionnel en bois polychrome aux expressions particulièrement théâtrales.

En sortant de Ste-Croix, remonter la rue de l'Évêché, tourner à droite et suivre la rue Ste-Claire. L'accès au bastion Sud de la citadelle, aménagé en jardin public, permet d'avoir une belle vue sur la côte au Sud de Bastia.

Avant de quitter la citadelle, on goûtera le charme paisible de la place Guasco et des venelles alentour.

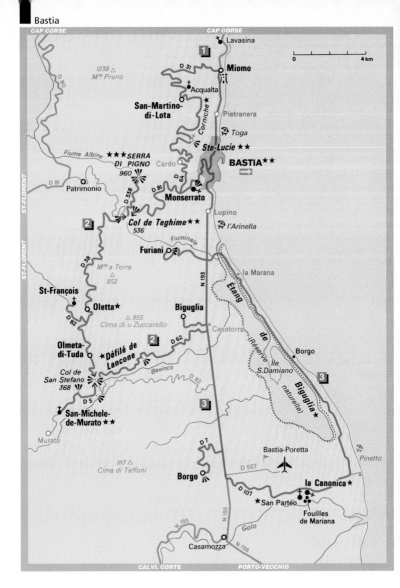

circuits

1 MIOMO ET LA CORNICHE SUPÉRIEURE

Circuit de 24 km. Quitter Bastia par le Nord par la D 80.

Après avoir longé la plage de Toga et la station balnéaire de Pietranera, la route épouse les sinuosités du littoral.

Miomo

Ce village conserve en bordure de mer une solide tour génoise, campée sur des affleurements de schiste vert. La vue de la petite plage de galets de Miomo, dominée par sa tour, est un peu l'image d'Épinal des tours génoises du Cap Corse.

Prendre à gauche la D 31 en direction de San-Martino-di-Lota.

La route serpente à flanc de montagne, passe au pied de deux cascades avant d'arriver à Acqualta, principal hameau de San-Martino-di-Lota.

San-Martino-di-Lota

La placette qui borde l'église d'**Acqualta** offre une vue plongeante sur la vallée profonde. L'église est flanquée d'un élégant clocher à deux étages.

Chaque Vendredi saint, les habitants ont coutume de réaliser un objet en palmes tressées.

Après San-Martino-di-Lota la route est taillée en **corniche**★ dans les schistes verts aux reflets dorés.

Ste-Lucie

Église perchée sur un rocher, d'où la **vue**★★ se développe sur Bastia avec son port et sa citadelle, l'étang de Biguglia et l'archipel toscan.

Retour par le petit village résidentiel de Cardo et l'oratoire de Monserrato.

Oratoire de Monserrato

Accès à pied possible depuis le palais de justice de Bastia en 1h de marche. Se renseigner à l'Office de tourisme.

Extérieurement très simple, cet oratoire daté du 18e s. abrite un « escalier saint » ou **Scala Santa**, réplique de celui de la basilique St-Jean-de-Latran à Rome.

En 1816, le pape Pie VII conféra à Bastia le rarissime privilège de posséder un tel escalier, en reconnaissance de l'aide apportée par les Bastiais aux prêtres romains refusant de prêter serment et exilés en Corse par Napoléon Ier. La Scala Santa actuelle a été installée en 1884. Remarquer, dans l'abside, la belle Vierge à l'Enfant en marbre du 17e s. Deux pèlerinages ont lieu chaque année : le 12 mai (St-Pancrace) et le 2 juillet. En sortant, admirer la **vue**★ sur Bastia depuis le couvent St-Antoine. À proximité, en descendant vers la ville, la fontaine sous voûte d'Alletto (ou Monserrato) présenterait la plus vieille inscription lapidaire bastiaise (1560).

L'ESCALIER SAINT

Selon la tradition chrétienne, *la Scala Santa* désigne l'escalier du palais de Ponce Pilate à Jérusalem que le Christ gravit le jour de sa Passion. La faveur attachée aux répliques de cet escalier veut que le fidèle qui le gravit à genoux soit absout de ses péchés.

2 ÉGLISE SAN MICHELE DE MURATO PAR LE DÉFILÉ DE LANCONE★

Circuit de 49 km – environ 2h. Quitter Bastia par le Sud et rejoindre la N 193. À Casatorra, prendre à droite la D 62.

La route serpente dans les derniers vergers de la plaine de Bastia. Elle s'élève progressivement au milieu des chênes verts et des chênes-lièges qui cèdent la place au maquis. Puis, dans un décor minéral avec des surplombs parfois vertigineux, la route s'engage dans le défilé de Lancone.

Défilé de Lancone★ *(voir le Nebbio)*

Prendre sur la gauche la D 5 qui mène à Murato.

Entre le col de **San Stefano** et l'église San Michele *(4 km environ)*, on jouit d'un ample **panorama**★★ sur la conque du Nebbio avec ses ondulations de collines et de plateaux verdoyants. On devine en arrière-plan St-Florent et, sur la gauche, les monts des Agriates.

Église San Michele de Murato★★ *(voir ce nom)*

Retour au col de San Stefano par la même route.

Du col de San Stefano au col de Teghime

Portion de l'itinéraire décrit dans le chapitre Nebbio.
Au col de Teghime, descendre sur Bastia par la D 81.

3 ÉTANG DE BIGUGLIA

Circuit de 65 km – environ 3h. Quitter Bastia par le Sud et rejoindre la N 193. Après avoir traversé la ville nouvelle de Lupino, prendre à gauche vers Marana-Plage. La route suit un étroit cordon littoral entre l'étang de Biguglia et la mer.

Réserve naturelle de l'étang de Biguglia★

Avec ses 1 800 ha, c'est le plus grand étang de Corse. Son cordon lagunaire est constitué des alluvions de l'ancienne embouchure du Golo. L'étang est encore alimenté par l'*eau de mer à son extrémité Nord.*

L'exceptionnelle variété des végétaux : herbiers de zostères au Nord, prairies inondées au centre, roselières denses et vasières au Sud, en fait un important potentiel d'alimentation pour les espèces migratoires et hivernantes ; une étape essentielle pour l'avifaune sur l'axe migratoire Europe-Afrique.

« CUI-CUI »

On dénombre plus de 100 espèces d'oiseaux : près de 30 hivernants et plus de 60 migrateurs estivants dont de nombreux oiseaux rares (grand cormoran, héron pourpré, foulque macroule, crabier chevelu...). L'observateur silencieux muni d'une paire de jumelles verra la silhouette colorée et fugitive du martin-pêcheur, celle élancée du héron pourpré et le vol lent du busard.

L'importante densité de tortues cistudes contribue à la réputation de ce patrimoine naturel unique en Méditerranée occidentale. Mulets et surtout anguilles fréquentent assidûment les eaux de l'étang. L'anguille a d'ailleurs longtemps constitué la principale ressource de Biguglia. La pêche en barque ou équipé de cuissardes est interdite. Des projets sont en cours pour aménager des circuits pédestres et cyclables et pour rouvrir l'observatoire de Tambulu Biancu. Dans une pinède, le village de vacances de **Borgo** forme un grand ensemble pavillonnaire. On traverse les parcs à moutons avant d'atteindre la route d'accès à la plage de Pinetto.

La Canonica★ *(voir ce nom)*

Continuer la D 107 jusqu'à Crocetta sur la N 193 et prendre à droite vers l'aéroport. Regagner la N 193. À 1,5 km prendre sur la gauche la D 7.

Borgo (Borgu)

Ce village **belvédère★** occupe un replat au-dessus de l'étang de Biguglia. Depuis le début des années 1980, Borgo, englobé dans l'aire économique du « Grand Bastia », jouit d'un développement dynamique.

Sur la façade de l'**église baroque Saint-Appien**, une plaque commémorative rappelle les revers subits par les Français lors de la guerre d'Indépendance corse. À proximité se dressent les ruines de l'ancienne église et son clocher de guingois.

> ### LES VICTOIRES DE PAOLI
>
> Borgo fut le théâtre des deux plus importants revers de l'armée française en Corse.
> Le premier, en décembre 1738, porte le nom de « Vêpres corses » : les troupes du comte de Boissieux, envoyées dans l'île par le roi de France à la demande de Gênes, sont écrasées par les Nationaux.
> Le second, en octobre 1768, retarda la réunion de l'île à la France. Le Français Ludre se retranche, avec ses hommes, à Borgo pour des raisons stratégiques. Mais ils se trouvent bloqués par les troupes corses commandées par Clément Paoli, frère de Pascal. Le marquis de Chauvelin, chef de la garnison de Bastia, se porte au secours de Ludre mais il doit renoncer après 10 heures de combat. Les Français laissent sur le terrain 600 morts, 1 000 blessés, 600 prisonniers et 700 fusils, et Ludre est contraint à la reddition.

Revenir à la N 193 par laquelle s'effectue le retour à Bastia.

Biguglia

2,5 km au départ de la N 193 par la petite route qui s'ouvre à gauche peu après l'embranchement de la D 82.

On a peine à croire que ce gros village qui domine l'étang et la mer fut la capitale de l'île sous la domination pisane puis génoise. En 1372, les Génois en furent chassés suite à une révolte corse ; ils s'installèrent alors à Bastia.

Furiani

4 km au départ de la N 193. Perché sur une colline et gardé par une tour génoise, ce village offre une belle **vue★** sur l'étang de Biguglia et la mer.

Le clocher de Borgo s'élève au-dessus de l'étang de Biguglia et de la haute vallée du Golo. En raison de son emplacement, le village eut longtemps un intérêt stratégique.

Aiguilles de **Bavella**★★★

Les aiguilles, ou « fourches » de Bavella appelées aussi cornes d'Asinao, composent un étonnant et somptueux décor, domaine de prédilection des randonneurs et des alpinistes. Un arrêt au col de Bavella (1 218 m) permet d'admirer ces pics aux formes déchiquetées, la couleur changeante des grandes murailles rocheuses émergeant des pins laricio et l'âpreté du paysage.

Les pins tordus par le vent s'accrochent à un terrain rocheux couvert de quelques touffes d'herbe. À la fin du printemps, les lieux se parent de la belle couleur mauve rosé des odorantes fleurs de thym.

La situation

Carte Michelin no 90 pli 7 - Corse-du-Sud (2A). Le col de Bavella est traversé par la D 268 qui relie la partie Ouest (région de Sartène) à la côte Est de l'île (Solenzara). Le GR 20 parcourt aussi les environs ; venant de l'Incudine, il se dirige vers le col de Finosa et la Punta Tafonata di Paliri. C'est l'une des plus belles étapes du sentier de randonnée ; une variante alpine du GR permet même de pénétrer au cœur du massif de Bavella.

Pour séjourner autour du col, il faudra se rendre à Zonza (9 km) ou à Quenza (14 km).

Le nom

Bavella est souvent qualifié de « plus beau jardin d'aiguilles de la Corse ».

Les gens

La route reliant Zonza à Solenzara (40 km) à travers le massif de Bavella est empruntée chaque année par les coureurs du Tour de Corse automobile.

itinéraire

DE SOLENZARA À ZONZA

30 km - environ 2h.

Solenzara *(voir ce nom)*

La D 268 longe la Solenzara dont le lit s'encombre bientôt de rochers. Les berges de la rivière se couvrent de pins lorsqu'elle pénètre dans la **forêt domaniale de Tova.**

Col de Larone

Alt. 608 m. Il offre une très belle **vue★★**, à gauche sur la Punta di Ferriate formant la partie extrême du chaînon des Paliri et, à droite, sur la forêt Tova accrochée aux **pentes abruptes de la montagne.**

La route, très sinueuse, pénètre alors dans la forêt de Bavella dont on admire de très beaux peuplements de pins laricio *(voir Forêt de Vizzavona).*

En de nombreux points de l'île se profile la silhouette des ces célèbres aiguilles teintées de rouge, d'ocre ou de doré.

Cascades de Polischellu★

Environ 3 km après le col, on parvient au lieu-dit Arggiava. 500 m plus loin, laisser la voiture sur le bord de la route, à côté d'un gros chêne entouré de deux rochers. Emprunter le sentier qui remonte le long de la rive gauche du Polischellu. Après 10 mn de marche environ, on atteint la première cascade où un agréable bassin invite au plongeon. Au-dessus se succèdent de nombreuses autres chutes mais leur accès est plus difficile.

Forêt de Bavella★★

Étagée entre 500 et 1 300 m d'altitude, cette belle forêt de 930 ha a été malheureusement dévastée à plusieurs reprises par les incendies, notamment celui de 1960. Devenue réserve nationale, elle a fait l'objet d'un reboisement important de pins maritimes et laricio, de cèdres et de sapins. De plus l'Office national des forêts a fait ouvrir des tranchées pare-feu de 50 m et planter des châtaigniers, plus résistants aux flammes que les résineux. Une réserve de chasse y a été créée en 1950. L'observateur attentif et chanceux peut voir, sur les rochers abrupts, à plus de 1 000 m, évoluer des hardes de mouflons.
À l'approche du col, chaque contour de la route ménage une vue différente sur les immenses parois rocheuses.

Bavella

Peu avant le col s'étagent, au milieu de superbes pins laricio, quelques constructions basses en pierre ou en bois. Il s'agit d'anciennes bergeries bâties sur un terrain concédé par Napoléon III aux habitants de Conca qui venaient y passer l'été. Un peu au-dessus de ce « village d'été », près d'une source, s'est établie l'**auberge du Col**.

Col et aiguilles de Bavella★★★

Alt. 1 218 m. Ce col qui échancre la grande arête faîtière de l'île est marqué par une croix et par la **statue de N.-D.-des-Neiges.** Le site et le panorama sur le massif de Bavella sont splendides. De la forêt de Bavella émergent, à l'Ouest du col, les célèbres **aiguilles de Bavella★★★** curieusement découpées, derrière lesquelles on peut apercevoir le massif de l'Incudine. À l'Est se profilent la grande paroi de la Calanca Murata et l'arête rouge en dents de scie de la Punta Tafonata di Paliri, avec la mer Tyrrhénienne dans le lointain.

Zonza *(voir ce nom)*

randonnées

Départ de l'auberge du Col (voir carnet d'adresses), située 200 m en contrebas sur la D 268 (direction Solenzara). Des topoguides détaillent les itinéraires proposés dans le massif, voir la bibliographie en début de guide.

Promenade de la chapelle

🥾 *1/2h AR.* Point de départ : la fontaine située à droite de l'auberge du col. Après avoir longé un petit torrent, la **chapelle de la Vierge** apparaît, blanche et rose sur un mamelon encadrée de pins. Depuis la prairie voisine, au-dessus du monument, **vue★** magnifique sur les aiguilles de Bavella.

Promenade de la Pianona★★★

🥾 *boucle d'1h environ. Balisage orange. Départ du parking du col de Bavella ou de l'auberge de Bavella.*
À gauche, la vue porte sur la Punta Tafonata di Paliri, la forêt de Bavella et la mer que l'on distingue dans le lointain. Sur les pentes douces, crocus et anémones donnent au printemps mouvement et couleur aux prairies.
On progresse parmi de majestueux pins ; quelques sujets morts, constellés de trous, révèlent le travail des pics épeiches (oiseaux grimpeurs au plumage noir, blanc et rouge). Les cavités que ces oiseaux creusent pour se nourrir peuvent servir ensuite de nids à d'autres espèces, mésanges et troglodytes.

En appuyant sur la droite, on accède à une plate-forme herbeuse, une *pianona*, piquetée de pins aux formes tourmentées par le vent. De là se découvre une **vue★★★** saisissante sur les aiguilles de Bavella et, par temps clair, sur le rivage occidental et oriental de la Corse.

Rejoindre la chapelle de la Vierge où l'on retrouve l'itinéraire de l'aller.

Trou de la Bombe★

Boucle de 2h environ. Balisage rouge signalé « Cumpuleddu » au départ du parking du col de Bavella ou depuis l'auberge de Bavella. Pour votre sécurité, ne quittez pas le sentier balisé.

Celui-ci s'élève dans une combe boisée, jusqu'à une crête. On aperçoit bientôt sur la gauche une tête rocheuse émergeant des arbres. Le sentier suit la ligne de crête. En descendant vers le col, on découvre le trou de la Bombe ; il s'agit en fait d'une ouverture circulaire d'environ 8 m de diamètre transperçant l'arête faîtière du chaînon des Paliri, située sur la droite de la Calanca Murata et en avant du campanile de Ste-Lucie.

On peut poursuivre la promenade jusqu'au col de Velaco ouvert dans une vaste cuvette boisée et tapissée de fougères, dominée par les dalles de granit rose de la Pointe de Velaco (alt. 1 483 m).

Regagner l'auberge par le même itinéraire.

Passé le col de Bavella, la D 268 descend sur Zonza à travers pins et châtaigniers.

Le trou de la Bombe. Le nom corse d'origine, plus bucolique, ne fait mention d'aucune bombe : « U tafonu d'u compuleddu », signifie le trou de l'enclos du berger.

Bocognano

Bucugnà

Dans les châtaigniers de la haute vallée de la Gravona, Bocognano fait face à la chaîne du Monte d'Oro. Ses 640 m d'altitude, sa fraîcheur estivale, la proximité de la forêt de Vizzavona et des hauts massifs de l'île font de ce village une étape agréable sur la route d'Ajaccio à Bastia.

La situation

Carte Michelin nº 90 pli 6 - Corse-du-Sud (2A). Bocognano se trouve sur la N 193 à peu près à mi-chemin entre Ajaccio et Corte.

Les gens

343 habitants. Meurtriers, hors-la-loi, Antoine Bonelli et son frère Jacques, surnommés **Bellacoscia** régnèrent, avec la complicité de la population, durant 44 ans sur la région. Ils contribuèrent à la légende qui auréola au 19e s. le banditisme dans l'île. Antoine se rendit solennellement à la justice en gare de Vizzavona *(voir ce nom)*.

se promener

Le village

La **gare** centenaire a gardé le charme désuet des chemins de fer disparus de la France continentale.

On s'arrêtera devant la majestueuse **fontaine de galets★** (1883), située près de la poste. De la terrasse de la chapelle au campanile rustique, **vue** sur le Monte d'Oro.

Cascade du Voile de la mariée★

3,5 km au Sud par la D 27, puis 25mn à pied AR. Quelques mètres avant de s'engager sur le pont routier qui franchit le torrent, prendre à gauche le sentier qui rejoint la rive et remonter pendant 10 mn environ jusqu'au point d'observation de la cascade : des chutes se succèdent sur un dénivelé de près de 150 m.

Bocognano et sa fontaine de galets, élément caractéristique de l'architecture traditionnelle corse.

Bonifacio★★★

Bunifaziu

Ville la plus méridionale de l'île, édifiée sur un site★★★ exceptionnel, Bonifacio est un lieu incontournable. Enfermée dans ses fortifications, la vieille ville est juchée sur un étroit et haut promontoire de calcaire modelé par la mer et le vent. Elle est séparée du rivage par une ria longue de 1 500 m au fond de laquelle fleurit une marine. Jadis havre sûr pour les vaisseaux de guerre, le port offre aujourd'hui son mouillage aux bateaux de plaisance. De la mer, la ville haute présente un aspect encore plus saisissant avec ses vieilles maisons agglutinées à l'extrémité de la falaise.

La situation

Carte Michelin n° 90 pli 9 – Corse-du-Sud (2A). L'approche de Bonifacio par la route de Sartène ou par celle de Porto-Vecchio fait apparaître cette cité médiévale comme un magnifique « bout du monde », isolé du reste de l'île par un vaste et aride plateau calcaire, véritable **causse** d'une superficie de 25 km². Large de 12 km et parsemé de petites îles, le détroit, appelé Bouches de Bonifacio, sépare la Corse de la Sardaigne. **El** *2 r. Fred-Scamaroni, 20169 Bonifacio,* ☎ *04 95 73 11 88. De déb. juin à fin sept. : 9h-20h ; de déb. oct. à fin mai : lun.-ven. 9h-12h30, 14h-17h30.*

Le nom

Boniface, marquis de Toscane, donna son nom à la cité en 828.

Les gens

2 658 Bonifaciens. Le site de Bonifacio peut s'enorgueillir d'être la terre d'élection de la doyenne de la Corse. Les fouilles de l'abri sous-roche de l'Araguina-Sennola à l'entrée de la ville ont en effet livré la sépulture d'un squelette féminin, la **« dame de Bonifacio »**, datant de 6570 avant J.-C. (prénéolithique). C'est la plus ancienne trace de présence humaine en Corse.

comprendre

Le plateau calcaire sur lequel se perche la vieille ville présente de magnifiques falaises blanches, hautes de plus de 60 m, battues par le vent et les vagues.

Ville libre puis colonie génoise – Habité dès la préhistoire, le site fut également occupé par les Grecs et les Romains (sous l'Antiquité). Érigée en commune au 9e s., Bonifacio vécut plusieurs siècles de piraterie. Cependant, Pise et Gênes étaient désireuses de contrôler ce port naturel qui permettait de surveiller la Méditerranée occidentale. En 1187, les Génois réussirent à s'infiltrer par ruse et 8 ans plus tard, ils y installèrent une colonie. La ville fut dotée de nombreux privilèges et devint une sorte de petite république autonome, battant monnaie. Elle fut l'une des plus fidèles places génoises de Corse.

L'escalier du roi d'Aragon – La valeur stratégique du célèbre rocher ne laissait pas indifférents les principaux souverains d'Europe. Bonifacio eut ainsi à soutenir de nombreux sièges : ceux de 1420 et 1553, longs et rigoureux, sont restés célèbres.

En 1420, Alphonse V d'Aragon, fort d'un acte du pape Boniface VIII concédant la Corse en fief à son père Jacques II, revendiqua l'île. Il assiégea Bonifacio durant cinq mois. L'escadre aragonaise occupa le port et empêcha tout ravitaillement par terre. Malgré les privations, la colonie génoise fut animée d'un courage exceptionnel. La légende veut que les soldats espagnols, pour surprendre les assiégés, aient taillé un escalier de 187 marches au flanc de la falaise Sud. En fait, cet escalier « du roi d'Aragon » empruntait un ouvrage antérieur utilisé par les Bonifaciens pour accéder à un puits. Seule la vigilance de **Marguerite Bobbia,** vaillante Bonifacienne, fit échouer la manœuvre. Gênes put se porter au secours de sa colonie et Alphonse V leva le siège.

La trahison de Cattaciolo – En 1553, un quart de siècle après la grande épidémie de peste qui décima les deux tiers de la population, le « Gibraltar corse » dut subir une nouvelle épreuve. Les troupes du roi de France Henri II, soutenues par la flotte du corsaire turc **Dragut**, canonnèrent la cité pendant 18 jours et 18 nuits. À l'aube du dernier jour, les Bonifaciens repoussèrent trois assauts successifs. Le clergé, les femmes et les enfants participèrent au combat avec une telle détermination que Dragut fut sur le point de lever le siège. Mais la ruse permit au corsaire de s'emparer de la place et de se venger.

Alors qu'il revenait de Gênes avec 15 000 écus destinés à soutenir l'ardeur des Bonifaciens, **Dominique Cattaciolo** fut emprisonné et rallia la cause franco-turque. Il se présenta à ses concitoyens avec une lettre fallacieuse dans laquelle Gênes s'avouait incapable de les secourir. Les Bonifaciens se résignèrent alors à capituler « vies et bagues sauves ». Mais, les portes de la cité à peine ouvertes, le corsaire, revenant sur sa parole, la pilla et massacra la garnison ainsi que quelques civils. Il fallut l'intervention de Sampiero et l'argent du maréchal de Thermes pour éloigner Dragut et épargner la ville.

Échanges de bandits – Au 19e s. il n'était pas rare qu'un bandit corse, pour échapper à la justice de son pays, passe le détroit et se réfugie en Sardaigne. Son homologue sarde effectuait la traversée en sens inverse. Ces échanges devinrent si fréquents qu'en 1819 et 1843 la Corse et la Sardaigne se mirent d'accord pour se livrer leurs hors-la-loi respectifs et faire surveiller les Bouches de Bonifacio par des navires de guerre.

Bonifacio aujourd'hui – L'exploitation des oliviers et des chênes-lièges, la pêche à la langouste et au corail constituaient, au début du siècle, les principales activités de la région. Aujourd'hui Bonifacio vit surtout du tourisme. Elle a conservé une langue qui lui est propre, le « bonifacien », de très ancienne origine génoise, encore parlée par plusieurs centaines de personnes.

se promener

LA MARINE*

Visite 3/4h. Le quartier du port, étiré sur le quai Sud et dominé par l'imposant bastion, protégeait jadis l'entrée de la citadelle. Les hôtels, restaurants, cafés et magasins de souvenirs rassemblés dans cette basse ville entretiennent durant l'été une activité qui se prolonge tard dans la nuit.

Paysage caractéristique de Bonifacio.

carnet pratique

TRANSPORTS

Aéroport – Figari Sud Corse -
☎ 04 95 71 10 10.

Taxi – Borne d'appel - ☎ 04 95 73 19 08.

Voiture – En juil.-août, la densité des
visiteurs nécessite l'application d'une
réglementation stricte quant à l'accès à la
ville haute en voiture. Les parking (payants)
se situent à l'entrée de la marine et à
l'extrémité de la ville haute.

Distributeur de billets – La ville ne
dispose que d'un seul distributeur
automatique situé au bout du quai
Comparetti vers la gare maritime.
Prendre ses précautions lors d'un séjour
incluant un w.-end ou des j. fériés.

VISITE

Petit train touristique – Juil.-août :
(1/2h + visite ville) 9h-00h ; avr.-juin et
sept.-oct. : 9h-12h, 13h30-18h. 4,57€
(enf. : 2,29€). ☎ 04 95 73 15 07 et 04 95
73 13 16. Effectue en saison un circuit dans
la ville haute depuis les parkings de la
marine.

RESTAURATION

• À bon compte

U Campanile – 7 montée Rastello -
☎ 04 95 73 09 90 - fermé déc. à fév. -
13/17€. Au pied de l'escalier qui mène à la
citadelle, cette maison est face à l'église
Saint-Érasme, protecteur des pêcheurs. La
salle à manger bleu mer et ses bibelots lui
donnent un bon air marin. Pizzas et cuisine
d'ici pour requinquer les navigateurs en
herbe. Terrasse.

Café Restaurant de la Poste –
6 r. Scamaroni (ville haute) - ☎ 04 95 73
13 31 - fermé 1er janv. au 15 fév. et dim. soir
en hiver - 13,50/21€. Cette salle voûtée
abritait autrefois le tri postal. Aujourd'hui
plus de lettres, mais des tables pour déguster
pâtes fraîches, pizzas et autres spécialités
locales. Une petite terrasse sur la rue et un
balcon très prisé qui offre une vue sur le
goulet de Bonifacio.

• Valeur sûre

Le Voilier – À la Marine - ☎ 04 95 73
07 06 - fermé 31 déc. au 28 fév., dim. soir
et lun. d'oct. à déc. - 16,77/28,97€.

L'agréable terrasse de ce restaurant
s'avance sur les quais du port de
plaisance mais si le temps est un peu frais,
vous préférerez sa salle à manger moderne.
Produits de la mer aux menus à prix
honnêtes.

Stella d'Oro – 7 r. Doria - ☎ 04 95 73
03 63 - fermé oct. à mars - réserv.
conseillée – 26/46€. Les spécialités
bonifaciennes, poissons grillés et pâtes
fraîches sont à l'honneur dans cette maison
typique de la ville haute. L'accueil familial
y est chaleureux. Deux accueillantes salles
simples à l'atmosphère rustique ont
déjà reçu quelques célébrités...

HÉBERGEMENT

• Valeur sûre

Le Golfe – À Gurgazu - 6 km au NE de
Bonifacio par rte de Santa-Manza -
☎ 04 95 73 05 91 - fermé 21 oct. au
19 mars - 🅿 - 12 ch.: demi-pension 59,46€
- ☲ 6,10€ - restaurant 14/20€. Pour
échapper à l'agitation de Bonifacio, rien
de mieux que ce petit hôtel familial au bord
du golfe de Santa-Manza. Au-dessus de la
plage, ses chambres sont simples mais bien
tenues. Restaurant modeste mais sérieux et
bien coté.

• Une petite folie !

Hôtel Santa Teresa – Quartier St-François -
☎ 04 95 73 11 32 - fermé 11 oct. à mars -
🅿 - 44 ch.: 89,34/112,20€ - ☲ 6,86€.
Ici, à l'extrémité de la ville haute, vous
dominerez la mer et apercevrez la Sardaigne.
Un décor qui semble avoir façonné
l'ambiance, faite de silence et de
recueillement. Pour autant, les chambres ne
sont pas spartiates mais sobres et plutôt
soignées.

SORTIES

De Bonifacio à Porto-Vecchio, de nombreux
night-clubs animent, le temps d'une saison,
les soirées d'une clientèle très cosmopolite.
Dans la ville haute, des restaurants
proposent certains soirs des animations avec
des chanteurs traditionnels.

ACHATS

Des bijoux en corail et en nacre et de belles
arborescences de corail sont exposés dans
toutes les boutiques du quai Comparetti et
dans quelques échoppes de la ville haute
(place Fondaco).

Casa Corsa – R. St-Dominique - ☎ 04 95
73 53 54. Composé d'une boutique
proposant un choix de produits locaux
(charcuteries, fromages, vins...) de qualité et
d'une « cantineta » à l'ambiance
typiquement corse, cet établissement sera
une sympatique halte lors de votre visite de
la ville haute.

LOISIRS-DÉTENTE

Atoll – 27 quai Blando-del-Ferro -
☎ 04 95 73 02 83 - juin-sept. : tlj quai
Blando-del-Ferro ; reste de l'année :
Cavallo-Morto. Ce centre vous offre la

possibilité de faire de la plongée dans un des plus beaux sites naturels du littoral corse : les îles Lavezzi et de Cavallo. Baptêmes pour débutants ou plongées se font dans une eau limpide à la découverte de magnifiques fonds sous-marins.

Barakouda – *Av. Sylvère Bohn -* ☎ *04 95 73 13 02 - juin-août : tlj 8h30, 12h, 14h30 et 18h ; reste de l'année : 8h30, 14h.*

Que l'on soit novice ou expérimenté, vous prendrez plaisir à plonger dans des fonds marins de toute beauté. Faune et flore vous émerveilleront. Les plongeurs aguerris pourront découvrir le site appelé « mérouville » proche des Îles Lavezzi.

Sperone Golf Club - ☎ *04 95 73 17 13.* Golf 18 trous sur un site magnifique dominant les bouches de Bonifacio.

Des constructions nouvelles de 4 ou 5 étages, certaines à arcades ou avec piscine, alignent leurs toitures roses inégales sur la rive Nord. C'est le quartier de **Giovasole**.

Aquarium

🔲 *71 quai Comparetti.* ♿ *D'avr. à fin oct. : 10h-20h (juil.-août : 9h30-0h). 3,35€ (enf. : 1,65€).* ☎ *04 95 73 03 69.*
Dans une grotte, treize aquariums présentent d'une manière attrayante la faune marine corse : crabe galathée strié de rouge et bleu, labre aux couleurs changeantes, murène, homard bleu. Selon l'époque, on peut voir des œufs de roussettes (petits squales) accrochés à des ramures.

Col St-Roch

À gauche de l'église St-Érasme, un large chemin pavé, en escalier, permet d'accéder au col où s'élève une modeste chapelle, à l'endroit où succomba la dernière victime de la grande peste de 1528.

Ce belvédère naturel offre une **vue**★★ très étendue sur le large, jusqu'aux côtes de la Sardaigne, les hautes falaises calcaires aux strates burinées par la mer, le bastion et la marine. À gauche, le « **Grain de sable** », dont la base est sapée par les vagues, dresse sa silhouette familière en avant de la falaise.

LA VILLE HAUTE★★

Visite 2h. Les piétons y accèdent par les montées Rastello et St-Roch, longue rampe, qui mène à la porte de Gênes. Les automobilistes peuvent laisser leur véhicule à l'un des parkings situé à l'entrée de la citadelle.

La ville haute comprend la **vieille ville** à l'ambiance moyenâgeuse et **la citadelle**. À l'extrémité Ouest du plateau s'étend **le Bosco**, avec le cimetière marin et l'esplanade St-François.

La route d'accès à la ville haute a été créée par Napoléon III. Elle contourne le bastion de l'Étendard et domine le goulet de Bonifacio. Puis elle se sépare en deux au niveau de la **colonne romaine** (découverte sur l'îlot de San Baïnzo) : la voie de droite conduit à la gare maritime (embarquement des voitures pour la Sardaigne) et la rampe de gauche permet de pénétrer dans la vieille ville par le tunnel creusé sous le fort St-Nicolas. La sortie se fait par la **porte de France** (1854).

Monument de la Légion étrangère

Il occupait autrefois une place de Saïda, petite ville d'Algérie, en mémoire des légionnaires tombés dans le Sud oranais entre 1897 et 1902. Transféré en Corse, il fut inauguré le 23 juin 1963, date de l'arrivée de la Légion étrangère à Bonifacio.

Église St-Dominique★

En sem. 1,52€. ☎ *04 95 73 11 88.*
Ce sanctuaire, édifié dès 1270 par les dominicains sur une ancienne église de Templiers, compte parmi les rares édifices gothiques de la Corse. Il aurait été achevé en 1343. Un couvent contigu abritait les religieux.

BALADES

Du col St-Roch, un escalier descend à la petite plage de Sutta Rocca et un sentier longe le haut des falaises jusqu'au cap Pertusato offrant de superbes **vues**★★ sur la vieille ville.

Le sentier qui mène au cap Pertusato surplombe le rocher dit « Grain de sable », tombé de la falaise il y a huit siècles.

BONIFACIO

Archivolto (R.) 2
Bobbia (R. M.) 3

Corps de Garde (R. du) 5
Loggia (R. de la) 6
Marché (Pl. du) 8
Portone (R. du) 9

Rastello (Montée) 12
St-Nicolas (R.) 14
St-Sacrement (R. du) 15
2 Empereurs (R. des) 16

Aquarium . . . . B
Maison des Podestats . . . . . . D

Maison Charles Quint . . . . F
Maison Napoléon Bonaparte . G

Mémorial du bastion . . . . M¹
Palazzu Pubblicu . . . . M²

L'église St-Dominique abrite de nombreux objets d'art. Remarquer en particulier les châsses de bois dont le groupe des Trois Marie et le Martyre de saint Barthélemy, portés en procession le Vendredi saint.

Son architecture extérieure est sommaire. Le campanile, en revanche, ne manque pas d'originalité avec ses étages supérieurs octogonaux et son couronnement de créneaux et merlons à double pointe.

À l'intérieur, le plan est simple, rectangulaire à chevet plat. La nef, flanquée de bas-côtés, est voûtée de six croisées d'ogives.

L'acoustique exceptionnelle de cette église lui vaut d'accueillir régulièrement des groupes de polyphonie (*se renseigner à l'Office de tourisme*).

Rue St-Dominique

Les maisons s'ouvrent sur des escaliers vertigineux à marches très hautes. Des blasons sculptés ornent les portes aux nᵒˢ 14, 12, 10 (armoiries des Salineri). Remarquer sur la droite la maison de la Miséricorde, ancien hospice fondé au 13ᵉ s. Siège de la confrérie de la Sainte Croix, elle conserve pieusement un morceau de la vraie croix. Après la place du Fondaco (*fondouk* signifie « magasin » en arabe), longer la petite chapelle de la confrérie St-Jean-Baptiste (1785), dont l'intérieur aux deux nefs voûtées ne manque pas de charme.

Prendre la rue St-Jean-Baptiste puis tourner à droite dans la rue du Palais.

On aperçoit le clocher et les arcs-boutants de l'église Ste-Marie. Emprunter à gauche un passage sous voûtes à poutrelles de bois qui débouche sur le n° 9 de la rue Longue.

Rue des Deux-Empereurs

Deux maisons qui se font face conservent le souvenir de deux hôtes illustres. Le n° 4, demeure du comte Philippe Cattaciolo, abrita, du 3 au 6 octobre 1541, **Charles Quint** au retour d'une expédition à Alger. Un beau linteau en marbre sculpté aux armes de l'empereur orne la porte d'entrée.

Presque en face, le n° 7 hébergea **Napoléon Bonaparte,** du 22 janvier au 3 mars 1793. Alors lieutenant-colonel, le futur général de l'armée d'Italie y prépara un débarquement en Sardaigne. La maison avait appartenu au 16e s. à un de ses ancêtres, François Bonaparte.

Place d'Armes

Quatre socles circulaires indiquent l'emplacement des anciens silos à grains qui, avec ceux de la Manichella, permettaient à la cité d'emmagasiner 5 000 hl de blé.

Face à la porte de Gênes, la **rue du Corps-de-Garde** offre un bel aperçu sur le chevet de l'église Ste-Marie et ses arcs-boutants.

Bastion de l'Étendard

Jusqu'au 19e s. la **porte de Gênes** constituait l'unique entrée de la ville. Il fallait franchir huit portes successives et un pont-levis (de 1598) pour accéder à la place d'Armes. Le système d'ouverture par contrepoids du pont-levis est encore en place. Le bastion surveillait à la fois l'entrée du goulet, le port et la route du col St-Roch. Avec la porte de Gênes, il constituait la pièce maîtresse des 2,5 km de remparts qui conservent, aujourd'hui encore, quelques tours rondes de défense.

Mémorial du bastion

Avr.-sept. : tlj sf dim. 11h-17h30 (juin-sept. : tlj 9h-20h). 1,52€. ☎ 04 95 73 11 88..

Le bastion de l'Étendard reste la partie la plus imposante des fortifications de la ville haute. Des scènes marquantes de l'histoire de Bonifacio ont été reconstituées : visite de l'empereur Charles Quint en 1541, passage de Bonaparte au cours de la tentative d'invasion de la Sardaigne en 1793 et naufrage de la *Sémillante* aux îles Lavezzi. Sont également exposés, une copie de la « **dame de Bonifacio** », dont l'original se trouve au musée de Levie, ainsi qu'un squelette fossilisé, probablement d'un soldat turc. L'extrémité des bastions offre de belles **vues★** sur le goulet et le port.

Passer sous la voûte de la porte de Gênes et tourner à droite (laissant à gauche la montée St-Roch).

Rue du Portone

Elle longe le jardin des Vestiges où l'on voit les ruines des anciennes fortifications, détruites lors du siège de 1553 par les Français et les Turcs, et mène à la place du Marché.

Place du Marché

Elle donne accès au belvédère de la Manichella : une **vue★★** se déploie, à gauche sur le port, à droite sur les Bouches de Bonifacio, le Grain de sable et au loin la côte sarde.

Quitter la place par la rue Doria, tourner à droite dans la rue Cardinal-Zigliara, puis à gauche.

Rue du St-Sacrement

Cette ruelle pavée jalonnée d'arcs-boutants longe l'église Ste-Marie-Majeure.

GOURMANDISE

Dans la rue St-Jean-Baptiste, la boulangerie Faby fabrique toute l'année des spécialités locales, autrefois préparées lors de certaines fêtes : la Fugasi de Pâques, galette à la fleur d'oranger, la **Vea Seccata** ou pain des morts de la Toussaint, brioche aux raisins et aux noix.

Les arcades de l'église Sainte-Marie-Majeure servaient à retenir l'eau de pluie et à la canaliser vers une citerne.

LA RÉSERVE D'EAU

Sous le dallage de la loggia, une vaste citerne communale d'une capacité de 650 m^3 recueillait l'eau s'écoulant des toits environnants par des arcades qui enjambent la rue. Cette citerne est aujourd'hui aménagée en salle de conférences.

À proximité des fonts baptismaux remarquer le **tabernacle** en bas-relief (1465), exécuté sans doute par un sculpteur génois, dans le style raffiné de la première Renaissance italienne. Huit angelots célèbrent le Christ sortant du tombeau. Sous ce tabernacle, voir le **sarcophage** antique en marbre blanc (3e s.).

Église Sainte-Marie-Majeure

Cet édifice à clocher carré, achevé au 14e s., a perdu la pureté de son style au cours des nombreux remaniements qui l'affectèrent jusqu'au 18e s. Les portails ont été refaits en 1789, dans un style néoclassique.

La **loggia**, vaste préau accolé à la façade de l'église, en constitue le porche. Elle est ouverte par de larges baies en plein cintre, et couverte de charpente. Au temps de la domination génoise, les quatre Anciens, élus pour trois mois par le Grand Conseil, y délibéraient des affaires de la cité. Deux fois par semaine, le magistrat y rendait la justice. Au-dessus de la loggia, la façade de l'église conserve une élégante corniche de style pisan qui pourrait remonter au 12e ou 13e s.

À l'intérieur, le maître-autel abrite des reliques de saint Boniface, choisi comme patron de la ville à cette époque.

Palazzu Publicu – Art et Histoire

De juil. à fin août : 10h-13h, 17h-19h30. 1,52€. ☏ 04 95 73 11 88.

Face à l'église Ste-Marie-Majeure se dresse le bâtiment de style médiéval de l'ancienne mairie. Sa façade de calcaire s'agrémente d'un porche à arcade souligné à l'étage d'une frise d'arcature. Il abrite le **trésor**★ des églises de Bonifacio et la présentation des cinq confréries bonifaciennes. On y remarque un sarcophage romain du 3e s. *(dans l'entrée)*, de nombreuses toiles de l'école italienne du 17e s., une Vierge au rosaire incorporant une des premières représentations picturales de Bonifacio et un beau coffret en ivoire attribué à un atelier florentin.

Vieilles rues★

Les ruelles jouxtant l'église Ste-Marie-Majeure sont particulièrement pittoresques : étroites, bordées de hautes et anciennes maisons aux élégantes façades souvent décorées d'arcatures. On remarquera la maison des Podestats (magistrats) près de l'église Ste-Marie. Les curieux arcs-boutants qui relient les maisons sont des canalisations destinées à diriger les eaux pluviales vers les citernes privées ou vers la réserve communale.

LES MAISONS BONIFACIENNES TRADITIONNELLES

Elles constituaient jadis de véritables forteresses dont l'accès était commandé par une échelle que l'on retirait la nuit. À l'intérieur, un pressoir à huile, un cellier, une réserve de grains et parfois une étable pour l'âne se groupaient au rez-de-chaussée autour de la cour intérieure. De plus, chaque maison possédait son four et sa citerne alimentée par un ingénieux système de gouttières. Hautes à l'origine d'un étage, elles ont été surélevées au 19e s., pour présenter l'aspect qu'on leur connaît maintenant. Ce réaménagement s'explique par la forte croissance démographique de l'époque et l'exiguïté de la ville.

Rue Doria

En descendant cette rue bordée de maisons du 17ᵉ s., on retrouve la place du Fondaco.

Monter par la rue du Sous-Lieutenant-Simon-Varsi menant à la place Casteletto.

On traverse le quartier du Casteletto, qui fut dès les 7ᵉ et 8ᵉ s. le premier îlot urbain fortifié du plateau. La place Casteletto marque l'emplacement du cantonnement pisan.

Prendre à gauche la place Carrega qui conduit à l'accès de l'escalier du Roi-d'Aragon.

Escalier du Roi-d'Aragon

Juil.-août : 9h-20h ; mai, juin et sept. : tlj sf dim. 11h-17h30. 1,52€. Fermé par mauvais temps ou vent trop violent.
Au terme de la descente, on peut effectuer à droite la petite promenade à flanc de falaise qui mène à l'extrême pointe occidentale du plateau. Belles **vues**★ en encorbellement des falaises.
Revenir sur ses pas jusqu'au pied de l'escalier et poursuivre vers le Sud-Est pour atteindre la porte de Sutta-Rocca.

Donjon

Auparavant incorporé au domaine militaire, il abrite aujourd'hui des salles d'expositions temporaires. La terrasse circulaire (table d'orientation) offre une intéressante vue en enfilade de la ville haute.

Revenir au point de départ, le monument de la Légion étrangère, pour pénétrer dans le Bosco, à l'extrémité Ouest du plateau.

LE BOSCO

Le plateau pelé auquel on parvient est encore désigné de nos jours par les Bonifaciens comme le *bosco*. Jusqu'à la fin du 18ᵉ s., il était couvert de végétation arborescente, oliviers, genévriers, lentisques... Ce bois constituait l'environnement du couvent St-François. Remarquer en chemin, sur la droite, les vieilles tours ruinées qui sont les vestiges des **anciens moulins à vent** de la ville (*en cours de restauration*) et dont l'origine remonte au 13ᵉ s.

Couvent St-François

De l'ancien couvent, longtemps isolé à l'extrémité du promontoire, il ne reste qu'une église gothique, ouverte seulement lors de cérémonies funéraires. On peut également y voir quelques bâtiments conventuels, dont l'un abrite l'école de musique de la ville. L'ensemble remonte vraisemblablement à la fin du 13ᵉ s.

Esplanade St-François

Proche de l'église, cette vaste esplanade, fermée face à la mer par la batterie St-Antoine, offre une **vue**★★ splendide sur les falaises de la vieille ville, les Bouches de Bonifacio et, au large, la Sardaigne.

---

187 MARCHES
Cette étonnante saignée oblique de 187 marches taillées dans la falaise possède sa propre légende liée au siège de Bonifacio (*voir « Escalier du roi d'Aragon » au début de ce chapitre*). L'origine de cet accès est à rattacher à l'existence du puits de St-Barthélemy (*ne se visite pas*), qui fut probablement la réserve d'eau potable de la cité.

Le surprenant cimetière marin★ forme une véritable petite ville avec sa « rue principale » fleurie, bordée de chapelles funéraires serrées les unes contre les autres et hautes comme des maisons.

PORTO-VECCHIO — **PORTO-VECCHIO**

Suartone

D 859 Figari

335△ Plateau d'Arapa

D 158

Ventilegne

🏊 **Rondinara** ♨

N 196

M^{te} Bianco △ 317

Barrage de Figari

Golfe de Figari ♨

Golfe de Ventilegne

Étang de Balistra

N 198

Golfe de Santa-Manza ♨

M^{te} Corbo △ 239

D 358

Rocchi Bianchi

P^{nte} de Capicciola

Punta Rossa

la Tonnara 🏊

Canali

Maora et Santa Manza

D 58

Ponti d'a Nava

D 60

Ermitage de la Trinité ♦

Grotte du Sdragonato

N 196

D 60

Ancⁿ. couvent St-Julien

Gurgazu

D 58

Calalonga 🏊

Capo di Feno

Cala di Paragnano 🏊

D 258

★★★ **BONIFACIO** ♦

D 260

Piantarella 🏊

Île Ratino

Sémaphore

I. Piana

Île Cavallo

★ **Capo Pertusato**

Pointe de Speron

★★ Île Lavezzi (réserve naturelle)

0   4 km

SANTA TERESA-GALLURA

Gouvernail de la Corse

Face à l'entrée du cimetière marin. 132 marches raides. De juin à fin sept. : 10h-19h30. 1,52€. ☎ 04 95 73 16 90.
Un passage creusé dans la falaise permet d'accéder à une bouche à feu aménagée dans l'Entre-deux-guerres. Située au milieu du rocher dénommé « Gouvernail de la Corse », composant l'extrémité des falaises, elle offre une vue particulièrement originale sur les Bouches de Bonifacio.
Retourner vers le monument de la Légion étrangère par le même chemin.

se promener en mer

Les grottes marines et la côte★★

Promenade en mer "Grottes et Falaises" (1h). 9,15€. Pour les excursions à Lavezzi, se reporter à ce nom. Dép. fréquents par beau temps seulement. Plusieurs compagnies proposent ces promenades, s'adresser sur le port auprès de ces compagnies.
La sortie du port par le goulet permet d'apprécier l'importance des remparts qui sanglent la vieille cité. Contournant le phare de la Madonetta, la vedette aborde les Bouches de Bonifacio et pénètre dans la **grotte du Sdragonato★**.
Le bateau revient vers Bonifacio, passe au large de la **grotte de St-Antoine** ou grotte Napoléon (elle a la forme du chapeau de l'empereur), avant de contourner la pointe de la presqu'île, marquée par un rocher surnommé le « **Gouvernail de la Corse** ». Il longe les falaises calcaires, hautes de 60 à 90 m, dont les stratifications tantôt horizontales, tantôt obliques témoignent des nombreux changements de direction des courants marins au cours de ces sédimentation. Les cavités abritent une multitude d'oiseaux : faucons crécerelles, puffins cendrés, martinets et espèces plus rares comme le faucon pèlerin ou le merle bleu. On découvre le **puits de St-Barthélemy**, le fameux **escalier du Roi-d'Aragon**, et le **site★★** spectaculaire de la vieille ville édifiée à l'aplomb de la falaise.

La voûte de la grotte du Sdragonato est percée d'une fissure qui forme, renversée, la silhouette de la Corse et laisse filtrer le soleil. Les reflets de lumière sur les rochers du fond recouverts d'une algue violette donnent à l'eau une coloration étrange.

Le bateau fait demi-tour à hauteur du « **Grain de sable »,** gros bloc calcaire détaché de la falaise il y a huit siècles. Le lent recul de celle-ci par effondrements successifs est dû à l'action des eaux douces infiltrées à la surface du plateau. Les stalactites visibles tout au long de la promenade, en particulier dans la grotte de St-Antoine, et la présence d'une nappe d'eau souterraine au puits de St-Barthélemy confirment l'ampleur des infiltrations.

Île Lavezzi★ *(voir ce nom)*

alentours

LES SITES

Capo Pertusato★

5 km au Sud-Est. Quitter Bonifacio par la D 58 et prendre la première route à droite signalée. Une allure modérée est recommandée, car la route est étroite, en forte pente et présente de nombreux « nids de poule ».

Cette route longe la falaise dénudée et resplendissante de blancheur. En arrière, les maisons de la vieille ville de Bonifacio apparaissent accrochées au rebord de la falaise. Prendre ensuite à droite, la route en forte descente. Les virages qui précèdent le sémaphore laissent apparaître de belles **vues★** sur la ville et la montagne de Cagna. La route longe le terrain militaire du sémaphore, puis serpente dans le maquis avant d'atteindre le phare de Pertusato *(l'accès au-delà du phare est interdit).*

Pour accéder à la plage, prendre le sentier en pente à droite avant le parking du phare.

Sur le causse calcaire se développe une flore particulièrement éblouissante au printemps : orchidées – ophrys, sérapias – en avril ou mai *(ne pas cueillir les fleurs).* Les espèces buissonneuses de la garrigue : lentisques, genévriers, cistes, qu'envahissent régulièrement les lianes épineuses de la salsepareille, laissent place par endroits aux cinéraires, aux astragales ou au romarin. La forme en coussinet de beaucoup de végétaux est caractéristique des lieux exposés au vent.

Les oiseaux : hirondelles et martinets, pipits et fauvettes, faucons crécerelles, attirés par des proies de choix (rongeurs, petits reptiles, insectes), sont nombreux sur le causse.

> **PANORAMA**
> Un sentier contourne le phare et offre une **vue★** panoramique sur l'île Cavallo à l'Est, l'île Lavezzi, l'île italienne de la Maddalena et le relief de la côte sarde qui barre l'horizon. En contrebas à droite, on aperçoit la silhouette curieuse des rochers en forme de proue de navire et surmontés d'une croix.

Ancien couvent St-Julien

6 km à l'Est. Quitter Bonifacio par la D 58. À moins de 2 km du carrefour avec la N 198, on aperçoit, dominant le vallon, l'ancien couvent St-Julien. La tradition veut que saint François d'Assise ait passé quelque temps dans cet endroit à son retour d'Espagne en 1214 *(propriété privée).*

Ermitage de la Trinité

7 km à l'Ouest. Quitter Bonifacio par la N 198. À 2 km prendre à gauche la N 196 vers Sartène, puis la 1re route à gauche. Cet antique sanctuaire occupe un site splendide, au milieu des oliviers, des chênes verts et des énormes blocs de granit. Il était vraisemblablement fréquenté dès la préhistoire, puis, par des ermites, lors des premiers temps de la christianisation de Bonifacio. Le couvent primitif fut remanié au 13e s., avant d'être fortement restauré en 1880. Face au parvis de la chapelle, une cavité dans les *taffoni* est aménagée en sanctuaire.

Les vieux Bonifaciens racontent qu'encore au début du siècle, les religieux avaient coutume de recueillir les pauvres hères. Certains quelquefois n'avaient pas hésité à nager depuis la Sardaigne pour trouver meilleure fortune sur cette côte.

Faire quelques pas sur les sentiers à droite du sanctuaire pour apprécier la **vue**★ dégagée sur Bonifacio et son plateau.

Les falaises qui dominent le site sont très fréquentées le week-end par les adeptes de l'escalade.

LES PLAGES⊜

À proximité de Bonifacio se trouvent **Catena** et **Orinella**, deux criques **nichées** sur la rive Nord du goulet, accessibles en bateau ou par un sentier. Mais préférez les plages un peu plus éloignées le long des côtes Ouest et Est.

Le littoral Ouest

Le relief, plus abrupt qu'à l'Est, a multiplié les belles criques, difficiles d'accès mais assez tranquilles.

Cala di Paragnano – *4 km à l'Ouest par la N 196. Peu avant l'intersection avec la D 60, prendre à gauche ; une fois dépassé le char d'assaut qui orne le bas-côté (!), le revêtement de la chaussée s'améliore.* Un petit paradis : belle crique sableuse encadrée de rochers rouges et eau d'une rare transparence. Le sol descend en pente très douce.

Plage de la Tonnara – *10 km au Nord-Ouest. Quitter Bonifacio par la N 196 et prendre la direction de Sartène, puis la 2e grande route à gauche : la D 358.* Belle étendue convexe de sable située face aux îles du même nom, très proches de la côte et habitées par des oiseaux de mer.

Les plages du levant

Le relief plus doux du versant oriental, marqué par l'avancée de la mer dans le golfe bien abrité de Santa-Manza, a développé de vastes plages de sable qui ont favorisé l'implantation de nombreux centres nautiques. Les accès rayonnant au départ de Bonifacio nécessitent parfois des allers et retours pour atteindre chaque site.

Plage de Piantarella – *8 km à l'Est par la D 58, puis la première route à droite en direction de Sperone.* 2 km après ce carrefour, on franchit la limite entre le calcaire, si particulier à la région de Bonifacio, et le granit, plus traditionnel dans le sous-sol de la Corse. Les rochers qui affleurent, d'abord blancs et disposés en strates (calcaire), apparaissent bientôt fissurés et d'une couleur franchement rose (granit). Les murets qui bordent la route changent eux-mêmes de couleur. La végétation diffère aussi : garrigue sur le sol calcaire, maquis sur le sol granitique.

La belle anse de sable fin de Piantarella, face aux îlots de Piana et Ratino, est très fréquentée par les véliplanchistes. Au-delà de la **pointe de Spérone,** belle crique de sable fin adossée à des dunes. L'accès aux îlots appartenant à la **réserve naturelle de Lavezzi** est réglementé. Au large se dressent les luxueuses constructions privées de l'île Cavallo.

Vue aérienne de la pointe de Spérone. Dégradé de bleu de la mer, teintes vertes du maquis et de la garrigue, la côte à l'Est de Bonifacio affiche une beauté sauvage.

LE CORAIL, OR ROUGE DES PROFONDEURS

Les Corses ont une longue tradition de pêche au corail. Déjà, aux 14e et 15e s., des Corses avaient obtenu une concession de cueillette sur la côte du Corail, dans l'Est de l'Algérie.

Actuellement, la pêche le long du littoral corse de cet animal des profondeurs est strictement réglementée. Le nombre de pêcheurs de corail de Bonifacio est limité à cinq. La saison de pêche dure de mai à octobre. Il s'agit d'une activité artisanale particulièrement rude : la plongée peut se faire jusqu'à - 100 m. Les pêcheurs ne déstructurent pas les massifs de corail, mais cueillent délicatement les branches à la main ou avec une martelette. Un corailleur effectue en moyenne 180 plongées par saison. Bonifacio est la principale base de pêche française ; son corail, surnommé « sang de bœuf », est l'un des plus beaux de la Méditerranée.

Sa densité et sa couleur exceptionnelles dépendent de l'intensité des courants marins auxquels il est exposé ; les Bouches de Bonifacio sont justement fréquentées par des courants particulièrement violents. L'essentiel de la production est commercialisé à Torre del Greco, près de Naples, devenue la capitale mondiale du corail rouge. Les plus belles pièces peuvent atteindre 450 à 600€ le kilo.

La légende attribue l'origine du corail rouge à Persée, lorsqu'il trancha la tête de la Méduse et versa son sang dans la mer

Plage de Calalonga – *9 km à l'Est par la D 98, puis à 3 km prendre à droite la D 258.* Le revêtement caillouteux nécessite une allure modérée. Suite de criques de sable bien abritées, précédées d'îlots aux formes émoussées et désormais dominées par un important ensemble résidentiel.

Golfe de Santa-Manza⚓ – *6 km à l'Est par la D 58.* De la pointe de Capicciola jusqu'à l'étang de Balistra s'offre une grande diversité de paysages avec une succession d'anses sablonneuses, de quelques constructions éparses et discrètes bâties autour de ports, et de falaises sur la rive Nord. Le golfe est resté d'une grande beauté sauvage, les couleurs des collines couvertes de maquis contrastent avec la palette bleu-turquoise de la mer.

Les principales plages publiques sont **Maora** et **Santa-Manza,** à proximité des rochers de **Punta-Rossa.**

Du petit port de **Gurgazu** à **Ponti di a Nava,** la D 58 longe une série de plages (taverne sur la dernière) tournées vers les falaises de **Rocchi-Bianchi.**

Baie de Rondinara⚓ – *18 km au Nord-Est en direction de Porto-Vecchio par la N 198. À 14 km, prendre à droite la D 158 vers Suartone. Route sinueuse et étroite.* La superbe anse semi-fermée de Rondinara, ourlée de sable fin, abrite une des bases corses du centre nautique des Glénans.

LOISIRS
École de voile les Glénans – ☎ 04 95 73 03 85. Santa-Manza est souvent fréquenté par les véliplanchistes. Le golfe accueille d'ailleurs au mois de mai l'une des épreuves du championnat de France.

escapade en Sardaigne

De Bonifacio, la Sardaigne, distante de seulement 12 km, mérite le déplacement. Vous découvrirez notamment l'**archipel de la Maddalena★★**, magnifique chapelet d'îles qui conserve le souvenir de Garibaldi, et la **Costa Smeralda★★** qui frange à l'Est la Gallura sauvage et vallonnée *(voir Le Guide Vert Italie pour une description détaillée)*.

LA GALLURA★★

Sta-Teresa-di-Gallura

Plaisante station balnéaire dont le port se niche au fond d'une ria, elle est la tête de pont des communications avec la Corse.

L'étonnant plan en damier de la cité résulte de sa reconstruction en 1803. À son extrémité Nord, la tour Longosardo (16ᵉ s.), vestige d'un château, constitue un agréable but de promenade. Par temps dégagé, on distingue les falaises blanches et les maisons de Bonifacio. En contrebas, la plage de sable fin de Rena-Bianca est un site apprécié des véliplanchistes.

Capo Testa★

Intéressante excursion jusqu'à ce promontoire rocheux, distant de 5 km du centre de la localité, magnifiquement sculpté par l'érosion éolienne.

ARCHIPEL DE LA MADDALENA★★

Composé de sept îles et d'autant d'îlots, l'archipel a été aménagé en parc naturel afin de préserver son exceptionnelle végétation. Seule l'île principale est habitée.

Île de la Maddalena★★

Ceinte d'une route panoramique très plaisante à parcourir, l'île est pourvue d'un charmant port de pêche, Cala Gavetta. De nombreuses possibilités d'excursions en bateau vers les îlots permettent de découvrir des anses de sable fin aux eaux limpides, comme l'Isola Spargi.

Île Caprera★

Accès possible en saison par un bus partant devant la gare maritime de La Maddalena. Reliée à la précédente île par une chaussée (distante de 5 km), elle est essentiellement connue pour abriter la dernière résidence et la sépulture de **Giuseppe Garibaldi**, patriote d'origine niçoise qui se mit au service de l'indépendance italienne. La maison est devenue un musée à sa mémoire : sur l'esplanade trône un majestueux pin qu'il avait planté pour célébrer la naissance de sa fille. Sa tombe, veillée par une garde d'honneur, a l'apparence d'un bloc de granit.

Sur le pourtour de l'île, d'agréables criques invitent à la baignade sous les pins.

À l'Est de Palau, la Costa **Smeralda★★** s'est identifiée à l'urbanisme original de **Porto-Cervo**, œuvre de l'architecte français Jacques Couelle.

carnet pratique sarde

TRAVERSÉE

Le trajet de Bonifacio jusqu'à Sta-Teresa-di-Gallura dure 50mn. En haute sais., le premier bateau part de Bonifacio à 7h40, et la dernière navette quitte Sta-Teresa à 21h20 (horaires maintenus jusqu'à la 1ʳᵉ sem. de sept. - pendant cette période, il est vivement conseillé de réserver).

Une excursion d'une journée est trop courte. Préférez un séjour de quelques jours. Les Bouches de Bonifacio étant un des lieux les plus ventés d'Europe, le voyage, qui dure habituellement moins d'une heure, peut aisément atteindre 1h1/2 voire 2h, par grands vents. Enfin lorsque les vents et la mer s'allient pour rendre la traversée particulièrement périlleuse, la rotation du navire est alors annulée sans préavis. Intégrer donc, même pour une excursion d'une journée, l'éventualité de devoir prolonger son séjour.

Moby Lines – *Quai Comparetti* - ☎ 04 95 34 84 94. 10 liaisons par jour de déb. juil. à déb. sept. En semaine : passager 10,52€, voiture 22,71€ ; le week-end : passager 11,13€, voiture 27€.

Emblème de la Sardaigne

Moby Lines-Navarma – *Sta-Teresa (Sardaigne)* -☎ *0789-75 14 49*.
Saremar – *Quai Comparetti (Bonifacio)* - ☎ *04 95 73 00 96*. Service toute l'année. 2 à 4 liaisons quotidiennes. Passager : 6,86€, 8,54€, ou 11,28€ hors taxes selon saison ; voiture : 19,67€, 24,09€ ou 27,90€ hors taxes selon saison.
Saremar – *Sta-Teresa (Sardaigne)* - ☎ *0789-75 55 52*.

TRANSPORTS

Découverte en voiture – La côte Nord de la Sardaigne dispose d'un faible réseau de distributeurs de carburant en dehors des agglomérations notables : Sta-Teresa, Palau, Arzachena et Olbia. Plusieurs loueurs de voitures proposent leurs services dans le centre ville de Sta Teresa (s'adresser à l'Office de tourisme pour leurs coordonnées).

Autobus – Un bon réseau d'autobus permet d'accéder aux principales curiosités et sites du Nord de l'île au départ du port de Sta-Teresa. Se renseigner à l'Office de tourisme pour les horaires qui varient selon les compagnies et les jours.
Pour rejoindre Palau puis La Maddalena, les autobus partent de la gare routière, située sur le flanc de la poste centrale (traverse à gauche de la via Nazionale), et les billets s'achètent au tabac faisant face à la station-service Agip.

Bac – Pour se rendre dans l'archipel de la Maddalena, il faut emprunter le bac à Palau (à 25 km de Sta-Teresa par la S 133). Durée de la traversée 1/4h, fréquence toutes les 1/2h en saison. Se renseigner auprès de la Saremar à Palau, (☎ 0789-70 92 70) pour les modalités d'embarquement des véhicules et les horaires exacts.

VISITE

Office du tourisme de Sta-Teresa – *Azienda di soggiorno e turismo - piazzale Vitt. Emanuele I 24* - ☎ *0789-754127*.
Office du tourisme de La Maddalena – *Cala Gavetta* - ☎ *0789-736321*.
Change et distributeur d'argent – À Sta-Teresa, deux établissements disposent de distributeurs acceptant les cartes étrangères : Banco di Sardegna, via Nazionale (à côté de la station Agip) et la banque jouxtant l'Office de tourisme. Plusieurs magasins de souvenirs et d'articles traditionnels acceptent les billets de banque français.

RESTAURATION
• *Valeur sûre*

La Terrazza – *Via Vila Glori 6 - 07024 La Maddalena - ☎ 0789 735305 - fermé oct. à avr. et dim. – 21,70/34,10€*. Pour déguster des fruits de mer, installez-vous, face au débarcadère des bateaux, sur la terrasse de ce restaurant très prisé. En cas de mauvais temps, réfugiez-vous dans la salle à manger, elle dispose de la même vue. Nombreux menus pour la satisfaction de tous.

HÉBERGEMENT
• *Valeur sûre*

Hôtel Marinaro – *Via Angios 48 - 07028 Sta-Teresa-Gallura - ☎ 0789 754112 - 27 ch.: 67,50/80,50€ - ⚏ 7,50€ - restaurant 15,50/25,50€*. Bien situé dans un quartier calme à mi-chemin du port et du centre-ville, c'est une adresse intéressante pour un début ou une fin de séjour en attente de l'embarquement. Assure également la restauration et la demi-pension.
Da Cecco – *Via Po 3 - 07028 Sta-Teresa-Gallura - ☎ 0789 754220 - fermé 1er nov. au 24 mars - 33 ch.: 41,32/67,14€ - ⚏ 7,75€*. Les résidents de cette maison ne se lassent pas de la vue sur la côte et les Bouches de Bonifacio depuis sa terrasse et son solarium. À l'intérieur, simplicité, ambiance chaleureuse et atmosphère pension de famille sont appréciées.
Garibaldi – *Via Lamarmora - 07024 La Maddalena - ☎ 0789 737314 - 19 ch.: 98€€ - ⚏ 19,06€*. Les touristes de passage trouveront dans cet hôtel une adresse au calme, un confort assez simple mais adapté à leur besoin. Bien situé au centre-ville, il permet de profiter de son animation.

ACHATS

Gastronomie – Le visiteur, au fait des subtilités de la cuisine méditerranéenne, découvrira les touches d'exotisme dont se pare la cuisine sarde. Parmi les préparations servies dans les *trattorie* de l'île, les **« maloreddus »** (gnocchi striés), les **« culurgiones »** ou **« culunzones »** (raviolis à la ricotta, servis avec épinards et feuilles de menthe). La production charcutière est réputée – il faut goûter à la **« mustela »**, et au **« proceddu »** (cochon de lait cuit au four) – car comme son cousin corse, le porc est ici élevé en liberté. Enfin les pâtisseries et douceurs sont particulièrement variées ; les plus originales, les **« sospiri d'Ozieri »** (caramel à la pâte d'amandes) et les *seadas* (gâteaux enroulés fourrés au fromage, frits puis enrobés de miel).
Parmi les vins et liqueurs se distinguent la **« vernaccia »** (blanc moelleux en apéritif), « **l'Anghelu Ruju »**, les diverses liqueurs parfumées à la myrte et la fameuse *grappa* « *su filu'e ferru* » (le fil de fer).
Artisanat – Très diversifié, il est bien représenté à la **Casa dell'artigianato** à Sta-Teresa (place Vitt. Emanuele-I) : article en liège, en cuir...

Cirque de **Bonifato**★

Bonifatu

Le cirque de Bonifato, avec ses murailles de porphyre rouge et ses aiguilles élancées qui se dressent au-dessus des pins laricio, est un lieu apprécié d'excursions pédestres. Fragment de la Balagne déserte, le cirque est baigné par les eaux pures de la Figarella. Il forme un ensemble de hautes vallées séparées des voisines (Tartagine, Asco et Fango) par une chaîne de montagnes de près de 2 000 m d'altitude.

La situation
Carte Michelin n° 90 pli 14 - Haute-Corse (2B). Le cirque de Bonifato surplombe le golfe de Calvi ; on y accède par la D 251 (22 km au Sud-Est de Calvi).

Le nom
Bonifatu signifierait « endroit où il fait bon vivre ».

circuit

De Calvi à Spasimata – 22 km, plus 4,5 km à pied AR. Quitter Calvi par la N 197, puis prendre à droite la D 251 qui remonte la large vallée de la Figarella couverte de vignobles.

Quelques kilomètres après l'aéroport de Calvi-Ste-Catherine, la route s'élève au-dessus de la rivière et pénètre dans la **forêt domaniale de Calenzana** constituée de beaux pins laricio, de pins maritimes, de chênes verts et de maquis.

Chaos de Bocca Reza★★
À gauche de la route dans un virage prononcé à droite, 1 km avant la maison forestière de Bonifato.

Du sommet de ce chaos s'offre une **vue**★★ étendue sur la forêt, les aiguilles de porphyre et sur les crêtes fermant le cirque à l'Est : du Nord au Sud on reconnaît les Capo Lovo, Monte Corona, Capo Ladroncello, Punta Gialba, Mufrella et Capo Stranciacone. La route asphaltée s'arrête au pont sur la Nocaja. Juste après le pont se présente sur la droite un site agréable où s'écoule une fontaine sous de grands chênes verts.

Un des passages les plus célèbres et éprouvants du GR 20. La passerelle a été récemment refaite ; des plaques métalliques remplacent désormais les lattes de bois. Accrochez-vous !

Sentier de Spasimata★

4h1/2 environ AR au départ de l'auberge de la Forêt par le chemin forestier.

Suivre le chemin forestier qui longe la rive gauche du torrent et pénètre dans la **forêt domaniale de Bonifato** composée de pins laricio et de feuillus. Dans un paysage de montagne dominé par la ligne de crête des « 2 000 », la Figarella coule sur un lit encombré de belles tables de granit rose, formant de larges vasques.

Après 1/2h, on atteint le confluent de la Melaja et de la Figarella (alt. 620 m). Ne pas traverser le torrent mais suivre sur la droite une variante du GR 20 jalonné de marques rouges et blanches qui emprunte un sentier muletier s'élèvant vers la Mufrella. En face se dressent les sommets délimitant le cirque. Après avoir franchi plusieurs torrents, on gagne en 2h45 le lieu-dit Spasimata.

Spasimata

Alt. 1 190 m. Source à proximité. Les cabanes de pierres sèches en ruine abritaient autrefois pendant l'été les gens venus de Calenzana. Plus au Sud, dans une large combe, se dresse le **refuge de Carozzu** (alt. 1 392 m). Le site, majestueux, constitue en lui-même un but d'excursion. Très fréquenté par les randonneurs et les alpinistes, c'est une base de départ pour les courses dans le massif de Bonifato. Depuis le refuge, descendre une centaine de mètres jusqu'à la **passerelle de Spasimata** et admirer la témérité des alpinistes qui la franchissent. *Ne pas poursuivre au-delà sans de solides connaissances de la haute montagne et un topoguide spécialisé.*

Le Bozio ★

U Boziu

Prolongeant au Sud-Ouest les hauteurs de la Castagniccia, les monts du Bozio sont encore plus sauvages et impénétrables. Ils furent au 18ᵉ s. l'un des foyers des révoltes corses. La région se caractérise par la vivacité des traditions orales : dans de nombreux bourgs reculés, il est encore possible d'entendre des musiques anciennes et des chants polyphoniques (« paghjella » et joutes oratoires). La plupart des villages s'enorgueillissent de petites chapelles édifiées dans le plus pur style roman et enluminées de superbes fresques.

La situation

Carte Michelin nº 90 plis 4 et 5 – Haute-Corse (2B). Au départ de Corte, deux possibilités s'offrent pour atteindre le Bozio : soit sortir de la ville par la route de Bastia jusqu'au col de S. Quilico, puis prendre à droite la D 41 vers Tralonca ; soit prendre la N 200 en direction d'Aléria, qui descend la vallée du Tavignano, et s'engager à gauche dans la D 39 vers Sermano et Bustanico.

> **PRUDENCE !**
> Les multiples villages du Bozio sont reliés par des routes très sinueuses et dangereuses. Rouler donc très lentement et anticiper au maximum le croisement de véhicules.

Les gens

Alando, village du Bozio, est la patrie du célèbre **Sambucuccio,** personnage emblématique, à qui les chroniqueurs attribuent la direction des insurrections de 1358. Ces mouvements populaires, dirigés contre les seigneurs, ont conduit Gênes à accorder au peuple corse des « statuts » organisant l'administration de l'île. De cette époque date l'organisation de la vie des villages par une assemblée générale des habitants et un magistrat élu à sa tête (le gonfalonier). Ces institutions communautaires régissaient principalement l'exploitation des terres communes.

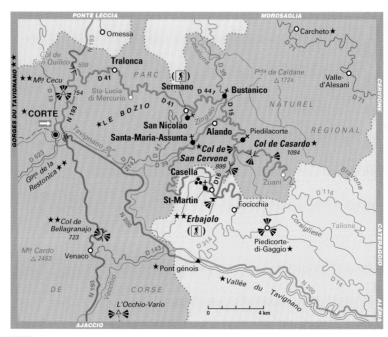

DE CORTE À ZUANI

Le col de San Quilico fait communiquer les bassins du Golo et du Tavignano. La D 41 suit une ligne de crête jusqu'à **Tralonca** dont les façades sont regroupées telles de hautes murailles.

Poursuivre vers Sta-Lucia-di-Mercurio qui marque la véritable porte du Bozio.

Sermano

Perché sur un mamelon dominant de curieuses cimes, ce village est un des rares de l'île où, lors des fêtes religieuses, la messe est encore chantée en *paghjella*.

Chapelle San Nicolao – *1/4h à pied par le chemin qui s'ouvre devant l'église et descend en contrebas du village vers un ensemble de bergeries à l'architecture traditionnelle. Un bosquet de cyprès entoure la chapelle. La clef est en permanence accrochée à la porte du Gîte d'étape du Parc Régional.* ☎ *04 95 48 67 97.*

Cette humble chapelle romane, dont l'origine doit remonter au 7e s., est particulièrement renommée pour la richesse de sa décoration intérieure. Les **fresques★★** peintes vers 1455 dans des coloris pastels harmonieux dégagent une émouvante sensibilité. Noter l'importance attachée aux regards qui marque une certaine analogie avec les fresques du Quattrocento italien.

Tracée en corniche, la route de Bustanico traverse une zone schisteuse où prédomine une végétation de maquis.

Bustanico (Bustanicu)

De ce village serait partie en octobre 1729 la guerre d'Indépendance. Un vieillard surnommé Cardone, menacé de la saisie de ses biens par le collecteur d'impôts génois, aurait ameuté les autres bourgades du Bozio. La jacquerie se répandit en Castagniccia et en Casinca, et aboutit au sac de Bastia en 1730.

Flanquée d'un élégant clocher, l'**église** abrite un beau **Christ** en bois polychrome du 18e s. L'artiste a réalisé une œuvre d'une facture très personnelle empreinte d'un réalisme émouvant, qui fait penser aux sculptures romanes. *Visite sur demande auprès de la mairie.*

Prendre la D 15 au Sud vers Alando.

Alando

Ce minuscule hameau est dominé par un rocher de 50 m de haut qui supportait le château de Sambucuccio. Table d'orientation au sommet.

D'Alando, revenir au carrefour de l'ancien couvent et prendre à droite la D 339 en direction des hameaux d'Alzi, Mazzola et Piedilacorte, qui constituent la commune de St-Andrea-di-Bozio.

La route s'enfonce dans une profonde vallée aux hauteurs boisées et coiffées de minuscules villages paraissant coupés de toute communication routière.

A Piedilacorte, remarquer la pittoresque église St-André. *Revenir à Alando et prendre à gauche la D 39 vers Favalello.*

La route, en corniche, descend le cours du Zingàïo. S'arrêter à l'entrée de Favalello pour visiter la chapelle Santa-Maria-Assunta.

Chapelle Santa-Maria-Assunta

L'édifice roman est situé sur le bord de la route d'Alando, dans le haut du village. Elle est encore utilisée pour les offices. Les **fresques★** de la fin du 15e s. qui recouvrent une grande partie des murs intérieurs sont parmi les plus variées de Corse. Le raffinement et l'élégance de leurs traits renforcent l'atmosphère mystique de l'ensemble. Remarquer dans l'abside, le **Christ en majesté,** et au registre inférieur, l'expression émouvante des apôtres, séparés par des arcades peintes en trompe-l'œil.

CALENDRIER

Chaque mois d'août a lieu à Sermano la fête du Quadrille et du Violon.

À VOIR

Dans l'abside, remarquer le **Christ en majesté★** dans une mandorle, entre la Vierge au visage particulièrement gracieux et un saint Jean Baptiste revêtu d'une peau de chameau.

Continuer la D 39 ; 1,5 km après Favalello, tourner à droite, juste avant un pont, dans la D 15 ; 2 km plus loin, traverser une rivière puis, à 500 m, prendre à gauche le pont qui franchit le Zingaïo ; la D 14 s'élève en lacet jusqu'à Erbajolo.

Erbajolo

Du belvédère situé à la sortie du village, près du cimetière, on découvre un **panorama**★★ étendu sur la profonde vallée du Tavignano fermée à l'arrière par le Monte d'Oro. Table d'orientation en lave de Riom.

Chapelle St-Martin

Départ au pied de l'église paroissiale. Une piste carrossable permet de s'approcher à 100 m de la chapelle. Cet édifice roman pisan s'élève dans un **site**★ sauvage admirable, qui serait l'emplacement primitif d'Erbajolo. À l'intérieur, remarquer la fresque qui orne l'abside.

Hameau en ruine de Casella

🚶 *1/2h à pied depuis la chapelle St-Martin.* Ce hameau isolé en plein maquis possède encore sa chapelle dédiée à St-Joseph. Une messe y est dite pour la fête du saint, le 19 mars.

À la sortie Sud du village, prendre la route d'Altiani sur 5 km.

Bâti sur une arête rocheuse, le typique hameau de **Focicchia** semble vivre au seul rythme de sa fontaine.

Revenir à Erbajolo. De là, possibilité de retourner à Corte via Altiani (parcours décrit à la vallée du Tavignano) ou de poursuivre l'itinéraire par la route des cols.

Route des cols

Au départ d'Erbajolo, la D 16 franchit deux cols avant d'atteindre les contreforts de la basse Castagniccia. Le parcours procure de belles échappées sur les vallées profondes du Zingaïo et du Corsigliese. Cet itinéraire était fréquenté par les moines des couvents de Zuani et de Piedicorte-di-Gaggio *(voir la vallée du Tavignano).*

Col de San Cervone – Belle **vue**★ en enfilade sur la vallée du Tavignano jusqu'à l'étang de Diane et la mer.

Col de Casardo – Une splendide **vue**★ s'étend sur la vallée du Tavignano et les deux sommets qui barrent l'horizon (le Monte d'Oro et le Monte Renoso).

Juste avant le col de Casardo, possibilité de rejoindre Bustanico. Au-delà du col, le maquis laisse petit à petit la place aux châtaigniers qui marquent l'entrée dans la Castagniccia.

En poursuivant le D 116 au-delà de Zuani, on atteint la côte à Cateraggio.

randonnées

C'est le moyen idéal pour découvrir l'âme des villages du Bozio et pouvoir apprécier les points de vue offerts et les rencontres improvisées. Ces **itinéraires**★ peuvent être également suivis en VTT.

Au départ de Sermano

Des sentiers de pays, balisés en orange, permettent des boucles à la journée.

Circuit vers le couvent d'Alando : 🚶 *5h.*

Même circuit que le précédent, incorporant un détour par Bustanico : 🚶 *7h.*

Au départ d'Erbajolo

Plusieurs sentiers relient les chapelles d'Erbajolo à Pianello et Zuani.

Montagne de **Cagna**★

La montagne de Cagna, au relief de granit et de calcaire, présente une arête isolée transversale d'Est en Ouest. La partie centrale du massif est couverte par les sapins centenaires de la forêt de Cagna. La Punta d'Ovace (1 340 m), point culminant, porte le célèbre Uomo di Cagna★, étonnant rocher sphérique en équilibre sur une pointe de granit. Une excursion au cœur de la montagne offre de superbes vues sur ce chaos granitique et sur la vallée.

La situation
Carte Michelin n° 90 pli 8 - Corse-du-Sud (2A). La montagne de Cagna se situe à l'écart des grands axes routiers ; elle est accessible à pied à partir du village de Gianuccio. On rejoint la forêt de Cagna par la D 59 que l'on emprunte à la bifurcation de Sotta sur la D 859, route qui relie Porto-Vecchio à Figari.

Le nom
Le nom « Uomo di Cagna » a été donné au rocher qui évoque un visage humain. En effet, le mot corse *omu* signifie « homme ».

Les gens
L'isolement de la montagne de Cagna fut propice à la **résistance corse** qui y trouva refuge lors de la dernière guerre.

> **PRUDENCE**
> Renseignez-vous sur la météo avant de partir. En effet, la montagne peut rapidement se couvrir de nuages, ce qui rend la randonnée risquée.

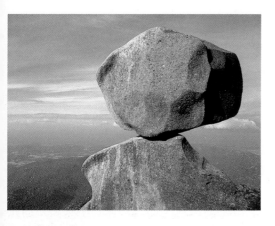

Cet étonnant bloc sphérique de granit, apparemment en équilibre sur la pointe rocheuse, domine un chaos de rocs. L'escalade de ses lisses parois s'avère très dangereuse. Son sommet ne fut vaincu qu'en 1970.

randonnée

L'Uomo di Cagna★ (l'Omu di Cagna)
Depuis la N 196, la D 50 conduit à Monacia-d'Aullène et puis au hameau de Gianuccio. Y laisser la voiture.

3h aller depuis la partie la plus élevée du village   (mais on parvient en 2h1/4 à un coup d'œil remarquable sur l'Uomo). Sans difficulté majeure, avec cependant quelques passages raides, cette randonnée offre des points de vue superbes sur la vallée, la montagne de Cagna, les chaos granitiques et le maquis.

Il est impératif d'apporter sa réserve d'eau. Le sentier est balisé par des cairns (petits tas de roches), mais il vaut mieux se munir d'une carte au 25 000ᵉ. La meilleure période pour entreprendre la randonnée est le printemps, lorsque le maquis est en fleurs.

Le sentier s'élève au milieu d'un maquis bas : bruyères arborescentes, lavandes, genêts et cistes. Dépasser le réservoir ; le sentier franchit un ruisseau (à sec en été) et traverse une végétation dense où abondent les lianes du maquis : garance et salsepareille. De nombreux

> **PARASITE**
> Remarquez au pied des cistes les petites masses rouges à fleur de terre. Ce sont des plantes parasites appelées **cytinets**.

oiseaux habitent les lieux : fauvette, rouge-gorge, troglodyte... Par une pente assez forte, on accède à un premier plateau offrant de belles formes d'érosion granitique, puis à un petit bois de pins d'où la vue sur le village et les vallées voisines est magnifique.

Au bout d'une heure de marche apparaît un chaos de roches impressionnant, surmonté de quelques pins tordus et de chênes verts. À gauche, dans un vallon plus humide, prospère l'aulne. Un second plateau, couvert de bruyères arborescentes et hérissé de formes granitiques étonnantes est atteint après 1h1/2.

Quelques centaines de mètres plus loin, après avoir laissé sur la gauche un énorme rocher cubique, puis un second évoquant un visage de profil, on découvre au loin l'**Uomo di Cagna** dont on apprécie pleinement l'allure. On peut alors faire demi-tour, ou marcher encore 3/4h pour parvenir à la base du rocher.

COUP D'ŒIL

Le **panorama**★, à la base du bloc, offre une vue aérienne de la pointe méridionale de la Corse et des côtes de la Sardaigne. En direction du Nord-Est, en suivant l'arête faîtière, on distingue un autre chef-d'œuvre d'équilibre naturel : l'**Uomo di Monaco**.

AVIS AUX RANDONNEURS AGUERRIS

Les sportifs entraînés, équipés d'une boussole et d'un approvisionnement suffisant, pourront traverser le massif de Cagna en une journée depuis le hameau de Vacca (accessible en voiture par la route reliant Figari à Porto-Vecchio) pour rejoindre à l'Ouest le village de Gianuccio. Cette traversée permet de savourer, dans une solitude absolue, les successions de chaos gigantesques et de sapinières en équilibre vertigineux, au milieu desquels les sentiers (parfois difficilement repérables) se frayent un passage. Prévoir une voiture à l'arrivée.

Calacuccia

À 830 m d'altitude, Calacuccia occupe un versant bien ensoleillé du Niolo dont elle joue le rôle de chef-lieu. C'est un très bon point de départ pour les randonnées et en hiver pour la station de ski du col de Vergio. À l'entrée Est de Calacuccia, au débouché du défilé de la Scala di Santa Regina, on découvre le meilleur point de vue★★ de ce village dominé par la barrière de porphyre rose des montagnes environnantes.

La situation

Carte Michelin nº 90 Nord-Est du pli 15 – Schéma p. 273 – Haute-Corse (2B). Calacuccia est accessible par la D 84 qui relie la N 193 à Porto. Le village est dominé par un haut et beau massif de montagnes : la **Punta Licciola** (alt. 2 237 m), l'arête aiguë de la **Paglia Orba** (alt. 2 525 m) « la reine des montagnes corses », la crête dentelée des Cinq Moines, le Monte Falo (alt. 2 549 m) et le Monte Cinto.

🄵 *Rte de Cuccia, 20224 Calacuccia,* ☎ *04 95 48 05 22. Lun.-ven. 9h-12h, 14h-18h.*

Le nom

Calacuccia est composé de deux termes pré-indo-européens : *kala* signifiant « pierre » (abri sous roche, maison) et *kukia* désignant la hauteur.

Les gens

340 Calacucciais. Une tradition rapporte l'origine de la vénération pour la **Santa du Niolo** : cette Vierge à l'Enfant, réputée miraculeuse, fut convoitée par plusieurs couvents après la destruction de celui qui l'abritait. Comme le désaccord persistait, on installa la statue sur une mule, décidant qu'on l'honorerait sur les lieux où s'arrêterait l'animal. Le village de Casamaccioli reçut ce privilège.

LA SANTA DI U NIOLU

Du 6 au 8 septembre se déroule la fête de la Santa, célébration religieuse, foire et spectacle où les bergers rivalisent de talent dans des improvisations dialoguées ou chantées (*Chjami e rispondi*, concours de mora).

C

carnet pratique

RESTAURATION
• **À bon compte**
Auberge Casa Balduina – *Lieu-dit Le Couvent* - ☎ *04 95 48 08 57* - *fermé oct. à avr. - 13,72/19,82€.* Traversez le jardin, puis le potager, la patronne-cuisinière vous attend, comme à la maison. Salle à manger familiale avec sa cheminée, ses tables de bois, ses chaises en rotin et sa petite terrasse. Cuisine régionale simple, généreuse et soignée.

HÉBERGEMENT
• **Valeur sûre**
Hôtel Acqua Viva – ☎ *04 95 48 06 90* - 🅿 *- 12 ch.: 60,98/65,55€ -* 🍽 *7,62€.* Prendre son petit-déjeuner dehors ? C'est possible dans cet hôtel où les chambres toutes carrelées avec leurs rideaux fleuris ont leur petit balcon. Rencontrez les villageois dans son bar local.

LOISIRS
Base Nautique de Calacuccia – *Av. Valdoniello* - ☎ *04 95 48 05 22 - tlj : 9h-12h; 14h-18h - fermé j.fériés sf été.*

visiter

Église paroissiale
S'adresser à M. Lamperti, maison à côté de la mairie.
Située à l'Ouest du village, elle abrite au-dessus du maître-autel un beau **Christ** en bois (art populaire), très expressif par la stylisation du visage et de la musculature.

Musée des Traditions populaires du Niolu
Fermé actuellement.
Installé dans l'ancien réfectoire des moines du couvent de Calacuccia, ce musée expose les objets autrefois couramment utilisés dans la vie artisanale, agricole et pastorale de la région. On remarque en particulier un curieux moulin à sel et un rare métier à tisser.

Entrez dans l'église de Calacuccia pour admirer le Christ en bois.

circuit

LAC DE CALACUCCIA★★
9 km. Quitter Calacuccia par la route qui longe le lac et traverse Sidossi.

Casamaccioli
Ombragé de châtaigniers, ce village domine de près de 200 m le barrage de Calacuccia. Il est situé au pied de la crête boisée qui ferme le Niolo au Sud et sépare la vallée du Golo de celle du Tavignano. Il offre une belle **vue★** sur la chaîne du Monte Cinto.
L'**église** paroissiale abrite dans le bas-côté droit un saint Roch, en bois sculpté, au visage naïf, auquel l'artisan a donné l'allure d'un berger. ►
Prendre en contrebas de l'église, à gauche, la route qui longe le lac sur la rive Sud.

> **R**emarquer dans le bas-côté gauche, la statue en bois de la Santa portée lors de la procession qui se déroule le 8 septembre sur la grande place ombragée où les anciens se rassemblent.

Au bord du lac de Calacuccia, une base nautique fonctionne de mi-juin à début septembre : baignade, location de canoës et de kayaks.

181

La route offre de belles **vues★★** sur Albertacce, Poggio, Lozzi, Calacuccia, Corscia, villages bien exposés, entourés de vergers et de châtaigniers, adossés à la longue chaîne du Monte Cinto. Elle franchit, 2 km plus loin, un torrent formé par des eaux captées sur le Tavignano et amenées par un canal de dérivation pour alimenter le lac artificiel de Calacuccia.

Barrage de Calacuccia

Mis en eau en 1968, cet ouvrage retient 25 millions de m³ d'eau descendue des cirques torrentiels du Golo. Après avoir produit à l'usine de Pont-de-Castirla de l'énergie électrique pour toute la Corse, les eaux irriguent les plaines littorales au Sud de Bastia.

Le barrage franchi, regagner Calacuccia par la D 84.

alentours

Le **Monte Cinto★★★**, la **forêt de Valdo-Niello★★** et le **lac de Nino★** peuvent être visités depuis Calacuccia *(voir Le Niolo).*

Les Calanche★★★

Dominant le golfe de Porto, les Calanche constituent de singulières curiosités naturelles. Dans un paysage chaotique se profilent d'étonnantes sculptures granitiques formées par l'érosion. Le bleu intense de la mer, la lumière souvent irréelle qui baigne la côte, la palette des orange et des roses du granit et le relief vigoureux justifient la réputation de ce site exceptionnel.

La situation

Carte Michelin n° 90 pli 15 - Corse-du-Sud. La D 81 traverse les Calanche sur 2 km, ménageant d'excellents points de vue sur les amas rocheux et la mer. De la terrasse du chalet des Roches bleues, on peut apercevoir plusieurs rochers à la silhouette évocatrice : à gauche la Tortue, à droite l'Aigle et la Confession. Sur un promontoire dominant la mer trône l'Évêque, une crosse à la main. Enfin, 200 m après le chalet en direction de Porto, on distingue à gauche, la Tête de Poincaré en surplomb sur une falaise. ❏ *Piana,* ☎ *04 95 27 84 42. De mi-juin à mi-sept. : 9h-12h, 14h-19h. Dispose d'une brochure sur les sentiers de randonnées.*

Le nom

Calanche est le pluriel du mot corse *calanca* signifiant « calanque ».

Pour apprécier pleinement l'univers minéral des calanche, parcourez la route (D 81) dans les deux sens, en laissant s'écouler un bon moment entre l'aller et le retour afin de bénéficier d'éclairages différents. La lumière de fin de journée est particulièrement belle.

Les gens

Guy de Maupassant se laissa envoûter par les lieux et les décrit avec force dans *Une vie* (1884) : « C'étaient des pics, des colonnes, des clochetons, des figures surprenantes, modelées par le temps, le vent rongeur et la brume de mer. Hauts jusqu'à trois cents mètres, minces, ronds, tordus, crochus, difformes, imprévus, fantastiques, ces surprenants rochers semblaient des arbres, des plantes, des bêtes, des monuments, des hommes, des moines en robe, des diables cornus, des oiseaux démesurés, tout un peuple monstrueux, une ménagerie de cauchemar pétrifiée par le vouloir de quelque dieu extravagant. ».

L'érosion est à l'origine de la formation de sculptures de granit, les taffoni : la roche se dissout et s'altère par l'eau qui s'infiltre dans le bloc en suivant ses fissures.

comprendre

Les *taffoni* (gros trous, en corse) se développent dans les pays à longue saison sèche, sur les fortes pentes où la roche est à nu et surtout dans les zones d'ombre. Ces cavités hautes parfois de plusieurs mètres, éventrant des rochers dénudés sur le littoral comme à l'intérieur des terres, fascinent par l'équilibre instable de leurs ciels en baldaquin, la subtilité de leurs jeux d'ombres et de lumières et les figures extraordinaires nées de leur recoupement. Choisis durant la préhistoire pour lieu de repos des morts, et toujours disposés à servir de gîte sommaire, ils font partie intégrante de la culture corse. Les roches grenues sont leur terre d'élection. La désolidarisation d'un seul cristal suffit à livrer la pierre à un processus de gigantesque carie, sous l'action combinée des variations de température et d'humidité, renforcée au bord de la mer par le rôle corrosif des embruns. Certains granits à gros cristaux : granite beige de Sant'Ambroggio, granit gris de Calvi, granite rouge de Porto au sein duquel s'inscrivent les Calanche de Piana, se prêtent particulièrement au façonnement des taffoni. Certains taffoni, séniles, n'évoluent plus ; d'autres, toujours soumis à la désagrégation, sont dits « vivants » ; des écailles se détachent de leurs voûtes et leurs parois rugueuses se délestent de grains de sable lorsqu'on les frotte avec la paume de la main.

découvrir

À PIED★★

1 Le château fort

⚑ *1h AR. Le chemin d'accès s'ouvre à droite de la Tête de chien, à 700 m au Nord du chalet.*

Ce sentier est le seul qui pénètre dans l'intimité des Calanche. À travers un dédale de rochers patinés par le soleil, envahis par le maquis et les arbousiers,

> **CONSEIL**
> Quel que soit l'itinéraire choisi, soyez bien chaussé, emportez eau et protection solaire. Évitez les jours de grand vent (risque d'incendie).

on distingue le bois d'eucalyptus de Porto et le promontoire portant la tour carrée. Puis le chemin remonte légèrement jusqu'à une plate-forme faisant face au « château
fort », imposant bloc de granite évoquant un donjon. De
là, une **vue★★★** splendide embrasse tout le golfe de Porto
de la tour du Capo Rosso au golfe de Girolata.

2 Chemin des muletiers

*1h. Le sentier d'accès, jalonné de points bleus, s'amorce
sur la route de Porto à Piana, 400 m au Sud-Ouest du chalet des Roches bleues et à gauche près du petit oratoire de la
Vierge.*

Le sentier grimpe fortement avant de se frayer un passage entre deux gros rochers. De là, on suit en corniche
un ancien chemin muletier Piana-Ota. On découvre
alors derrière soi une très belle **vue★★★** d'ensemble sur
les Calanche et le golfe de Porto. Puis le sentier descend
dans le maquis et rejoint la route.

3 La corniche

*3/4h. Le chemin d'accès, jalonné de points bleus, s'ouvre
à quelques mètres du chalet des Roches bleues, vers Porto, à
droite avant le pont.*

Le sentier suit une forte montée en offrant une **vue★★★**
sur les Calanche et le golfe de Porto. Il poursuit sous les
pins laricio jusqu'à la route nationale.

4 La châtaigneraie

*3h1/2. Prendre le sentier qui s'amorce sur la gauche tout
près du chalet des Roches bleues, en venant de Porto. Il est
jalonné de croix bleues.*

Une montée assez raide conduit à une belle forêt de châtaigniers. Après environ 1h de marche, obliquer sur la
gauche en direction de Porto. Le sentier passe près de la
fontaine d'Oliva Bona. Il descend à travers la forêt de
pins de Piana pour aboutir sur la D 81, à 2 km du chalet des Roches bleues.

5 Le Mezzanu

*2h1/2. Suivre dans un premier temps le même sen-
tier jalonné de croix bleues évoqué ci-dessus, mais une
fois parvenu à la châtaigneraie, bifurquer à droite au
cairn (petit tas de pierres) et descendre vers le Sud-
Ouest. Cette boucle, moins longue, offre néanmoins une
bonne diversité de paysages. En fin de parcours, on
rejoint l'itinéraire* 2 *.*

EN BATEAU★★ *(voir golfe de Porto)*

Calenzana

Calinzana

Adossé au Monte Grosso au milieu des oliviers et des amandiers, ce gros bourg de la Balagne domine le golfe de Calvi. Il fut un bastion de l'indépendance corse dans l'arrière-pays de Calvi, fidèle à Gênes.
Son terroir produit des vins, et du miel parfumé par les plantes du maquis.

La situation

Carte Michelin n⁰ 90 pli 14 – Schéma p. 137 – Haute-Corse (2B). Calenzana se trouve à 11,5 km au Sud-Est de Calvi.

Le nom

Calenzana est un nom évocateur pour les randonneurs puisque c'est le point de départ Nord du célèbre GR 20 et du sentier Mare e Monti.

Les gens

1 722 Calenzanais. **Restitude** a été proclamée patronne de Calenzana et de la Balagne par le pape Jean-Paul II, en 1984. Cette sainte avait été martyrisée et décapitée à Calvi au 3ᵉ s. et fut depuis lors vénérée dans la région *(voir église Ste-Restitude).*

> **RANDONNÉE**
> De Calenzana, le GR 20 prend la direction du Sud-Est : 220 km de sentiers difficiles et splendides à travers le Parc naturel régional mènent à Conca.

LES ABEILLES, ALLIÉES DE L'INDÉPENDANCE

En 1729 éclate la guerre d'Indépendance. Pour venir à bout des rebelles, Gênes fait appel à l'empereur Charles VI d'Autriche à qui elle loue, moyennant 30 000 florins par mois, 9 000 mercenaires allemands. En outre, il est convenu que chaque soldat tué, blessé ou disparu soit payé 100 florins.

C'est ainsi qu'en 1732 débarquent à Calvi 800 mercenaires de l'armée de **Wachtendonck**. Afin de dégager l'arrière-pays, ils se présentent le 14 janvier devant Calenzana. Les habitants ne disposent que d'une vingtaine d'arquebuses, de quelques pistolets, de haches et de couteaux ; mais pleins d'idées, ils rassemblent toutes les ruches des environs sur les rebords des fenêtres, les terrasses et les toits. Et lorsque les Allemands parcourent les ruelles à la recherche des partisans, voilà que basculent les ruches. Des escadrilles d'abeilles s'en échappent et par leurs piqûres mettent à mal les mercenaires. Ceux-ci jettent leurs fusils et courent vers les fontaines. Les Corses se précipitent alors dans les rues, s'emparent des armes abandonnées et achèvent le travail des aiguillons : 500 soldats gisent sur le terrain.

> **GOURMANDISE**
> La grande spécialité de la ville, les « cusgiulelle », gâteaux secs au vin blanc, passent pour être les meilleurs de l'île.

---

visiter

Église Saint-Blaise

Ancienne collégiale, cette grande église baroque fut édifiée de 1691 à 1701, sur les plans d'un architecte milanais renommé, Domenico Baïna, également auteur des plans de la célèbre église de la Porta *(voir ce nom).* L'édifice s'appuie sur des contreforts massifs et présente une façade à pilastres et corniches sculptées.

Au plafond de la nef principale, une fresque en médaillon, du 18ᵉ s., représente saint Blaise guérissant un enfant. Les chapelles du chœur sont coiffées de coupoles dont les peintures en trompe-l'œil (1880) accusent l'élévation. Le chœur très profond doté d'un bel autel (1767) est fermé d'une balustrade en marbre marqueté, flanquée de deux angelots porte-cierge.

Érigé entre 1870 et 1875 dans le style baroque, un beau campanile occupe en partie l'emplacement du cimetière des Allemands.

Adossé au Monte Grosso, le village de Calenzana domine Calvi.

Place de l'Hôtel-de-Ville

Dominée par le Monte Grosso, cette grande place rectangulaire, ornée de platanes et de palmiers, s'ouvre face au golfe de Calvi.

alentours

Église Ste-Restitude★

1 km par la D 151 en direction de Montemaggiore. Visite sur demande auprès des bureaux de tabac de Calenzana et contre dépôt d'une pièce d'identité.

◄ Elle s'élève dans un enclos planté d'oliviers centenaires. Remarquer à gauche en entrant le bénitier en albâtre du 16e s.

Chœur – La coupole octogonale, éclairée par trois fenêtres et un lanternon, s'orne d'entrelacs et de motifs géométriques. Des médaillons décorent les écoinçons. La **statue** de sainte Restitude, en bois polychrome du 18e s., est placée dans la chapelle de gauche.

L'**autel** du 4e s. est constitué de deux morceaux de sarcophage en marbre placés verticalement ; ils supportent une table de granit.

Le cénotaphe présente deux **fresques**★ du 13e s. relatant le martyre de la sainte : sur le côté gauche, sainte Restitude devant ses juges ; sur le côté droit, la décapitation de la sainte et de ses cinq compagnons. En arrière se tiennent les hommes d'armes et les notables. Derrière le cénotaphe, un reliquaire contient les ossements des saints martyrs.

Crypte – *Escaliers de part et d'autre du chœur.* Elle abrite le **sarcophage** (en marbre de Carrare) de sainte Restitude (1re moitié du 4e s.). La découverte de ce sarcophage en 1951 a donné un fondement historique inattendu à toutes les traditions orales touchant à sainte Restitude.

CALENDRIER
Deux processions annuelles se déroulent en l'honneur de sainte Restitude : la première, le lundi de Pâques, transfère sa statue et ses reliques à l'église paroissiale St-Blaise où sa châsse reste exposée ; la seconde, le dimanche suivant le 21 mai, accompagne leur retour à l'église Ste-Restitude.

Calvi★

Calvi, fièrement campée en vigie sur sa rade lumineuse dans un cadre de montagnes souvent enneigées, compte parmi les plus beaux sites marins de Corse. L'arrivée par mer est mémorable : la citadelle plantée sur le promontoire qui s'avance entre le golfe de Calvi et celui de la Revellata contraste avec le paysage environnant d'une grande sérénité.

C'est la « capitale » de la Balagne et un centre de villégiature très apprécié. Sa plage, longue de 6 km, bordée de pins parasols, s'allonge au fond d'une vaste baie. C'est aussi une escale pour les plaisanciers, assurés d'un excellent mouillage réputé dès l'Antiquité.

Calvi pratique encore la pêche à la langouste. Ses autres ressources, tirées de l'arrière-pays, sont les vins, les huiles, les fromages, les fruits et le gibier.

La situation

Carte Michelin nº 90 plis 13, 14 – Haute-Corse (2B) – Schéma p. 191. Ville la plus proche des côtes de Provence (176 km de Nice), Calvi entretient des relations maritimes avec Nice, Toulon et Marseille et des liaisons aériennes quotidiennes avec le continent.

Elle comprend une ville haute ou citadelle, ancien bastion génois, et une ville basse, la marine, aux maisons colorées et au port fréquenté où se concentre l'animation estivale et nocturne.

Laissez votre véhicule au parking (gratuit) du port de plaisance. ◗ *Port de Plaisance, 20260 Calvi, ☎ 04 95 65 16 67 - citadelle (en saison) ☎ 04 95 65 36 74. De déb. mai à fin sept. : tlj ; le reste de l'année : lun.-ven.*

TEMPS FORTS DE CALVI
La ville organise chaque année des manifestations de renommée : **Calvi Jazz Festival**, fin juin, ☎ 04 95 65 16 67 ; les **Rencontres de Chants Polyphoniques**, mi-sept., ☎ 04 95 65 23 57, le festival du Vent (**Festiventu**) fin oct.

Le nom

Son nom viendrait du mot latin *calvus* signifiant « chauve », en référence au rocher dénudé sur lequel fut construite la citadelle.

Les gens

5 177 Calvais. Plusieurs villes d'Italie et d'Espagne revendiquent avec Calvi l'honneur d'avoir vu naître **Christophe Colomb**. On situe généralement son lieu de naissance à Gênes, mais certains affirment que la maison de la rue Colombo à Calvi est la demeure natale du navigateur, faisant valoir que s'il était sujet génois, il pouvait aussi bien être né à Calvi qui, en 1441, faisait partie de la commune de Gênes...

Une plaque de marbre, en retrait, signale l'emplacement de cette habitation dont il ne reste que quelques pierres.

Bâtie sur un promontoire rocheux plongeant dans la mer, Calvi est la ville corse la plus proche du continent.

comprendre

De l'occupation romaine à la domination pisane – Fréquenté probablement dès le 5e s. avant J.-C. par les Phéniciens, les Grecs et les Étrusques, le golfe de Calvi est désigné par les Romains sous le nom de *Sinus Caesiae* ou *Sinus Casalus*.

La cité que fondèrent les Romains au 1er s. occupait la partie basse de la marine qu'abrite actuellement la tour du Sel. À la fin de l'Empire, c'était déjà une bourgade dotée d'une basilique paléochrétienne. Réduite à quelques maisons à la suite des invasions des Vandales, puis des Ostrogoths qui ravagèrent la Corse entre le 5e et le 10e s., elle se ranima sous l'hégémonie de Pise aux 11e, 12e et 13e s., mais demeura une simple marine.

Un bastion génois – Dans la seconde moitié du 13e s., une guerre entre seigneurs fut à l'origine de la fondation de la haute ville. Giovanninello, un seigneur du Nebbio s'allia à de puissantes familles du Cap Corse, favorables aux Génois et, en 1268, se retrancha sur le promontoire où s'élève aujourd'hui la citadelle.

Les Calvais se rebellèrent ensuite contre la tyrannie de leurs seigneurs et demandèrent en 1278 protection à la république de Gênes. Celle-ci, désireuse de s'assurer la fidélité de la population pour faciliter sa pénétration dans l'île, lui octroya alors les mêmes privilèges et exemptions qu'aux Bonifaciens. Calvi resta jusqu'au 18e s. un point d'appui de la puissance génoise en Méditerranée occidentale.

Cité de la fidélité – De 1553 à 1559, la domination de Gênes rencontra la résistance de **Sampiero** *(voir Bastelica)* appuyée par le corps expéditionnaire du maréchal de Thermes. À deux reprises, en 1553 et en 1555, Calvi leur opposa une résistance victorieuse : la devise de la ville *Civitas Calvi semper fidelis* (toujours fidèle), gravée au-dessus de la porte d'entrée de la citadelle, commé-

carnet pratique

Tête de pont des liaisons maritimes et aériennes avec les régions niçoise et marseillaise, la capitale de la Balagne est, en haute saison, une des stations corses présentant la plus forte densité de fréquentation passagère.

TRANSPORTS

Aéroport – *À 8 km du centre-ville. Santa-Catarina,* ☎ *04 95 65 88 88.* Seuls les **taxis** desservent l'aéroport, ☎ 04 95 65 03 10. Trajet aéroport-Calvi, environ 11,43€.

Location de voiture – Plusieurs compagnies de location de véhicules sont représentées à l'aéroport. **Avis** - ☎ *04 95 65 88 38.* **Hertz** - ☎ *04 95 65 02 96.* **Budget** - ☎ *04 95 65 88 34.*

Gare ferroviaire – *À côté de l'Office de tourisme* - ☎ *04 95 65 00 61.* Le « train des plages » fonctionne d'avr. à oct. 2 trains par jour pour Bastia ou Ajaccio.

Transports maritimes – **SNCM** - ☎ *04 95 65 17 77 ou 04 95 29 66 99.* **Corsica Ferries** - ☎ *04 95 65 43 21.* **CMN** - ☎ *04 95 65 01 38.*

Port de plaisance – *Capitainerie (située sous l'Office de tourisme)* ☎ *04 95 65 10 60.*

VISITE

Visite guidée de la ville – Elle dure 1h1/2 et est organisée par l'Office de tourisme, uniquement sur réservation. 6,86€.

RESTAURATION

• *Valeur sûre*

Aux Bons Amis – *R. Clemenceau -* ☎ *04 95 65 05 01 - fermé 1er nov. au 28 fév., dim. midi en sais. et jeu. hors sais. - 15,24/42,69€.* Dans une rue piétonne, petite salle à manger agrémentée de filets et d'ustensiles de pêche ; vivier à langoustes et homards. Spécialités de produits de la mer.

Emile's – *Quai Landry -* ☎ *04 95 65 09 60 - fermé 1er déc. au 15 janv., lun. hors sais. et mar. - 18,29/38,11€.* Pour déjeuner ou dîner sur le port, ne vous fiez pas

à son entrée à peine visible ! C'est au premier étage que ça se passe : terrasse panoramique abritée de grands parasols, belles tables soigneusement dressées et cuisine de la mer vous y attendent...

Calellu – *Quai Landry -* ☎ *04 95 65 22 18 - fermé nov. à fév. et lun. hors sais. - 18,29€.* Une envie de poisson vous titille en longeant le port ? Installez-vous à la terrasse de ce petit restaurant tout simple, vous ne serez pas déçu : sa cuisine du jour, plutôt bien tournée, met à l'honneur les produits de la mer. Saveurs méditerranéennes et accueil sympathique.

HÉBERGEMENT

• *À bon compte*

Camping Paduella – *2 km au SE de Calvi par N 197 puis rte de l'Île-Rousse -* ☎ *04 95 65 06 16 - ouv. 10 mai au 15 oct. - ⊘ - 130 empl.: 14,94€.* Situé sur un agréable terrain très boisé de pins, eucalyptus et chênes, ce camping bénéficie d'emplacements vraiment bien ombragés.

Camping Le Panoramic – *20260 Lumio - 12 km au NE de Calvi par N 197 (rte de l'Île-Rousse) puis D 71 (rte de Belgodère) -* ☎ *04 95 60 73 13 - ouv. juin au 15 sept. - ⊘ - réserv. conseillée - 100 empl.: 14,94€.* L'accueil est familial et chaleureux dans ce camping situé entre l'Île-Rousse et Calvi. Ici, c'est simple mais bien tenu. Belles terrasses ombragées. Piscine avec petite plage et sa buvette.

• *Valeur sûre*

Le Magnolia – *Près de la pl. du Marché -* ☎ *04 95 65 19 16 - fermé 15 janv. au 15 mars - 11 ch.: 68,60/129,58€ - � 9,91€ - restaurant 15/53€.* Cette maison de maître du 19e s., sise au cœur de la ville, doit son nom au magnolia centenaire de son patio... Il abritera de ses généreuses feuilles vos déjeuners et vos dîners au Jardin, le restaurant de l'hôtel. La décoration un peu désuète des chambres a un certain charme.

L'Onda – *Av. Christophe Colomb -* ☎ *04 95 65 35 00 - fermé du 16 nov. au 30 mars -* **P** *- 24 ch.: 68,60/99,09€ - ⊏ 6,10€.* À proximité de la plage et de la pinède créée à la fin du 19e s., petit immeuble récent aux chambres fonctionnelles, bien insonorisées. Tenue méticuleuse.

La Caravelle – *À la plage - 0,5 km au S de Calvi par N 197 -* ☎ *04 95 65 95 50 - fermé nov. à mars - 34 ch.: demi-pension 80,80/99,09€ - restaurant 20/30€.* En bordure d'une plage de sable fin, à l'entrée de la ville, un joli jardin vous accueille... et vous êtes déjà sous le charme. De votre chambre avec terrasse, admirez la vue panoramique sur la mer et la citadelle.

SORTIES

Dominant la ceinture des bastions de la citadelle, « **Le Tao** » offre un cadre unique pour se désaltérer en s'abandonnant à la

Moment de détente sur la longue plage de Calvi.

musique le soir sur la terrasse. Possibilité de restauration. Le long du quai Landry, les nombreuses terrasses invitent également à une pause-rafraîchissement tout en observant les mouvements du port.

Le Tire Bouchon – *R. Clemenceau -* ☎ *04 95 65 25 41 - de déb. avr. à fin mai, oct.-mars : tlj sf mar. 10h-14h30, 19h30-00h ; de déb. juin à fin août : lun.-dim.matin 10h-14h, 19h30-00h - fermé nov.-mars.*
Les jeunes propriétaires de ce bar à vin n'espéraient pas un tel succès. Mais comment ne pas tomber sous le charme de ce petit bistrot et de sa terrasse dominant la rue piétonne? 35 vins de qualité et des produits frais à déguster avec délectation.

A Stalla – *11 r. Clemenceau -* ☎ *04 95 65 06 29 - tlj 22h-2h - fermé oct.-juin.* Dans sa belle « étable » reconvertie en cabaret, Marise Nicolaï interprète tous les soirs des chants traditionnels et organise régulièrement des concerts avec les meilleurs chanteurs corses actuels.

ACHATS

Marché – Tous les matins, marché de la Balagne sur la place du Marché couvert, et au port de plaisance en milieu de matinée, à l'arrivée des pêcheurs.

A Casetta – *16 r. Clemenceau -* ☎ *04 95 65 32 15 - août : tlj. 9h-00h ; juin-juil. : 9h-21h ; avr.-mai, sept.-oct., déc. : 9h-12h30, 15h-20h - fermé nov., janv. et fév.*

En passant sous les jambons suspendus à la potence au-dessus de l'entrée de cette jolie boutique, vous trouverez une belle sélection de produits artisanaux : fromages, huiles, alcools, herbes du maquis…

LOISIRS

A Cavallu – *1d Valle al Legno R.N. 197 -* ☎ *04 95 65 22 22 - tlj 10h-12h, 14h-16h ; été : 8h-12h, 15h-20h.* Outre les randonnées dans la montagne et les baignades des chevaux montés à cru, ce centre propose de nombreuses activités pour les tout petits, comme la balade à poney dans le maquis ou la visite de la ferme pédagogique.

Calvi Nautique Club – *Base Nautique - Port de Plaisance -* ☎ *04 95 65 10 65 - juil.-août : tlj 9h-20h ; sept.-mai : tlj 9h-12h, 14h-18h ; juin : tlj 9h-12h, 14h-20h ; oct.-mai : lun.-sam - fermé vac. scol. Noël.* Ce club très actif propose des locations de planches à voile, kayaks, fun boards, lasers et hobie cats, mais également de multiples stages et randonnées en mer dans une ambiance familiale et décontractée.

---

more son fait d'armes de 1555. Cette fidélité de Calvi explique la résistance de la cité à **Paoli** le grand ennemi de Gênes, et l'accueil qu'elle réserva aux opposants de Paoli, en particulier à Napoléon Bonaparte en mai et juin 1793.

Aussi, lors de l'éphémère royaume anglo-corse *(voir Morosaglia)*, la ville fut-elle assiégée du 16 juin au 5 août 1794, par 6 000 Anglais et Paolistes. Défendue par le général de Casabianca, la citadelle repoussa leurs attaques incessantes. Du haut des collines de la Serra, les artilleurs anglais la canonnèrent sans discontinuer. Calvi, à bout de ressources, dut pourtant capituler. La citadelle, ayant reçu plus de 30 000 boulets, bombes et obus, fut réduite en un tas de gravats noircis. Enfin, le 24 octobre 1796, les Anglais évacuèrent Calvi qui redevint française.

La Semaine sainte – Elle donne lieu à de grandes cérémonies. Le Jeudi saint commence par une messe à l'église Ste-Marie. On y bénit et distribue les **canistrelli** (petits gâteaux en forme de couronne), juste avant le lavement des pieds. La messe est suivie de la procession de pénitence des deux confréries de la ville. Cette procession s'achève à l'oratoire St-Antoine où a lieu une seconde bénédiction de canistrelli.

Le vendredi, de 21h à 23h, la **Granitula** ou procession en spirale se déroule depuis l'église St-Jean-Baptiste, à travers les rues de la haute et de la basse ville, accompagnée de vieilles complaintes calvaises. Les membres des confréries de St-Antoine et de St-Érasme portent une statue grandeur nature du Christ mort, suivie de celle de la Vierge du rosaire, en pleurs et vêtue de noir. Y participent, pieds nus, en longue robe blanche, cagoule rabattue sur le visage, des pénitents anonymes courbés sous le poids de la croix.

L'ŒIL DE NELSON

C'est au cours de ce fameux siège que le futur amiral Nelson, blessé par une projection de pierrailles, perdit l'œil droit. Une plaque apposée sur le rocher à cet endroit rappelle l'événement.

Protégée par ses remparts et ses bastions, la citadelle incarne presque six siècles de domination génoise. Chaque année, Calvi met le vent à l'honneur (Festiventu).

se promener

LA CITADELLE★★

Visite : 2h. Sur son promontoire rocheux, la citadelle représente six siècles de présence génoise. Elle dresse les murailles ocre de son enceinte puissamment bastionnée au-dessus de la ville basse et du port. La vieille ville se compose de ruelles étroites, en pente ou en escaliers et bordées de maisons lézardées aux façades effritées.

Place Christophe-Colomb

Le sculpteur Emmanuel Frémiet, neveu et élève de Rude, est l'auteur de la *Renommée* en bronze du monument aux morts de la Première Guerre mondiale.

Une stèle rappelle l'action du 1er bataillon de choc des Forces françaises libres pour la libération de la Corse le 3 novembre 1943.

Pénétrer dans la citadelle, à l'Ouest, par son unique entrée jadis gardée par un fossé à pont-levis avec une herse dont on voit encore l'emplacement. Au-dessus de la porte d'entrée est gravée la célèbre devise de la cité. Monter par la rampe pavée et suivre le chemin de ronde qui fait le tour des remparts et réserve de belles **vues**★ sur le large. On se trouve au cœur du dispositif défensif de la baie de Calvi d'où l'on peut surveiller une très large portion de mer et toute la plaine, jusqu'aux derniers contreforts du massif du Cinto et du Monte Padro.

Les fortifications★

Édifiés sur des assises de granit, les remparts envahis de figuiers de Barbarie enserrent la haute ville dans un quadrilatère dont trois côtés donnent sur la mer. Ils ont été élevés par Gênes à la fin du 15e s. mais ont été modifiés lors des sièges. Trois bastions furent initialement édifiés sur les côtés Sud et Est. À l'angle Sud-Ouest, le **Spinchone** écrase de toute sa masse la marine et le port ; le **Malfetano** relie les côtés Sud et Est ; le **Teghiale** termine au Nord la défense Est. Le côté Ouest qui présentait un front de rochers abrupts s'est longtemps contenté de murs droits. Du bastion Ouest on découvre la ville basse, la presqu'île St-François, le golfe et la pointe de la Revellata.

Ancien palais des gouverneurs génois

Actuellement caserne Sampiero. Ne se visite pas, domaine militaire. C'est une construction massive du 13e s. flanquée d'un donjon, édifiée par Giovanninello et agrandie en 1554 par l'Office de Saint-Georges. Elle comprend un ensemble de vastes salles, de citernes souterraines et des oubliettes.

Église St-Jean-Baptiste

Visite guidée possible, s'adresser à l'Office de tourisme.

Dominant la place d'Armes, elle s'élève au sommet du rocher. Ramassé sous une grande coupole surmontée d'un lanternon, cet édifice présente une façade austère. Fondée au 13ᵉ s., gravement endommagée en 1567 à la suite de l'explosion du magasin de poudre de l'ancien château, l'église fut reconstruite en 1570 et érigée en cathédrale six ans après.

En forme de croix grecque, l'**intérieur**★ est éclairé par des petites fenêtres hautes et le lanternon. À droite de la nef en entrant, un beau bénitier en albâtre (1443) est orné de têtes d'anges. Dans le pan coupé gauche, derrière une grille, on remarque des **fonts baptismaux**★ de style Renaissance, décorés à la vasque de gracieuses têtes d'anges et au piédestal de sirènes, offerts en 1569 par le riche négociant calvais Vincentello.

Jadis, pour ne pas être mêlées au peuple, les femmes des notables assistaient aux offices dans les loges grillagées situées dans les pans coupés sous la coupole octogonale.

Adossée à un pilier de droite, une belle **chaire**★ en chêne sculpté présente un décor plein de grâce et de fantaisie : saint Jean Baptiste orne le panneau central, tandis que les symboles des évangélistes décorent les angles. ▶ Une inscription peinte sur trois cartouches rappelle que la chaire a été offerte en 1757 par les Calvais.

> **PIÈCE MAÎTRESSE DE L'ÉGLISE**
>
> Dans l'abside se trouve un grand **triptyque**★ sur bois (1458), du peintre génois **Barbagelata,** élève de Giovanni Mazone. Cette très belle œuvre, auquel manque le panneau central, représente l'Annonciation entourée des saints patrons de la ville, ainsi que des scènes de la vie de la Vierge et de l'enfance du Christ.

Alsace-Lorraine	2
Anges (R.des)	3
Armes (Pl. d')	4
Clemenceau (R.G.)	
Columbo (R.)	6
Crudeli (Pl.)	7
Dr-Marchal (Pl. du)	8
Fil (R. du)	9
Joffre (R.)	10
Montée des Écoles (Chemin de)	12
Napoléon (Av.)	15
République (Av. de la)	16
Wilson (Bd)	

Ancien palais des gouverneurs génois	B
Hôtel de ville	H
Maison natale de Christophe Colomb	E
Maison Pacciola	K
Oratoire de la confrérie Saint-Antoine	M
Palais Giubega	L

Sur un autel latéral à droite du chœur, on remarque un **Christ en ébène,** du 15ᵉ s., vêtu d'un pagne d'argent. Selon la tradition, il fut promené dans la ville par les habitants durant le siège de 1553 par les Turcs. La levée inopinée du siège en a fait un objet de grande vénération ; on l'appelle désormais le **Christ des miracles.**

Le chœur s'orne d'un imposant **maître-autel** du 17ᵉ s. en mosaïque de marbres polychromes avec de fines appliques de bronze. Sous le triptyque, remarquer un amusant groupe en bois, œuvre populaire du 16ᵉ ou 17ᵉ s. Sa niche centrale abrite une statue en bois très vénérée : la **Vierge du rosaire** qui aurait été rapportée d'Espagne au 15ᵉ s.

Redescendre sur la place d'Armes et prendre la ruelle qui s'ouvre à droite face à la caserne Sampiero. À 200 m s'élève sur la droite l'oratoire de la confrérie St-Antoine.

Oratoire de la confrérie St-Antoine

Visite libre tlj 9h-18h. Possibilité de visite guidée (1h1/2) sur demande préalable auprès de l'Office de tourisme.

C'est un édifice de la fin du 15ᵉ s. dont le linteau de la porte d'entrée, sculpté dans l'ardoise noire, représente saint Antoine abbé et son petit cochon entre saint Jean-Baptiste et saint François agenouillé. Il continue d'abriter les exercices de piété de la confrérie St-Antoine.

L'intérieur présente trois nefs dont les fenêtres s'ouvrent sur la baie de Calvi. Sur le mur latéral gauche, deux fresques représentent la Crucifixion : la plus ancienne, de la fin du 15ᵉ s., est très effacée, l'autre, du 16ᵉ s., bien conservée, figure le Christ entre saint Antoine abbé, la Vierge, saint Sébastien et saint Roch.

Maison Pacciola

En contrebas du chevet de l'église St-Jean-Baptiste, la maison rappelle le séjour, en 1793, de Napoléon. Alors jeune officier d'artillerie, il fuyait Ajaccio et vint s'abriter dans cette maison auprès de son parrain.

Palais Giubega

Ne se visite pas. Cette construction haute et massive, datant du 15ᵉ s., servait jadis de résidence d'été aux évêques de Sagone *(voir golfe de Sagone).*

Regagner la place Christophe-Colomb et descendre vers le port.

LA MARINE★

Avec ses cafés et ses restaurants, ses quais plantés de palmiers, ses yachts et ses barques de pêche, la ville basse offre un contraste saisissant avec les vieilles rues silencieuses de la haute ville. La rue Clemenceau est l'artère principale ; pavée de grosses pierres, elle est bordée de boutiques et de maisons aux couleurs pastel.

Le port

Bien protégé des vents d'Ouest par la citadelle, offrant un mouillage sûr et facilement accessible, c'est le port de plaisance le plus recherché de Corse. C'est aussi un port de pêche et de commerce qui accueille des bateaux de gros tonnage et exporte les produits de la Balagne.

LOISIRS

Club Castille – *Port de Plaisance -* ☎ *04 95 65 14 05 - sorties sur RV ; été : 8h30, 10h30, 14h30 et 16h30 ; hiver : 9h, 11h et 15h.* Installés sur un navire de recherche océanographique, Evelyne et Gérard tiennent le plus ancien club de plongée de Calvi. Ce couple sympathique est aussi le seul à proposer des plongées profondes et de véritables explorations découvertes.

Promenade le long des quais où l'on prend plaisir à observer le va-et-vient des yachts et des bateaux de pêche.

Tour du Sel

Cette tour ronde était probablement, à l'origine, un embryon de fortification et un poste de guet, elle servit aussi de dépôt pour le sel apporté par bateaux.

Église Ste-Marie-Majeure

Elle s'élève sur une petite place et présente une façade ocre et rose vif. Elle remplaça la primitive église paléo-chrétienne Ste-Marie-Majeure du 4e s., détruite par les barbares au 5e s., reconstruite au 13e s. et à nouveau détruite au 16e s. par les Sarrasins. Un beau buffet d'orgue de facture italienne (18e s.) donne lieu en saison à des récitals par des organistes de renom. Dans le chœur, remarquer deux intéressantes peintures : **N.-D. de l'Assomption** (16e s.) et l'**Annonciation de la Vierge** (18e s.), œuvre florentine, legs de la collection Fesch. Dans la chapelle est exposée une **peinture sur cuir** de Cordoue (15e s.) représentant N.-D.-de-la-Serra et provenant du sanctuaire du même nom.

D'architecture baroque, l'église Ste-Marie-Majeure est surmontée d'une haute coupole comportant un lanternon. Le clocher a été ajouté au 19e s.

Hôtel de ville

Lun.-ven. : 8h30-12h, 14h-18h. Fermé j. fériés.

On y accède depuis la rue Albert-Ier par un joli jardin en escaliers, orné de palmiers, de mimosas et de lauriers-roses. Au 1er étage sont exposées dans la salle des Fêtes quelques toiles léguées à la ville par le cardinal Fesch.

Vue sur la citadelle★

En montant l'avenue Gérard-Marche, on parvient à la caserne et au cimetière qui dominent la mer. De là, vue sur la citadelle d'où émerge le dôme de l'église St-Jean-Baptiste, sur la ville basse, la baie et la plage.

La pinède

Elle s'étend sur près de 4 km, depuis la marine jusqu'à l'embouchure de la Figarella. Créée à la fin du 19e s. pour assurer le maintien des dunes et l'assainissement des marais, elle compte essentiellement des pins maritimes, mais aussi des mûriers et des eucalyptus. La voie ferrée Calvi-Ponte-Leccia la longe sur sa totalité et constitue le meilleur moyen d'accéder aux plages.

LA LÉGENDE DU TAO : DU PRINCE CAUCASIEN À JACQUES HIGELIN

En 1918, en quittant son Caucase natal pour Constantinople puis New York, le prince Tau Kanbey de Kerekoff entamait une carrière d'artiste digne des fastes légendaires de la Russie impériale.

Ce danseur de ballet émérite, accompagné du prince Yousoupoff et de la célèbre ballerine Pavlova, tomba amoureux de Calvi lors d'un passage dans la ville en 1924. Ayant acquis le fameux palais Giubega, il en fit un lieu de fête pour la bonne société qui se rendait en yacht à Calvi. Le « Tao », haut lieu des nuits calvaises, était né.

Des terrasses surplombant la magnifique baie, les héritiers de Tau perpétuent l'amour slave de la fête et de la musique. Le chanteur Jacques Higelin, fidèle séjournant calvais, en a fait le thème d'une de ses compositions, *La Ballade du Tao*.

Jacques Higelin, fidèle séjournant calvais.
Ici, au moment du Calvi Jazz Festival.

---

alentours

Scandola et Girolata★★★

Accessible en bateau depuis Calvi. *Voir ces noms.*

Notre-Dame-de-la-Serra★

6 km à l'Ouest – 1/2h. À la sortie de Calvi, sur la droite, une plate-forme, marquée d'une croix, offre une vue d'ensemble sur la citadelle, le golfe de Calvi et la pointe de la Revellata.

À 4 km, prendre à gauche la petite route qui monte à travers le maquis dans un environnement assez dégradé. Elle procure de beaux **coups d'œil★** sur la presqu'île de la Revellata, puis passe à droite d'un chaos de rochers granitiques, érodés et creusés de *taffoni (voir calanche de Piana)*.

PROMENADES EN MER
Colombo Line – *Quai Landry - ☎ 04 95 65 32 10 - été : tlj 8h-23h, hors sais. : 8h-21h.* Sur cet hydrojet rapide et très confortable qui vous conduira en une journée jusqu'à Ajaccio, vous explorerez des lieux inaccessibles par voies terrestres, de la réserve de Scandola aux nombreuses criques et îlots volcaniques qui bordent la côte.

Entourée d'un mur d'enceinte, la chapelle surgit du maquis. Un large escalier mène à la terrasse qui domine la baie de Calvi, offrant une **vue★★★** admirable sur le rivage, les montagnes et la citadelle. La chapelle a été édifiée au 19e s. sur les ruines d'un sanctuaire du 15e s. détruit au cours du siège de Calvi en 1794. Du haut de son rocher, la **statue de Notre-Dame-de-la-Serra** regarde la baie.

Plusieurs sentiers permettent d'agréables promenades alentour.

Domaine de la punta de Revellata

6 km. Sortir de Calvi par la route de Porto, puis juste après l'embranchement de la route de N.-D.-de-la-Serra, laisser la voiture sur le parking à droite. Se conformer à la réglementation affichée. 2 km à pied. Pour les inscriptions aux stages de plongée du centre océanographique « Stareso » de La Revellata, prendre contact au préalable au ☎ 04 95 65 06 18.

De la route une piste se détache et serpente en contrebas vers le rivage de la presqu'île de Revellata. Tout au long de la descente des **vues★** splendides se révèlent sur les anfractuosités de la côte. L'extrémité du promontoire *(propriété privée)* est occupée par le laboratoire de biologie marine d'une université belge. En saison, des stages de plongée sont organisés *(voir carnet pratique)*.

randonnée

Capu di a Veta

🚶 *2h1/2 aller depuis N.-D.-de-la-Serra.*

Laisser la voiture sur le terre-plein devant la chapelle et prendre le sentier bien tracé plein Sud, balisé blanc et rouge. La montée raide s'effectue à vue au travers du maquis jusqu'à la croix qui se dresse à proximité du sommet du Capu di a Veta (alt. 703 m). Du sommet, superbe **vue★★** sur l'ensemble du golfe de Calvi, avec l'avancée de la presqu'île de la Revellata, et à droite les contreforts de la Balagne ponctuée de villages.

itinéraires

Cirque de Bonifato★ *(voir ce nom)*

Bassin de la Figarella et collines de Montegrosso★★
Circuit de 48 km – environ une demi-journée. Voir La Balagne.

La Canonica★

Dans la plaine bastiaise qui s'étend au Sud de l'étang de Biguglia, à environ 3 km en amont de l'embouchure du Golo, l'église-cathédrale de Mariana dresse son élégante silhouette quasiment en plein champ. Cette église romane, appelée localement la Canonica, séduit par la pureté de ses volumes et par l'harmonie de ses polychromies naturelles.

La situation

Carte Michelin no 90 pli 3 - Haute-Corse (2B). De Bastia, prendre la N 193 vers le Sud (17 km) ; au niveau de l'aéroport, prendre à gauche la D 107 *(voir également le circuit Étang de Biguglia à Bastia)*. Le site est occupé par les ruines paléochrétiennes de la ville de Mariana et par l'église de la Canonica.

Le nom

La Canonica vient de *canonicus* signifiant « chanoine ». En effet, les fouilles entreprises autour de la cathédrale ont permis de repérer l'emplacement d'une résidence médiévale qui abritait l'évêque et des chanoines.

Les gens

En 93 avant J.-C., **Marius** (157-86 avant J.-C.), consul romain, fonda et donna son nom à la colonie de Mariana, composée de vétérans issus de ses campagnes contre les pirates. L'empereur **Auguste** (27 avant J.-C.-14 après J.-C.) y créa un port et Mariana devint alors une tête de pont importante de l'expansion romaine dans le Nord de l'île.

> **DE VIOLENTES INCURSIONS**
>
> L'étude des couches archéologiques a mis en évidence plusieurs incursions barbares, et au moins une destruction violente du sanctuaire (due aux Lombards, au 6e s., sans doute), puis une reconstruction au 7e s.

visiter

Champ de fouilles

En été : tlj ; hors sais. : demander les clés à la mairie de Lucciana. ☎ *04 95 30 14 30.*

Les fouilles du site paléochrétien de Mariana, au Sud de la cathédrale romane, sont les plus complètes qui aient été réalisées jusqu'ici en Corse.

Ces fouilles récentes, ont mis au jour les bases d'une **basilique** paléochrétienne du 4e s. à trois nefs, à une vingtaine de mètres seulement de l'église de la Canonica ; à proximité se trouve un **baptistère,** également du 4e s. Le décor de **mosaïques** et de colonnes de granit laisse deviner la splendeur originelle des lieux.

Le site paraît avoir été abandonné après le 8e s., jusqu'à ce que la sécurité nouvelle de la côte, assurée par les Pisans à la fin du 11e s., permette de construire la cathédrale romane qui demeure aujourd'hui.

> **UNE EXTRÊME PURETÉ**
>
> Remarquer la netteté et la pureté des volumes et des élévations. La beauté de l'édifice vient aussi de la subtile polychromie de la pierre, allant du gris-jaune au vert pâle, en passant par les nuances bleu et orange. Il s'agit d'un **calschiste**, sorte de marbre, provenant des carrières de Sisco et Brando, dans le Cap Corse.

Cathédrale romane★

Intérieur en cours de restauration. Visite sur demande auprès de la mairie de Lucciana. ☎ *04 95 30 14 30.*

L'édifice actuel fut solennellement consacré en 1119, ► sous le vocable de Santa Maria Assunta, par l'archevêque de Pise, légat pontifical. Cette église, de dimensions relativement modestes avec ses 33 m d'Est en Ouest, est de plan basilical, avec une nef centrale plus large et plus haute que les nefs latérales et une parfaite abside semi-circulaire couverte d'une voûte en cul-de-four.

Les dalles sont disposées en placage de part et d'autre d'un noyau de maçonnerie fait de galets pris dans un mortier de chaux. La porte de la façade occidentale est pourvue d'un décor d'entrelacs pour le linteau mono- ► lithe et pour l'archivolte coiffant le tympan nu ; celle-ci est surmontée de six claveaux sculptés d'animaux.

> **S**ur les claveaux, on distingue vraisemblablement *(de gauche à droite)* un lion, deux griffons ailés affrontés, un agneau portant la croix (symbole de la victoire sur le mal), un loup, un cerf poursuivi par un chien.

La CANONICA et le site de MARIANA

L'église-cathédrale de Mariana, dite la Canonica, représente un des chefs-d'œuvre du début de l'art roman pisan.

Église San Parteo

À 300 m à l'Ouest de la cathédrale de la Canonica, par la D 107, puis prendre le chemin de terre à gauche. Visite sur demande auprès de la mairie de Lucciana. ☎ *04 95 30 14 30.*
Les champs qui entourent aujourd'hui l'église San Parteo recouvrent un cimetière, païen à l'origine, puis paléochrétien et médiéval. On a dégagé, lors de fouilles aujourd'hui comblées, les fondations d'une chapelle paléochrétienne qui avait dû être élevée au 5e s. et contenait le tombeau de saint Parteo.
L'église actuelle de San Parteo, d'inspiration toscane, a été réalisée en deux campagnes : l'abside au 11e s., la nef au début du 12e s. Cette église non voûtée, comme la Canonica, était à l'origine recouverte de *teghie* posées sur une simple charpente. Le linteau en bâtière de la porte latérale Sud est sculpté de deux lions plus décoratifs que farouches, couchés à l'ombre d'un palmier.

Cap Corse★★★

Capu Corsu

Le Cap Corse est la longue échine montagneuse qui prolonge, sur près de 40 km, la dorsale de la Corse schisteuse. Une route admirablement tracée entre la mer et la montagne permet de découvrir successivement les pittoresques plages de sable ou de galets, les villages escarpés avec leurs anciennes cultures en terrasses, et les petites marines blotties dans les échancrures de la côte. Le versant Ouest, plus abrupt que la côte tyrrhénienne, est resté plus sauvage. Le Cap offre à l'amateur de chasse ou de plongée sous-marine des fonds rocheux et des eaux claires très poissonneuses.

La situation

Carte Michelin n° 90 plis 1, 2 – Haute-Corse (2B). La presqu'île du Cap Corse s'ordonne de part et d'autre d'une arête centrale de plus de 1 000 m d'altitude, qui culmine à 1 307 m au Monte Stello. Cette chaîne montagneuse s'abaisse au Sud vers le col de Teghime (536 m) ouvert entre Bastia et St-Florent, et au Nord vers un littoral de plages de sable, veillé par l'îlot de la Giraglia, ultime vigie de la Corse.

Les gens

La position du Cap Corse amena ses habitants à vivre davantage en relation avec la mer et à s'ouvrir aux contrées proches. Ils furent de tout temps de solides marins et des négociants avisés. Aux 17e et 18e s., tandis que la plus grande partie de l'île vivait en autarcie, les Cap-Corsins participaient pleinement au trafic maritime en Méditerranée.

carnet pratique

VISITE

Association Petre Scritte – Organise, pendant l'été, des visites accompagnées sur des thèmes historiques. Se renseigner à la maison du Cap Corse.

L'Amichi di U Rughjone – ☎ 04 95 35 05 04. Découvertes pédestres sur des circuits thématiques.

Distributeurs de billets – On en trouve seulement à Ville-de-Pietrabugno (bureau de poste face à la maison du Cap Corse) et à St-Florent.

Stations service – À Lavasina, Marina di Luri (Santa Severa), Macinaggio, Morsiglia et Pino. Les week-ends et jours fériés, la plupart de ces stations sont fermées.

RESTAURATION

• À bon compte

Les Chasseurs – 20233 Marine-de-Pietracorbara – ☎ 04 95 35 21 54 - hotel-les-chasseurs@yahoo.fr - fermé déc. à fév. et lun. midi sf juil.-août - 11/23€. À deux pas de la plage, ambiance décontractée et déjeuner sous la tonnelle pour ce restaurant familial. Après les plaisirs de la table, autour de spécialités locales, poissons et fruits de mer, laissez-vous tenter par une partie de pétanque... Neuf chambres simples et calmes.

U Capezzu – Santa Severa - Marine de Luri - 20228 Luri - Au port – ☎ 04 95 35 03 23 - fermé nov. au 20 mars - 12,50/18,50€. Ce restaurant sans prétention et sa terrasse occupent une place de choix sur le port. À l'intérieur, décor simple avec mobilier en bois et carreaux rouges au sol. La carte s'élabore en fonction des arrivages journaliers de poissons.

A Luna – 20228 Santa-Severa - ☎ 04 95 35 03 17 - fermé oct. à mai et lun. en juin et sept. - 13,57/21,19€. Situé sur la marine de Luri-Santa-Severa, vous apprécierez l'ambiance décontractée de ce modeste bar-restaurant. Une carte simple à petits prix, au déjeuner comme au dîner.

A Casaïola – Marine de Sisco - 20233 Sisco - ☎ 04 95 35 21 50 - fermé oct. à avr. - 14/19€. Cuisine traditionnelle au feu de bois, poisson du jour et spécialités de la mer, à déguster dans une coquette salle à manger ou sur la terrasse ombragée, les pieds dans l'eau, face aux îles d'Elbe et de Capraia. Que demander de plus ?

• Valeur sûre

U Scogliu – Marine de Canelle - 20217 Canari - 4 km au S de Canari par D 33 - ☎ 04 95 37 80 06 - fermé déb. oct. à Pâques - réserv. conseillée - 19/39€. Ce « rocher sur les flots » (scogliu), protégé par Neptune, est le temple d'une cuisine réputée. On y vient, de terre comme de mer, sacrifier au culte du loup ou de la dorade en croûte de sel, des seiches farcies aux fruits de mer et de la fameuse langouste grillée... Quel régal !

HÉBERGEMENT

• À bon compte

Camping La Pietra – 20233 Pietracorbara - ☎ 04 95 35 27 49 - ouv. avr. au 15 oct. - ⌷ - 33 empl.: 18,29€. Les emplacements sont beaux, bien délimités et ombragés dans un décor d'arbres et surtout de lauriers roses.... Corse oblige !

Chambre d'hôte Li Fundali – Spergane - 20228 Luri - ☎ 04 95 35 06 15 - fermé nov. à mars - ⌷ - 5 ch.: 33/40€ - repas 11€. Vous aimerez le calme de cette charmante maison au fond (fundali) de la vallée luxuriante de Luri. Après une balade dans les environs, vous retrouverez avec plaisir votre chambrette confortable, une cuisine familiale et la convivialité de la table d'hôte. Deux gîtes.

ACHATS

Domaine Pieretti – Santa-Severa - 20228 Luri - ☎ 04 95 35 01 03 - juin-sept. : tlj 10h-13h, 16h-21h ; hors sais. : sur demande préalable. Les 9 hectares de ce domaine familial s'étendent sur trois communes, ce qui assure aux vins une richesse aromatique renforcée par la proximité de la mer. Vous y dégusterez de délicieux crus comme le santa severa et le fameux muscat du Cap.

comprendre

Deux versants dissemblables – Le Cap ne présente pas la même physionomie à l'Ouest et à l'Est. La côte occidentale, très découpée, est dominée par la haute chaîne dorsale dont les pentes plongent brutalement dans la mer. Elle offre des sites impressionnants et des villages hardiment perchés. La côte orientale est moins élevée, plus rectiligne, régularisée par les alluvions arrachées à la montagne par les torrents.

Les cultures et les vents – Le Cap Corse est une zone particulièrement sensible aux vents. La côte tyrrhénienne est soumise l'hiver à l'influence des vents du Sud-Est et du Nord-Est, le sirocco et le grécale, qui apportent une forte humidité. Les vallées sont favorables aux cultures et aux prairies. Le versant occidental, consacré au 17e s. à la monoculture de la vigne, n'offre aujourd'hui que quelques îlots de cultures en terrasses où s'épanouissent vignes et vergers. Il faut les protéger des vents du Sud-Ouest, le libeccio, et du Nord, la tramontane.

Un territoire découpé – Les ramifications vers l'Ouest et vers l'Est de l'arête centrale isolent de courtes vallées creusées par les torrents côtiers et séparent les territoires des communes. Ceux-ci s'étendent de la montagne à la mer, occupant chacun un petit bassin fluvial. Chaque commune, dont le nom ne correspond à aucun des villages, constituée de plusieurs hameaux dispersés sur les hauteurs, possède sa « marine ».

Rivalité entre Pise et Gênes – Le Cap connut dès le 9e s. l'influence de Pise qui en confia la seigneurie aux marquis toscans de Massa. Les nombreux édifices romans semés sur les versants du Cap sont les témoins architecturaux d'une présence qui ne fut pas seulement militaire. Très naturellement, des contacts commerciaux s'établirent entre les marines du Cap Corse et Pise, qui monopolisa le négoce des produits agricoles de Balagne et du Cap. Le vin cap-corsin, très prisé des Toscans, constituait la principale exportation de la péninsule ; les barques pisanes s'approvisionnaient à Cardo (Bastia) et Erbalunga.

Au 12e s., les relations commerciales firent l'objet d'une lutte acharnée entre Gênes et Pise, puissances rivales vivant toutes deux du négoce.

La mouvance génoise – Des rapports privilégiés s'établirent entre le Cap Corse et la Superbe, située à 150 km de l'extrémité du cap. Le Génois Ido est à l'origine des grandes familles cap-corsines : Peverelli, Turca et Avogari. Lorsque les Peverelli, chassés par les Avogari, se réfugièrent à Gênes, ils vendirent leur fief, en 1198, à un amiral génois, Ansaldo da Mare.

Ces familles, auxquelles s'ajoutèrent les Gentile de Brando et de Nonza, maintinrent l'alliance génoise. Sous cette protection, les habitants du Cap Corse se livraient sans risque à une activité commerciale très développée. Le Cap abrita même des chantiers de construction navale où les artisans locaux édifiaient des bâtiments de commerce génois.

La lutte contre les Barbaresques – Sa configuration géographique et sa prospérité exposaient le Cap Corse aux incursions barbaresques, d'autant plus qu'au milieu du 16e s., la puissance de Gênes était sur son déclin même si son activité commerciale subsistait. De la fin du 16e s. au milieu du 17e s., cette étroite bande de terre fut donc leur cible de choix.

Une région en marge – Lié à Gênes par tant d'intérêts économiques, le Cap Corse fut longtemps un foyer de résistance à la révolution corse du 18e s. **Paoli** se heurta, dans ses efforts pour armer une flotte nationale, au manque de motivation des marins cap-corsins, guère tentés d'abandonner les profits du commerce pour les

---

LES VINS

Le Cap Corse a une grande tradition vinicole. La production est très variée : vins blancs moelleux de muscat et malvoisie à Macinaggio et Tomino (clos Nicrosi) ; vins rouges, blancs et rosés fruités à Patrimonio.

Index pointé vers la côte italienne, le Cap Corse est un splendide promontoire montagneux qui plonge à pic dans la mer.

TOURS GÉNOISES

Construites à l'instigation de la puissance tutélaire, Gênes, les tours assuraient essentiellement une fonction d'observation et d'alerte de la population pour lui permettre de se réfugier dans les zones sûres de l'arrière-pays. Jusqu'au 18e s., des règles très strictes, établies par les Génois, régissaient la garde des tours de guet ourlant le littoral corse. Voici quelques extraits des obligations des veilleurs, les *torregiani*.

– Monter chaque soir après le coucher de soleil pour vérifier l'absence d'approche barbaresque, et ensuite selon le cas communiquer avec les tours avoisinantes par les feux conventionnels.

– Interdiction de s'absenter plus de deux jours, et pour un guetteur à la fois. Défense est faite aux gardiens de payer des remplaçants.

– Obligation de renseigner tous les navigateurs qui interrogent les guetteurs sur l'état de sécurité de la route empruntée.

Des fonctions de préleveurs de taxes sur les bateaux de passage étaient également échues aux guetteurs.

Actuellement, une soixantaine de tours subsiste en Corse ; elles font l'objet de programmes de restauration.

Pour se protéger, les Cap-Corsins élevèrent 32 tours de guet rondes sur le littoral dont beaucoup subsistent (voici par exemple la tour de Losse, sur la côte orientale). Les notables firent édifier des tours carrées qui pouvaient servir de refuge à la population des hameaux voisins.

risques de la course contre Gênes. Il fit construire et arma cependant une douzaine de navires corsaires qui ébranlèrent la puissance génoise *(voir Macinaggio)*.

Un renouveau des activités – Au début du 19e s., le Cap, durement frappé dans ses activités maritimes, se reconvertit de façon particulièrement dynamique et courageuse dans l'agriculture. Les Cap-Corsins aménagèrent en terrasses maintes pentes abruptes de la péninsule. L'entreprise fut couronnée de succès et le Cap s'affirma comme une région agricole pendant plus de cinquante ans. Tout le paysage demeure façonné par ce travail de fourmis.

Un pays de navigateurs et d'immigrants – Les Cap-Corsins furent à l'origine des premiers comptoirs français créés au 19e s. en Afrique du Nord et un grand nombre d'entre eux émigrèrent dès le milieu du 18e s. aux États-Unis, en Amérique du Sud et aux Antilles. L'émigration cap-corsine vers l'Amérique du Sud très importante jusqu'au début du 20e s. a influencé l'architecture de la région. Les immigrés ayant fait fortune notamment à Porto Rico et au Venezuela (un président vénézuélien était d'ailleurs d'origine corse) firent bâtir dans leur village d'origine de somptueuses demeures à l'allure de palazzi Renaissance italienne ou de style colonial sud-américain.

Dialecte – Les contacts fréquents avec la Toscane, en particulier avec Pise et Livourne, ont fortement influencé la langue et le tempérament des Cap-Corsins. Ceux-ci parlent, en effet, un dialecte italien riche en particularismes toscans. Aussi le philosophe Falcucci, de Rogliani, auteur du « Vocabulario Corso », a-t-il pu dire que le dialecte cap-corsin était « le plus pur des idiomes italiens ».

Aujourd'hui – L'hémorragie démographique amorcée à la fin du 19e s. (due à l'émigration) a freiné l'activité de la péninsule, qui conserve cependant sa réputation de terre viticole de qualité. Le tourisme est devenu l'activité principale.

À VOIR
À la sortie d'un hameau ou au détour d'un vallon, le visiteur peut apercevoir ces **demeures d'Américains**, témoignages de la réussite des immigrés. La plupart restent des propriétés privées. Les plus remarquables se situent à Sisco (**villa St-Pierre**), Cannelle (**palais Marcantoni**), Metino (**château Piccioni**), Morsiglia (**hameau de Pecorile, palais Ghjelfucci**) et également à Rogliano.

circuit

TOUR DU CAP CORSE★★

Circuit au départ de Bastia (voir ce nom) – 179 km - 2 jours. Quitter Bastia par le Nord.

Après avoir longé la plage de Toga, la route en corniche suit le littoral.

Miomo *(voir les alentours de Bastia)*

Lavasina

Ce hameau, agréablement situé en bordure d'une plage de galets, est célèbre par son sanctuaire (église N.-D.-des-Grâces) : la tradition locale veut que le tableau représentant la Vierge et l'Enfant (16e s.) soit miraculeux.

CONSEIL
Consacrer 2 jours minimum à la découverte du Cap en faisant étape à Macinaggio, Centuri ou Nonza. Prévoir 1 jour supplémentaire pour l'ascension du Monte Stello.
La route, en corniche et assez étroite sur la côte Ouest, requiert une conduite très attentive et une allure modérée.

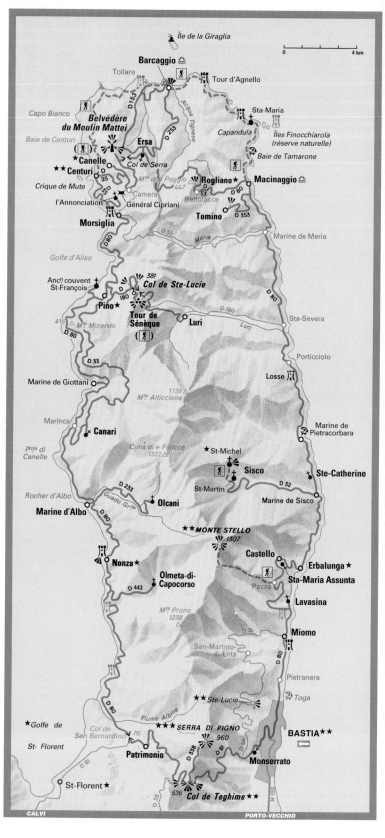

Île de la Giraglia

Barcaggio

Tollare

Tour d'Agnello

D 153

Capo Bianco

Belvédère
du Moulin Mattei

Baie de Centuri

Ersa

Sta-Maria

Capandula

Îles Finocchiarola
(réserve naturelle)

Baie de Tamarone

Canelle

Centuri

Col de Serra

Crique de Mute

35

Mte di u Poggio
447

Rogliano ★

Macinaggio

l'Annonciation

Camera

Général Cipriani

Bottolacce

53

D 80

Morsiglia

Tomino

D 353

D 35

Meria

Marine de Meria

Golfe d'Aliso

381

Col de Ste-Lucie

Anc.⁰ couvent
St-François

D 180

D 80

Pino ★

Tour de
Sénèque

Luri

Sta-Severa

416 △ Mte Minervio

Luri

D 33

Porticciolo

Marine de Giottani

1139 △
Mte Alticcione

Losse

Marinca

Canari

Cima di e Folicce
1322 △

St-Michel

Marine de
Pietracorbara

Pⁿᵗᵃ di
Canelle

Sisco

Ste-Catherine

D 233

St-Martin

D 32

Rocher d'Albo

Guado Grce

Olcani

Marine de Sisco

Marine d'Albo

D 80

★★ MONTE STELLO
1307

Castello

Erbalunga ★

Nonza ★

Olmeta-di-
Capocorso

Pozzo

Sta-Maria Assunta

D 443

Lavasina

Mte Pruno
1238 △

D 31

Miomo

San-Martino-
di-Lota

D 80

Pietranera

Toga

★★ Ste-Lucie

Fiume Albine

★★★ SERRA DI PIGNO
960

BASTIA ★★

★ Golfe de
St- Florent

Col de
San Bernardino

76

Patrimonio

D 338

D 81

Monserrato

D 81

St-Florent ★

536

Col de Teghime ★★

N 191

D 81

De nombreux pèlerinages s'échelonnent durant tout le mois de septembre et en particulier le 8 : la veille, une procession aux flambeaux parcourt la plage. Une foule considérable, venue de toute l'île, participe à cette veillée qui s'achève par une messe de minuit.

Monte Stello★★

À l'entrée Sud de Lavasina, quitter la D 80 et emprunter la D 54 sur 5,5 km jusqu'à Pozzo.

La route s'élève sur un vaste versant dominant la mer, où sont établis les villages de Poretto et Pozzo. Le campanile du couvent des capucins se dresse au sommet de la pente parmi les pins centenaires. Au couvent, prendre à gauche la route en montée vers le centre du village jusqu'à la piazza Santa Catalina *(laisser la voiture sur le parking en terre battue à droite)*.

Randonnée au sommet★★★

🚶 *6h AR depuis le centre du village, non compris les haltes (1 000 m de dénivelée).*

L'itinéraire emprunte les ruelles indiquées par un balisage orange intermittent, puis utilise un sentier bien tracé qui s'élève rapidement au-dessus du village. Lorsque la pente s'adoucit, le chemin longe les gorges du torrent Arega, puis grimpe jusqu'aux **bergeries de Prunelli** (abri aménagé et source). Le sentier s'achemine ensuite vers une brèche (Bocca di Sta Maria) et aborde le versant Ouest du massif. On aperçoit alors la pyramide du Monte Stello dont on gagne l'arête faîtière par le Nord. Après avoir contourné par l'Ouest la pyramide sommitale, on débouche au sommet (1 307 m). Par temps très clair, le **panorama★★★** est saisissant. La vue embrasse l'ensemble du Cap, à sa base le golfe de St-Florent et l'arrière-pays ondulé des Agriates, la Balagne et les contreforts étagés des massifs centraux. À l'Est, l'archipel toscan ponctue l'horizon.

Castello *(voir Erbalunga)*

Erbalunga★ *(voir ce nom)*

Au Nord d'Erbalunga, le paysage devient plus sauvage et les pentes se couvrent de maquis. La route est taillée en corniche ou court au niveau du rivage, longeant de jolies anses où se développent de petites marines.

Sisco (Siscu)

La commune comprend une modeste marine en bordure de la route côtière, et plusieurs hameaux d'altitude disséminés de part et d'autre d'une vallée très verdoyante. Les versants en pente douce portent encore de nombreuses terrasses abandonnées aux herbages et aux asphodèles printanières, qui contrastent avec le maquis des hauteurs.

Au Moyen Âge, Sisco fut une des rares localités de Corse à posséder des ateliers de métallurgie. Des forgerons, armuriers et orfèvres fabriquaient des armes blanches, des cuirasses et des bijoux.

Chapelle St-Martin – *À 7 km de la marine de Sisco par la D 32.* Elle est aisément identifiable au clocher accolé à son flanc Sud et à la place ombragée de six gros chênes verts. De là, on peut apercevoir la chapelle St-Michel située au Nord-Ouest, à 900 m à vol d'oiseau, sur la pente assez raide du maquis.

Chapelle St-Michel★ – 🚶 *1h AR depuis l'église St-Martin. S'engager sur l'étroite route goudronnée qui part à droite derrière l'église St-Martin, en laissant sur la gauche la route de Barrigione et Bussette. 700 m plus loin, prendre à gauche un chemin empierré. Le suivre sur 600 m environ en comptant deux épingles à cheveux à gauche et une à droite. Lorsqu'on arrive sur une petite place où le chemin fait une fourche, laisser la voiture sous les châtaigniers.*

PARTIR DANS DE BONNES CONDITIONS

La randonnée ne présente pas de difficulté majeure, mais il faut s'assurer auparavant de la persistance du beau temps. Ce secteur est en effet sujet à de brusques arrivées de brouillard rendant le retour très risqué. Pendant les journées de grande chaleur estivale, l'excursion est peu recommandée à cause des brumes limitant la visibilité.

Suivre le chemin de droite sur 250 m jusqu'à la première épingle à cheveux. Emprunter alors le sentier qui commence dans le virage, à droite d'un gros châtaignier. Au bout de 100 m environ, traverser un ruisselet (parfois à sec), puis monter tout droit à travers les châtaigniers, sur 100 m (éviter les premiers sentiers de chèvres, à droite). Arrivé au pied d'une petite falaise, prendre sur la droite le sentier qui conduit à la chapelle en 5 mn.

On admirera, au printemps, les cyclamens sauvages et les genévriers en fleur. La chapelle St-Michel, ravissant édifice bien proportionné, apparaît comme une version montagnarde de San Parteo de Mariana *(voir la Canonica)*. Son abside est discrètement mise en valeur par des bandes murales verticales reliées par des arcatures. Ce chef-d'œuvre du premier art roman en Corse montre la maîtrise acquise par les maîtres maçons toscans au 11e s. St-Michel-de-Sisco aurait été bâtie en 1030. La **vue★★** embrasse les marines de Sisco et de Pietracorbara, et un large secteur de la mer Tyrrhénienne et des îles toscanes. Par beau temps on voit assez bien l'Italie.

Église Ste-Catherine – *Propriété privée. 2 km au Nord de la marine de Sisco par la D 80.* Bâtie sur un promontoire dominant la côte, cette chapelle de style roman fut en fait édifiée au 15e s. Ayant perdu beaucoup de son cachet originel, l'intérêt de cette église est surtout historique.

La tradition veut qu'au 13e s. des marins en danger aient fait le vœu de déposer dans la première église qu'ils apercevraient les reliques en leur possession. Le beau temps revenu, ils oublièrent leur serment ; mais la tempête sut le leur rappeler. Vivement, ils jetèrent l'ancre et déposèrent leur trésor dans un petit oratoire à l'emplacement de l'église actuelle. Alors seulement la mer s'apaisa.

Reprendre la D 80 vers le Nord.

La **marine de Pietracorbara** (Petra Curbara) offre une agréable plage (mélange de sable et de galets) de plus d'un kilomètre de long. Possibilité de se restaurer.

Environ 4 km au-delà de la marine de Pietracorbara, s'élève sur la gauche la **tour de Losse,** puis à 7 km au Nord de Santa Severa, la tour génoise de Meria. Entre Sisco et Macinaggio, la route traverse plusieurs zones de chênes verts. Peu avant Macinaggio apparaît la vigne.

Quitter la D 80 avant Macinaggio et prendre à gauche la D 353.

Tomino (Tuminu)

L'église, la chapelle de la confrérie, de style baroque, et une tour génoise dominent le village, bâti sur un éperon rocheux fréquemment venté. Du parvis de l'église, la **vue★★** plonge sur la baie et le port de Macinaggio et s'étend au loin sur les îles Finochiarola et Capraja. Tomino aurait été un des premiers foyers du christianisme en Corse au 6e s. Les habitants de Tomino partagent aujourd'hui avec leurs voisins de Rogliano l'exploitation du vignoble. Cette région du Cap produit en effet un muscat apprécié.

Macinaggio ⚓ (Macinaghju) *(voir ce nom)*

À partir de Macinaggio, la route s'éloigne de la côte, s'élève dans la montagne et coupe le Cap vers l'Ouest. À 2 km du village, prendre sur la gauche la route qui monte à **Bettolacce** (commune de Rogliano) (D 53), dite « chemin de l'Impératrice ». Elle offre de belles vues sur les hameaux de cette commune.

Rogliano★ (Ruglianu) *(voir ce nom)*

En continuant la D 53, on rejoint la D 80 que l'on suit jusqu'à Ersa.

La route domine sur la droite un paysage de vallées et de collines plongeant vers la mer.

CALENDRIER

Une fois l'an, le 29 septembre, à la fête de la St-Michel, les habitants des nombreux hameaux de la vallée se rendent en procession à ce sanctuaire.

Le village de Rogliano, accroché à la montagne.

DÉCOUVRIR LE LITTORAL

Un magnifique **sentier des douaniers★** épousant les sinuosités du littoral relie Macinaggio au port de Centuri. Il peut être parcouru indifféremment depuis ses deux extrémités ou depuis Barcaggio.
Macinaggio-Barcaggio, environ 3h1/2 ; Barcaggio-Centuri, environ 4h (Voir Macinaggio).

Sensation de « bout du monde » sur la magnifique plage de Barcaggio, appréciée par les vaches.

Ersa

Au hameau de Botticella, dans l'**église Ste-Marie**, un beau tabernacle baroque en bois sculpté orne l'autel. *Visite guidée sur demande préalable. ☎ 04 95 35 64 32.*

Quitter la D 80 à Ersa en prenant sur la droite la D 153, puis D 253.

Après une course sinueuse (7 km) à travers le maquis et les oliviers, on découvre **l'îlot de la Giraglia** à l'extrême Nord du Cap Corse qu'il veille de son phare. L'extrémité du Cap Corse, entre la pointe du Becco et les îles Finochiarola, contraste par son aspect sauvage avec le reste de la péninsule. Les eaux turquoise de la côte et l'immensité de la mer moutonnée offre un superbe panorama.

Barcaggio ⚓ (Barcaghju)

Paisible petit port situé au fond d'une baie, face à la Giraglia. Du côté Est s'étend une longue et belle plage de sable fin et de galets. Pour y accéder, laisser la voiture au parking et marcher environ 200 m.

Reprendre la D 253 et tourner à gauche dans la D 153 ramenant à Ersa. De là suivre la D 80 jusqu'au col de Serra qui, à 365 m d'altitude, échancre la ligne de crêtes du Cap Corse.

Belvédère du moulin Mattei

🚶 *1/2h à pied AR.* Du col (parking), suivre le chemin sur la droite qui monte au vieux moulin émergeant du maquis à 404 m d'altitude. Restauré au lendemain de la Première Guerre mondiale par **Mattei**, fabricant de spiritueux corses, cet ancien moulin à vent devint un prototype de l'enseigne publicitaire moderne. Il offre un **panorama★★** très étendu se développant de l'île de la Giraglia au Nord à l'anse de Centuri et à la côte rocheuse de l'Ouest.

Regagner la D 80 que l'on suit jusqu'à Camera, hameau de la commune de Centuri. Là, prendre à droite la D 35 en direction de Centuri, mais abandonner cette route 1 km plus loin pour atteindre Cannelle.

Cannelle★

La route se termine à l'entrée de ce petit hameau accroché à la colline. Des venelles étroites, fleuries de géraniums, de gueules-de-loup et de passiflores, pavées de dalles de schistes, de marches taillées dans le roc, abritées de longs passages sous voûte font pénétrer dans un monde à l'écart de toute circulation.

Au-delà de la dernière maison, une petite place cernée par des rochers à pic offre une source sous un portique blanc orné d'une statuette, encadré d'un abreuvoir et d'un lavoir. Le regard plonge au-delà des pins et des aloès vers les monts qui dévalent jusqu'à la baie de Centuri.

Regagner la D 35 vers Centuri.

Centuri★ *(voir ce nom)*

Prendre la D 35 vers le Sud.

La route dévoile le golfe de St-Florent, le Nebbio qui ferme l'horizon, et en arrière-plan les sommets enneigés du Monte Cinto et du Monte Padro. À 2,8 km de Centuri, on trouve sur la gauche la route qui conduit à l'ancien

HÉBERGEMENT
Hôtel Giraglia –
20275 Barcaggio -
☎ 04 95 35 60 54 -
fermé oct. à mars -
- 14 ch.: 50,61/60,06€
- ☕ 5,79€. C'est le
bout du bout du Cap
Corse avec, en face de
ce petit hôtel familial,
l'île de la Giraglia. Les
chambres sont
proprettes et simples,
au calme de ce village
au bord de l'eau.

couvent de l'Annonciation, dédié à Notre-Dame-des-Sept-Douleurs. Il aurait été fondé par les servites de Marie à la fin du 16e s. L'église du couvent passe pour être la plus grande du Cap Corse. L'association universitaire Strasbourg-Morsiglia y entretient depuis 1926 son centre de séjour *(ne se visite pas)*.

Morsiglia (Mursiglia)

Cette commune s'étage jusqu'à la mer. Son hameau principal, ceint de hautes falaises, est gardé par de grosses tours carrées.

La route devient plus étroite et domine de façon spectaculaire les indentations de la côte. Les pentes forment un moutonnement vert où dominent houx et cistes blancs.

Peu avant le hameau de Ciocce (commune de Pino), prendre à gauche la D 180 qui s'enfonce dans les terres.

◄ *Juste après la chapelle Ste-Lucie, emprunter la route étroite montant en lacet parmi les pins.*

Tour de Sénèque

Dans un **site★** sauvage, sur un pic du Monte Rottu (alt. 564 m) se dresse une tour de guet à demi ruinée, datant du Moyen Âge, connue sous le nom de tour de Sénèque. *Au départ du col de Ste-Lucie, prendre à droite (en venant de Luri) la route qui s'amorce avant la chapelle. La route s'achève sur un vaste parking ; y laisser la voiture.* 🚶 *1h1/4 à pied AR par un sentier raide à l'extrémité Sud-Ouest du terre-plein.* Le sentier bien tracé grimpe parmi les buissons de cistes et les chênes. À la sortie du sous-bois, on aborde un amas rocheux où s'amorce un petit escalier naturel qui conduit à la base de la tour. Des pans de mur, un réservoir rappellent l'existence de la **tour** des Motti qui protégeait le château des Motti, 150 m plus bas. La **vue★** par temps clair s'étend jusqu'aux îles d'Elbe et de Capraja et à la côte italienne.

SÉNÈQUE

Sénèque fut exilé en Corse à 39 ans, pour avoir séduit la nièce de l'empereur Claude. La légende a situé, en cet endroit retiré, l'exil que le futur précepteur de Néron a décrit : « Où trouver un lieu plus désolé, plus inaccessible de toutes parts, que ce rocher, plus dépourvu de ressources, hérissé d'aspérités plus menaçantes et sous un ciel plus funeste ? »
En fait, il est fort probable que Sénèque ait séjourné sur la côte orientale dans les colonies d'Aléria ou de Mariana où « on rencontre plus d'étrangers que de citoyens ». Pendant huit ans, de 41 à 49, il put écrire son *Traité de la consolation.*

Luri

5,5 km au départ du col de Ste-Lucie par la D 180. Cette commune s'éparpille en plusieurs hameaux dans une vallée verdoyante ouverte sur la côte orientale et bien abritée des vents du Sud-Ouest et du Nord-Ouest *(libeccio et maestrale).*

Dans le hameau de **Piazza,** l'**église St-Pierre** du 17e s. abrite derrière l'autel une peinture sur bois de la fin du 16e s. illustrant la vie de saint Pierre. Le paysage en arrière-plan représenterait les châteaux forts du Cap Corse au 15e s., en particulier ceux des seigneurs da Mare ; à droite le présumé château de San Colombano à Rogliano, rasé au 16e s. *(voir Rogliano)* ; à gauche, haut perchée, la tour des Motti dont les ruines servirent à édifier l'actuelle tour de Sénèque et, à ses pieds, le château des Motti qui fit place à un couvent, au 16e s. *Visite sur demande auprès de la mairie.* ☎ *04 95 35 00 15.*

Faire demi-tour pour rejoindre la D 80. La mer apparaît alors brusquement, toute proche. La descente du col offre de belles **vues★** sur le golfe d'Aliso et les hameaux de Pino.

Les coteaux du Cap Corse produisent d'excellents vins, célébrés depuis l'Antiquité. Chaque été, la foire du vin, organisée dans le village de Luri, regroupe de nombreux viticulteurs corses.

Pino★ (Pinu)

Les maisons de ce charmant village, les tours génoises, l'église et les nombreuses chapelles funéraires s'étagent à flanc de montagne au milieu d'une riche végétation.

L'**église Ste-Marie**, restaurée aux 18e et 19e s., présente, face à la mer, une belle façade de style baroque.

Prendre la petite route qui descend en forte pente jusqu'à la minuscule marine de Pino et sa plage de galets. Côte à côte s'élèvent une vieille tour génoise et l'**ancien couvent St-François**.

La D 33 franchit le col de la Montagne Minervio. Les villages s'agrippent à flanc de colline avec leurs anciennes cultures en terrasses cernées de murets de pierres sèches. Des torrents dévalent les pentes. Les oliviers et les vignes font place au maquis. Des trouées dans la verdure laissent deviner les abrupts et la route inférieure. Une **vue★** superbe sur le cap Minervio et la marine de Giottani apparaît, avant de prendre à gauche la route vers Canari.

Canari

Sur l'étroite route de corniche qui domine la D 80, s'étage à flanc de montagne ce petit village qui possède deux églises intéressantes. Superbes vues depuis la place du clocher.

Église Santa-Maria-Assunta – Cet édifice roman pisan de la fin du 12e s. se caractérise par une décoration très sobre et l'assemblage soigné de ses belles dalles de schiste vert pâle. Sur la façade, percée au 18e s. d'une large fenêtre, on remarque la fine décoration de feuillages et crochets du linteau et des modillons qui le supportent. La corniche qui fait le tour de l'église est décorée de curieux masques, têtes d'animaux ou figures humaines stylisées, disposés au centre des arcs ou sur les modillons.

Église St-François – *Visite guidée sur demande auprès des commerçants ou du bureau de poste.*

Décorée dans le style baroque, elle abrite des **peintures sur bois** (dont un *Saint Michel terrassant le dragon*) et, devant le chœur à gauche, la dalle funéraire en marbre blanc de Vittoria de Gentile, morte en 1590 au couvent de Canari. L'épouse d'Horatio Santelli Cenci, seigneur de Canari, porte sa fille emmaillotée sur le bras gauche et tient, dans sa main droite, une reproduction du château de Canari. Les armoiries des Cenci et des Gentile sont placées à la droite et à la gauche de la gisante.

Dans l'allée centrale, à l'entrée du chœur, une plaque de marbre carrée, datée du 19 octobre 1754 en l'honneur de la fête de saint Pierre d'Alcantara, porte l'emblème des franciscains dont il avait réformé l'ordre : deux bras croisés sur une croix.

Revenir à la D 33 et descendre sur Marinca, pour retrouver la D 80.

La D 80, de meilleure viabilité, domine de plus près la côte. Au-delà de Pino, la route contourne par l'Ouest la pyramide du Monte Minervio plongeant dans la mer ; des murets retiennent la terre en terrasse. La **marine de Giottani** apparaît nichée au fond d'une anse profonde. La couleur ocre des roches fait place à un blanc schisteux, le maquis s'éclaire de touffes de genêts parmi les éboulis. La route longe les bâtiments de l'ancienne mine d'amiante de Canari, puis le rocher d'Albo avant de descendre au fond de la baie du Guado Grande.

Marine d'Albo (Marina di Albu)

Ce hameau de pêcheurs installé sous la protection d'une tour de guet se blottit au fond d'une petite baie couverte de galets.

GISEMENT

La commune de Canari abrite un gisement d'amiante qui fut exploité de 1932 à 1965, et considéré comme le plus important d'Europe. Après avoir quitté le village vers le Sud, on voit encore le roc dénudé et luisant laissé par l'ancienne carrière, qui surplombe la D 80 sur la gauche peu avant la marine d'Albo.

UNE TERRIBLE RAZZIA

En 1588, une véritable flotte barbaresque (92 navires) mouilla à la marine d'Albo pour se livrer à une razzia spectaculaire dans l'intérieur : le hameau d'Ogliastro fut détruit et 40 habitants enlevés.

Chapelle pré-romane d'Olcani

1/4h par la D 233, en direction d'Ogliastro que l'on laisse sur la gauche. Après 6,5 km d'une route très étroite qui s'enfonce dans la montagne, 500 m avant Olcani, on aperçoit sur la droite, à 200 m sur la hauteur, les murs et le chevet circulaire à arcatures aveugles d'un édifice à l'abandon et sans toiture. Le cul-de-four porte des traces de polychromie. L'autel médiéval est encore en place sous les ronces. Cette chapelle, placée sous le vocable de San Quilico, fut élevée au 10e s.

Nonza★ *(voir ce nom)*

Olmeta-di-Capo-Corso

3 km après Nonza, prendre la D 433 vers le hameau principal. À l'amorce du village, se dresse l'**église**. Elle renferme de beaux objets sacerdotaux et quelques tableaux du 18e s. provenant de l'ancien couvent de Nonza.
Revenir sur le littoral et poursuivre sur la D 80.

Peu avant Patrimonio, la transition très marquée d'un univers sauvage à un autre plus verdoyant et souriant indique que l'on atteint les portes du Nebbio *(voir ce nom).*

Patrimonio *(Voir ce nom)*

Serra di Pigno

4 km par la D 338 qui s'embranche peu avant le col de Teghime en montant de Bastia. À 960 m d'altitude, le sommet de la Serra di Pigno porte un relais de télévision. Le **panorama★★★** y est remarquablement étendu sur les deux versants du Cap Corse et sur toute la racine de cette grande presqu'île.

Col de Teghime★★

À 536 m d'altitude, le col marque la fin de la grande arête dorsale qui partage les versants Est et Ouest du Cap Corse. Il est le point de contact entre cette région géographique et la région du Nebbio *(voir ce nom).* Le *libeccio* soufflant de l'Ouest s'y engouffre parfois avec violence.
Du col, le **panorama★★** se développe sur le golfe de St-Florent, le Nebbio, Bastia et la plaine orientale.
Sur le versant oriental du col, la route, sinueuse, descend sur Bastia.

Oratoire de Monserrato *(voir Bastia)*

Carcheto★

Carchetu

Ce village de Castagniccia abrite sur le territoire de sa commune une carrière d'exploitation de vert d'Orezza. Cette roche ornementale est une variété très dure d'ophiolite d'une exceptionnelle beauté. On la trouve uniquement en Corse, dans un périmètre bien défini à l'intérieur du canton d'Orezza-Alesani. Ne manquez pas de visiter l'église de Carcheto aves ses décorations vives et naïves, œuvres d'artistes locaux.

La situation

Carte Michelin n° 90 pli 4 – Schéma p. 217 – Haute-Corse (2B). Ce petit village, établi en plein cœur de la Castagniccia, est accessible par la D 71 ; il se trouve sur l'axe Ouest-Est allant de Ponte-Leccia à Moriani-Plage (voir le circuit à Castagniccia).

Les gens

18 habitants. À l'image d'autres villages de la Castagniccia, Carcheto eut un passé mouvementé. L'un des épisodes particulièrement cruel fut, au début de ce siècle, le dépeuplement causé par les assassinats du bandit **François-Marie Castelli**. Sa maison, couverte de lierre, se trouve au bas du village, près de la chapelle St-Sébastien.

visiter

Église★

De juin. à fin sept. : 9h-19h. ☎ *04 95 35 84 08.*

L'église de Carcheto est peut-être l'un des monuments religieux les plus émouvants de la Corse des 17e et 18e s. Elle s'orne d'un monumental clocher ajouré. Sur sa façade principale, corniches, pilastres, colonnes engagées et niches composent un ensemble harmonieux. La chaude couleur de la pierre contraste avec les taches noires des trous de boulin.

Les peintures du chemin de Croix sont de 1790. Le maître-autel, au pied duquel sainte Marguerite a été représentée allongée, est surmonté d'un monumental tabernacle en bois polychrome. Derrière le maître-autel, remarquer le mobilier de sacristie.

Les chapelles latérales à la nef, comme les bras du transept, ont reçu un décor mélangeant stucs, trompe-l'œil et couleurs vives autour d'un autel-tombeau. Les orgues proviennent du couvent d'Orezza *(voir Castagniccia).*

ST. X. GESV SPOGLIATO ED ABBEVERATO DI FIELE

L'église de Carcheto est une œuvre d'artistes locaux, pleine d'une fraîcheur naïve exprimant une vive piété populaire. L'intérieur témoigne d'un débordement d'imagination dans l'emploi des couleurs et des stucs. On remarque en particulier les peintures du chemin de Croix datant de 1790.

Cargèse★

Carghjese

Sur le promontoire qui ferme au Nord le golfe de Sagone, Cargèse, le « village grec », vit de l'agriculture, de la pêche et du tourisme.

Les eaux transparentes de la baie, aux reflets mêlés de saphir et d'émeraude, l'étincelant ruban de sable de la plage de Ménasina et l'amphithéâtre de falaises rouges auxquelles s'agrippe le village forment un site★★ splendide, qu'il faut contempler depuis le belvédère de la pointe Molendino.

La situation

Carte Michelin n° 90 pli 16 – Schéma p. 308 – Corse-du-Sud (2A). Cargèse se dresse à l'extrémité Nord du golfe de Sagone, entre Ajaccio au Sud (51 km) et Porto au Nord (31 km). 🚺 *R. du Dr-Dragacci, 20130 Cargèse, ☎ 04 95 26 41 31. Juin-sept. : 9h-20h ; oct.-mai : 9h-12h, 15h-18h.*

Le nom

Cargèse est surnommée « la ville grecque ».

Les gens

982 Cargésiens. Avec les siècles, les mariages mixtes entre les descendants des colons grecs et les Corses ont mêlé les deux communautés de Cargèse.

comprendre

Une colonie grecque

– Pour fuir l'occupation turque de 1670 dans le Magne (au Sud du Péloponnèse), des Grecs originaires d'Itilo demandent asile à la république de Gênes. Après plusieurs années de négociations, ils obtiennent en 1675 la concession en Corse de territoires inhabités dont celui de Paomia dans l'arrière-pays de Sagone. La Superbe (Gênes) s'engage à pourvoir à leur établissement en échange de leur fidélité. L'installation des Grecs est cependant mal accueillie par les populations locales qui voient en eux des alliés de Gênes. Leur prospérité excite bientôt la jalousie des montagnards de Vico qui attaquent la colonie en 1715, puis en 1729 (début de la guerre d'Indépendance) avec les Niolins. En 1732, ils doivent se réfugier à Ajaccio où Gênes leur offre des terrains. Ils y demeurent pendant 43 ans et y aménagent la chapelle des Grecs *(voir golfe d'Ajaccio)*.

carnet pratique

TRANSPORTS

Bus – ☎ *04 95 21 02 07.* La ligne Ota-Porto-Piana-Cargèse-Sagone-Tiuccia-Ajaccio fonctionne de juil. à mi-sept., une fois par jour dans chaque sens (sf dim.).
Port de plaisance – *Capitainerie* - ☎ *04 95 26 47 24.*

HÉBERGEMENT

• *Valeur sûre*
Hôtel Thalassa – *Plage du Pero - 1,5 km au N de Cargèse* - ☎ *04 95 26 40 08 - fermé 1er oct. au 19 mai -* 🚭 **P** *- 22 ch.: 53,36/68,60€ -* 🍽 *4,57€.* Pour un bon bain matinal, avant le petit-déjeuner, la plage de Pero est à vos pieds. Les chambres sont calmes qu'elles soient sur la mer ou sur le jardin. Repas en demi-pension uniquement dans la salle à manger ou en terrasse face à la mer.

Les Lentisques – *Plage du Péro - 1,5 km au N de Cargèse* - ☎ *04 95 26 42 34 - fermé fin sept. au 1er mai -* **P** *- 17 ch.: 54/63€ -* 🍽 *6€.* Si vous aimez le calme et que vous n'êtes pas à la recherche du grand luxe, cet hôtel est pour vous. Les chambres sont sobres et celles du 1er étage jouissent d'une vue sur la mer. Le restaurant ouvre ses portes en été et la demi-pension est alors obligatoire. Piscine.
Hôtel Spelunca – ☎ *04 95 26 40 12 - fermé nov. à mars -* 🚭 *- 20 ch.: 57,93/68,60€ -* 🍽 *6,10€.* Cet hôtel familial des années 1960 domine le golfe de Sagone. L'accueil est sympathique et les chambres simples sont bien tenues. Préférez celles sur la mer pour la vue ou celles sur l'arrière pour le calme.

L'édification de Cargèse – La Corse devenue française, les Grecs reçoivent en 1773 le territoire de Cargèse en compensation de la perte de Paomia ; Marbeuf leur fait édifier les 120 maisons du village actuel et l'église de rite oriental.

Une cinquantaine de familles grecques consentent à s'y établir en 1774. L'administration de la colonie est confiée à Marbeuf qui reçoit le titre de marquis de Cargèse en 1778.

Pendant la Révolution, des attaques corses au cours desquelles le village est incendié, obligent à nouveau les Grecs à se replier sur Ajaccio (1793). Quatre ans plus tard, sous le Directoire, seuls les deux tiers d'entre eux consentent à revenir.

Deux siècles durant, les Cargésiens formèrent une communauté jalouse de sa langue, de sa religion et de ses usages. Par la suite, les alliances avec les Corses, moins rares, permirent au village de vivre en paix. Aujourd'hui, seuls quelques patronymes distinguent les descendants des Grecs. Les fêtes liturgiques grecques continuent cependant à être célébrées avec ferveur.

se promener

Église latine

Ce petit édifice au clocher quadrangulaire fut construit ▶ au 19ᵉ s. pour répondre aux besoins de la population catholique de rite latin. Il présente un intérieur baroque très chargé utilisant la technique du trompe-l'œil (fausse chapelle du monument aux morts).

> **COUP D'ŒIL**
> De la terrasse, la vue★ embrasse le golfe de Sagone.

Dans l'église grecque, admirez l'icône des Trois Hiérarques, pères de l'église grecque, Basile, Grégoire et Jean-Chrysostome.

Église grecque

Face à l'église latine, ce sanctuaire catholique de rite oriental a été élevé de 1852 à 1870 à l'emplacement de l'église primitive devenue trop petite. Le sanctuaire y est séparé de la nef par une iconostase (1886), cloison de ▶ bois décorée d'images saintes sur fond d'or. Derrière l'iconostase, sur le côté droit du maître-autel, se trouve une icône du 16ᵉ s. représentant la Sainte Vierge au ciel avec l'Enfant Jésus, entourée d'anges et de deux saints qui la contemplent : saint Nicolas de Myre et saint Spiridon, le saint patron de l'église.

De la terrasse, bordée de micocouliers, une belle vue s'étend sur le golfe de Sagone.

> **ICÔNES**
> Parmi les icônes apportées par les premiers colons, noter, à gauche de l'iconostase, un saint Jean Baptiste ailé du 16ᵉ s. et, sous la tribune de l'entrée, l'**Epitaphios**, peinture sur bois du 13ᵉ s. représentant l'ensevelissement du Christ.

séjourner

LES PLAGES⌂

Plage de Pero⌂

1 km au Nord. Elle s'étend au fond du golfe de Pero fermé par les pointes de Cargèse et d'Omigna couronnées d'une tour génoise. Location de planches à voile.

CASABIANCA
Au Nord, dans la baie de Topiti, débarquèrent, dans la nuit du 13 au 14 décembre 1942, les émissaires du sous-marin *Casabianca (voir Côte des Nacres)* qui établit la première liaison entre Alger et les patriotes corses (plaque commémorative sur la D 81 au pont de Chiuni).

Plage de Chiuni

6 km au Nord. Gardé par une tour génoise, le golfe de Chiuni, très profond, offre une grande plage de sable bordée de buissons de lentisques, où s'est établi un village de vacances. Le lieu est magnifique.

Plage de Ménasina

2,5 km au Sud. Elle occupe une baie protégée par les pointes de Cargèse et de Molendino.

Plage de Stagnoli

7,5 km au Sud. Belle plage de sable fin, équipée pour la voile et la planche à voile.

La Casinca

Cette petite région de collines couvertes d'oliviers et de châtaigniers se prolonge par une plaine côtière très fertile où s'épanouissent plants de vigne, agrumes et céréales. La culture du kiwi est en pleine expansion. Groupés sur des éminences, de jolis villages dominent l'étang de Biguglia, la plaine littorale, le détroit toscan et ses îles. Vescovato, bourg le plus important de la contrée, surplombe la plaine et représente un haut lieu politique et historique.

La situation

Carte Michelin nº 90 plis 3, 4 – Haute-Corse (2B). À une vingtaine de kilomètres au Sud de Bastia, la Casinca constitue le versant oriental du Monte Sant'Angelo, entre le Golo et le Fium'Alto. C'est en quelque sorte le rebord Nord-Est, tailladé par les torrents, de la Castagniccia.

Les gens

Vescovato, « capitale » de la Casinca est la patrie de personnages connus : les chroniqueurs Ceccaldi et Filippini, le patriote Colonna Ceccaldi, le lieutenant de vaisseau Casabianca *(voir Vescovato)*.

HÉBERGEMENT ET RESTAURATION
Chez Walter – *N 193 - 20290 Casamozza - ☎ 04 95 36 00 09 -* P *- 52 ch.: 57,93/76,22€ - 6,86€ - restaurant 17/23€.* À 20 km de Bastia, cet hôtel un peu en retrait de la nationale est bien insonorisé. Les chambres sont modernes et bien équipées. Ne vous fiez pas trop à l'enseigne « pizzeria ». La carte simple du restaurant propose aussi d'autres plats. Piscine et tennis.

circuit

DE CASAMOZZA À CASTELLARE-DI-CASINCA

40 km – environ une demi-journée.

Casamozza

Ce hameau fut le point de départ de la ligne de chemin de fer qui longeait naguère la côte orientale de la Corse. En service dès 1888 dans sa partie Nord, elle n'atteignit Porto-Vecchio qu'en 1935. La voie, endommagée pendant la dernière guerre, ne fut pas reconstruite.

Prendre au Sud la N 198 vers Aléria et, à Torra, emprunter la 1re route à droite.

Entourée d'oliviers et de châtaigniers, Vescovato, capitale de la Casinca, forme un bel ensemble de ruelles et de maisons anciennes.

Vescovato★ (U Viscuvatu)

Cette ancienne place forte se situe au débouché d'une gorge profonde.

Vescovato (« évêché » en corse) fut, après la destruction de Mariana *(voir Canonica),* le siège d'un évêché de 1269 jusqu'en 1570, date de son transfert à Bastia. Également haut lieu politique, c'est à la consulte de Vescovato que le représentant du roi de France Henri II, Giordano Orsini, déclara la Corse « incorporée à la couronne de France ».

LE BERCEAU D'HOMMES ILLUSTRES

Vescovato peut s'enorgueillir de compter parmi ses fils :
– les chroniqueurs **Marc-Antoine Ceccaldi** et **Anton Pietro Filippini** (16e s.) dont la maison porte encore les armes et une inscription ;
– le patriote **Andrea Colonna Ceccaldi** qui prit une part active dans la révolution corse contre Gênes au 18e s. Ce grand propriétaire terrien de Vescovato fut élu général des insurgés de la Castagniccia avec Giafferi, en décembre 1730. Son engagement dans l'insurrection scella l'adhésion de l'opulente Casinca agricole à la révolte des montagnards de la Castagniccia. Gênes l'emprisonna en 1732 ;
– l'officier de marine **Luc-Julien-Joseph Casabianca**, né à Vescovato en 1762, porte le nom d'un bourg du Nord de la Castagniccia dont sa famille est originaire. Lieutenant de vaisseau en 1786, il fut élu député de la Corse à la Convention en 1792. Capitaine de vaisseau en 1793, il siégea à la Montagne et au Comité de la marine. Sous le Directoire, il s'attacha à la réorganisation de la Marine. Il fut tué le 1er août 1798 à la bataille d'Aboukir lors de l'expédition d'Égypte. Son vaisseau, *l'Orient,* fut coulé par Nelson. Depuis, la marine française honore sa mémoire en donnant régulièrement son nom à l'un de ses bâtiments. Le sous-marin *Casabianca* qui s'illustra en Corse en 1943 compte au nombre de ces derniers. Actuellement, ce nom est porté par un sous-marin nucléaire.

Ses hautes maisons de schiste sombre serrées autour de la place centrale, ornée d'une fontaine, et le dédale de ses vieilles ruelles en escaliers lui donnent un air charmant.

Ancienne chapelle St-Martin, l'**église San Martino** fut agrandie au 15e s. par les évêques de Mariana. Ils ornèrent son maître-autel d'un beau tabernacle en marbre blanc, sculpté d'une Résurrection, œuvre génoise de 1441.

Un tunnel sous l'église rejoint la grande place à travers une suite d'escaliers. *Sem. : 9h-12h, 14h-17h (16h ven.).*

Venzolasca

De hautes maisons très serrées bordent la rue étroite. Un campanile élancé, l'aspect massé du village bâti sur une croupe en belvédère confèrent à Venzolasca une silhouette très particulière.

Suivre la D 237 jusqu'à l'embranchement où l'on tourne à droite dans la D 6 qui monte en lacet à Loreto.

Dans les étroites ruelles de Vescovato, le linge qui sèche au vent apporte quelques touches de couleur.

Penta-di-Casinca domine Bastia et l'opulente plaine orientale. Le village constitue, par son homogénéité, un modèle des villages perchés corses.

Loreto-di-Casinca★

Village bâti sur une terrasse dominé par le Monte Sant'Angelo. Une longue rue, bordée de maisons en schiste vert, conduit à l'église et au campanile.

Reprendre la D 6 ; à l'embranchement tourner à droite et aussitôt à gauche.

PANORAMA

De l'église de Loreto-di-Casinca s'offre une superbe **vue★★** sur les vieux toits de lauzes, les terrasses cultivées, les villages perchés de la Casinca et, au loin, sur la plaine orientale, l'étang de Biguglia, Bastia et la mer.

Penta-di-Casinca★

Ce gros bourg agrippé à un éperon schisteux est organisé autour d'une rue principale. Les venelles transversales sont bordées de maisons de caractère : beaucoup conservent des pièces voûtées et de vieux escaliers derrière leurs façades sobres et patinées. Les toitures anciennes, le haut fronton dépassant des toits et le fin campanile à étages de l'église baroque donnent au bourg beaucoup de personnalité. Noter les cultures en terrasse, au pied du village.

Castellare-di-Casinca

Ce village, le dernier du balcon sur la plaine, jouit encore d'une belle vue.

Juste avant l'intersection avec la N 198, s'élève sur la gauche la **chapelle San Pancrazio** dont l'admirable chevet à trois chapelles remonte au 10e s.

La Castagniccia★★

La Castagniccia est une région qui a gardé une forte personnalité avec ses innombrables collines et petites montagnes tapissées de profondes châtaigneraies parsemées de mille hameaux au profil de forteresses. Le soir, au coucher du soleil, les villages cloués sur leurs crêtes par leurs lourds toits de lauzes sont les dernières taches de lumière accrochant le jour déclinant.

Les routes étroites semblent prendre un malin plaisir à virevolter sans fin d'une vallée à l'autre.

La situation

Carte Michelin no 90 plis 4, 5 – Haute-Corse (2B). La Castagniccia est bordée au Nord par l'étroite vallée du Golo, à l'Ouest par le sillon central, au Sud par le Bozio *(voir ce nom)* longtemps resté presque impénétrable. Elle vient finir en balcon sur la plaine orientale. Le Monte San Petrone, du haut de ses 1 767 m souvent nimbés d'une légère brume, affirme le caractère montagnard de la région.

Le nom

Castagniccia signifie en corse « région plantée de châtaigniers » ; ce nom évocateur paraît s'être imposé vers le milieu du 17e s.

carnet pratique

Les gens

La Castagniccia vit naître de grands patriotes : à Morosaglia, **Pascal Paoli** ; à Talasani, **Louis Giafferi** ; à Saliceto, le député du Tiers État, **Salicetti**.

Dans les écorces de châtaigniers apparaissent parfois des formes étranges.

comprendre

Haut lieu du patriotisme – La Castagniccia a joué au 18ᵉ s. un rôle important lors de la guerre d'Indépendance : elle fut l'un des principaux foyers de révolte de l'île. Les patriotes se réunirent souvent en consulte dans ses couvents : à Orezza, le clergé déclara la guerre de libération contre Gênes, à Alesani, le baron Théodore de Neuhoff fut proclamé roi de Corse et à Rostino Pascal Paoli se fit élire général de la Nation.

L'œuvre des Génois – La palynologie (étude des pollens) a montré que le châtaignier était présent en Corse dès l'époque néolithique.

Mais les grandes plantations ne commencèrent qu'au 15ᵉ s., sous la domination génoise, principalement en Castagniccia, et se développèrent aux siècles suivants. Cet arbre majestueux atteint une vingtaine de mètres de hauteur et son tronc vigoureux, revêtu d'une écorce gris argenté et fendillée, dépasse souvent 2 m de diamètre. Ses branches largement étagées procurent un ombrage apprécié pendant les chaudes journées d'été. Il fleurit en mai et en juin.

Les Génois, qui avaient découvert les bienfaits de « l'arbre à pain » dans l'Apennin, voulurent développer la castanéiculture en Corse. Il leur fallut pour cela modifier l'ensemble du système agricole, les montagnards de l'île étant avant tout des éleveurs et des céréaliers. En 1584, le gouverneur génois signa une première ordonnance obligeant tous les propriétaires et fermiers à planter chaque année quatre arbres fruitiers, sous peine d'amende par arbre non planté. Les espèces recommandées étaient le mûrier, le figuier, l'olivier et le châtaignier. C'est dans la future Castagniccia, où la densité de population était forte, que les ordonnances génoises obtinrent un réel succès.

« Tant que nous aurons des châtaignes, nous aurons du pain », disait Pascal Paoli.

Le triomphe de « l'arbre à pain » – Vers 1770, le châtaignier occupait en Castagniccia plus de 70 % des surfaces cultivées. De cette époque date toute une littérature due à des « technocrates » français imbus des « Lumières » établissant un lien entre la culture du châtaignier et une paresse présumée des Corses : le châtaignier serait « immoral » car il fournirait des fruits presque sans travail. Un tel amalgame témoigne d'une profonde ignorance des réalités insulaires. On ne voit pas, par exemple, comment les habitants d'une commune telle que Piedicroce, qui s'entassaient à 141 habitants au km² en 1786 et qui cultivaient 98,8 % du territoire, pouvaient survivre sinon grâce au châtaignier.

En 1880, la châtaigneraie couvrait 33 000 ha et produisait plus de 3 000 t de châtaignes.

LA VIE DE L'« ARBRE À PAIN »

Il faut environ 15 ans pour obtenir une première récolte après avoir soigné, greffé et protégé le jeune arbre. Le ramassage débute à l'automne ; jusqu'à fin novembre, des familles entières passent leur journée courbées à saisir les bogues et les châtaignes nues avec une petite fourche de bois (la ruspula). La récolte est alors transportée au séchoir (siccatoghju) pour y être étalée sur des claies au-dessus du fucone durant près de 3 semaines. Ensuite a lieu l'opération de battage : on place les châtaignes décortiquées dans des sacs en peau de porc d'une contenance de 5 kg pour les jeter à la force du bras sur un billot de bois. Au terme de cette opération, répétée au moins une trentaine de fois, la peau extérieure de la châtaigne est retirée et la récolte est mise à sécher dans un four tiède qui permettra d'enlever la deuxième peau fine. Les châtaignes sont alors expédiées au moulin.

On distingue en Corse plusieurs catégories de châtaignes : celle de qualité et de belle taille, « l'**insitina** » ; la « **tricciuta** » qui se ramasse en bouquets de bogues ; la « **pitrina** » (ou tuile) de forme plate et la « **villana** », rustique destinée à la consommation animale. Les deux premières fournissent en mélange la farine la plus appréciée.

Une économie originale – La quasi-monoculture du châtaignier fut à l'origine d'une économie particulière en Castagniccia. Une partie des châtaignes récoltées était commercialisée : soit troquée contre d'autres denrées, soit vendue pour fournir les ressources monétaires indispensables au paiement des impôts. De nombreux élevages de porcs en semi-liberté, nourris aussi de châtaignes, fournissaient une charcuterie remarquable.

L'artisanat était florissant : serrurerie, coutellerie, cordonnerie, confection de chaises et de paniers, fabrication à Orezza de meubles et de pipes en souche de bruyère.

circuits

① DE PONTE-LECCIA À MORIANI-PLAGE

82 km – compter une journée.

Cet itinéraire empruntant la D 71, puis la D 330 traverse les anciennes *pièves* de Rostino, d'Ampugnani, d'Orezza et d'Alesani. Il offre une excellente vue d'ensemble sur ce pays aux villages joliment situés sur les versants exposés au soleil.

Ponte-Leccia

Cette bourgade est un important nœud de communications routier et ferroviaire de l'île, point de jonction de deux nationales et des lignes de Bastia, Calvi et Ajaccio.

De Ponte-Leccia, suivre la D 71 en direction de Cervione.

La route offre de jolies **vues** à droite sur le massif du Rotondo, en arrière sur les aiguilles rouges de Popolasca et les montagnes de l'Asco. Elle s'élève à travers les châtaigneraies dominant sur la droite la vallée verdoyante de la Casaluna, affluent du Golo.

Santa Maria de Valle-di-Rostino

5 km au départ du Bocca a Serna par la D 15. Laisser le village sur la droite et continuer la route sur 500 m environ. À gauche, une piste carrossable conduit aux ruines de cette chapelle d'un roman primitif (elle daterait du 10e s.). Remarquer le chevet construit en pierres minces taillées dans des schistes bruns, gris ou verts, orné de pilastres et d'élégantes arcatures.

St-Thomas de Pastoreccia

Reprendre la D 15 vers le Nord jusqu'à Castello-di-Rostino. Au carrefour à la sortie du village après la plaque indicatrice, emprunter la route à gauche. À 500 m, un sentier se détache à droite vers la chapelle. En cas de fermeture s'adresser à M. Quilicci, au café sur la place du village ou à la mairie.

Élevée sur un promontoire au-dessus de la vallée du Golo, cette chapelle romane en schiste gris a été mutilée lors d'une restauration malheureuse en 1930, qui démolit la moitié de l'église et détacha une partie de ses fresques.

Entrer par l'étroite porte latérale Sud. Les fresques datent de la fin du 15e s. Cette période correspond à un renouveau du décor peint qui touche particulièrement la Castagniccia, avec des compositions comme celles de San Quilico de Cambia *(voir ce nom).*

Reprendre la D 15 jusqu'à la D 71, direction Morosaglia.

Morosaglia *(voir ce nom)*

La D 71 monte à travers les châtaigniers au **col de Prato** (alt. 985 m). Le col est le point de départ le plus aisé pour l'ascension au **Monte San Petrone**★★ *(voir p. 221).* Peu après le col se dégage une belle **vue**★ sur une grande partie de la Castagniccia, la mer Tyrrhénienne et l'archipel toscan.

Chapelle ruinée San Petruculo d'Accia

🚶 *1/2h à pied AR. Au col du Prato, prendre sur la droite, à la cabine téléphonique, le chemin carrossable qui part en direction du San Petrone. Au bout de 100 m, virage à droite à 90 º. Laisser la voiture. 20 m plus loin, prendre à gauche une vague piste qui monte en direction du Sud. Laisser sur sa gauche le mamelon rocheux couronné de chênes verts. Continuer tout droit. Les ruines sont au sommet d'un petit col, entourées des restes d'un mur de pierres.*

De cette ancienne **église** isolée au flanc du San Petrone subsistent l'élévation du chœur avec son abside et les bases d'une nef de plan basilical. Ces ruines dateraient du 6e s., époque où le pape **Grégoire le Grand** (590-604) s'employa à créer dans une Corse spirituellement appauvrie de nouveaux foyers religieux, et à relever les sanctuaires détruits par les Barbares. On a connaissance de deux missives du pape à l'évêque d'Aléria, faisant état de la fondation d'une basilique et d'un baptistère, sur le « Mont Nigeuno ». D'après les résultats des fouilles archéologiques, les ruines de San Petruculo correspondraient à celles de la basilique. On n'a pas, à ce jour, trouvé trace du baptistère. Chaque 1er août, ce site paisible redevient un lieu de pèlerinage.

De retour au col de Prato, reprendre la D 71 vers le Sud-Est sur 500 m, et prendre à gauche la route étroite qui va à Stoppia-Novia, puis à la Porta.

La Porta★ *(voir ce nom)*

Par la D 515, regagner la D 71.

La route en corniche domine alors la vallée du Fium'Alto.

Campana

Laisser la voiture sous les châtaigniers le long de la D 71 et gagner par des ruelles en escalier le haut du village qui s'adosse au Monte San Petrone.

1 km avant Piedicroce s'élèvent, sur la gauche, d'imposantes ruines d'un couvent franciscain.

Dans la chapelle St-Thomas de Pastoreccia remarquez les fresques★, en particulier celle du Christ Pantocrator (à l'abside), entouré d'anges et des symboles des évangiles.

L'**église paroissiale St-André** abrite une belle toile, l'Adoration des bergers, attribuée au peintre espagnol Francisco Zurbarán (1598-1664) ou à un de ses élèves ; en effet, par sa technique picturale et par les visages du type andalou, ce tableau se rattache à l'école de Séville du 17e s. *S'adresser à la mairie.*

Couvent d'Orezza★

Fondé au 18e s., le couvent fut, pendant la guerre d'Indépendance, un bastion de l'opposition à la Superbe (Gênes).

UN BASTION D'OPPOSITION

Plusieurs consultes se réunirent au couvent d'Orezza. Le 20 avril 1731, une vingtaine de représentants du clergé étudièrent la question qui préoccupait les consciences : la révolte contre l'autorité légale était-elle compatible avec la morale chrétienne ? Une majorité délia les Corses du serment de fidélité à la république de Gênes. Les termes de cette résolution demeuraient modérés et n'entraînaient pas la rupture.

En 1744, le franciscain saint Léonard de Port-Maurice (1677-1751) vint ici pour prêcher une mission contre la vendetta.

En juin 1751, une importante consulte vota une nouvelle constitution : le pouvoir exécutif était confié à Jean-Pierre Gaffori *(voir Corte).*

En 1790, Pascal Paoli rencontra en ces lieux Napoléon Bonaparte.

Désaffecté à la Révolution française, le couvent n'est plus qu'une ruine envahie par le lierre. L'église à ciel ouvert offre des restes de polychromie sous les arcades des chapelles baroques. Dans l'une d'elles se distingue l'emblème des franciscains : deux bras croisés sur une croix. Le couvent laisse voir par des trous béants les profondeurs de ses caves et de ses souterrains. Par les ouvertures des fenêtres, une vue plongeante sur la vallée d'Orezza rappelle que ce lieu saint était aussi un point stratégique.

Piedicroce

L'**église St-Pierre et St-Paul** présente une belle façade baroque du 18e s. et un clocher carré. L'**intérieur★** surprend par l'abondance du décor. Le superbe buffet d'orgue polychrome enchâsse un très ancien instrument attribué à Giorgio Spinola (1617-1619), et qui provient de la cathédrale Ste-Marie de Bastia.

Prendre la D 506 vers Forelli.

La route descend en lacet à travers une belle châtaigneraie.

Stazzona

Ce hameau reçoit les curistes venus prendre les eaux d'Orezza. Jolie vue sur Carcheto et son clocher baroque, de l'autre côté de la vallée.

Suivre la D 506 pendant 1,5 km.

Le décor mêle des motifs géométriques peints, des stucs et un trompe-l'œil. Au-dessus du maître-autel, remarquez la peinture sur toile d'un primitif italien représentant une Vierge à l'Enfant entre des anges musiciens.

Eaux d'Orezza

Cette modeste station thermale est joliment située au fond d'un vallon couvert de superbes châtaigniers que domine le village de Piedicroce.

DES EAUX VERTUEUSES

Les eaux d'Orezza, froides, ferrugineuses, bicarbonatées et gazeuses étaient déjà connues dans l'Antiquité. Elles soignaient au siècle dernier les cas d'anémie, les troubles du système nerveux ainsi que le paludisme et les affections du foie et des reins ; les coloniaux étaient nombreux à venir là se refaire une santé. De l'établissement thermal subsiste, au centre du parc, une fontaine où l'on peut goûter l'eau. En face, un atelier pratique la mise en bouteilles après un traitement qui ôte à l'eau sa saveur quelque peu désagréable.

Revenir à Piedicroce pour continuer la D 71 sur la gauche.

Carcheto★ *(voir ce nom)*

La route s'élève offrant de belles échappées, en arrière, sur le vallon d'Orezza dominé par le Monte San Petrone.

Felce

Le hameau possède une modeste **église** à toiture de schiste, surmontée d'un clocher à quatre étages.

Dans le hameau voisin, **Poggiale,** se trouve la maison natale de l'historien corse **Pietro Cirneo** (1445-1503), auteur du *De rebus corsicis.*

FRESQUES

L'**intérieur★** de l'église révèle des fresques naïves d'une grande fraîcheur : à gauche en entrant, Baptême du Christ ; sur un pendentif de la voûte, l'auteur inspiré flotte sur les nuages ; le chevet plat s'orne d'une Annonciation dans des arcades en trompe-l'œil. Le tabernacle du maître-autel a été sculpté au couteau par un bandit corse.

Valle-d'Alesani *(voir ce nom)*

La route en corniche domine la vallée étroite et sinueuse de l'Alesani, puis son lac de barrage avec, en arrière-plan, la plaine orientale où l'on distingue le barrage de Péri et le phare d'Alistro.

Barrage de l'Alesani

Il retient 11 millions de m³ d'eau destinée à l'irrigation de 4 200 ha de la plaine orientale entre Moriani-Plage et Bravone.

Les châtaigniers cèdent désormais la place au maquis. Quelques kilomètres avant Cervione, la route oblique vers le Nord pour longer en corniche la plaine littorale.

Cervione *(voir ce nom)*

Entre Cervione et San-Nicolao, la D 330 à flanc de coteaux est étroite. C'est un belvédère de 5 km, enjambant maints ponts et traversant quelques tunnels. Ce parcours constitue la **corniche de la Castagniccia★** sur la plaine orientale et la mer.

San-Nicolao

Le village-terrasse domine la plaine orientale. Isolée, son **église** baroque se dresse en contrebas sur un mamelon à 2 km sur la route de Moriani-Plage dans un joli site verdoyant. Dans l'ancienne *piève* de Moriani, les chapelles isolées communiquaient jadis, en cas d'alerte, avec les villages par de grands feux allumés à côté de l'abside. Le décor naïf de l'**intérieur★** de l'église, peint de couleurs vives, présente de nombreuses parties en relief qui rehaussent les trompe-l'œil. L'antependium du maître-autel est décoré d'un haut-relief représentant trois enfants dans un baquet (légende de saint Nicolas). La chaire polychrome est datée de 1740. *Tlj sf w.-end 16h-18h. S'adresser à Mr Giorgi.* ☎ *04 95 38 51 24.*

San-Giovanni-di-Moriani

5 km au départ de San-Nicolao par la D 330. À la bifurcation, tourner à gauche dans la D 134 en direction de San-Giovanni. Ce village à l'habitat très dispersé est constitué de 6 hameaux perchés. Le hameau principal présente une belle unité architecturale avec ses hautes maisons à toit de schiste flanquées d'un escalier extérieur. À l'entrée du groupe d'habitations, une belle **vue** s'offre sur l'église de San-Nicolao et sur la plaine orientale en contrebas.

L'église paroissiale, isolée à l'extrémité du village, est un intéressant édifice baroque. La chapelle San Mamiliano, de style roman, reconnaissable à sa toiture de lauze, était autrefois le but d'une procession fréquentée.

Revenir à la bifurcation et prendre à gauche la direction de Sta-Lucia-di-Moriani.

Sta-Lucia-di-Moriani

Le village allonge les hautes façades de ses maisons austères le long de la crête prolongeant la corniche. La partie haute du village constitue, par temps clair, un superbe belvédère sur le littoral, la vallée du Petrignani et les collines boisées coiffées de hameaux.

Moriani-Plage

Station balnéaire en expansion, située en bordure de la N 198. Sa grande plage de sable est fréquentée par les Bastiais. Au temps de Pascal Paoli, elle fut une base navale sous le nom de **Padulella**. C'est de là que Hyacinthe Paoli, le père de Pascal, et le général Giafferi s'embarquèrent pour l'exil vers l'Italie en 1739. Napoléon, évadé de l'île d'Elbe, s'y arrêta en février 1815 avant de s'embarquer pour Golfe-Juan en Provence.

☐2 DE PONTE-LECCIA À CORTE PAR LA CASTAGNICCIA

63 km – environ 3h.

À l'écart des routes touristiques habituelles, cet itinéraire permet de découvrir les contrées sauvages et reculées de la Castagniccia méridionale et du Bozio *(voir ce nom).*

Prendre la N 193 en direction de Corte ; à 5 km, prendre à gauche la D 39.

La route bien revêtue serpente dans la forêt de Pineto à travers les chênes verts puis, les pins, les oliviers et les fruitiers.

Prendre à gauche au bout de 6 km la route de Poggio et Gavignano. À la bifurcation de la route vers **Gavignano,** s'arrêter au hameau de **Poggio** qui possède une belle chapelle romane.

Chapelle de San Pantaleon

1/4h de marche à partir du hameau de Poggio. De construction élémentaire, elle est agrémentée d'un clocheton tardif qui coiffe sa façade. Les **fresques**★, de la fin du 15e s., recouvrent l'abside et l'arc triomphal. Malgré leur dégradation, elles sont remarquables par la combinaison des couleurs et des nuances. Parmi les personnages subsistant, remarquer saint Barthélemy, étonnant avec sa peau sur le dos et la profondeur de son regard, et san Pantaleon, coiffé d'un bonnet rouge, qui arbore un instrument de chirurgie (il fut médecin d'un empereur romain).

Remonter à droite en direction de Saliceto.

Saliceto

Le remarquable site en belvédère occupé par ce village, patrie du conventionnel Christophe Salicetti, offre une succession de panoramas exceptionnels. L'église parait en équilibre sur le torrent. En quittant le cirque montagneux de Saliceto pour changer de vallée, la D 639 amorce une descente en forte pente jusqu'à San Lorenzo où l'on retrouve le cours de la Casaluna.

Exactement en face du chemin descendant à droite vers le hameau de Corsolï, prendre dans le virage la piste qui monte sur la gauche. Elle est carrossable mais nécessite quelques précautions, le parcours est cependant plus agréable à pied (300 m jusqu'à la chapelle).

ACHATS
Domaine de Mussoleu – *Village - 20213 Folelli - ☎ 04 95 36 80 12 - été : lun.-sam. 8h30-12h, 15h-19h ; reste de l'année : jeu.-sam., lun.-mar. Les 16 hectares de ce domaine de la Casinca sont composés de trois cépages, dont le vermentinu typiquement corse donne un délicieux vin blanc aux arômes floraux caractéristiques.*

Chapelle Santa Maria de Corsoli

S'adresser à la mairie de Cambia. ☎ *04 95 48 42 48.*

Ce petit édifice, admirable dans les proportions et le travail de la pierre, ressemble à la chapelle San Quilico, toute proche. Il s'en distingue cependant par l'absence totale de décoration et par ses dimensions plus modestes. Ce style roman pisan très pur paraît d'exécution tardive, sans doute du 13ᵉ s. L'intérieur conserve l'autel roman d'origine.

L'aire ombragée de chênes verts, devant la chapelle, sert aux bergers.

Reprendre la D 15 sur 1 km environ. Prendre à gauche vers San Quilico par une petite route mal revêtue, en cul-de-sac. Laisser sur la droite la route vers Loriani.

Chapelle San Quilico de Cambia★

SAN QUILICO

Le vocable San Quilico – semble-t-il appellation corse de **saint Cyr** – est assez fréquent en Corse. Saint Cyr est un petit martyr de 7 ans qui se serait joint volontairement au martyre de sa mère, sainte Judith, en affirmant son baptême et sa foi.

Isolée dans une magnifique campagne sur le flanc Sud-Ouest du Monte San Petrone, cette chapelle pourrait être d'origine seigneuriale. On ignore tout de sa fondation.

Survivance romane, cet édifice paraît avoir été élevé au 13ᵉ s. dans un style et sur des canons déjà bien établis dans l'art roman pisan du 12ᵉ s. De belles dalles de schiste ocré composent les murs.

La porte Ouest est surmontée d'un tympan sculpté d'une scène très vivante : la tentation d'Ève. La porte Sud est ornée d'un tympan très expressif : sans doute faut-il voir dans le personnage en robe en train de dominer un serpent, l'image du chrétien qui terrasse le mal en se ceignant du vêtement de la foi.

Le chœur est décoré de fresques naïves et pleines de vie (16ᵉ s.). Sur le cul-de-four le Père éternel et le Christ en croix avec au-dessus d'eux la lune, le soleil, une colombe ; quatre anges adorateurs et les quatre évangélistes les entourent. Dans une partition horizontale, à la base de la composition, Vierge à l'Enfant et les douze apôtres. Saint Barnabé, l'apôtre élu pour remplacer Judas, est rajouté à l'extrême droite.

Regagner la D 39 qui poursuit la montée jusqu'à Carticasi.

Carticasi

Construit en balcon sur un éperon rocheux dominant la vallée de la Casaluna, ce typique bourg corse est particulièrement animé en période de chasse.

Ses vieilles maisons, couvertes pour la plupart de grosses lauzes, semblent monter la garde vers le Sud où moutonne le relief plus désolé du Bozio.

Au-delà de Carticasi, la route, très étroite, franchit **le col St-Antoine** pour s'enfoncer dans le Bozio.

De Bustanico à Corte, l'itinéraire est décrit en sens inverse à Bozio.

randonnées

3 MONTE SAN PETRONE★★

Ascension assez facile mais il faut être bien chaussé et faire attention aux orages après le 15 août.

Au départ du col de Prato

🚶 *6h AR depuis le col du Prato (985 m). La pente est plus douce (et plus ombragée le matin) que ne l'est l'autre itinéraire partant du hameau de Campodonico.*

Point culminant de la chaîne orientale, cette haute montagne boisée, au centre de la Castagniccia, domine toute la Corse orientale.

Prendre au col la piste forestière qui s'infléchit au bout de 100 m en direction du Sud-Ouest. La suivre sur 2,5 km jusqu'à un col (alt. 1 151 m.). Au-delà, un sentier plus étroit, parfois balisé de cairns (monticules de pierres), monte en forêt en direction du Sud-Est. L'itinéraire traverse ensuite une magnifique hêtraie avant d'atteindre un grand replat déboisé sur l'arête *(2h de marche depuis le col du Prato).*

Profiter de cette pause pour admirer la face Nord du Monte San Petrone. À l'extrémité de ce replat, on rejoint le sentier venant de Campodonico, *qui s'embranche sur la droite.*

Appuyer à gauche pour contourner la face Ouest, et ▶ atteindre le sommet du San Petrone par la face Sud. Sur la plate-forme du San Petrone s'élevait jadis la cathédrale de l'évêché d'Accia : **San Pietro d'Accia,** édifiée au 11ᵉ s. pour remplacer la chapelle San Petruculo d'Accia.

Au départ du hameau de Campodonico

🚶 *6h AR. Quitter Piedicroce par la D 71 en direction de Campana. Passé les ruines du couvent d'Orezza, emprunter à gauche la route qui monte au hameau de Campodonico. Le sentier du San Petrone se détache à droite à l'entrée du village.*

Le sentier s'élève sur la crête qui sépare les pièves d'Orezza et de Vallerustie. Quittant la forêt, il serpente à travers de maigres pâturages, avant d'atteindre le sommet.

> **L**e sommet offre un panorama★★★ très étendu et lointain sur la plaine orientale, l'archipel toscan, le Cap Corse, le Nebbio, la Balagne et la chaîne centrale du Monte Cinto à l'Incudine.

Centuri★★

Cette belle petite baie est connue depuis l'Antiquité : au 2ᵉ s., le géographe grec Ptolémée localisait déjà Centurinon parmi 32 villes ou ports.

C'est l'un des meilleurs endroits du Cap pour faire étape (attention, le lieu est très fréquenté en juillet et août). Au petit matin, le port offre une atmosphère délicieuse : une douce lumière teinte les maisonnettes et les casiers de bois, certains pêcheurs sont restés à terre pour réparer les filets, les klaxons des commerçants ambulants viennent éveiller le village. Au coucher du soleil, le port a également belle allure avec ses bateaux de pêche colorés.

L'amateur de plongée ou de chasse sous-marines trouvera, autour et au large de Centuri, une zone de hauts fonds (14 m de profondeur en moyenne) et des eaux limpides très poissonneuses.

> **CENTURI,**
> **PORT DE GUERRE**
> Vers 1760, Pascal Paoli créa à Centuri un port de guerre et un chantier naval pour armer une flotte corse.

La situation

Carte Michelin nº 90 pli 1 – Schéma p. 200 – Haute-Corse (2B). Centuri-Port est blotti au Nord-Ouest du Cap Corse. La petite baie est dominée par le village perché de Cannelle et protégée au Sud-Ouest par un îlot. Le Cap Corse est très peu desservi par les transports en commun. En été, un bus passe une fois par jour à Centuri et relie Bastia.

carnet pratique

RESTAURATION

• À bon compte

A Macciotta – *Au port -* ☎ *04 95 35 64 12 - fermé fin oct. à déb. mai - réserv. conseillée juil. et août - 15/34€.* « Le spécialiste des produits de la mer » annoncent Anna et Henri pour évoquer leur restaurant. En léger retrait des quais du port, dans une salle blanche toute simple ou sur la terrasse, vous ne serez pas déçu par la fraîcheur du poisson servi ici.

Le Vieux Moulin – *Au port -* ☎ *04 95 35 60 15 - fermé 1er nov. à mars - 14€ déj. - 24/53€.* Cette jolie maison bourgeoise du 19e s. domine le charmant port. Laissez-vous tenter par sa cuisine de la mer servie sous les tamaris ou dans la salle. Pour une petite faim (salades, omelettes, assiettes composées), installez-vous côté palmiers. Nos chambres préférées sont dans les annexes.

Pierrot, une des figures de Centuri. Dans le Cap Corse, l'orientation vers la mer a toujours été forte. Centuri est le premier port de pêche de la région.

Le nom

Centuri viendrait des mots latins *Cinctura* signifiant « lieu ceinturé de murailles » ou *Centuria*, « emplacement de la Centurium civitas », à savoir l'unité militaire de 100 hommes, la ceinturie.

Les gens

Le port de Centuri employait plus de 100 marins au 17e s. Depuis, son activité commerciale a beaucoup baissé mais il reste toujours une dizaine de pêcheurs qui lancent leurs filets à l'Ouest et au Nord du Cap pour ramener 10 t de poissons et 2 t de langoustes chaque année. Vers 16-17h, peut-être aurez-vous la chance d'assister à leur retour.

séjourner

La Marine (Centuri-port)★★

Des maisons au crépi ocre, gris ou blanc et aux belles toitures de serpentine verte encadrent ce tranquille petit port. Au printemps, la floraison des genêts et des tamaris ajoute une touche colorée à ce pittoresque village.
En automne, la coutume locale propose la dégustation de *panzarotti*, beignets fourrés de bettes et de raisins secs.
Au Sud s'ouvre la petite **crique de Mute,** abritée par l'îlot de Centuri, autrefois fortifié. Un oratoire aux murs décorés de galets se dresse le long de la plage.

randonnées

CONSEIL

Prévoir un véhicule au terme de la randonnée. S'informer au préalable sur les conditions météo et les risques d'incendie et emporter un approvisionnement en eau suffisant.

Sentier des douaniers de Centuri à Barcaggio★

🚶 *4h à pied de Centuri à Tollare et 1h de Tollare à Barcaggio. Point de départ : dans le haut du village (côté Nord) juste en face de 2 garages, un sentier bordé d'un gros figuier de barbarie part vers la mer.*
Le sentier balisé offre une belle vue sur l'îlot de Capeuse. Le tracé longe la face Ouest du Cap Corse, puis s'incurve vers l'intérieur pour rejoindre par les crêtes le sémaphore de Capo Grosso.

La plus belle marine du Cap Corse allie ses barques colorées et ses maisons aux toits de serpentine à des eaux translucides.

Cannelle★

🚶 *1h1/2 AR. Prendre le chemin de terre en haut du village, au Nord du port. Sentier balisé et bien entretenu. Description du hameau au Cap Corse.*

REFUGE SUR L'ÎLOT DE CENTURI

La féodalité corse s'affirma de bonne heure dans la province du Cap Corse sans pour autant troubler la paix de cette région ; en effet, les interventions seigneuriales avaient toujours lieu en dehors de leur fief. Pourtant, au 13ᵉ s., les da Mare et les Avogari, alliés de Gênes, s'unirent à Giovinello de Nebbio, pour combattre Giudice de la Cinarca *(voir Cinarca)*. Défaits et pourchassés par Giudice, ils se réfugièrent sur l'îlot de Centuri où, faute d'embarcation, Giudice ne put les atteindre. Profitant de la nuit, ils firent voile sur la Balagne où ils fondèrent Calvi.

alentours

Château du général Cipriani

4 km à l'Est. Ne se visite pas. En rejoignant **Camera** par la D 35 on découvre au Sud du village, au hameau d'Ortinola, un château élevé au 19ᵉ s. dans le style médiéval. C'était, au siècle dernier, la demeure du général comte **Leonetto Cipriani**, né et mort à Centuri (1812-1888), dont les ancêtres avaient guerroyé aux Antilles et en Amérique du Sud aux côtés de Bolivar. Leonetto se rendit célèbre au service du grand-duc de Toscane en négociant l'union de l'Émilie et du Piémont pour le compte de Victor-Emmanuel II. Très lié aux Bonaparte, il fut aussi négociateur officieux de Napoléon III.

Cervione

Cervioni

Dans un paysage où se mêlent les châtaigniers, les oliviers et les vignobles, Cervione est un village-belvédère sur la plaine littorale et la mer qu'il domine de 326 m. Prenez le temps d'aller admirer les fresques de la chapelle Ste-Christine et de visiter le Musée ethnographique.

La situation

Carte Michelin nº 90 pli 4 – Schéma p. 217 – Haute-Corse (2B). Cervione se trouve dans la partie orientale de la Catagniccia ; le village marque le point de départ Sud de la corniche : belvédère qui s'étend jusqu'à San-Nicolao *(voir Castagniccia).*

Le nom

Cervione pourrait venir du mot corse *cervu* signifiant « cerf » car la région était « le pays des cerfs ». D'autres retiennent le nom de Cerbonius (toscanisé en Cerbone), un saint évêque mort à l'île d'Elbe au 6ᵉ s.

Les gens

Né le 15 février 1535 à Milan, **Alexandre Sauli** fut nommé évêque d'Aléria en 1570 et sacré par saint Charles Borromée, évêque de Milan, dont il était le confesseur et l'ami. Après la destruction d'Aléria, saint Alexandre Sauli transféra le siège de son diocèse à Cervione où il fit bâtir une cathédrale, le palais épiscopal *(en face de l'église)* et le séminaire (actuelle mairie et musée). Les contemporains lui prêtaient, de son vivant, le don des miracles. Il réforma son diocèse et œuvra pendant 20 ans pour l'application des décrets du concile de Trente. Son rayonnement s'étendait à toute la Corse. Il passa la dernière année de sa vie à Pavie, où il mourut en 1592. Il fut canonisé en 1904.

visiter

Ancienne cathédrale St-Érasme

◀ Cet important édifice, au cœur de la vieille ville, est l'une des toutes premières églises baroques de Corse. Elle fut élevée par saint Alexandre Sauli.

Le plan de l'édifice est à nef unique, couverte en berceau et bordée de chapelles latérales peu profondes. Certaines peintures ornant les chapelles sont du 18e s ; les autres décorations datent du début du 19e s.

Musée ethnographique★

Tlj sf dim. 9h-12h, 14h-18h (juil.-sept. : tlj sf dim. 9h-20h). Fermé j. fériés. 1,52€. ☎ 04 95 38 12 83.

Il est agréablement installé dans une aile de l'hôtel de ville, ancien séminaire construit par saint Alexandre Sauli derrière le chevet de la cathédrale. Animé par une association pour le développement (des études archéologiques, historiques, linguistiques et naturalistes) du centre-Est de la Corse (ADECEC), il rassemble et présente par thèmes des souvenirs de la vie de Cervione et de la Castagniccia.

Rez-de-chaussée – Reconstitution d'un atelier de forge, présentation de matériel de vinification, de la pharmacie et des collections de roches de Corse.

Premier étage – Techniques de construction des maisons, nombreux outils agricoles (labour, châtaignes, vigne) ; vie rurale (reconstitution d'un *fucone,* filage et tissage).

Deuxième étage – Salle saint Alexandre (art religieux, objets ayant appartenu aux évêques de Cervione) ; salle Domenico Ascione (imprimerie Marinoni) ; les araires, la menuiserie et un portrait de Théodore de Neuhoff par Hector Filippi.

alentours

Chapelle Ste-Christine★

3/4h AR. Descendre de Cervione en direction du Nord sur 600 m. Laisser à gauche la D 330 vers San-Nicolao, et prendre la direction du Sud vers Prunete pendant 200 m, puis à gauche la petite route « Chapelle Santa Christina - Le Port ». À 2 km environ, à gauche, chemin carrossable (signalisé) sur 600 m.

Ce petit édifice roman présente l'originalité de ses deux absides jumelles décorées de **fresques★** datées de 1473, remarquables par leurs coloris délicats.

La nef date du 9e s. La chapelle fut agrandie au 15e s., sans doute après une destruction partielle. Les absides jumelles s'expliquent peut-être par le double patronage de sainte Christine et saint Polita (Hippolyte).

Gourde à eau de vie « Zucca ».

Dans l'abside de gauche de la chapelle Ste-Christine, la fresque représente le Christ en majesté, entouré de la Vierge et de sainte Christine avec, à ses pieds, un moine agenouillé, peut-être le donateur. Dans celle de droite, le Christ est entouré des symboles des évangélistes.

Pointe de Nevera

🚶 *Accès par un mauvais sentier (3h à pied AR) s'ouvrant au Sud-Ouest.* Gagner la chapelle isolée de N.-D.-de-la-Sco-biccia, puis la pointe de Nevera (alt. 815 m) qui domine celle-ci et offre un **panorama**★ étendu sur la plaine d'Alé-ria jusqu'à l'embouchure de la Solenzara et sur la mer.

Port de Campoloro

7 km à l'Est par la D 71 puis, à gauche, la N 198. À l'abri derrière ses puissantes digues, c'est, avec Macinaggio au Cap Corse, le plus important port de plaisance de la côte orientale.

La Cinarca★

Ouverte sur le golfe de Sagone, cette petite région fer-tile étage ses hameaux dans l'amphithéâtre de la vallée de la Liscia. La partie orientale, le Cruzini, enclavée entre des reliefs abrupts, conserve essentiellement une activité d'élevage. Dans le maquis, piètre héritier de l'ancienne forêt de pins et de chênes verts, elle compose une espèce d'oasis bien exposée où les vil-lages occupent des terrasses plantées d'oliviers, de noyers, d'amandiers, de figuiers ou de cédratiers.

La situation

Carte Michelin n° 90 pli 16 – Schéma p. 308 – Corse-du-Sud (2A). La Cinarca est limitée par les versants élevés du Sud du Liamone et du Nord de la Gravona.

Les gens

La Cinarca fut le fief de l'un des derniers bandits corses, le célèbre **Spada** qui résidait à Lopigna : le « **tigre de la Cinarca** » avait prit le maquis après avoir tué deux gen-darmes à Sari-d'Orcino en 1922. Il finit guillotiné à Bas-tia en 1935.

comprendre

Un bastion de résistance – Occupée dès l'Antiquité par les **Tarrabenioi**, l'un des douze peuples « habitant en vil-lages » localisés en Corse par le géographe Ptolémée au 2ᵉ s., la Cinarca se distingua au Moyen Âge par sa résis-tance aux Génois.

Les comtes de la Cinarca – Seigneurs fidèles à Pise, les comtes de la Cinarca furent, du 13ᵉ au 16ᵉ s., les plus sévères ennemis des Génois qui tentaient de s'implanter en Corse après en avoir évincé Pise. Au 13ᵉ s., les comtes cinarcais étaient puissants, contrôlant la majeure partie de l'Au-Delà-des-Monts, jusqu'au bastion génois de Bonifacio. Ils opposèrent à la république de Gênes une résistance qui aurait pu être redoutable si leurs divisions ne les avaient engagés dans des luttes fratricides pour le pouvoir.

La première grande figure des comtes cinarcais fut Sinu-cello della Rocca, connu sous le nom de Giudice de la Cinarca, né à Olmeto en 1221. Tenant de la cause pisane, Sinucello se distingua par ses exploits dans l'armée de cette république qui lui donna le titre de Giudice (« juge », terme désignant celui qui représente l'autorité publique), et la mission de soumettre l'île. De retour en Corse, il se heurta à l'opposition des partisans des Génois et à celle des seigneurs cinarcais, menacés dans leurs ambitions. Il se retira alors dans la montagne, à Quenza, et devint l'arbitre des litiges et des vendettas. En 1250, il était maître du Sud de l'île, mais la défaite de Pise à la Melo-ria en 1284 sonna le glas des heures de gloire de Giudice. Il fut trahi par son propre fils qui le livra aux Génois et il finit ses jours dans les geôles de la République.

Au 14e s., ses descendants s'inféodèrent au roi d'Aragon à qui le pape avait cédé ses droits sur la Corse : Arrigo della Rocca, son arrière-petit-fils, le plus bouillant des seigneurs, s'illustra par son long combat contre Gênes ; Vincentello d'Istria, neveu d'Arrigo, fut nommé vice-roi de Corse par le roi d'Aragon qui lui délégua l'administration de l'île.

Une fois son autorité assise (voir Corte), Vincentello se comporta en despote. Il s'aliéna le peuple corse et les seigneurs du Sud, ses propres parents qui, appuyés par Gênes, le renversèrent.

Le 15e s. marqua l'écrasement définitif des seigneurs cinarcais par Gênes, dans une répression sanglante. Avec eux disparut le dernier bastion de la féodalité corse. Deux grands fiefs illustrèrent les dernières résistances : les della Rocca et les Leca.

UN DESSERT SANGLANT
En avril 1456, 23 membres de la famille Leca furent mis à mort le même jour. D'après la légende, les « paladins cinarcais » finirent dans le sang : conviés à un festin de réconciliation par le gouverneur génois Spinola, ils auraient été décapités au dessert.

circuit

AU DÉPART DE TIUCCIA

51 km – environ 2h.

Tiuccia (voir golfe de Sagone)
Prendre la D 81 en direction de Sagone. Après la tour de Capigliolo prendre à droite la D 25.

Casaglione

Le village est construit dans un paysage de châtaigniers, d'oliviers, de chênes verts et de pâturages. Son **église** abrite un intéressant tableau de 1505 représentant la crucifixion. Au pied de la croix, le donateur reçoit de saint François la cordelière de l'ordre. *Demander la clé au secrétariat de la mairie.*

Au col d'Ambiegna, prendre à droite la D 1.

Sari-d'Orcino

De l'extrémité de la terrasse où s'élève l'église : **vue**★ sur le golfe de Sagone.

Les deux hameaux de ce petit chef-lieu de canton s'étagent au-dessus du golfe de Sagone et du bassin de la Liscia. On y cultive en terrasses les oliviers, les orangers, la vigne et les citronniers. Les cédratiers, qui entre les deux guerres contribuèrent à la richesse du pays, sont presque tous retournés à l'état sauvage. Devant l'église, la D 601 s'échappe à droite sur 4 km jusqu'à la chapelle ruinée St-Jean, offrant un parcours splendide.

Retourner à Sari-d'Orcino et rejoindre la D 101 au sud.

Calcatoggio

Ce gros hameau agrémenté de jardins fruitiers est construit en balcon sur le golfe de Sagone et son arrière-pays. Belle **vue**★.

Arrivé sur la D 81, descendre à droite vers le golfe de la Liscia.

Golfe de la Liscia⌂ (voir golfe de Sagone)

Corbara

Curbara

Corbara, étagé en amphithéâtre sur un versant bien exposé, fut autrefois la capitale de la Balagne.
Ses figuiers de Barbarie, ses ruelles pavées et ses passages couverts lui donnent une physionomie méditerranéenne attrayante. Le village est dominé par les ruines de deux châteaux.

La situation

Carte Michelin nº 90 pli 13 – Schéma p. 136 – Haute-Corse (2B). Ce village de Balagne est à 5 km au Sud de l'Île-Rousse. On y accède par la N 197 puis, sur la gauche, la D 151.

Le nom

Corbara pourrait venir du mot latin *corbaria* qui signifie « lieu fréquenté par les corbeaux ».

Les gens

Guy Savelli, ancien boulanger de Corbara, rassemble depuis une vingtaine d'années des objets anciens, pour la plupart corses : cartes postales, boites à musique, piano, pièces de monnaie romaines, phonographes, etc. Vous pouvez visiter ce petit musée, installé dans la maison du collectionneur, place de l'Église. *Tlj 15h-18h. Fermé 1er janv. et 25 déc. Gratuit.* ☎ 04 95 60 06 65.

visiter

Église de l'Annonciation

S'adresser au presbytère.

Cette grande église baroque, élevée à partir de 1685, remplace un édifice plus ancien dont elle a recueilli quelques éléments, notamment le baptistère du 15e s. conservé dans la sacristie. Le grand autel du chœur et sa clôture à balustres, en marbre de Carrare, furent importés d'Italie au milieu du 18e s. L'autel fut débarqué au port d'Algajola. Les stalles datent de 1753.

Castel de Corbara

Les ruines de l'ancien château des Savelli et une **petite chapelle**, restaurée au 18e s., se dressent au-dessus du village sur un rocher dominant la mer. C'est dans ce château que Paoli aurait annoncé aux représentants de Gênes, qui lui refusaient l'accès au port d'Algajola, la création de l'Île-Rousse. Depuis la chapelle, le point de vue permet de faire un tour d'horizon complet sur la Balagne. Cet humble édifice dédié à N.-D. des Sept-Douleurs est orné, à l'intérieur, d'une huile sur toile représentant une pietà, enchâssée dans un fronton semi-circulaire dominant l'autel.

alentours

Couvent de Corbara

2,5 km au Sud, par la D 151 en direction de Pigna. À 2 km prendre le chemin revêtu à gauche (statue de saint Dominique). L'entrée du couvent se situe au centre de la façade principale. Visite guidée mar.-ven. 15h-17h, vac. scol. : mar.-ven. 11h-12h, 15h-17h. ☎ 04 95 60 06 73.

Ancien orphelinat fondé en 1430 au pied du Monte Sant'Angelo par Mgr Nicolas Savelli, transformé en couvent en 1456, l'établissement, ruiné sous la Révolution, a été reconstruit et agrandi par les dominicains à partir de 1857.

RESTAURATION

Bar du Passage – ☎ 04 95 60 14 66 - *fermé 30 sept. au 10 juin et le midi -* 🚭 *- réserv. obligatoire - 22,30/30,53€.* Ne vous y trompez pas, la maison est surtout un restaurant. La soupe d'araignée et le chapon au four sont les deux spécialités d'ici. La pêche du jour est aussi très prisée. À déguster dans une petite salle jaune ou sous la tonnelle en terrasse...

DEUX CHÂTEAUX EN RUINE

L'un des deux châteaux, du 14e s., fut démantelé par les Génois au 16e s. ; le second fut rebâti sur des souches du 9e s. par les Savelli de Guido, descendants des seigneurs de Balagne.

LIEU DE RETRAITE

Le **père Didon** (1840-1900), célèbre prédicateur dominicain, fut, en raison de ses idées libérales, envoyé en retraite dans ce monastère en 1880-1881. Le couvent de Corbara est un *ritiro* ; à ce titre, il sert encore de lieu de retraite ou de reprise spirituelle.

À 300 m s'élèvent, au milieu des oliviers, les grands bâtiments du couvent de Corbara dominés par un haut clocher carré.

L'**église conventuelle** domine le bassin d'Algajola, la basse Balagne et le village de Pigna. À l'intérieur, on remarque une belle chaire du 18ᵉ s., une pietà et un crucifix rustiques en bois d'olivier, un autel et une clôture de chœur en marbre polychrome et des dalles funéraires.

randonnée

Monte Sant'Angelo

1h1/2 AR au départ du couvent par un chemin muletier. Alt. 562 m. Excellent belvédère qui offrant une **vue**★★ très étendue sur une partie de la Balagne, le désert des Agriates et la côte occidentale du Cap Corse.

Corte★

Corti

Capitale de la « nation corse » de Pascal Paoli entre 1755 et 1769, Corte joua un rôle historique important. On aime s'attarder dans la vieille ville aux ruelles escarpées, pavées de galets et dominées par la citadelle. Corte est aussi un agréable lieu de séjour, point de départ de nombreuses excursions. Il offre une palette représentative des paysages typiques de l'île : silhouettes déchiquetées des aiguilles de porphyre rouge de Popolasca, gorges et ravins de la haute vallée de la Restonica, moutonnement des croupes du Bozio noyées sous une mer de châtaigniers, beauté sereine des nombreux lacs du Monte Rotondo...

La situation

Carte Michelin nº 90 pli 5 – Schéma p. 176 – Haute-Corse (2B). Le sillon cortenais au paysage de hauts plateaux (altitude moyenne de 600 m) constitue le couloir central de l'île qui court de Ponte-Leccia à Venaco, et sépare le massif ancien granitique à l'Ouest, de la Corse alpine schisteuse à l'Est. Corte occupe une position stratégique au carrefour des vallées ; elle est accessible par la N 193. *Pl. des Quatre-Canons, 20250 Corte,* ☎ *04 95 46 26 70 - La citadelle - Caserne Campana,* ☎ *04 95 46 26 70. Juil.-août : 9h-13h, 14h-19h ; mai-juin : lun.-sam. 9h-12h, 14h-18h ; hors sais. : lun.-ven. 9h-12h, 14h-18h.*

Le nom

On raconte que Corte devrait son nom à une cour de justice fondée en 1419 par **Vincentello d'Istria**, vice-roi de Corse pour le roi d'Aragon *(voir Cinarca).* Mais des écrits mentionnent déjà la ville de Corte bien avant cette époque.

Les gens

6 329 Cortenais. Corte est la seule ville universitaire de l'île. Environ 3 600 étudiants fréquentent la faculté qui a ouvert ses portes en 1981, plus de deux siècles après la création de la première université de Corse à l'initiative de Paoli.

comprendre

LE CŒUR DE LA CORSE

Corte, juchée sur son piton, à l'abri de ses gorges et de ses montagnes, au cœur géographique de la Corse, était déjà un verrou fortifié au 11e s. Vincentello d'Istria, aventurier corse qui s'était mis au service du roi d'Aragon et servait les visées de ce dernier sur l'île *(voir La Cinarca),* fortifia le nid d'aigle de Corte (partie haute de la citadelle actuelle) en 1419. Il mourut décapité à Gênes en 1439. Dès 1459, Gênes régna à nouveau sur Corte qui n'était encore qu'une grosse bourgade. Quelque 100 ans plus tard, en 1553, les Cortenais, ralliés à la cause française, remirent d'eux-mêmes les clés de leur cité à Sampiero Corso. Dès 1559, le traité de Cateau-Cambrésis restitua l'île à Gênes qui reprit la ville. Elle en resta maîtresse près de 200 ans, jusqu'à ce qu'en 1746, un des enfants de Corte, Jean-Pierre Gaffori, parvienne à soustraire sa ville natale à la mainmise génoise.

Le général Gaffori – Né en 1704, Gaffori fit partie en 1745, du triumvirat des « protecteurs de la nation » élus par les Corses qui reprirent les armes contre Gênes. Nommé « général de la nation » en juin 1751 à la consulte d'Orezza, Gaffori se vit alors confier le pouvoir exécutif. Un véritable gouvernement révolutionnaire contrôla bientôt la plus grande partie de l'île. Mais le 3 octobre 1753, Gaffori, trahi par son propre frère, mourut dans une embuscade sur le chemin de Corte.

La capitale éphémère de l'île – Corte connut avec Pascal Paoli un étonnant destin. Celui dont la personnalité a séduit tant de contemporains, étonné les philosophes des Lumières et suscité l'admiration de Napoléon, choisit Corte pour capitale de son **« gouvernement de la nation corse ».**

De 1755, année où **Paoli** fut élu « général de la nation corse », à 1769, année où il fut contraint à l'exil, Corte devint la plaque tournante et le cœur politique de l'île. Paoli y fit voter une constitution fondée sur les théories de Montesquieu, établissant la séparation des pouvoirs et la souveraineté du peuple. Le nouveau gouvernement siégeait à Corte et la consulte s'y tenait une fois l'an.

Saint Théophile de Corte – Blaise de Signori, en religion frère Théophile, est né à Corte le 30 octobre 1676. À 17 ans, il entra chez les capucins au couvent de Corte. À la demande de sa famille, il quitta son couvent et entra chez les franciscains. Destiné à être professeur de philosophie et de théologie, il fit ses études à Rome, puis au couvent Santa Maria Nova de Naples. Au moment de présenter ses thèses, un accident l'obligea à une période de réflexion. Il se consacra alors, avec le bienheureux Thomas de Cori, à la restauration de la stricte observance franciscaine, au sein des couvents dits de « ritiro ». Pour étendre cette œuvre en Corse, il se rendit dans son pays natal de 1730 à 1735. Il fonda notamment un ritiro à Zuani et un à Campoloro, et réforma le couvent de Cervione.

Veillé par le nid d'aigle de sa citadelle, Corte masse ses demeures de schiste sombre coiffées de toits rouges sur un piton dressé au cœur d'un cirque montagneux.

SEMAINE SAINTE
Les Jeudi et Vendredi saints, des processions de pénitents en cagoules se déroulent dans ses rues illuminées.

CAPITALE UNIVERSITAIRE
L'université, qui ouvrit en janvier 1765, demeure l'œuvre la plus étonnante : son but, très pratique, était de former parmi les 300 étudiants inscrits les futurs cadres dont l'île avait besoin, dans le domaine juridique, en médecine ou en théologie. Les études étaient gratuites et le corps enseignant formé de religieux, franciscains principalement. L'université fermera ses portes de 1769 à... 1981.

Pendant cette période se situa son **intervention de conciliation** auprès du prince de Wurtemberg chargé par Gênes d'une mission punitive. Cette médiation fut couronnée de succès car le prince, accédant à la requête du saint, se retira. Un tableau, offert par le Vatican et conservé dans l'église de l'Annonciation, commémore cet événement. Théophile revint finir ses jours comme « gardien » du ritiro de Fiecchio : il mourut le 9 mai 1740. Il fut canonisé par Pie XI, le 29 juin 1930. La grille de l'oratoire, œuvre cortenaise, illustre certains épisodes de sa vie. Chaque année, le 19 mai, Corte honore la mémoire de son grand saint.

carnet pratique

TRANSPORTS

Gare ferroviaire – ☎ 04 95 46 00 97. Quatre trains par jour vers Ajaccio, Bastia, l'Île-Rousse et Calvi.
Chez Tomasi Location – ☎ 04 95 46 07 13. Location de VTT.

RESTAURATION

• À bon compte

U Spanu – *4 av. Xavier-Luciani* - ☎ *04 95 46 02 96 - fermé 15 nov. au 15 mars et lun. en oct. et nov. - 8,99/13,57€.* Ici, pas de chichis, la cuisine est copieuse et fidèle aux saveurs du terroir. L'accueil jovial et la simplicité du confort en font une étape sympathique sans artifice. Laissez-vous tenter par la terrasse ou par la modeste salle aux poutres apparentes.
U Paglia Orba – *1 av. Xavier-Luciani* - ☎ *04 95 61 07 89 - fermé 1er au 8 avr., 2 au 9 sept., vac. de Noël et dim. - 9,91/12,96€.* La carte de ce petit restaurant cultive l'éclectisme avec des salades, pizzas, pâtes, mais surtout des plats du terroir à la châtaigne et brocciu. Vous avez le choix entre la salle au décor sobre ou la terrasse surplombant l'avenue.
U Museu – *Rampe Ribanelle (ville haute)* - ☎ *04 95 61 08 36 - fermé janv., fév. et dim. de mars à mai -* 🚫 *- 13,57€.* Aux beaux jours, installez-vous au pied de la citadelle, sur l'une des terrasses à l'ombre des frênes. La véranda avec vue sur Corte et la salle voûtée rencontrent aussi un vif succès. Aux spécialités cortenaises s'ajoutent salades, pâtes et pizzas.

• Valeur sûre

Au Plat d'Or – *1 pl. Paoli* - ☎ *04 95 46 27 16 - fermé vac. de fév. et dim. - 16,77€.* Après avoir parcouru les ruelles de la ville haute, arrêtez-vous dans ce restaurant. Sa façade colorée et sa petite terrasse précèdent deux salles aux tons pastel. Cuisine traditionnelle doucement épicée, plat du jour et un menu à prix sage.

HÉBERGEMENT

• Valeur sûre

Paesotel-E-Caselle – *20231 Venaco - 15 km au S de Corte par N 193 et à l'E de Venaco par D 43 et D 143 -* ☎ *04 95 47 39 00 - www.e-caselle.com - fermé 15 oct. à mi-avr. -* 🅿 *- 32: 55/88€ -* ☕ *9,15€ - restaurant 17,53/27,44€.* Nichée dans le maquis, architecture inspirée des bergeries traditionnelles abritant des chambres sobrement aménagées et tranquilles. Pour un long séjour, choisissez la résidence et ses studios équipés de cuisinettes. Plats du terroir servis dans la chaleureuse salle à manger rustique ou sur la terrasse ombragée. Une adresse très « nature ».

SORTIES

Le Grand Café du Cours – *22 cours Paoli* - ☎ *04 95 46 00 33 - tlj 7h-2h.* Cet ancien relais de diligence est le plus vieil établissement de Corte. C'est aussi l'un des plus sympathiques grâce notamment à l'amabilité de son patron qui organise tout l'été des soirées de chant corse et de guitare.

ACHATS

Dégustation de spécialités – Au cours de la découverte de la ville à pied, on pourra apprécier les pâtisseries falculelle et picciole en vente dans les boulangeries et sur le marché.
Artisanat – Les spécialités artisanales sont en vente dans les boutiques situées au début du cours Paoli, à proximité de la place Paoli.
Marché – Un marché régional se tient le vendredi matin sur le parking municipal face à la gare routière.
Casanova – *6 cours Paoli* - ☎ *04 95 46 00 79 - lun.-sam. 7h15-19h30, dim. 7h15-12h - fermé 2 sem. fév.* Depuis 1887, la famille Casanova réjouit les papilles des Cortenais. Ses multiples créations plusieurs fois primées viennent de s'enrichir du Paoli, une mousse de brocciu à la farine de châtaigne et aux marrons glacés.
U Granaghju – *Pl. Paoli* - ☎ *04 95 46 20 28 - tlj 9h-21h ; juil.-août : 9h-00h - fermé nov.-Pâques.* Des eaux-de-vie de cédrat aux charcuteries, tout ce que vous trouverez dans cette boutique est exclusivement corse et artisanal. Les produits de luxe sont réunis dans une petite boutique voisine élégamment agencée.
Librairie Flore – *5 cours Paoli.* ☎ *04 95 46 06 85.* Ouvrages sur la région et le tourisme en Corse.

LOISIRS

L'Albadu – *Ancienne rte d'Ajaccio (N 2193)* - ☎ *04 95 46 24 55.* Des journées baignade aux randonnées d'une semaine à travers le désert des Agriates ou jusqu'au golfe de Porto, les balades organisées par cette ferme équestre se déroulent dans une ambiance décontractée et familiale.

CALENDRIER

Festival des arts sonnés – Il se déroule sur 5 jours autour du 2e week-end de mai : spectacle de rue, cirque et théâtre. Le soir, 2 concerts animent la citadelle. ☎ *06 13 57 90 58.*

se promener

LA VILLE HAUTE★

Visite : 2h.

Place Paoli

Reliant la très ancienne ville haute aux quartiers plus récents de la ville basse, la place Paoli commande la principale artère de la Corte contemporaine : le **cours Paoli**. La statue en bronze de Pascal Paoli, œuvre de Victor Huguenin, fut érigée en 1864.

Suivre le cours Paoli sur 100 m et tourner à gauche en direction « chapelle Ste-Croix-Citadelle ».

Une fontaine et un large escalier en marbre de la Restonica marquent le début de la rampe Ste-Croix, qui grimpe vers la citadelle.

Chapelle Ste-Croix★

En haut de la rampe, sur la droite. Le rapport que le délégué apostolique du pape Sixte V rédigea à la suite de sa visite du diocèse d'Aléria en 1589 mentionne déjà la chapelle Ste-Croix de Corte.

Derrière la façade un peu délabrée de cette chapelle de confrérie se cache un intérieur raffiné, traité dans l'esprit des riches oratoires St-Roch et de l'Immaculée-Conception de Bastia. Le sol est dallé du **marbre gris** de la proche Restonica. Sa nef unique est voûtée d'un berceau à lunettes peint de nombreux trompe-l'œil (dégradés).

C'est à la chapelle Ste-Croix qu'avait lieu, chaque année, le 5 décembre, l'élection du podestat et des « padri del commune », lesquels étaient chargés de l'administration communale. Le soir du Jeudi saint, de la chapelle Ste-Croix part la « **granitula »,** célèbre procession des pénitents.

C

CALENDRIER

Chaque année a lieu **Foire du cheval (Fiera Cavalina)**. Au programme : spectacles équestres, nombreux artisans et producteurs agricoles. ☎ *04 95 46 13 77.*

À VOIR

Le **retable** baroque, avec sa crucifixion en haut-relief et sa polychromie naïve, étonne par son fort expressionnisme.

Le petit **orgue** à l'italienne et sa tribune en arbalète porte de beaux **panneaux peints** sur son garde-corps. Un grand **médaillon en relief** domine l'autel : la Vierge de l'Apocalypse, couronnée d'étoiles, abrite dans les pans de son manteau deux papes et deux pénitents blancs en cagoule.

Ancien Collège (R. de l') 2
Citadelle (R. de la) 6
Dr.-Gambini (R.) 7
Fontanarosa (R. Jean-Baptiste) 9
Gaulle (Av. Gén. de) 10
Luciani (Av. Xavier) 12
Mantei (R. Cdt Ignace) 13
Mariani (Av. du Baron) 14
Penciolelli (R. Cdt) 15
St-Théophile (Pl.) 19
Ste-Croix (Rampe). 20
Santiaggi (R. Prof.) 22
Scoliscia (R.) 23

Église de l'Annonciation.......**B**
Fontaine des Quatre-Canons **D**
Hôtel de ville ....**H**
Maison du Général Gaffori ..**E**
Maison natale de
   Joseph Bonaparte ....**F**
Musée d'Art et d'Histoire....**M¹**
Palais national.....................**K**
Statue du Général
   Arrighi de Casanova.........**L**

Remonter la rue Col.-Feracci.

Longeant la citadelle, la rue monte en pente douce, bordée de vieilles maisons sur la gauche. On aperçoit au bout le clocher de l'église de l'Annonciation.

Au n° 11, remarquer un très ancien immeuble, doté d'un escalier monumental à voûtes. Sa façade patinée est élevée dans le goût des palais italiens du 16e s. Un peu plus loin sur la gauche, légèrement en contrebas, la **fontaine des Quatre-Canons** présente une pyramide surmontée d'un boulet ; l'eau jaillit en quatre points à sa base. Elle fut construite sous Louis XVI pour approvisionner en eau potable la garnison et l'hôpital militaire. La population de la ville fut autorisée à l'utiliser.

À ce niveau, prendre la rampe qui monte en escalier à la citadelle. On arrive place du Poilu.

Place du Poilu

Au n° 1 s'élève la maison où naquit, en 1768, Joseph Bonaparte, frère aîné de Napoléon et futur roi d'Espagne. Charles-Marie et Letizia Bonaparte y vécurent environ un an. C'est aussi dans cette maison que naquit, dix ans plus tard, **Arrighi de Casanova** (1778-1853), général d'Empire que Napoléon fit duc de Padoue. Représentant de la Corse à l'Assemblée législative de 1845, il acheva sa brillante carrière comme gouverneur de l'hôtel des Invalides.

Palais national (Palazzu naziunale)

Massif et unique vestige de l'architecture civile génoise à Corte, cette ancienne résidence du représentant de la Superbe devint le siège du gouvernement de Corse institué par Paoli entre 1755 et 1769. Ces murs abritèrent en 1765 la première université de Corse qui accueillait 300 étudiants, mais ne survécut pas au départ en exil de Paoli. Le palais, rattaché à l'université corse, renoue depuis 1981 avec cette vocation en accueillant le Centre de recherche corse en sciences humaines.

Passer derrière le Palais national, remonter vers la gauche la rue de la Citadelle et gravir les escaliers du belvédère.

Belvédère★

À plus de 100 m au-dessus du Tavignano, on découvre un vaste **panorama★★** sur le confluent du Tavignano et de la Restonica ; au loin se profilent les crêtes de la chaîne centrale.

Revenir place du Poilu et s'engager à droite, dans la citadelle où l'on pourra visiter le musée de la Corse et celui d'Art et d'Histoire (voir « découvrir »). Sortir de la citadelle par la place du Poilu et prendre à gauche vers la place St-Théophile.

On aperçoit, au chevet de l'église de l'Annonciation, un oratoire de plein air, bâti sur l'emplacement de la maison familiale et natale de saint Théophile de Corte.

Église de l'Annonciation

L'entrée se fait par la façade principale, pl. Gaffori. Remontant à 1450, cet édifice fut agrandi par saint Alexandre Sauli *(voir Cervione)* qui fit construire la nef de droite à la place d'anciennes écuries. Le fin et haut campanile de l'église domine toute la vieille ville. La façade est repeinte en crème avec des pilastres gris. À l'intérieur, on note une belle **chaire** en bois sculpté provenant de l'ancien couvent franciscain. On peut aussi admirer un très beau **crucifix du 17e s.**

Dans la chapelle placée sous son vocable, saint Théophile apparaît sur son lit de mort (effigie en cire du musée Grévin – 1979). La partie instrumentale de l'orgue, par Johann Conrad Werle, date de la fin du 18e s.

Du belvédère un escalier, puis un sentier très raide mènent au bord du Tavignano *(déconseillé par temps de pluie)*. La passerelle offre une **vue « en contre-plongée »** sur la vieille forteresse soutenue par trois grandes arcades, à l'extrémité du rocher. C'est pourtant de ce côté que se sont quelquefois évadés des prisonniers, entre autres les Gaffori et leurs partisans.

Le socle de la statue de Gaffori est orné de bas-reliefs illustrant les actions du général et de sa femme Faustina.

Place Gaffori

En face de l'église s'élève la maison du général Gaffori, dont la façade porte encore les impacts des mitrailles génoises, tirées lors du siège de Corte en 1750.

Sur le socle de la statue de Gaffori, deux bas-reliefs évoquent le courage de son épouse Faustina. L'un retrace la prise en otage de leur fils lors du siège de 1746 par les troupes de Gaffori. Les Génois, réfugiés dans la citadelle, exposent l'enfant aux balles des patriotes ; Faustina Gaffori, se précipitant au milieu des assiégeants, crie : « Tirez ! Ne pensez pas à mon fils, pensez à la patrie ! » La fusillade reprend, la citadelle capitule ; l'enfant est retrouvé sain et sauf.

Redescendre à la place Paoli par la rampe dite de la Sculiscia.

LA VILLE BASSE

Hôtel de ville

Tlj sf w.-end 9h-12h, 14h-18h. Fermé j. fériés. ☎ *04 95 45 23 00.*

Cette ancienne demeure entourée d'un parc agréable a été cédée à la ville par le duc de Camaran. Des fresques de Jose Fabri-Canti, dans la **salle des mariages**, évoquent la destinée de Pascal Paoli et la vie cortenaise. Le parc abrite une baignoire romaine aménagée en fontaine *(adossée à un mur)*.

Une statue de bronze du général Gaffori, œuvre d'Aldebert, fut érigée en 1901 devant sa maison.

Statue du général Arrighi de Casanova, duc de Padoue

Pl. du Duc-de-Padoue. Cette statue en bronze est due au sculpteur Bartholdi, plus connu pour sa statue de la Liberté à New York.

découvrir

LA CITADELLE★

Mêmes conditions de visite que le musée de la Corse.

Elle s'étage sur deux niveaux. À l'intérieur d'une enceinte bastionnée du 19e s., un premier plateau, le plus étendu, a été aménagé sous Louis XVI, puis sous Louis-Philippe. Il fit démolir les habitations et la chapelle comprises dans ces limites.

Le niveau supérieur occupe toute la pointe Sud et présente l'aspect d'un véritable nid d'aigle sur son éperon rocheux. Cette partie, dénommée le château, fut édifiée en 1420 par **Vincentello d'Istria**, vice-roi de Corse pour le compte du roi d'Aragon. Incorporée au musée de la Corse, on visite les anciennes casernes, les prisons et la tour (ancien donjon) du **nid d'aigle**. De ce belvédère, la **vue★** embrasse la vieille ville, le départ des vallées du Tavignano et de la Restonica et les nombreux villages accrochés au flanc de la montagne.

> **166 MARCHES**
> On accédait au nid d'aigle par un curieux escalier de 166 marches en marbre vert de la Restonica, couvert d'une voûte et aménagé en monte-charge pour les canons grâce aux rampes de roulement de part et d'autre des marches *(on peut l'apercevoir, à travers une grille, sur le chemin d'accès au nid d'aigle).*

C'est la seule fortification construite à l'intérieur des terres en Corse. La citadelle s'élève sur un éperon rocheux surplombant le lit du Tavignano.

Occupée par la Légion étrangère de 1962 à 1983, l'ensemble de la citadelle abrite actuellement l'Office de tourisme, la délégation régionale du FRAC qui anime des expositions, le musée d'Art et d'Histoire et le musée de la Corse.

Musée de la Corse★★

&. *Avr.-oct. : tlj sf lun. et j. fériés 10h-18h (de mi-juin à mi-sept. : tlj 10h-20h, oct. : tlj sf lun. et dim. 10h-18h) ; nov.-mars : tlj sf lun., dim. et j. fériés 10h-18h. Fermé pdt vac. scol. fév., 1er janv., 1er mai, 25 déc. 5,34€.* ☎ *04 95 45 26 06.*
Premier musée régional en France, ce musée d'anthropologie, inauguré en 1997, présente un concept novateur. Aménagé dans l'ancienne caserne Serrurier rénovée par l'architecte italien Andrea Bruno, il s'articule autour de trois espaces : la galerie Doazan, la galerie du « Musée en train de se faire » et les expositions temporaires.
Le 1er niveau consacré à l'ethnologie rurale présente une exceptionnelle **collection★★** d'objets, patiemment rassemblés par l'abbé Doazan. Ils témoignent de la vocation agricole et pastorale de certaines régions de l'île.
Le niveau supérieur propose une approche thématique de la Corse contemporaine : ébauche de l'industrialisation avec quelques grandes entreprises (Éts. Mattei), premiers pas du tourisme (collection d'affiches Ollandini) mais aussi permanence des confréries religieuses.
Le **nid d'aigle**, ou **castellu**, abrite l'auditorium de la phonothèque (archives sonores sur la musique corse) et « A Sala », un espace d'expositions temporaires.

Musée d'Art et d'Histoire
Fermé.
Légué à Corte, sa ville natale, par Joseph Bonaparte, cet ensemble de peintures provient, au même titre que la collection du musée Fesch d'Ajaccio, de la succession du cardinal Fesch, grand collectionneur d'œuvres italiennes *(voir aussi le musée Fesch à Ajaccio)*. Les œuvres exposées représentent une faible partie de la cinquantaine de pièces formant ce legs. On y admire plusieurs compositions d'écoles napolitaine, romaine et vénitienne du 17e s.

alentours

Église et baptistère St-Jean
3 km au Sud-Est de Corte. Quitter Corte par la N 193, au Sud-Est du plan, puis à gauche, la N 200. Après la gare, passer sous le pont du chemin de fer. Continuer pendant 1 km ; 150 m après le panneau de fin d'agglomération, dépasser l'enseigne commerciale « Catena » et prendre à droite une route empierrée en très mauvais état. La suivre pendant 900 m environ à travers un bois de chênes-lièges et

de chênes verts, jusqu'à la voie ferrée : l'église et le baptis-tère sont à 200 m en face. Possibilité de se garer au chevet de l'église.

C'était jadis l'**église**★ de la *pière* de Venaco qui, dans cette partie du diocèse d'Aléria, servait de cathédrale annexe.

Cet édifice remonte au 9e s. ; il ne subsiste plus que l'ab-side et les fondations des trois nefs. Les bases de mur visibles au milieu de la nef correspondent au chancel, à l'ambon et au banc de la *schola cantorum* (fouilles de 1956). Un escalier et un terre-plein faisaient communi-quer la nef du Sud avec le baptistère.

L'élégant **chevet semi-circulaire**, en schiste, est décoré de bandes murales et d'arcades aveugles soulignées par un lit de briques romaines réutilisées. Il est fort probable que St-Jean ait été bâtie sur le site de l'ancienne bour-gade romaine de **Venicium**.

Situé à quelques mètres au Sud-Est du chevet de l'église, le **baptistère St-Jean** très bien conservé. Il est construit sur un plan tréflé comportant trois absidioles semi-cir-culaires voûtées en cul-de-four s'ouvrant sur un carré central où se trouve la cuve baptismale.

circuit

CIRCUIT DU CORTENAIS★

66 km. Quitter Corte par la route de Bastia et, aussitôt après le pont sur l'Orta, prendre à gauche la D 18 puis, à 4,5 km, au col d'Ominanda, le 1er chemin à droite non revêtu.

Monte Cecu

Du sommet (alt. 754 m) où est installé un relais de télé-vision, on découvre un **panorama**★★ sur Corte et la val-lée de Tavignano, le Monte Rotondo au Sud et les aiguilles rouges de Popolasca au Nord.

Regagner le col d'Ominanda et poursuivre la D 18.

La route, tracée en corniche, traverse les montagnes du Cortenais.

Castirla

1 km après le village, un chemin s'amorce sur la droite (1/4h à pied AR). La **chapelle St-Michel,** préromane, est entourée d'un cimetière.

À Pont de Castirla, prendre à gauche la D 84, puis à droite de nouveau la D 18 et enfin la D 118 à gauche.

Castiglione★

Laisser la voiture à l'entrée du village. Perché au-dessus de la vallée du Golo, ce village montagnard aux vieilles mai-sons et aux ruelles étroites, groupé autour de son église, est dominé par les aiguilles rouges de Popolasca.

Regagner la D 18 pour prendre un peu plus loin la D 918.

Popolasca

Ce village, également dominé par les curieuses aiguilles du même nom, se groupe sur un éperon rocheux au milieu de châtaigniers.

Reprendre la D 18 jusqu'à la N 193 que l'on prend à droite. 8,5 km plus loin, prendre à gauche.

Omessa

Les hautes maisons de ce village perché au-dessus de la vallée du Golo se serrent autour de l'église.

Dans l'ancien couvent des Récollets (17e s.) qui domine le bourg, se tenaient les *Vedute,* réunions politiques.

Chapelle de l'Annonciade – *Sur la grande place communale. Prendre la clef au Bar U Muntagnolu.* ☎ 04 95 47 40 40.

Cette chapelle renferme une jolie statue en marbre de la **Vierge à l'Enfant** traitée dans le style florentin de la Renaissance.

À VOIR

L'intérieur présente une abside ornée de **fresques**★ du 15e s. : le Christ en majesté, entouré des attributs des évangélistes, domine les apôtres ; de chaque côté de l'arc souligné de losanges apparaissent l'ange de l'Annonciation et la Vierge, une Vierge à l'Enfant et saint Michel.

EMBUSCADES DANS LE CALCAIRE

Omessa signifie « le caché ». Le village gardait jadis les défilés calcaires de la Petraccia (mauvaise pierre), ainsi nommés parce qu'ils étaient des lieux d'embuscades.

Au Nord de Corte, vous visiterez de charmants villages perchés et souvent isolés sur les crêtes tel Soveria (photo ci-contre) ou encore, Tralonca, Sta-Lucia-di-Mercurio, Pecorellu, etc.

Église de St-André – Flanquée d'un haut **campanile**★ baroque, elle abrite quelques toiles italiennes intéressantes : une Vierge à l'Enfant, une Descente de croix et une Cène. Sur l'église, une inscription honore la mémoire de trois évêques d'Omessa, inhumés dans l'église. L'édifice se situe au centre d'un ensemble de ruelles communiquant par des passages voûtés.

Revenir à la N 193 qui ramène à Corte.

itinéraires

Gorges de la Restonica★★
15 km – environ 2h1/2 – voir ce nom.
Vallée du Tavignano★ *(voir ce nom)*

randonnées

GORGES DU TAVIGNANO★★

⚐ *Départ du sentier balisé au Nord de la Citadelle – environ 5h AR – dénivelée 1 050 m – sans difficulté majeure mais destiné à des marcheurs confirmés.*

Arche de Corte★ **(ou de Padule)**
Alt. 1500 m. S'engager sur le sentier du Tavignano, puis à l'embranchement prendre le chemin à droite qui longe un muret. Dépasser un petit abri de terre et de pierre (non représenté sur les cartes au 25 000e) et atteindre une crête. On pénètre dans une châtaigneraie, se maintenir sur ce sentier (ignorer celui de droite qui rejoint des rochers) jusqu'à un col. L'itinéraire, mieux tracé ensuite, file plein Nord en montée régulière en traversant une majestueuse forêt de pins laricio. Environ 40 m avant d'atteindre le but de cette randonnée, on aperçoit, se détachant du relief environnant, la silhouette caractéristique de l'arche.
Revenir par le même itinéraire. Possibilité de poursuivre jusqu'aux bergeries de Padule (en prévision de cette variante, se munir de ravitaillement suffisant et d'un topoguide de terrain).

PRUDENCE
Corte est un des principaux points de départ de randonnées pédestres. La plupart de ces balades s'effectuent en moyenne montagne et requièrent un entraînement suffisant ainsi qu'un équipement adapté (chaussures notamment). Le temps change très vite en montagne (neige possible, même au mois d'août). Renseignez-vous avant de partir.

Lac de **Creno**★

Crenu

À 1 310 m d'altitude, le lac de Creno est le moins élevé des lacs glaciaires de Corse.

Peu profond, ce modeste lac de 1,8 ha, au charme mystérieux, est entouré de beaux pins laricio dont les fûts rectilignes se reflètent dans ses eaux calmes. Il est accessible par une randonnée facile et agréable d'environ 1h1/4.

La situation

Carte Michelin n° 90 pli 15 – Corse-du-Sud (2A). Le lac de Creno occupe une cuvette glaciaire sur un replat du versant Sud-Ouest de la grande arête dorsale qui partage l'île. De Vico, suivre la D 23 sur environ 14 km et prendre à gauche la D 323 direction Poggiolo puis Soccia (environ 5 km). Le chemin menant au lac débute à 2,8 km à l'Est de Soccia *(voir « randonnée »).*

Les gens

Selon la légende, le diable aurait créé le lac de Creno afin de s'y cacher. Mais un jour, les intenses prières d'un berger et d'un vieillard vidèrent complètement l'étendue d'eau, ce qui obligea le démon à s'enfuir. Le lac retrouva ensuite ses eaux.

> **PRATIQUE**
> Du lac, on peut rejoindre en 2h environ Bocca d'Acqua Ciarnente, où passe le **GR 20** et où est établi le **refuge de Magnanu**.

randonnée

Une route, carrossable et revêtue, débute par une rampe bétonnée, à l'Est de Soccia, juste après un lavoir. Elle rejoint en 2,8 km l'itinéraire pédestre à la grande croix métallique (stationnement).

🚶 *2h1/2 AR. Prendre le sentier pour Creno qui part à travers le maquis, environ 30 m à droite et au-dessus du trop-plein (en ciment) de la conduite forcée.*

Le chemin court à flanc de coteau dans un maquis qui exhale une forte odeur de thym. En face se dressent les rochers de l'Arbariccia.

Le sentier devient plus raide et plus étroit. On rejoint *(1h de Soccia),* au pied des pentes du Monte Sant'Eliseo, celui qui descend à Orto. À environ 500 m de ce croisement, se détache à droite le sentier d'accès à la chapelle Sant'Eliseo (alt. 1 511 m).

Continuer tout droit, puis sur la droite en direction du bois de pins.

On pénètre bientôt dans le bois de pins laricio où se situe le lac de Creno que l'on atteint en 1/4h.

> **CONSEIL**
> Une fois au lac, suivre le chemin de crête qui laisse à gauche le Monte Sant'Eliseo, on parvient à une croix au pied de laquelle s'offre une **vue** étendue sur Orto et Guagno. On peut aussi choisir de faire le tour du lac.

Le joli petit lac de Creno, veillé par ses pins laricio.

Erbalunga★

Cette petite marine de la commune de Brando aligne ses vieilles maisons à fleur d'eau sur une pointe de schiste vert terminée par une ancienne tour génoise à demi ruinée. Goûtez le plaisir de la flânerie autour du port dans les ruelles en escalier, ombragées de platanes, de lauriers et de palmiers et sur les places fleuries.

La situation

Carte Michelin n° 90 pli 2 – Schéma p. 200 – Haute-Corse (2B). À 10 km au Nord de Bastia par la D 80. Laisser son véhicule au parking derrière la mairie (le long de la route principale).

Les gens

Erbalunga est le berceau de la branche paternelle de l'écrivain Paul Valéry (1871-1946).

La marine d'Erbalunga conserve une tour génoise. Celle-ci garde fière allure malgré la destruction de son sommet par la flotte française au 16e s. Une plaque, apposée sur la face Nord, mentionne la date de 1561, probablement celle de sa construction.

se promener

Erbalunga et Cardo (Bastia) furent pour les Pisans les principaux lieux d'approvisionnement en vin, dès le 12e s.

Encadré de rochers et d'habitations, le petit **port** abrite quelques bateaux de pêche et de plaisance aux couleurs vives. Il attira bon nombre de peintres dans les années 1930. Un petit ponton de bois au-dessus de l'eau longe les maisons anciennes et mène à la **tour génoise.**

L'**église St-Érasme,** qui s'élève sur une terrasse à l'entrée du village en venant de Bastia, abrite les croix portées par les pénitents de la Semaine sainte. Saint Érasme, le patron des marins, est fêté le 2 juin, avec procession et bénédiction de la mer. *Dim. 9h-12h.*

LA CERCA

Le soir du Jeudi saint, une procession gagne le monastère de bénédictines qui domine le village. Les hommes, revêtus d'une aube blanche, portent une croix de 40 kg, tandis que les femmes, la tête couverte d'un tablier bleu *(la faldette)*, participent à la cérémonie en supportant une croix de 20 kg. Le Vendredi saint, la procession quitte l'église d'Erbalunga vers 7h du matin, pour un circuit à pied de 7 km comportant des haltes à toutes les églises et chapelles de la commune de Brando : c'est la « **Cerca** » (« recherche »), à laquelle prennent part d'autres villages de la commune. Le soir, à la lumière des torches, la procession des pénitents réalise des figures traditionnelles, devenues célèbres, comme celle de la *Granitola*, en forme de spirale, et celle de la croix.

alentours

Castello

3 km à l'Ouest. Dans Erbalunga, prendre à la hauteur du bureau de poste la D 54 vers Castello et Silgaggia.

La route monte rapidement, ménageant de larges vues sur la mer, Erbalunga et, à mi-pente, sur l'imposant monastère des bénédictines. Castello doit sans doute son nom au château médiéval dont les ruines subsistent sous la forme d'un donjon massif qui domine le village. Édifié au 13e s. et remanié au 15e s., il fut la demeure d'une puissante famille capcorsine, les seigneurs Gentile. Ce gros hameau de la commune de Brando verrouille un amphithéâtre de schiste vert tourné vers le large, sur la pente Est du Monte Stello.

Chapelle N.-D.-des-Neiges★ – *300 m avant Castello, prendre à gauche, à la fourche, la route en montée qui conduit à Silgaggia. S'adresser à la mairie de Brando, marine d'Erbalunga, ou à M. Carlini.* ☎ *04 95 33 93 69.*
Ce sanctuaire remonte au 11e s. Bien qu'elle soit de modeste taille, c'était l'église piévane *(voir p. 82)* de la seigneurie de Brando. Son abside en cul de four et sa toiture de *teghie* (lauzes) lui confèrent une belle harmonie. Mitoyenne de la chapelle, l'église paroissiale **Santa Maria Assunta**, beaucoup plus vaste, présente une façade du 19e s., agrémentée en haut de son fronton des armes pontificales.

À proximité, une petite chapelle abrite en saison des expositions sur la restauration du patrimoine local.
Au-dessus, le cimetière, ombragé d'ifs et d'oliviers vénérables, domine la mer et l'île de Capraja.

> **FRESQUES**
> La chapelle possède les plus anciennes fresques connues dans l'île, datées de 1386 et réalisées par un artiste italien. Les fragments subsistants couvrent le mur Sud et figurent des personnages d'une étonnante naïveté : la commanditaire, représentée, a été identifiée par une inscription.

Golfe de **Figari** ☼

La côte qui s'étend de Roccapina à Bonifacio, inhabitée et éloignée des grands axes routiers, a conservé sa beauté sauvage. Adossée à la montagne de Cagna et tapissée d'un maquis dense, elle offre de petites plages et des mouillages sûrs. De minuscules calanques pénètrent profondément dans les embouchures de ses fleuves côtiers. C'est un paradis très fréquenté pour la plongée sous-marine.

La situation

Carte Michelin no 90 pli 9 Ouest – Corse-du-Sud (2A). Pianottoli-Caldarello, seul bourg important du golfe, est accessible par la N 196 puis la D 122.

carnet pratique

RESTAURATION
• *Valeur sûre*
Pozzo di Mastri – *20114 Figari - 2 km au N de Figari par D 859 -* ☎ *04 95 71 02 65 - fermé janv. à mars et lun. midi hors sais. - réserv. obligatoire - 31€.* Avec son air de bergerie sophistiquée, ses murs ornés de tableaux offerts par des clients artistes, son étonnante reproduction miniature d'un village corse et ses tables en pin laricio, la maison séduit. Cuisine de saison et beaux gigots d'agneau rôtis dans la cheminée.

HÉBERGEMENT
• *Valeur sûre*
U Libecciu – *Rte du Port - 20131 Pianottoli-Caldarello -* ☎ *04 95 71 87 93 - fermé oct. à mars -* ▣ *– 80 ch.: 83/168€.* Très belle situation en bord de mer pour cet hôtel de conception moderne. Ses chambres, spacieuses et meublées en rotin, sont toutes climatisées. Côté détente, vous aurez l'embarras du choix : plage privée, piscine ludique, locations de VTT, canoë, petits voiliers...

LOISIRS
Ranch du golfe de Figari – *20131 Pianottoli-Caldarello - juin-sept. : tlj.* Installé en plein maquis à proximité de la mer, ce ranch propose des promenades d'une heure à la journée entière. Possibilité de mini-randonnée avec des poneys pour les plus jeunes. Une façon agréable de découvrir le golfe de Figari.

Le nom
Figari est le chef-lieu de la circonscription surnommée le « canton des plages ».

se promener

Caldarello
Composante de **Pianottoli-Caldarello**, seule agglomération d'importance entre Sartène et Bonifacio, ce charmant port de pêche se dresse dans un étonnant **chaos de rochers★**. Caldarello veut dire en corse « Là où il fait très chaud ».

UN HABITAT SAISONNIER
Jusqu'au début du 20e s. il n'existait à Caldarello que quelques maisons servant à un habitat saisonnier, car cette zone basse (appelée *piaghja* en corse) était particulièrement insalubre en été. La population passait la plupart de l'année en moyenne montagne, à **Zérubia**, près de Serra-di-Scopamène. On descendait à la piaghja afin de pourvoir à l'alimentation de base : vigne, oliviers, orge, etc. Avec les premières chaleurs de juin, les récoltes achevées, tout le monde remontait à Zérubia jusqu'aux vendanges.

MAISONS TROGLODYTIQUES
Aménagés dans les chaos de Caldarello, ces abris appelés « ori », fréquents dans toute la montagne de Cagna, étaient utilisés comme habitations principales jusqu'au 17e s. Ils servent aujourd'hui de granges, d'étables et, en montagne, de demeures pour les bergers.

Aujourd'hui, Zérubia se meurt alors que Pianottoli se développe grâce à la production d'un vin réputé (le vin de Figari) et à la proximité de l'aéroport. La marine de Caldarello est une belle station balnéaire.

Du haut du chaos rocheux à la sortie Sud de Caldarello, une **vue★** s'offre sur le golfe profond.

À la bifurcation, prendre à gauche vers l'embarcadère.

Dominée par une tour génoise et bordée par un maquis dense d'où émergent des toitures de résidences, une petite plage de sable s'étend à gauche de l'embarcadère.

Les plages
Pour accéder aux plages, s'engager à droite vers St-Jean (D 122). En raison de l'étroitesse de la route et de la difficulté à trouver ensuite un stationnement, laisser le véhicule sur le parking libre situé après le tennis. Continuer environ 2 à 3 km à pied pour atteindre les **petites criques de sable fin** de la baie de Figari. Ne pas poursuivre la route lorsqu'elle s'incurve vers l'intérieur des terres, car elle dessert uniquement des résidences privées.

Filitosa★★

RESTAURATION
Ferme-auberge
A Mirenda - Domaine de Kiesale – *Au pont de Calzola - 20140 Casalabriva - 7 km au NE de Filitosa par D 457* - ☎ *04 95 24 36 30* - *fermé fin sept. à déb. avr.* - ⌧ - *19€.* Au bout d'un chemin qui traverse la campagne, cette maisonnette est devancée par une terrasse. Sur la table, agneau et mouton, mais aussi vin et huile d'olive produits par la famille des propriétaires. Sur réservation, couscous et tajines. Un lieu dépaysant...

Le site archéologique de Filitosa offre, à travers ses précieux vestiges, une synthèse des origines de l'histoire en Corse : périodes néolithique (6000-2000 avant J.-C.), mégalithique (3500-1000), torréenne (1600-800), puis romaine.

Le site a été découvert en 1946 par le propriétaire du terrain ; l'archéologue Roger Grosjean y a ensuite consacré son activité de chercheur.

La situation
Carte Michelin nº 90 pli 18 – Schéma p. 335 – Corse-du-Sud (2A). Le site se trouve à 17 km au Nord-Ouest de Propriano. Accès par la D 157 puis la D 57 *(voir golfe de Valinco).*

Le nom
Sur le site on a retrouvé 70 statues-menhirs qui ont été baptisées Filitosa I, Filitosa II, etc.

Les gens
Filitosa V est la plus volumineuse et la mieux armée de toutes les statues-menhirs de Corse. Elle porte une longue épée et un poignard oblique dans son fourreau ; de dos, apparaissent des détails anatomiques ou vesti-

mentaires. Le haut de la tête semble avoir été sectionné. Une enceinte cyclopéenne néolithique cerne le plateau et barre l'éperon où se trouve l'essentiel du gisement. On trouve Filitosa V à droite sur le chemin menant au site.

comprendre

L'économie néolithique – En Corse, les premiers foyers néolithiques remontent à 6000 avant J.-C. Les hommes sont alors des agriculteurs et des pasteurs qui pratiquent aussi la chasse, la pêche et la cueillette. Pacifiques, ils demeurent dans des abris sous roches. Devenus sédentaires, ils édifient des cabanes au sommet d'éminences. Ils pratiquent la transhumance vers les plaines côtières en hiver, vers la haute montagne en été. Ils connaissent le tissage et la poterie et enterrent leurs morts dans des grottes naturelles.

La civilisation mégalithique – Cette civilisation se répand dans le Sud-Ouest de l'île vers 3500 avant J.-C. Le mode de vie est le même qu'à l'époque néolithique, mais les morts sont enterrés dans des caveaux, d'abord plus ou moins enfoncés dans le sol (coffres) puis en surface, sous des dolmens constitués de grandes dalles façonnées et polies. À proximité de ces sépultures sont élevés des monolithes (menhirs), hauts de 2 à 4 m.

Vers 2000 avant J.-C. apparaissent les premiers alignements. Ce peuple pacifique savait alors confectionner des armes de chasse dans le granit façonné avec un outillage d'obsidienne importée de Sardaigne, et tailler des pointes de flèches dans l'obsidienne même. Deux siècles plus tard une évolution sensible se manifeste : le menhir encore dépourvu de toute trace de sculpture ou de gravure acquiert cependant une silhouette humaine. C'est le **menhir anthropomorphe** (à forme humaine), déjà plus qu'une stèle mais pas encore une statue : la tête est ébauchée et distinguée du corps, les épaules sont esquissées. Sa hauteur est celle de l'homme. Son évolution vers la statue-pilier marque une étape artistique importante : le visage est désormais nettement modelé avec les yeux, le nez et la bouche.

Deux siècles après (vers 1600 av. J.-C.), les **statues-menhirs** manifestent une nouvelle évolution : l'anatomie se précise (colonne vertébrale et omoplates) et apparaissent des armes sculptées en relief (épées et poignards). Dans le Nord de l'île, les Mégalithiques élevèrent des statues non armées qui se caractérisent par des épaules marquées, des oreilles proéminentes et souvent un collier sculpté.

La civilisation torréenne – De 1600 à 800 avant J.-C., la Corse du Sud reçoit l'empreinte d'une nouvelle civilisation qui a laissé de nombreuses traces dans le golfe de Porto-Vecchio et à l'Ouest dans les vallées de l'Ortolo, du Fiumicicoli, du Rizzanèse et du Taravo. Les principaux vestiges, situés sur les hauteurs, sont des forteresses circulaires en appareil cyclopéen hautes de 6 à 8 m, auxquelles fut donné le nom de *torre (voir chapitre Histoire)*, analogue aux *nuraghi* de Sardaigne.

EN SAVOIR PLUS
D'autres sites préhistoriques et mégalithiques en Corse méritent une visite : **Alo Bisucce**, les alignements et le dolmen de **Cauria**, le menhir de Nativu à **Patrimonio**, les sites torréens de **Cucuruzzu**, **Torre**, **Ceccia**, **Tappa** et **Araghju**. Deux musées leur sont consacrés : à Sartène et à Levie. Pour plus de détails sur Filitosa, lire : *Filitosa*, par J.-D. Cesari et L. Aquaviva (en vente sur place).

La Corse est dotée d'un extraordinaire patrimoine préhistorique dont font partie les nombreux dolmens et menhirs. Cette richesse, longtemps ignorée, suscite depuis quelques années de multiples recherches et soulève bien des énigmes.

LE MYTHE DES TORRÉENS

Certains préhistoriens pensaient qu'à l'âge du bronze moyen (entre 3450 et 3050 av. J.-C.), la Corse avait été envahie par les **Shardanes**, un des mythiques « peuples de la mer », farouches et barbares, qui auraient progressivement repoussé les Mégalithiques vers le Nord de l'île. Ceux-ci auraient construit des *castelli* et des *torre* pour se défendre. Ils auraient aussi pratiqué l'envoûtement : leurs statues-menhirs, désormais armées et cornues, auraient représenté leurs ennemis morts au combat. Mais les Shardanes, finalement vainqueurs, auraient abattu les statues pour s'en servir ensuite comme matériaux pour leurs temples. Cette séduisante théorie doit aujourd'hui être abandonnée. Il est probable que la majorité des statues-menhirs de Filitosa n'aient jamais été cornues : les cupules sur leur tête sont un simple motif ornemental. La transition entre le néolithique terminal et l'âge du bronze ancien s'est faite progressivement, sans heurts. Et sans les Shardanes...

visiter

Site archéologique★★

Visite 1h. En venant d'Ajaccio par la N 196, ne pas suivre la signalisation « Filitosa » en place à certains carrefours. Poursuivre en direction de Propriano jusqu'à l'embranchement, à droite, de la D 157 en direction de Porto-Pollo. Au premier grand carrefour on laissera sur la gauche la route de Porto-Pollo pour continuer tout droit jusqu'à Filitosa. D'avr. à fin oct. : de 8h au coucher du soleil. 3,35€. De préférence en milieu de journée : bon éclairage pour l'examen des sculptures et gravures. ☎ 04 95 74 00 91.

Le site archéologique de Filitosa est l'un des ensembles de statues-menhirs les plus spectaculaires de Corse.

Près de l'entrée s'élève le **musée**, que l'on visitera au retour. À 75 m, sur le chemin du site, à droite, a été placée la statue-menhir **Filitosa V**.

Oppidum – Quatre ensembles retiennent l'attention et témoignent de l'occupation successive du site par les Mégalithiques, puis par les Torréens.

L'oppidum fortifié torréen comprend des statues-menhirs souvent mutilées provenant de la culture mégalithique.

Monument Est – Ce monument que les Torréens comblèrent est un tumulus, extérieurement appareillé et disposé dans un puissant ensemble rocheux. Une rampe monte à son sommet. Un os *taffoni* a livré des traces d'une première occupation du site, il y a près de 8 000 ans.

FILITOSA
SITE ARCHÉOLOGIQUE

Monument central – Ce monument de plan circulaire ▶ était peut-être à vocation religieuse. Dans ses murs, les Torréens avaient encastré 32 statues-menhirs débitées, puis disposées le visage contre terre.

Monument Ouest – Il prend appui sur des aménagements mégalithiques antérieurs. Il s'agirait d'un édifice religieux torréen ayant occasionnellement servi à la défense collective. Sa partie centrale comporte deux chambres auxquelles on accède par des couloirs.

Sur l'autre versant du vallon, les **cinq statues-menhirs** redressées marquent la fin de l'époque mégalithique dans cette région.

Village torréen – Il conserve les assises de cabanes réoccupées après le départ des Mégalithiques. Dans ses strates profondes furent trouvés des vestiges de la plus ancienne occupation du site : de la céramique néolithique (5850 avant J.-C.).

Musée – Installé dans le Centre de documentation archéologique, il présente les objets découverts au cours des fouilles, accompagnés de notices explicatives. Observer en particulier trois fragments de statues-menhirs restaurées : à gauche, en entrant, la partie supérieure de **Scalsa-Murta** (1400-1350 avant J.-C.) portant, de face, une épée verticale et, de dos, une cuirasse en chevron et un casque sur lequel apparaissent deux cavités ; on pensait autrefois que des cornes de bovidés étaient fixées dessus : cette hypothèse est aujourd'hui contestée. Plus loin, **Filitosa XII,** débitée longitudinalement, où le bras et la main gauche sont représentés ; au fond, la tête de style archaïque de **Tappa II.**

Le Fiumorbo

U Fiumorbu

Le Fium'Orbo rassemble les eaux des torrents nés sur le versant oriental du Monte Renoso. Il contourne par le Nord une petite région à laquelle il a donné son nom : Fiumorbo (sans l'apostrophe). Contrée longtemps enclavée, elle fut un terrain de résistance et un repaire de bandits.

D'Ouest en Est, le Fiumorbo présente une zone d'altitude où règne le châtaignier puis un ensemble de collines. À l'extrême Sud s'étend la grande plaine d'Aléria. Les villages fixés sur leur promontoire embrassent l'horizon jusqu'à la plaine orientale et la mer.

La situation

Carte Michelin n° 90 pli 6 – Haute-Corse (2B). De tout temps le Fiumorbo a été un pays replié sur lui-même. De nos jours, seul le long parcours sinueux de la D 344, puis de la D 69, relie la région à l'intérieur de l'île par le col de Verde (alt. 1 289 m). Les villages sont maintenant désenclavés et accessibles par des routes, mais la plupart de ces dernières s'achèvent en cul-de-sac.

Le nom

Fium'Orbo signifie « fleuve aux eaux troubles ».

Les gens

À la fin du 19ᵉ s., le Fiumorbo devint un repaire de bandits, vivant ostensiblement leur condition et mettant la région en coupe réglée.

carnet pratique

comprendre

Une terre de résistance – L'isolement géographique a fait de la région un refuge de résistance. Au 18ᵉ s des bergers fiumorbais refusaient les astreintes de la loi française. En 1815, le commandant Poli, qui avait mission de trouver une retraite pour Napoléon au cas où l'évasion de l'île d'Elbe échouerait, débarqua au Sud de Solenzara. Il gagna le Fiumorbo à la cause de l'Empereur ; il réussit si bien qu'après les Cent-Jours l'armée du marquis de Rivière ne parvint pas à réduire le pays. Rivière muté, Poli s'exila lorsque le général Villot accorde l'amnistie générale.

En septembre 1944 la région de Vezzani, le défilé de l'Inzecca et Ghisoni furent des théâtres de la résistance victorieuse à l'armée d'occupation allemande.

Couvert d'un épais maquis, la région du Fiumorbo est coincée entre la haute montagne et la plaine littorale et est délimitée au Nord par le « fleuve aux eaux troubles ».

circuit

VALLÉE DE L'ABATESCCO

Circuit de 64 km au départ de Ghisonaccia – environ 2h1/2.

Ghisonaccia

Située à 4,5 km de la mer et adossée aux collines du Fiumorbo, Ghisonaccia est devenue, grâce à l'essor agricole de la plaine orientale, une petite ville moderne et dynamique, centre de la Costa Serena. La campagne environnante est couverte de vignobles, de blé et d'arbres fruitiers. Au Sud-Est, la D 144 mène au littoral. Vers le Nord, la plage de sable fin semble s'étirer à l'infini.

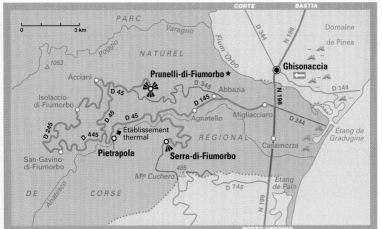

*De Ghisonaccia, suivre la route de Bonifacio jusqu'à Migliac-
ciaro (1,5 km). Là, emprunter à droite la D 244 puis, 3 km
plus loin, à gauche la D 145. Après Agnatello, prendre à
gauche la D 45 qui s'élève en lacet dans le maquis et les
chênes-lièges.*

Serra-di-Fiumorbo
Accroché à flanc de montagne, ce village domine de
450 m la plaine orientale. De la terrasse de l'église, le
regard embrasse à la fois la plaine d'Aléria avec l'étang
de Palo et la vallée de l'Abatesco.

Regagner la D 145 et poursuivre la D 45 à gauche.

Pietrapola
L'établissement thermal moderne, situé sur la rive
gauche de l'Abatesco, reçoit plusieurs centaines de
curistes par an. Devant l'église s'élèvent de typiques
maisons en granit.

Continuer vers San-Gavino-di-Fiumorbo.

La D 445 s'élève au-dessus de la vallée de l'Abatesco dans
les châtaigniers et les chênes-lièges.

*À San-Gavino, emprunter, à droite, la D 245 jusqu'à Acciani
(par Isolaccio). Poursuivre jusqu'à Prunelli.*

La route offre sur tout son parcours de beaux coups d'œil
sur la vallée de l'Abatesco, Ghisonaccia et la région du
Fiumorbo.

> ### LES EAUX VERTUEUSES
> Pietrapola est connue
> depuis l'époque romaine
> pour les bienfaits de ses
> eaux chaudes sulfurées
> sodiques sur les affections
> rhumatismales et osseuses.

Prunelli-di-Fiumorbo★
Principal centre du Fiumorbo, ce village-belvédère
domine la plaine littorale. La terrasse de l'église fortifiée,
bâtie en haut du village, offre un **panorama**★ très étendu
sur la plaine orientale et ses étangs jusqu'à Aléria, sur la
vallée de l'Abatesco et sur l'ensemble du Fiumorbo.

*Le retour à Ghisonaccia s'effectue par la D 45 (panneau indi-
quant « Vers N 198 »), en passant par Pietrapola, la D 145
jusqu'à Migliacciaro et la N 198.*

Golfe de **Galéria**★

Le golfe dessine une large baie sauvage à l'embouchure du Fango et à proximité de la réserve naturelle de Scandola. Galéria, seule véritable agglomération de la région, est bordée d'une plage de petits galets et offre des fonds sous-marins préservés ainsi que de nombreuses randonnées.

La situation
Carte Michelin n° 90 pli 14 – Haute-Corse (2B). Le golfe de Galéria est délimité par la Punta Stollo au Sud et la Punta Ciuttone au Nord. La **vallée du Fango** occupe l'arrière-pays jusqu'à Paglia-Orba.
🛈 *Carrefour « Cinque Arcate », 20245 Galéria, ☎ 04 95 62 02 27. Juil.-août : 9h30-12h, 16h30-19h30.*

Les gens
Les moniteurs du centre de plongée sous-marine vous feront partager leur passion pour les sites sauvages où vous découvrirez mérous, murènes, mostelles, etc. évoluant parmi les failles et les tombants souvent couverts de coraux et de gorgones *(voir carnet pratique).*

> **MARE E MONTI**
> **🚶** Galéria est sur le passage du sentier Mare e Monti Nord. On peut rejoindre la jolie petite baie de Girolata en 6h de marche environ.

séjourner

Galéria⌂
Au débouché de la vallée du Fango, ce village, isolé dans un maquis clairsemé au pied du Capo Tondo (alt. 839 m) offre une grande plage de galets et un mouillage aux plaisanciers. Son site sauvage est le paradis des plongeurs.

> **P**our avoir une **vue d'ensemble sur le golfe**, suivre à pied le sentier qui s'ouvre à gauche au bout de la D 351. Bien tracé dans le maquis, il longe le golfe vers la Punta Stollo.

circuit

VALLÉE DU FANGO (Fangu)
24 km de Galéria au pont de la Rocce – environ 1h1/2.
Avec ses vallées adjacentes, elle forme le **Filosorma** (ou Falasorma), petite contrée peu habitée de la Balagne déserte.
Quitter Galéria par la D 351 qui remonte le cours du Fango, à travers une région couverte de maquis.

Tuarelli
Emprunter le chemin sur la gauche *(1/4h à pied AR).* Il conduit au pont sur le Fango : jolie vue en enfilade sur le torrent aux eaux claires courant dans le granit rose, et sur les sommets qui ferment la vallée : Punta Minuta et Paglia Orba.

carnet pratique

TRANSPORTS
Transport Manso – ☎ 04 95 62 03 94. Organise des excursions en minibus, conduit les randonneurs au départ de sentiers.
Le Tra Mare e Monti - ☎ 04 95 65 21 26. Location de bateaux.

HÉBERGEMENT ET RESTAURATION
• À bon compte
A Martinella – Rte du Port - 20245 Galéria - 150 m. de la plage - ☎ 04 95 62 00 44 - 🗐 - 5 ch.: 42/52€. Cette gentille adresse vaut par sa situation à 150 m d'une grande plage de galets et tout près de la réserve naturelle de la Scandola. Les chambres, au confort simple, possèdent toutes une terrasse privée. La tranquillité du jardin est toujours appréciée.
• Valeur sûre
Auberge de Ferayola – 20260 Ferayola - 13 km au N de Galéria par D 351 puis D 81b (rte côtière de Calvi) - ☎ 04 95 65 25 25 - fermé oct. à avr. - 🅿 - 10 ch.: demi-pension 60,22/65,55€ - 🛏 6,56€ - restaurant 15€ Cette auberge est isolée sur les hauteurs, au cœur d'une nature sauvage en bord de mer. Chambres simples. Cuisine sans prétention. Agréable piscine.

LOISIRS
L'Incantu - Ld Cala - 20245 Galéria - ☎ 04 95 62 03 65 - tlj 8h30-18h30 - fermé nov.-mars. Ce centre de plongée qui propose aussi des locations de canoës et de catamarans à su conserver une atmosphère familiale et un accueil de qualité. Les sites s'éparpillent entre Capo di a Morsetta au Nord et la limite Sud de la réserve de Scandola. Une à deux fois par semaine le centre organise une "Journée Scandola", avec visite de la réserve, plongée à la limite Sud de celle-ci (plonger sur le territoire de la réserve est interdit) et arrêt de quelques heures dans le magnifique golfe de Girolata. L'Incantu possède une résidence hôtelière dans les hauteurs du bourg.

À l'écart des routes, le golfe de Galéria, fenêtre maritime du Parc naturel régional de la Corse, préserve sa beauté sauvage.

Forêt domaniale du Fango

1,5 km au départ de la D 351 par le chemin qui s'ouvre sur la droite à la sortie du pont enjambant un petit affluent du Fango. La route forestière *(interdite aux voitures en période estivale)* pénètre dans la forêt domaniale du Fango *(plan de la forêt à la bifurcation),* constituée de pins, de chênes verts et d'arbousiers. Elle conduit au laboratoire d'écologie, puis à la **maison forestière de Pirio** *(chemin privé)* entourée de très beaux eucalyptus.

La D 351 longe la forêt du Fango. Prendre la route à gauche qui monte au village de Manso.

Muret en pierres sèches dans la vallée du Fango.

UNE VOIE DE TRANSIT

La vallée constitue une importante voie de transit dans la Balagne déserte. Les troupeaux du Niolo quittent avant l'hiver leurs hauts pâturages de montagne pour gagner la plaine, par les cols de Guagnerola et de Capronale, puis remonter en sens inverse à la fin du printemps. Leur passage a fini par déboiser la région : pâturages et maquis se substituent aux forêts. L'aménagement hydraulique de la basse vallée du Fango pour la mise en valeur agricole de la région fait partie de projets à long terme.

Manso (Mansu)

Village étagé à flanc de montagne et formé de quatre hameaux dispersés.

Regagner la D 351.

La route, en mauvais état, serpente à travers les châtaigniers. Les coteaux exposés au soleil portent quelques vignes et des arbres fruitiers.

COUP D'ŒIL

Manso offre, de la plateforme située en bordure de la route, à l'entrée du village, une belle **vue**★ en enfilade sur la vallée plantée d'oliviers et la barrière montagneuse où l'on reconnaît la Paglia Orba et le Capo Tafonato *(voir col de Vergio).*

Bardiana

Ce hameau est situé non loin du confluent du Fango et de la Taïta qui descend de la Mufrella à travers la forêt solitaire du Filosorma, malheureusement ravagée par les incendies. Du village se profile la grande chaîne montagneuse qui sépare le Filosorma du Niolo. De gauche à droite, on distingue : la Punta Minuta (alt. 2 556 m), la Paglia Orba (alt. 2 525 m) et le Capo Tafonato (alt. 2 343 m).

Laisser sur la gauche la route qui monte au hameau du Monte-Estremo pour suivre le chemin de droite, cailouteux, très raviné, mais praticable en voiture par temps sec.

Pont de la Rocce

Bonne **vue** sur le Capo Tafonato.

Au-delà du pont, le chemin pénètre dans la réserve de chasse du Filosorma (protection des mouflons).

Ghisoni

Ce village tranquille est situé à 658 m d'altitude. C'est l'un des rares bourg en Corse établi dans une cuvette, au pied du Monte Renoso. Au Sud-Est de Ghisoni deux hauts rochers veillent sur les lieux : le Kyrie Eleïson (1 525 m) et le Christe Eleïson (1 260 m).

Pour les passionnés de nature, les alentours offrent de nombreuses possibilités : balades au cœur de belles forêts de pins, découverte de bergeries, ascension du Monte Renoso et baignades dans les lacs.

La situation
Carte Michelin nº 90 pli 6 – Haute-Corse (2B). À une vingtaine de kilomètres au Sud-Est de Vivario, Ghisoni est enserré par les forêts de Sorba et de Ghisoni, presque au confluent de la vallée profonde du Regolo et de la haute vallée du Fiumorbo.

Les gens
Au 14ᵉ s., plusieurs membres de la confrérie des **Giovannali** *(voir L'Alta Rocca)*, réfugiés à Ghisoni et taxés d'hérétiques, furent brûlés sur les flancs de la montagne. La légende raconte qu'au moment où le prêtre chanta le « Kyrie » de l'office des morts, une colombe s'échappa des fumées âcres du bûcher, tournoya sur le lieu du supplice et se perdit dans la campagne pendant que l'écho répétait : « Kyrie... Christe Eleïson... »

Départ du troupeau. Quelques bergers corses pratiquent toujours la transhumance à pied.

circuits

1 BERGERIES DE CAPANNELLE

18 km . Quitter Ghisoni au Sud par la D 69. À 6,5 km, après le pont de Casso, prendre à droite la D 169 qui s'arrête non loin des bergeries de Capannelle.

Construite pour faciliter l'exploitation de la **forêt de Ghisoni**, cette route permet d'admirer les peuplements de pins laricio et maritimes et de hêtres, auxquels se mêlent le bouleau, l'aulne et l'alisier blanc. Certains pins laricio, hauts de 40 m, sont vieux de 3 siècles.

Bergeries de Capannelle (refuge du Parc régional)
Alt. 1 586 m, 500 m à l'Ouest de l'extrémité de la route. Elles se groupent dans le vallon de Tomba. Avec celles de Tragette et de Scarpaccedie, elles abritent en été 2 500 ovins. Un vaste domaine skiable s'étend entre 1 600 m et 2 100 m d'altitude, limité par la crête de Chufidu au Nord et celle de Pietra Niella au Sud.

Le Monte Renoso (Monte Renusu)★★★

🚶 *9h AR pour de bons marcheurs – dénivelé de 700 m.*

Partir de très bonne heure pour atteindre le sommet avant que ne se lève la brume qui, en été, voile le panorama dès le milieu de la matinée. L'escalade des pentes caillouteuses du Renoso ne présente guère de difficultés pour de bons marcheurs bien équipés. L'itinéraire est balisé de cairns. Seul un passage très étroit sur l'arête faîtière qui joint le sommet à la Punta Orlandino requiert une certaine prudence.

Des **bergeries de Capannelle** une piste jalonnée de cairns s'engage vers le Sud-Ouest en direction du Monte Renoso ; elle atteint *(1h)* la source de Pizzolo sur un plateau herbeux, puis *(2h)* le **lac de Bastiani** (alt. 2 089 m), grande nappe d'eau grise, aleviné en truitelles et en saumons de fontaine, qui s'étend sur 4,7 ha. Ses rives sont souvent recouvertes par les névés, même en été.

Longer la moraine qui borde le lac pour atteindre l'arête faîtière que l'on suit jusqu'au sommet du Renoso (à 1h de marche du lac).

Monte Renoso★★★ – Alt. 2 352 m. Point culminant de la longue arête qui joint les cols de Vizzavona et de Verde, il apparaît comme un dôme massif couvert de blocs et d'éboulis. Du sommet, le **panorama★★★** englobe tout le Sud de l'île, de la côte orientale aux golfes de Valinco et d'Ajaccio, ainsi que la Sardaigne. Poursuivre la ligne de faîte jusqu'à la Punta Orlandino et la crête de Pietradione. Gagner alors le **col de Pruno** d'où l'on domine les petits lacs de Rina et le plateau herbeux des Pozzi. De là, un chemin descend aux bergeries des Pozzi ; puis emprunter à l'Est le plateau de Gialgone. À l'embranchement, après le plateau, prendre à gauche le chemin forestier (GR 20) qui contourne le Renoso sur son versant Est et ramène *(en 3h)* à la route forestière du départ, par laquelle on regagne la voiture.

Le Monte Renoso est, avec le Cinto, le Rotondo, le Monte d'Oro et l'Incudine, l'un des cinq grands sommets qui hérissent la Corse.
Son ascension procure de superbes points de vue.

2 COL DE VERDE PAR LA FORÊT DE MARMANO★

39 km au Sud par la D 69 jusqu'à Zicavo.

La route s'élève dans la forêt de Ghisoni, exposant dans le bas les séquelles des incendies. On aperçoit sur la droite le Monte Renoso et, en contrebas sur la gauche, le Christe et le Kyrie Eleïson.

Forêt de Marmano★

Couvrant le bassin supérieur du Fium'Orbo, la forêt s'accroche à des versants abrupts et présente de beaux pins laricio et maritimes, des hêtres, des sapins pectinés et des bouleaux.

Col de Verde

S'ouvrant à 1 289 m d'altitude au milieu des hêtraies, il fait communiquer la vallée du Fium'Orbo et la forêt de Marmano au Nord avec la vallée du Taravo et la forêt de San Pietro di Verde au Sud. Malgré sa situation méridionale ce col peut être obstrué par la neige en hiver.

Forêt de San Pietro di Verde★

Après le col, la route descend à travers le peuplement de pins laricio de la forêt de San Pietro di Verde, puis longe la forêt de St-Antoine jusqu'à Zicavo.

Zicavo *(voir ce nom)*

Poursuivre sur 7 km à l'Ouest de Zicavo par la D 757 ^{A}.

Bains-de-Guitera

Cette petite station thermale est située sur la rive droite du Taravo. Ses eaux sulfureuses sont utilisées dans le traitement des rhumatismes et des affections cutanées.

Monte Incudine★★★ *(voir ce nom)*

Guagno-les-Bains

Guagnu

Cette petite station thermale nichée dans la verdure au fond de la vallée du Fiume Grosso était naguère à l'abandon. Aujourd'hui le nouvel établissement construit sur la rive gauche du torrent témoigne de l'effort accompli pour relancer le thermalisme en Corse. On vient dans la région pour se soigner grâce aux eaux vertueuses et pour se promener en forêt.

La situation

Carte Michelin nº 90 pli 15 – Corse-du-Sud (2A). Guagno-les-Bains est établie à 12 km à l'Est de Vico par la D 23.

Les gens

D'illustres baigneurs ont fréquenté les eaux de Guagno : **Pascal Paoli**, les **Abbatucci**, les **Ornano** y venaient presque chaque année. **Letizia Bonaparte** y rétablit sa santé compromise après la guerre d'Indépendance. **Napoléon**, y vint avec son frère Joseph.

séjourner

La station

Les eaux de Guagno étaient déjà utilisées au 16e s., mais leurs propriétés ne furent réellement reconnues qu'au 18e s.
Les sources de l'**Occhiu** (37º), situées sur la D 323, à l'Ouest du village, traitaient autrefois les maladies des yeux, de la gorge et du larynx. Celle du bas : la **source Venturini** (52º) soigne les rhumatismes, maladies de peau, arthroses, sciatiques, l'obésité...

HÉBERGEMENT ET RESTAURATION
Les Thermes –
☎ 04 95 26 80 50 -
fermé nov. au 1er mai -
🅿 - 40 ch.:
60,98/79,27€ - ☕
5,34€ - restaurant
21/23€. Pour curistes ou promeneurs ou bien les deux à la fois. Cet hôtel est face aux thermes et proche des chemins de randonnée. Les chambres calmes sont modernes et fonctionnelles. Belle piscine. Au restaurant, menus classiques.

randonnées

Cascade de Piscia a l'Onda

🚶 *2h aller ; descendre vers le Fiume Grosso et, après l'avoir franchi, emprunter le sentier longeant la rive droite.*

Au confluent avec le Liamone, franchir ce dernier et prendre, au-delà du pont, le chemin de Letia, puis un sentier remontant, vers le Nord, la rive droite du Liamone jusqu'à la cascade formée par les eaux du torrent. Belle **vue**★ sur la vallée en redescendant.

Forêt de Libio

À l'Est de Guano-les-Bains. Composée de pins maritimes et laricio, elle s'étend en amphithéâtre en-dessous des principales cimes : le Monte Tretorre (alt. 1 502 m) et le Monte Cervello (alt. 1 624 m).

> **LE LAC DE CRENO**
> 🚶 De Soccia (6,5 km au Nord-Est de Guagno-les-Bains) débute une très belle randonnée vers le lac de Créno (*voir ce nom*).

alentours

Orto★

6 km au Nord-Est par la D 223. Dominé par les aiguilles déchiquetées du **Monte Sant'Eliseo**, ce village « du bout du monde » occupe un **site**★ impressionnant au-dessus de la vallée du Fiume Grosso.

Guagno

6 km à l'Est par la D 23. Ce village s'étage dans une clairière ouverte dans la forêt de châtaigniers sur une hauteur (720 m), dominant les vallées de l'Albelli et de Fiume Grosso.

Soccia★

6,5 km au Nord-Est. Bâti en amphithéâtre sur un éperon, le village offre une vue étendue sur la vallée du Fiume Grosso et le bassin de Guagno. C'est le point de départ de l'excursion au lac de Creno (*voir ce nom*). De la route de terre, on jouit à la lumière du soir d'une très belle **vue**★ sur la mosaïque des toits du village, camaïeu de rouges se découpant dans un paysage de montagnes boisées aux silhouettes majestueuses.

> **LE PRÊTRE DE GUAGNO**
> On honore encore la mémoire de **Dominique Leca** dit **Circinellu,** prêtre à Guagno en 1768, intraitable défenseur de l'indépendance de l'île qui refusa la défaite de Ponte-Nuovo. Il demeure toujours une figure très populaire auprès de la jeunesse ; son opiniâtreté inspira nombre de poèmes.

L'Île-Rousse ☖

L'Isula Rossa

L'Île-Rousse est une cité moderne et prospère avec des rues disposées en damier, des squares fleuris et de nombreux commerces. Son port animé, débouché de la Balagne, en exporte les produits.

La douceur de son climat et la plage de sable fin qui borde sa baie en font une station de villégiature très fréquentée dès le printemps. Ne manquez pas de prendre un verre à l'ombre des platanes de la place Paoli, le cœur de la ville.

Le terrain

Carte Michelin n° 90 pli 13 – Schéma p. 136 – Haute-Corse (2B). En arrivant dans la ville, prendre l'avenue Picciani et laisser son véhicule au parking de la place Paoli. Autour de cette place se concentrent la vieille ville et le quartier commerçant.

🖪 *1 pl. Paoli, 20220 l'Île Rousse, ☎ 04 95 60 04 35. Juil.-août : 9h30-13h, 14h-19h ; reste de l'année : 9h-12h, 14h-18h.*

Le nom

Les granits rouges de l'île de la Pietra (au Nord de la ville) ont donné son nom à l'Île-Rousse.

Les gens

2 774 Île-Roussiens. Au 18e s. n'existaient en ce point de la côte que de vagues vestiges d'une cité romaine et une tour génoise. Le port d'Isula Rossa fut fondé par **Paoli** en 1758 pour concurrencer le trafic d'Algajola et de Calvi et contrecarrer ainsi l'activité génoise dans l'île. L'Île-Rousse a d'ailleurs été un temps baptisée **Paolina** en l'honneur de son fondateur.

se promener

Place Paoli

◀ Cette belle place rectangulaire, ombragée de grands platanes et bordée de cafés, est le lieu le plus animé de la ville où les joueurs de pétanque aiment à se retrouver. Vers le centre, quatre hauts palmiers encadrent une fontaine surmontée du buste de Pascal Paoli.

Église paroissiale

En sem. Presbytère. ☎ 04 95 60 09 43.

À l'Ouest de la place Paoli, le fronton classique de l'église domine une triple rangée de palmiers. L'intérieur est d'une grande simplicité avec une coupole nue au-dessus du transept.

MARCHÉ COUVERT
Il a lieu chaque matin, place du Marché (au Nord de la place Paoli). On y trouve les bons produits de Balagne et des poissons frais. Belle **architecture**★ à colonnades antiques.

Reliée à la ville par une jetée qui abrite le port de plaisance, l'île de la Pietra offre l'un des meilleurs points de vue sur les îlots voisins, le port, l'Île-Rousse et les collines balanaises.

carnet pratique

TRANSPORTS

Hertz – ☎ *04 95 60 12 63*. Location de voitures.

Capitainerie – ☎ *04 95 60 45 54.*

Gare maritime – ☎ *04 95 60 44 11*. Liaisons avec Nice, Marseille, Toulon et Gênes. Plusieurs compagnies de navigation : **SNCM** - ☎ 04 95 60 09 56. **Corsica Ferries** - ☎ 04 95 60 11 19.

Aéroport de Calvi – *À 24 km du centre-ville.Santa-Catarina,* ☎ *04 95 65 88 88.*

Gare ferroviaire – ☎ *04 95 60 00 50.* Deux trains par jour sur la ligne de Bastia ainsi que sur celle d'Ajaccio. De mi-avril à mi-octobre, le « tramway de Balagne » relie l'Île-Rousse à Calvi (une dizaine d'arrêts le long du littoral).

Rencontre au marché couvert.

RESTAURATION

• À bon compte

L'Escale – *R. Notre-Dame* - ☎ *04 95 60 10 53 - 14/23€*. Cette maison familiale fondée par le grand-père en 1903 s'ouvre sur une rue animée, d'un côté, et sur la mer, de l'autre. Petite restauration, sans chichis, mais soignée et à prix abordables : assiettes du pêcheur ou du pays et glaces artisanales.

• Valeur sûre

A Pasturella – *20220 Monticello - 4,5 km au SE de l'Île-Rousse par D 63* - ☎ *04 95 60 05 65 - fermé déb. nov. à mi-déc. - 19,82/30,49€*. Levé aux aurores, votre hôte achète son poisson à son pêcheur favori. Perché dans la montagne au-dessus de l'Île-Rousse, son restaurant vous séduira par sa cuisine du terroir bien tournée et son ambiance jeune. Quelques chambres toutes égales en simplicité.

Le Laetitia – *Port de l'Île-Rousse* - ☎ *04 95 60 01 90 - fermé 20 déc. au 20 fév., dim. soir et lun. sf juil.-août - 28/40€*. Tout près du port d'embarquement des ferries, ce restaurant propose un beau choix de poissons grillés, mais aussi de la bouillabaisse et une paella. Belle vue sur l'Île-Rousse.

HÉBERGEMENT

• Valeur sûre

Le Grillon – *Av. P.-Doumer* - ☎ *04 95 60 00 49 - fermé nov. à fév. - 16 ch.: 44,21/48,78€* - ☐ *4,88€ - restaurant 12/15€*. Un hôtel familial proche de la plage.

Les chambres sont très modestes mais convenables. Restauration très simple à prix doux.

La Pietra – *Chemin du Phare* - ☎ *04 95 63 02 30 - fermé 15 nov. au 15 janv. -* **P** *- 40 ch.: 51/92€* - ☐ *8€*. Face au port et avec vue sur la mer, agréable hôtel récemment rénové dont les chambres donnent d'un côté sur la tour génoise, de l'autre sur les bateaux au mouillage. Vous y passerez des nuits tranquilles, bercé par le clapotis des vagues qui s'échouent sur les rochers.

Hôtel L'Amiral – *Bd Ch.-Marie-Savelli -* - ☎ *04 95 60 28 05 - fermé oct. à mars -* **P** *- 25 ch.: 68,60/76,22€* - ☐ *6,86€*. Ce petit hôtel de deux étages plutôt moderne est en bordure de plage, à 50 m de l'eau. Les chambres simples et fonctionnelles sont tranquilles.

Funtana Marina – *1 km par rte Monticello et rte secondaire* - ☎ *04 95 60 16 12 - fermé fév. -* **P** *- 29 ch.: 73,18/76,22€* - ☐ *7,62€*. Sur les hauteurs, bâtisse récente immergée dans une végétation luxuriante. Quelques chambres rénovées. Belle piscine d'où l'on bénéficie d'un panorama sur la mer et la ville.

ACHATS

Marché – Marché couvert tous les matins : poissons, légumes et fruits de Balagne.

Gâteaux Corses – *R. de Nuit* - ☎ *04 95 60 27 46 - mar.-sam. 7h-12h, 15h-18h.* Comment dire la Corse, ce savant mélange de culture méditerranéenne et d'originalité insulaire ? Comment raconter le parfum des châtaigniers, la douceur du miel, l'onctuosité du lait de brebis, les arômes floraux des vins ? Avec des gâteaux peut-être ?

Au Bon Vin Corse – *Pl. Delanney -* ☎ *04 95 60 15 14 - été : lun.-dim. matin 8h-22h ; reste de l'année : lun.-dim. matin 8h-13h, 15h-20h*. Plus grande que la Cantine, cette cave et bar à vin bénéficie d'une très agréable terrasse ouvrant sur une petite place calme et ombragée. Vous y trouverez des vins de toute la Corse et quelques alcools traditionnels.

La Cantine – *R. de Nuit* - ☎ *04 95 60 24 52 - lun.-sam. 8h-13h, 16h-20h*. « SVP, demandez à déguster » est-il inscrit sur la porte de cette minuscule cave et bar à vin. Et bien soit, installons-nous autour du comptoir avec les habitués et, tout en écoutant un peu les nouvelles du maquis, dégustons quelque excellent cru !

LOISIRS

Club Nautique de l'Île-Rousse – *Rte du port (plage de la gare)* - ☎ *04 95 60 22 55 - mai-oct. : tlj 10h-18h ; nov.-avr. : mer., sam. et dim. ap.-midi*. Stages et location de catamarans (pour enfants et adultes), planches à voile, optimists, canoës et trimarans (aménagés pour les personnes à mobilités réduites).

Cinéma en plein air – *Col de Fogata,* ☎ *04 95 60 00 93*. Une projection tous les soirs en juillet et août.

Vieille ville

Sans être ancien, ce quartier au Nord de la place Paoli ne manque pas d'allure avec son beau marché couvert entouré de boutiques d'alimentation, l'architecture soignée de ses maisons, et ses ruelles dallées descendant vers la mer.

Au bout de la rue Notre-Dame, face au **square Tino-Rossi,** une tour à demi ruinée, proche de l'hôtel de ville, porte une inscription rappelant la fondation de l'Île-Rousse. Derrière le square, une esplanade avec un monument aux morts sculpté par Volti s'ouvre sur la baie face à l'**île de la Pietra★**. Cette île est reliée à la ville par une jetée, elle est formée de rochers ocre rouge creusés d'alvéoles.

circuit

③ **LA CORNICHE PAOLI★**

20 km – environ 1h – Schéma p. 137. Quitter l'Île-Rousse au Sud-Est par la D 63.

Monticello

Perché au-dessus de l'Île-Rousse, ce village entouré d'oliviers et de figuiers de Barbarie a conservé un cachet authentiquement méditerranéen avec sa grande place bordée de vieilles maisons.

Suivre la D 263 en direction de Santa-Reparata.

À la sortie de Monticello, la route étroite, taillée en corniche au-dessus de la plaine littorale, offre des **vues★** étendues sur l'Île-Rousse et les rochers de la Pietra, la basse Balagne et les petits villages perchés.

Santa-Reparata-di-Balagna

Étagé au-dessus du littoral, ce village offre de la terrasse de son église une **vue★** sur l'Île-Rousse au Nord, la vallée du Regino au Nord-Est, la chaîne du Monte Grosso au Sud. L'**église**, de style baroque, vient curieusement se greffer sur une chapelle pisane dont on a conservé l'essentiel de la nef et de l'abside du 12ᵉ s. *Dim. 10h-12h.* ☎ *04 95 60 11 79.*

Corbara *(voir ce nom)*

Le retour sur l'Île-Rousse s'effectue par les D 151 et N 197.

De la terrasse de la petite chapelle située dans un lacet, 500 m après Corbara, on bénéficie d'une large vue sur la baie d'Algajola et la marine de Davia.

L'Incudine★★★

Baptisée « crête des Forgerons », l'Incudine culmine à 2 136 m. D'allure massive, le sommet offre un panorama exceptionnel sur tout le Sud de la Corse.

La situation

Carte Michelin nº 90 pli 7 – Corse-du-Sud (2A). Le Monte Incudine est le terminal Sud d'une succession de sommets qui séparent les torrents Monte Tignoso et Luana. Il n'apparaît pas comme un sommet isolé mais comme une crête de 4 km qui s'allonge entre les cols de Chiralba et d'Asinao, comprenant plusieurs cimes de 2 000 m.

Le nom

L'Incudine tient son nom du rocher en forme d'enclume situé sur son arête faîtière.

Les gens

Les versants de l'Incudine sont fréquentés par quelques randonneurs, à pied en été et à ski en hiver.

randonnée

Environ 6h AR (trajet global : en voiture puis à pied) – 22 km dont 12 km de route forestière (2 km en mauvais état).
🚶 *4h1/2 à pied AR par le GR 20. Niveau moyen (ascension assez difficile entre le col de Luana et le sommet de l'Incudine). Porter de bonnes chaussures. Partir de bonne heure pour atteindre le sommet avant 10h. Quitter Zicavo vers le Sud par la D 69 ; à 10 km prendre sur la gauche une route forestière (D 428).*

La D 428 traverse une belle forêt domaniale de hêtres, appelée le **Bosco di u Coscione**★, qui couvre les basses pentes Ouest et Nord de la Punta di Sistaja. La route s'élève, à travers bois et clairières, et offre de belles vues sur la vallée du Taravo.
Des cascades et torrents bordés d'aulnes coupent le massif où les hêtres centenaires sont nombreux.

1 km après le refuge des bergeries de Basseta, laisser sur la droite le sentier qui conduit à la chapelle St-Pierre et poursuivre tout droit. À partir de là, la route forestière devient un mauvais chemin *(non carrossable après de fortes averses)*. Poursuivre jusqu'à la bergerie de Caval-lara. Laisser la voiture. Suivre à pied le chemin forestier qui rejoint le GR 20 (marques rouges et blanches). Compter 2h15 pour atteindre le Monte Incudine.

Plateau du Coscione

Raboté par les glaciers et couvert de pâturages où errent de nombreux porcs, ce plateau est parsemé de gros blocs moussus. En été, les prairies sont jonchées d'aconits bleus et de digitales pourpres.

Les troupeaux des régions de Porto-Vecchio, de Sotta, de Figari et des plaines du Rizzanèse, du Baracci et du Taravo y transhument encore. En hiver, le Coscione accueille les skieurs de fond.

◄ Après avoir franchi sur une passerelle le ruisseau Fur-chinchesu, on monte par le GR 20 sur le replat où se dressent les ruines des bergeries de Pedinielli (alt. 1 620 m). Poursuivre le sentier jusqu'au col de Luana (alt. 1 805 m) pour atteindre l'arête Nord de l'Incudine *(1h1/2)* et la suivre jusqu'au sommet.

Retour à Zicavo par le même chemin.

> **LE SOMMET**
> est surmonté d'une croix. À droite, sur l'arête faîtière, remarquer le rocher en forme d'enclume. La **vue**★★★ s'étend sur une vaste surface marine, au Sud sur la découpe des aiguilles de Bavella et au Nord sur le Monte Renoso.

île **Lavezzi**★★

L'île Lavezzi et la centaine d'îlots et d'écueils qui l'entourent forme l'archipel des Lavezzi, extrémité la plus méridionale de la France métropolitaine. Ce petit paradis d'eau cristalline et de criques tapissées de sable, présente un paysage presque lunaire. Les formes des chaos de granite grisâtre érodés en boules et sculptés évoquent un bestiaire fabuleux.

La situation

Carte Michelin n° 90 pli 9 – Schéma p. 168 – Corse-du-Sud (2A). L'archipel émerge à près de 4 km de la pointe de Sperono, au Sud-Est de Bonifacio.

Les gens

Les gardiens du sémaphore sont les seuls habitants de la réserve naturelle.

> ### LE NAUFRAGE DE LA SÉMILLANTE
> Le 14 février 1855, la frégate *La Sémillante* avait quitté Toulon avec 750 hommes à bord pour le front de Crimée où le siège de Sébasto-pol réclamait de constants renforts. Le 15, alors que la tempête faisait rage et qu'un brouillard empêchait toute visibilité, le navire s'engagea dans les Bouches de Bonifacio. Mutilé par les vagues, son gouvernail vraisemblablement arraché, il s'écrasa sur les îlots rocheux.
> Le berger de l'île Lavezzi fut le seul témoin de la catastrophe. Aucun des marins et soldats ne survécut : 158 ne furent jamais retrouvés, sur 592 cadavres rejetés sur les récifs, 572 furent inhumés sur place, les plus nombreux (560) dans l'île Lavezzi (deux cimetières), les autres sur les îles voisines, la côte Sud de la Corse ou la côte Nord de la Sardaigne. Alphonse Daudet consacra à ce drame une des *Lettres de mon moulin*.

> **CONSEILS**
> Effectuez l'excursion les jours de beau temps.
> Emportez masque et tuba, des boissons et un en-cas car on ne trouve aucun ravitaillement sur l'île. Il est interdit de cueillir les fleurs et les végétaux, et il vaut mieux éviter de sortir des sentiers tracés.

comprendre

La réserve naturelle – La partie française de l'archipel est constituée en réserve naturelle destinée à préserver et étudier la plupart des espèces animales insulaires dans leur biotope d'origine. L'accès public est réglementé. Les îles Lavezzi, Piana, Ratino, Poraggia et Perduto bénéficient d'une protection particulière. Le projet de création d'un **parc marin international** sous administration franco-italienne, englobera l'ensemble des îles et îlots des Bouches de Bonifacio.

Depuis février 1993, après la grave pollution provoquée par l'échouage d'un pétrolier, le détroit n'est plus accessible aux navires-citernes transportant des substances dangereuses.

Pour bien profiter de cet éden d'eau turquoise, prenez le temps de vous baigner et d'aller jusqu'à la pyramide de la Sémillante, choisissez une excursion qui prévoit une halte de plusieurs heures.

découvrir

EN BATEAU

Durée minimale 3h. De juin à fin sept. : plusieurs dép. par j. du port de Bonifacio, possibilité de rester 1 j. sur l'île la journée ou la 1/2 journée (prévoir un en-cas et des boissons). 15,24€. Renseignements au port auprès des compagnies assurant les promenades en mer.

L'excursion « île Lavezzi » diffère selon les prestataires *(se renseigner à la marine de Bonifacio)*. Elle peut par exemple inclure une extension vers l'Ouest aux îlots de Frazzio, connus pour leurs beaux fonds marins.

Après avoir franchi le Goulet aux eaux tumultueuses, l'embarcation longe les falaises calcaires au pied rongé puis prend le large après le phare de Pertusato. Le bateau aborde l'île Lavezzi dans une anse abritée, au Nord-Est.

Sur l'île, on trouve des plantes endémiques, en principe minuscules, dont la présence peut constituer une énigme : si beaucoup appartiennent à des familles Sud-méditerranéennes, l'une d'elles ne se connaît de parents proches qu'en Afrique du Sud et en Australie ! L'avifaune, très présente, se compose d'espèces terrestres (merle bleu, fauvette sarde...) et d'oiseaux marins : cormoran huppé, goéland argenté et, plus inattendu, puffin cendré dont l'aire habituelle d'évolution est la haute mer.

« L'OREILLE DE PORC »
C'est une espèce végétale rare et malodorante qui pousse sur l'île. Sa floraison au mois de mai parsème de grosses langues sanglantes la base des chaos.

Cimetière de Furcone

Situé sur le plateau herbeux qui sépare l'anse d'ancrage de la plage de Furcone, ce premier cimetière est entouré d'un mur cantonné de pyramides. Une modeste chapelle funéraire, N.-D.-du-Mont-Carmel, protège l'enclos où s'alignent des tombes anonymes et celle de l'aumônier de la frégate (on le reconnaît à ses bas de filoselle noire). Une plaque a été élevée en 1895 à la mémoire du lieutenant A. de Maisonneuve.

Cimetière de l'Achiarino

Situé au-delà de la cale du Lion, dominé par deux cabanes de berger, et à l'extrémité de la cale suivante, ce deuxième cimetière abrite la dépouille du commandant Jugan, retrouvé sanglé dans son uniforme.

Pyramide

Elle est accessible à la nage ou en embarcation depuis l'île principale. Dressée à la pointe d'Achiarina, elle rappelle le naufrage de *La Sémillante* ; son ascension procure un joli point de vue.

> **LES DERNIÈRES HEURES DE LA SÉMILLANTE**
>
> « Tout ce que nous savons c'est que *La Sémillante*, chargée de troupes pour la Crimée, était partie la veille au soir de Toulon avec le mauvais temps. La nuit ça se gâte encore. J'ai idée que *La Sémillante* a dû perdre son gouvernail dans la matinée, car il n'y a pas de brume qui tienne, sans une avarie, jamais le capitaine ne serait venu s'aplatir ici contre. C'était un rude marin qui avait commandé la station en Corse et savait sa côte aussi bien que moi...
>
> – Et à quelle heure pense-t-on que *La Sémillante* a péri ?
>
> – Ce doit être à midi ; oui monsieur, en plein midi... Mais dame ! avec la brume de mer, ce plein midi-là ne valait guère mieux qu'une nuit noire comme la gueule d'un loup... Un douanier de la côte m'a raconté que ce jour-là, vers onze heures et demie, étant sorti de sa maisonnette pour rattacher ses volets, il avait eu la casquette emportée d'un coup de vent, et qu'au risque d'être enlevé lui-même par la lame, il s'était mis à courir après, le long du rivage, à quatre pattes. [...] Or il paraîtrait qu'à un moment, notre homme, en relevant la tête, aurait aperçu dans la brume un gros navire à sec de voiles qui fuyait sous le vent, du côté des îles Lavezzi. Ce navire allait si vite qu'il n'eut guère le temps de bien le voir. Tout fait croire cependant que c'était *La Sémillante* puisqu'une demi-heure après, le berger des îles a entendu sur ces roches... [...] un craquement effroyable.
>
> Le lendemain, en ouvrant sa porte, il avait vu le rivage encombré de débris et de cadavres laissés là par la mer. »
>
> (Le naufrage de *La Sémillante* – *Les Lettres de mon moulin*), Alphonse Daudet.

Pianu de **Levie**

Pianu di Livia

Le Pianu de Levie se situe à une altitude moyenne de 700 m au cœur de l'Alta Rocca. Son paysage de maquis, égayé de châtaigniers et de bosquets de chênes verts, est encore cloisonné de murs de pierres sèches, traces muettes d'une exploitation parcellaire fort ancienne.

Le Pianu de Levie abrite un des sites préhistoriques les plus intéressants de Corse, le castellu (forteresse) de Cucuruzzu, et les ruines médiévales de Capula. Associez cette visite à celle du musée de Levie.

La situation

Carte Michelin n° 90 pli 8 – Schéma p. 123 – Corse-du-Sud (2A). Le Pianu de Levie s'étend entre les vallées du Rizzanèse et du Fiumicicoli. Le site du Cucuruzzu est accessible par la route fléchée qui part de la D 268 entre Ste-Lucie-de-Tallano et Levie (4,3 km à partir de la D 268).

Le nom

Pianu en langue corse signifie « plateau ».

Les gens

Les recherches archéologiques ont livré maints témoignages d'une occupation humaine allant du 7e millénaire avant J.-C. au Moyen Âge. Les objets les plus représentatifs des 8 000 ans d'activité humaine sont présentés au musée de l'Alta Rocca à Levie *(voir L'Alta Rocca).*

visiter

SITES** DE CUCURUZZU ET CAPULA

*Laisser la voiture au parking. La visite des 2 sites est grou-
pée. D'avr. à fin oct. : visite audioguidée (1h1/2, dernière
entrée 2h av. fermeture) 9h30-18h (juil.-août : 9h30-20h ; juin
et sept. : 9h30-19h). 4,57€. ☎ 04 95 78 48 21.*

Le circuit audioguidé emprunte le sentier balisé et
numéroté de points de halte qui conduit d'abord à Cucuruzzu, puis à Capula. Les commentaires de la visite alternent avec des chants polyphoniques corses.

Par ce sentier bien aménagé et ombragé de chênes, pins
et châtaigniers, on descend vers le fond d'un vallon au
rythme des étapes proposées par le guidage. Rapidement
le site apparaît ; il occupe un éperon de 2 hectares. La
vue★ s'étend sur les pentes vallonnées, la forêt de chênes
verts, les aiguilles de Bavella et le massif du Coscione.

> **À PIED**
>
> Du village de Levie, il
> est possible de rejoindre
> à pied (1/2h) les sites
> de Cucuruzzu et
> Capula. Départ du
> sentier en face de la
> fontaine (balisage
> orange). Le dernier
> kilomètre emprunte la
> route. Vue
> panoramique sur Levie.

*On pénètre dans la
forteresse (castellu) par
des marches grossières
taillées dans un rocher
éclaté. À gauche s'élève
un haut mur d'enceinte
cyclopéen dans lequel
sont aménagés des abris
pourvus d'ouvertures
destinées à l'éclairage et à
l'évacuation des fumées.
À droite, des diverticules
(cavités) à usage de
réserves.*

Castellu de Cucuruzzu★

Ce site est un complexe monumental, daté de l'âge du
bronze (milieu du 2e millénaire avant J.-C.), définitivement abandonné à la fin du 3e s. avant J.-C.

Les archéologues y ont distingué : une forteresse, dont
la technique de construction combine avec adresse les
éléments naturels (gros blocs de roche granitique) et les
murs édifiés de main d'homme ; un monument supérieur de base circulaire, tourné vers l'Est, à la destination énigmatique ; un village limité par un mur en gros
appareil.

Un chemin conduit, du côté opposé, à une plate-forme
donnant au Nord.

Celle-ci précède un monument circulaire orienté au
levant, en blocs cyclopéens prenant appui sur un chaos
de gros blocs de granit. Un couloir en arc aigu, s'ouvrant
sur deux niches, mène à une chambre intérieure couverte d'une voûte en encorbellement.

*Le sentier balisé descend vers un petit vallon avant d'enta-
mer la montée vers l'éminence de Capula.*

Capula

Les **ruines médiévales** de Capula, dressées sur une
butte circulaire, reposent sur trois niveaux successifs de
construction ; le site a en effet été habité dès l'âge du
bronze (1800 avant J.-C.), puis à l'âge du fer (700 avant
J.-C.), enfin au Bas-Empire, avant de devenir au Moyen
Âge un important site défensif. Il fut démantelé en 1259,
au cours de luttes fratricides, par Giudice de la Cinarca
(voir Cinarca).

Grimper la rampe qui domine le mur d'enceinte encastré dans le roc. Un sentier se faufile entre les volumineux rochers pour aboutir à une aire de charbonnier.
Plus loin une plate-forme est cernée de blocs cyclopéens
où se mêlent des granits taillés.

ADMIRER

Du haut du raidillon, on bénéficie d'une vue★ magnifique sur le plateau très sauvage dominant la vallée boisée du Rizzanèse, jusqu'aux aiguilles de Bavella que l'on distingue au loin.

Revenir au centre de la butte et longer un abri sous roche, puis une série de constructions. Un raidillon conduit au point le plus élevé où apparaît la base d'un donjon ou d'une citerne.

En se dirigeant vers la sortie, on longe les ruines de l'ancienne chapelle romane dont les bases datent du 13e s., puis la chapelle St-Laurent, bâtie au début du 20e s. avec les pierres de la précédente chapelle. Elle doit sa patine ancienne au réemploi de matériau médiéval. Chaque année, le 9 août, un pèlerinage vient demander la protection de saint Laurent.

Le chemin de retour vers le parking permet d'admirer un beau dallage médiéval dénommé « **chiappi di San Lorenzu** ».

Macinaggio ⌂

Macinaghju

Macinaggio fut un mouillage réputé et fréquenté dès l'Antiquité. Aujourd'hui, cette petite station balnéaire, dominée par les hameaux de Rogliano, peut abriter 600 bateaux dans son port moderne. Un splendide sentier des douaniers jalonné de tours génoises part de la plage de Macinaggio et épouse le littoral protégé.

La situation

Carte Michelin n° 90 pli 1 – Schéma p. 200 – Haute-Corse (2B). Au Nord-Est du Cap Corse, à 37 km de Bastia. Vous pouvez laisser votre véhicule sur le parking du port.
🛈 *Port de plaisance, 20248 Rogliano, ☎ 04 95 35 40 34. À l'extrémité Sud du port, au-dessus de la capitainerie. Lun.-ven. 9h-12h, 14h-17h ; juil.-août : 8h-12h, 16h-20h (sf dim. ap.-midi).*

Le nom

Macinaggio doit certainement son nom à ses nombreux anciens moulins à vent. En effet, en corse, *macinu* signifie « moulin » et *macinare*, « moudre ».

Les gens

Le 2 décembre 1869, de retour de l'inauguration du Canal de Suez, l'impératrice Eugénie fit escale à Macinaggio.

carnet pratique

TRANSPORTS

Bus – ☎ 04 95 35 64 02. En été, un bus quotidien fait le tour du Cap depuis Bastia.
Capitainerie – ☎ 04 95 35 42 57 - Juil.-août : 7h-13h, 13h30-21h.

HÉBERGEMENT ET RESTAURATION

• *Valeur sûre*

U Libecciu – ☎ 04 95 35 43 22 - fermé oct. à mars - 🅿 - 30 ch.: 53,36/83,85€ - ☕ 5,34€ - restaurant 15/21€. Un petit chemin vous conduit à la plage et au port de plaisance, à 100 m de cette auberge aux tuiles romaines. Préférez les chambres avec balcon. Repas dans la salle à manger au plafond lambrissé de bois, avec vue sur le littoral.

LOISIRS

Base Nautique – *Res Da Mare* - ☎ 06 86 72 58 40 - juil.-août : tlj. Cette base, entièrement rénovée, propose des locations de catamarans, lasers, optimists, planches à voiles mais aussi de nombreux stages et randonnées en mer accessibles à tous les niveaux.
Cap Evasion – *Sur le port* - ☎ 04 95 35 47 90 - tlj 8h-19h30 - fermé d'oct. à mi-juin. Location d'Opens et de Zodiacs (avec ou sans permis). Une bonne occasion de découvrir les superbes criques et plages de la pointe du Cap, inaccessibles en voiture.

La grande marina colorée de nombreux voiliers offre tous les services nécessaires aux plaisanciers.
Chaque année, le dernier week-end de mai ou le 1er de juin, le port prend des airs de fête au cours du Nautival, festival de la mer.

comprendre

L'épopée de Capraja – Par tradition et en raison de sa situation géographique, le Cap Corse demeurait, encore au 18e s., sous la dépendance de Gênes qui y entretenait plusieurs garnisons. La France, absorbée par la guerre de Sept Ans (1756-1763), n'occupait alors que les citadelles de Bastia et de St-Florent. **Pascal Paoli** entreprit donc de conquérir le Cap.

Pour commencer, il voulut porter un coup à Gênes par la conquête de l'île de Capraja. À mi-chemin entre la Corse et la côte ligure, cette île jadis propriété des seigneurs da Mare, appartenait à Gênes depuis 1507. Dès qu'il eut connaissance de la faiblesse de la garnison de Capraja, Paoli hâta les préparatifs. Le 16 février 1767, un corps expéditionnaire de 200 hommes, commandé par Achille Murati, débarquait sur l'île et investissait la citadelle. Le 31 mai suivant, l'île capitulait. Cette défaite sonna pour Gênes le glas de son occupation de la Corse. 28 ans plus tard, le 14 juillet 1790, Paoli, de retour de son exil en Angleterre, arriva à Macinaggio ; bouleversé d'émotion, il tomba à genoux. La joie populaire fut à son comble et un cortège l'accompagna à Bastia.

MACINAGGIO, BASE NAVALE DE PAOLI

Paoli créa à Centuri un chantier naval pour armer une flotte. En 1757, il assiéga le port de Macinaggio qui ne capitula qu'en 1761. À partir de ce moment là, Paoli disposait d'une base pour ses opérations navales.

séjourner

Le quai

Sur le quai bordé de vieilles maisons, diverses plaques commémorent le passage à Macinaggio de Pascal Paoli (1790), de Napoléon Bonaparte le 10 mai 1773, de l'impératrice Eugénie le 2 décembre 1869 *(voir Rogliano)*, et les exploits des Cap-Corsins qui, sous les ordres d'Ambroise de Negroni, s'illustrèrent à Lépante en 1571.

Plage de Tamarone

Environ 2,5 km au Nord du port. Prendre la direction du camping U Stazzu et suivre la route de terre jusqu'au bout. Une belle plage de sable fin vous attend. Parking, rafraîchissements et restauration.

Réserve naturelle des îles Finocchiarola

Accès interdit du 1er mars au 31 août. Se conformer à la réglementation en vigueur dans les réserves naturelles.
Cet ensemble de quatre îlots dominés par une tour génoise est un précieux refuge où nidifie le **goéland d'Audouin**. Cet oiseau marin, propre à la Méditerranée et identifiable à son bec rouge, est plus petit que le goéland commun également présent dans ce secteur. L'île voisine de la Giraglia abrite des colonies de goélands communs et de cormorans huppés. Ces derniers sont reconnaissables à leur plumage noir, leur long cou et leur vol au ras de l'eau.

La petite baie bien proportionnée de Santa Maria se prolonge à l'extrémité Nord par les ruines romantiques d'une tour génoise. En effet, les Génois avaient projeté en ce lieu l'édification d'un port que les vicissitudes de l'histoire ne leur permit pas de concrétiser.

randonnée

Sentier des douaniers★

🚶 *3h à pied environ de Macinaggio à Barcaggio – 3/4h jusqu'à la chapelle Santa Maria. Randonnée sans difficulté particulière.*

Le sentier débute à l'extrémité Nord de la longue plage de Macinaggio recouverte d'une épaisse banquette de feuilles de posidonie. L'itinéraire, balisé en jaune, épouse les anfractuosités du littoral ponctué de deux tours génoises.

Après avoir contourné le premier promontoire, on atteint la belle plage de sable blottie au fond de la **baie de Tamarone**. Le sentier contourne ensuite par l'Est le Monte di a Guardia et redescend en vue de la première tour génoise. Il pénètre dans la **zone protégée de Capandula** *(voir le panneau explicatif sur la plage de Tamarone)*. Le promeneur traverse des prés d'asphodèles piquetés de buissons de lentisques tordues par les vents. Dans un site désert, la **chapelle de Santa Maria**, bâtie au 12ᵉ s. sur les vestiges d'un édifice paléochrétien du 6ᵉ s., présente une curieuse abside jumelée. En fait, à l'origine, deux chapelles furent élevées côte à côte, puis réunies au 19ᵉ s.

En reprenant le sentier qui longe un petit vignoble, seule véritable trace d'activité humaine, on atteint **l'anse de Santa Maria.** En face, on distingue la **réserve naturelle des îles Finocchiarola**. En poursuivant vers le Nord le long de la côte, on rejoint la cala Francese.

Le Monte Bughju, qui ferme au Nord cette anse, conserve des vestiges intéressants de la présence romaine dans cette zone stratégique, dont un oppidum du 2ᵉ s. avant J.-C.

Le maquis bas, maintes fois éprouvé par le feu, n'abrite plus de chênes verts. Il épouse un relief aux formes arrondies, où les pentes douces mènent à un cirque de crêtes qui barre l'horizon vers le Nord-Ouest. Le sentier se poursuit vers la **tour d'Agnello** qui marque une des pointes septentrionales du Cap Corse. Au bout de ce cap, soumis à des vents perpétuels, le ciel et la mer balayés et agités sans cesse prennent des couleurs d'une grande pureté. Au Nord, l'**île de la Giraglia** dominée par son phare puissant constitue un repère rassurant, à l'Est, plus loin sur l'horizon, s'impose l'île toscane de Capraja. Par temps clair parfois, la masse sombre de l'île Gorgona fait une apparition. En atteignant les dunes de la plage de Cala, le sentier longe la zone marécageuse qui borde le petit port de **Barcaggio**⌂.

CONSEIL

L'itinéraire est praticable toute l'année mais est plus agréable au printemps et à l'automne. S'informer au préalable des conditions météo, ☎ 08 36 68 02 20. Être bien chaussé et emporter de l'eau.

Monte Rotondo★★

Monte Ritondu

Cet imposant chaînon de la crête médiane de l'île est le deuxième sommet de Corse (alt. 2 622 m). Pendant de nombreux siècles, on a cru que le Monte Rotondo était le point culminant de l'île. Son ascension ne présentant pas de difficulté particulière (sauf la neige tardive), il demeure l'un des sommets corses les plus fréquentés.

Le Monte Rotondo peut s'aborder par le Nord, randonnée dans la journée depuis la vallée de la Restonica, ou par le Sud, excursion sur 2 jours avec une étape au refuge de Pietra Piana.

La situation

Carte Michelin nᵒ 90 plis 15 et 5 – Haute-Corse (2B). À partir de Corte, emprunter la route de la Restonica (D 263) que l'on poursuit sur 10 km, à l'endroit où débute le sentier pour Timozzu.

Le nom

Monte Ritondu signifie en corse « montagne arrondie ».

Les gens

Au 19ᵉ s., le Monte Rotondo a été gravi par de nombreux alpinistes, notamment britanniques.

randonnée

Ascension par la vallée de la Restonica

🥾 *Environ 8h AR. Point de départ : à l'embranchement de la D 623 et du sentier balisé du Timozzu (alt. 1 030 m), à une centaine de mètres après le pont du Timozzu. Laisser la voiture à cet emplacement.*

Cet ancien chemin forestier monte en direction du Sud-Est le long de la rive gauche du Timozzu, à travers la forêt communale de la Restonica. Après environ 35 mn de marche, le sentier se rétrécit et monte en lacet pour déboucher dans une combe qu'une moraine sépare du torrent Timozzu. On atteint le sommet de cette combe (alt. 1 460 m) après 1h1/2 de marche ; on aperçoit à gauche les **bergeries de Timozzu**. Se diriger vers ces bâtiments, mais les laisser sur sa gauche pour gagner la vaste ligne de crête rectiligne qui monte plein Sud. On atteint au bout d'une 1/2h la source de Trighione (alt. 1 921 m) ; appuyer sur la gauche pour atteindre le **lac d'Oriente** (alt. 2 061 m). Suivre ensuite pendant 1h envi-

> **CONSEIL**
> Excursion sans grande difficulté mais qui nécessite tout de même une bonne forme physique en raison de sa durée.
> Soyez bien chaussé, emportez eau et ravitaillement.
> Partez de très bonne heure pour atteindre le sommet en fin de matinée au plus tard.

L'ascension du Monte Rotondo est récompensée par un magnifique panorama★★ à 360°.

ron les alignements de cairns en maintenant la direction Sud vers un couloir raide. À l'amorce de ce couloir, gravir prudemment les éboulis jusqu'au sommet de cet accès. Après avoir atteint la surface dégagée, se diriger vers l'Est à vue pour atteindre le sommet du Rotondo.

Variante par le refuge de Pietra-Piana

⚑ *Durée jusqu'au refuge de Pietra-Piana : 4h aller. Ensuite 3h aller minimum jusqu'au sommet. Point de départ : prendre la route forestière du Verghello qui s'embranche à la hauteur du pont du Vecchio, à droite avant le pont en venant de Corte. Cette route en forte montée s'achève près d'une rivière. Laisser la voiture.*

Poursuivre sur l'autre rive le chemin muletier qui s'enfonce sous des pinèdes de pins laricio. Au bout d'une 1/2h, dépasser la bergerie de Porcile pour atteindre la limite de la forêt, puis le col de Tribali (alt. 1 590 m). On rejoint alors une portion balisée en blanc et rouge du GR 20, qui conduit au refuge de Pietra-Piana.

Du refuge, se diriger plein Nord en remontant la rive gauche du torrent jusqu'à un replat herbeux. Au-delà, on doit franchir une pente raide avant de serpenter à flanc en direction d'une brèche caractéristique dans l'arête. Après l'avoir dépassée, on atteint à l'extrémité d'une combe rocheuse le **lac de Belledone★** (alt. 2 321 m). Située au pied même du Rotondo, cette étendue d'eau enchâssée dans un cirque abrupt constitue un paysage sévère de haute montagne.

Continuer l'ascension depuis la rive Nord du lac vers un couloir d'éboulis puis, en appuyant à gauche, suivre l'arête faîtière vers le Nord pour atteindre le sommet du Rotondo.

> **PRATIQUE**
> Variante plus longue et plus sportive. Il faut passer la nuit au refuge (arriver tôt car très fréquenté en saison).

Morosaglia

Merusaglia

Ce village paisible de la Castagniccia est le berceau de la famille Paoli dont trois membres, Hyacinthe, Clément et surtout Pascal, « père de la patrie », se distinguèrent au service de la Corse.

L'architecture rurale des hameaux de Morosaglia, empreinte de sobriété et même de dépouillement, est d'une réelle beauté. Un groupe de maisons que l'on aperçoit sur une croupe, à droite en entrant dans le village, est devenu l'un des sujets les plus photographiés de Corse. Il illustre sur maintes cartes postales l'« habitat typique ».

La situation

Carte Michelin n° 90 pli 4 – Schéma p. 216 – Haute-Corse (2B). De Ponte-Leccia, prendre la D 71 sur 14,5 km *(voir itinéraire à Castaniccia)*. Dominé par le Monte San Petrone, Morosaglia se compose de plusieurs hameaux.

Les gens

1 008 habitants. Morosaglia est la ville natale de **Pascal Paoli** (1725-1807).

> **BRILLANT ÉTUDIANT**
> À Naples, Pascal Paoli reçoit une éducation et une instruction très soignées, fréquente l'université, s'initie aux doctrines du « despotisme éclairé ». Il parle et écrit couramment le latin, l'italien, le français et l'anglais, lit Plutarque et Montesquieu.

---

comprendre

Le père de la patrie (U Babbu, en Corse) – Né le 6 avril 1725 à Morosaglia, Pascal Paoli est le plus jeune fils de Hyacinthe Paoli (1690-1768), l'un des triumvirs de 1735, ministre du roi Théodore, condamné à l'exil en 1739 par les autorités françaises.

Pascal Paoli accompagne son père à Naples et y accomplit ses études. Sous-lieutenant au régiment de cavalerie du Royal-Farnèse, il suit avec attention les affaires de

Corse dont il est instruit par son frère aîné Clément, resté dans l'île. L'assassinat du général Gaffori *(voir Corte)* le décide à se porter candidat à la magistrature suprême. Il débarque en Corse le 16 avril 1755 et met trois mois à évincer son principal rival Emmanuele Matra. Le 13 juillet 1755, à la consulte de St-Antoine de Casabianca, Paoli est proclamé « général de la nation » pour une guerre « décisive » contre Gênes.

Quatorze ans durant, sous le regard attentif de l'Europe informée par J.-J. Rousseau et l'écrivain écossais **James Boswell** *(voir Sollacaro),* Paoli, homme moderne et démocratique, dirige une Corse indépendante et fixe sa capitale à Corte. Pendant ces années, il dote son pays d'une constitution affirmant la souveraineté de la « nation corse » et établissant la séparation des pouvoirs, il fait frapper monnaie, fonde l'Île-Rousse, réforme la justice et lui octroie des tribunaux réguliers et permanents, uniformise les poids et mesures, crée une armée et un embryon de marine, stimule le commerce et l'industrie, encourage l'agriculture, fait assécher des marais, organise l'enseignement primaire et fonde une université à Corte. En 1764 il contrôle la plus grande partie de l'île. Toutefois Gênes se maintient dans les places fortes du littoral ; mais à bout de ressources et devant le refus de Paoli de traiter avec elle, elle se tourne vers la France. Choiseul, alors ministre de Louis XV, feint de jouer les arbitres. Il oblige en fait le gouvernement génois à céder « provisoirement » à Paoli ses droits sur l'île moyennant un arrangement financier lors du traité de Versailles.

Pascal Paoli
d'après Cosway.

21 ans d'exil – Après la défaite de Ponte-Nuovo *(voir ce nom)* Paoli doit s'exiler : le 13 juin 1769, il s'embarque de Porto-Vecchio sur un vaisseau anglais à destination de Livourne. Il séjourne en Italie, traverse l'Autriche où il rencontre l'empereur Joseph II, les États allemands et la Hollande.

Invité par le roi d'Angleterre, il arrive à Londres le 19 septembre 1769. Le jeune George III, la Cour, son ami James Boswell entourent le héros dont la renommée gagne l'Amérique.

Paoli et la Révolution française – À la fin de 1789, Paoli exulte en apprenant le vote de l'Assemblée constituante, proclamant la Corse « partie intégrante de l'empire français », et l'amnistie.

Élu président du Conseil départemental, puis chef de la Garde nationale, il est nommé en 1792 commandant de la 23e division militaire avec mission d'organiser une expédition en Sardaigne (janvier et février 1793) pour délivrer le peuple sarde de l'oppression. Mais son idéal d'une Corse indépendante, rattachée à la France par la personne du roi s'effondre avec l'exécution de Louis XVI et les excès centralisateurs de la Révolution. Il cherche un allié avec qui fonder l'indépendance.

À Paris, il est déjà suspect et après la conclusion malheureuse de l'affaire de Sardaigne pour laquelle il n'avait rassemblé que 2 000 hommes, il est dénoncé comme contre-révolutionnaire, traduit par Lucien Bonaparte devant la Convention qui le déchoit de son commandement. En riposte, le 27 avril 1793, une consulte de Corte le proclame généralissime ; il arme les villes et les villages, fait occuper Bonifacio. Victorieux dans l'ensemble de l'île, il rédige un acte d'accusation contre la Convention. Déclaré « traître à la République », mis hors la loi par le Comité de salut public, il fait appel à l'amiral anglais qui bloque la rade de Toulon. En janvier 1794, l'escadre de Nelson attaque et enlève St-Florent, Bastia et Calvi. Le 15 juin 1794, la consulte de Corte approuve la constitution d'un **royaume anglo-corse.** Royaume de circonstance qui ne dure que deux ans : l'île est unie à l'Angleterre par la personne du souverain et... **Sir Gilbert Elliot** en devient vice-roi. Cruel ressentiment pour Paoli qui escomptait la reconnaissance anglaise.

RETOUR TRIOMPHAL
Reçu triomphalement à Paris le 3 avril 1790, Paoli regagne son île après 21 ans d'exil. Il débarque à Macinaggio, embrasse le sol et s'écrie : « Ô ma patrie, je t'ai quittée esclave, je te retrouve libre ! ».

Maison traditionnelle au hameau de Rocca- Suprana.

Des troubles éclatent de nouveau en Castagniccia et l'insurrection prend une telle ampleur qu'à la demande d'Elliot, George III rappelle Paoli à Londres.

Paoli meurt à Londres le 5 février 1807 après avoir vécu 47 ans d'exil. Il est inhumé au cimetière de St-Pancras, mais ses cendres furent ramenées à Morosaglia en 1889.

visiter

Maison natale de Pascal Paoli

Située au hameau de Stretta. Stationner le long de la route. On accède à la maison par une rampe d'escalier à gauche. Avr.-sept. : tlj sf mar. 9h-12h, 14h30-19h30 ; oct.-mars : tlj sf mar. 9h-12h, 13h-17h. Fermé 1er janv. et 25 déc. et en fév. 1,52€. ☎ *04 95 61 04 97.*

Cette bâtisse cossue regroupe sur deux niveaux de nombreux objets personnels ou contemporains et des documents historiques qui éclairent la personnalité et l'œuvre du héros. La visite débute par une intéressante projection vidéo et s'achève à la chapelle attenante, abritant les cendres du « père de la patrie ».

Église Santa Reparata

S'adresser à la mairie. ☎ *04 95 61 11 40.*

◀ Cette ancienne église paroissiale, où Pascal Paoli fut baptisé, domine le village.

Remanié à plusieurs reprises, cet édifice roman conserve dans son appareil quelques pierres sculptées du haut Moyen Âge. Le tympan de la porte occidentale s'orne de deux serpents entrelacés du 12e s. À l'intérieur, le chemin de croix aux détails naïfs est une œuvre populaire du 18e s.

Ancien couvent de Rostino

Aujourd'hui école du village, ce bâtiment abritait jadis les consultes nationales de Corse. C'est là que Clément Paoli, frère de Pascal, mourut en 1793.

Côte des **Nacres** ⌒

De l'anse Fautea, au Nord de Porto-Vecchio, à Solenzara s'étend la côte des Nacres, rivage rocheux et peu découpé, ourlé d'une mer vert émeraude.

La situation

Carte Michelin n° 90 plis 7et 8 – Corse-du-Sud (2A). La N 198 relie Fautea à Solenzara et épouse le littoral.

Le nom

Les fonds sous-marins de cette région abondent en poissons et en grands coquillages triangulaires appelés plumes de mer ou **grandes nacres** pouvant dépasser 50 cm de long. Ce coquillage, devenu rare en Méditerranée, bénéficie depuis 1992 d'une protection totale. Les grands spécimens mettent 30 ans pour atteindre une taille respectable.

Les gens

La côte des Nacres fit l'émerveillement du **commandant L'Herminier** lors d'une mission du sous-marin *Casabianca*, en mars 1943. Alors que le jour se levait à hauteur de Canella, le commandant écrit : « La mer est calme. Au lever du soleil, les massifs montagneux de l'île de Beauté se profilent sur un ciel pur. Le spectacle est féerique ; le rouge violent des arêtes sort de l'écrin violet, ocre et vert sombre du maquis et des arbres. Les tons sont si vifs et tranchés qu'on dirait une peinture au couteau où l'artiste n'aurait pas ménagé la pâte. »

itinéraire

SITE NATUREL DE FAUTEA★

20 km.

Les deux anses, bornées au Nord par la **tour génoise** *(illuminée le soir par panneaux solaires)*, constituent un des sites protégés du Conservatoire du littoral.

Peu découpée, la côte des Nacres est tout de même marquée de quelques pointes rocheuses : ici, l'anse de Fautea et sa tour génoise.

Plage de Fautea

Abritée entre deux pointes rocheuses, elle est tapissée de sable fin, tandis que la plage des Américains, plus longue et moins protégée, est constituée de sable grossier avec en arrière-plan des massifs d'épineux. Sur le chemin d'accès à la tour génoise, on découvre, à la belle saison, une végétation typique du maquis : ciste de crête aux fleurs mauves et ciste de Montpellier aux fleurs blanches.

La proximité de la réserve de Cerbicale permet d'apercevoir le manège des **cormorans huppés** noirs *(marangone* en corse) qui, après un vol en rase-mottes au-dessus de la mer, plongent pour attraper leur nourriture.

Prendre la N 198 vers le Nord.

Anse de Tarco

Plage de sable à l'embouchure du Tarco.

Vers l'intérieur se profilent les célèbres aiguilles de Bavella.

Anse de Favone

Grande plage de sable au débouché du Favone.

La N 198 taillée en corniche suit de près le rivage et longe les petites anses de Canella et de Cala d'Oro.

Plage de Canella

Suivre la direction du camping Le Grand Bleu et du restaurant Dolce Vita. Très belle petite baie arrondie, tapissée de sable fin.

HÉBERGEMENT ET RESTAURATION
U Dragulinu – *20144 Favone -* ☎ *04 95 73 20 30 - fermé nov. à mars -* 🅿 *- 32 ch.: 76,22€ -* ☕ *9,15€ - restaurant 24€.* Idéal pour passer de la chambre à la plage ! Cet hôtel familial de vacances a les pieds dans l'eau. Les chambres sont proprettes et assez spacieuses. Le restaurant est ouvert en été, la demi-pension est alors obligatoire. Salle provençale et terrasse avec parasols.

Le Nebbio★

U Nebbiu

Marquez un arrêt au col de San Stefano pour admirer les ondulations des collines du Nebbio.

Pays de vignobles, d'olivaies, de vergers et de pâturages, quadrillé de murets en pierres sèches et parsemé de bergeries, le Nebbio fut de tout temps prospère, méritant son surnom de « conque d'or ». Aujourd'hui, la richesse vient aussi du tourisme, notamment de l'attraction que connaît la mignonne station balnéaire de Saint-Florent. La région compte de nombreux petits villages accueillants posés en observatoires sur les hauteurs ceinturant le bassin de l'Aliso. Les statues-menhirs (stantari) découvertes dans les champs de Patrimonio et de Piève témoignent d'une occupation préhistorique.

La situation

Carte Michelin nº 90 pli 3 – Haute-Corse (2B). Le Nebbio est le nom donné au bassin de l'Aliso qui se développe en amphithéâtre dans l'arrière-pays du golfe de St-Florent entre le Monte Asto au Sud, le col San Stefano et la dorsale du col de Tèghime au Nord.

Le nom

La région tire son nom de la brume (*nebbia* en corse) qui s'installe souvent en hiver au petit matin.

Les gens

Le col de San Stefano, lieu de passage obligé entre la plaine orientale et le golfe de St-Florent, a été le théâtre de violents combats en septembre 1943 entre l'avant-garde des tirailleurs marocains et l'arrière-garde de l'armée allemande. Une stèle commémore ces faits d'armes.

circuit

AU DÉPART DE SAINT-FLORENT

70 km – environ 4h. Quitter St-Florent par la route de Calvi et passer le pont sur l'Aliso.

Après avoir longé pendant 4 km le désert des Agriates *(voir ce nom)*, prendre sur la gauche la D 62 qui domine la vallée de l'Aliso.

Santo-Pietro-di-Tenda

◄ Ses maisons s'étalent sur les pentes du massif de Tende au-dessus de l'Aliso. Deux **églises** baroques sont unies en façade par un clocher à quatre étages. On peut visiter la plus grande dédiée à **saint Jean l'Évangéliste**. *S'adresser à Mme Pasqualini.* ☎ *04 95 37 72 06.*

À 1,5 km du village, **vue** sur le clocher qui se profile au-delà des frondaisons. La route s'engage alors dans un étroit défilé jusqu'à Sorio.

2 km après Rapale prendre à droite la D 162.

Au maître-autel, remarquer le beau **tabernacle en bois** sculpté, ceinturé de colonnes torses, coiffé d'un dôme et agrémenté d'une marqueterie sur le socle et les portes.

San Michele de Murato★★ *(voir ce nom)*

Prendre à gauche la D 5.

La route continue dans un paysage de hauts plateaux, à la végétation odorante.

Col de San Stefano

Du site, ample **panorama★★** sur la conque du Nebbio. À l'arrière-plan, on devine St-Florent et sur la gauche les monts des Agriates.

Prendre à gauche vers Oletta et St-Florent.

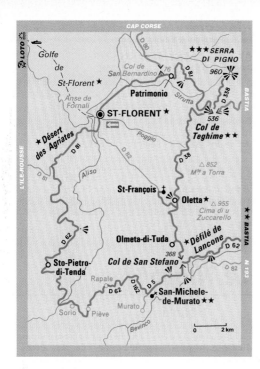

Olmeta-di-Tuda

Ce pittoresque village dominé par les sommets du massif du Zuccarello est ombragé de beaux ormes. En suivant sa rue circulaire, on découvre de jolies vues sur St-Florent et son golfe.

La D 82 traverse une riche campagne couverte de châtaigniers, d'oliviers et de vignes.

Oletta★

Accroché à une colline verdoyante, Oletta étage paisiblement ses hautes maisons blanches, ocre et roses. Une **vue**★ plaisante se déploie sur le golfe de St-Florent et le Nebbio. On aperçoit en contrebas le couvent St-François et, en face, sur un mamelon, le mausolée du comte Rivarola, gouverneur de Malte. Les alentours d'Oletta sont réputés pour leur fromage de brebis dont une partie sert de matière première à l'élaboration du roquefort.

L'église paroissiale St-André (18e s.) présente un bas-relief archaïque assez effacé figurant la Création. À l'intérieur, face à l'entrée latérale, beau triptyque du 16e s. : Vierge allaitant entre sainte Reparate et saint André.

Couvent St-François

2,5 km d'Oletta par la D 82 en direction de St-Florent, puis le sentier caillouteux qui s'ouvre sur la droite.

Le couvent, à demi ruiné, s'élève dans un site agréable, entouré de collines verdoyantes. Il a conservé son beau clocher.

Au départ d'Oletta, continuer la D 38.

La route suit la grande arête dorsale délimitant le Nebbio. Ce parcours de 9 km offre des **vues**★ étendues sur les vallées du Fiuminale et de l'Aliso, sur les collines du Nebbio, le golfe de St-Florent et le désert des Agriates en arrière-plan.

Col de Teghime★★ et Serra di Pigno *(voir Cap Corse)*

Du col prendre sur la gauche la D 81 vers St-Florent.

La route descend vers le rivage en de nombreux lacets et offre des **vues**★★ pittoresques sur Patrimonio dans son paysage de montagnes avec le golfe de St-Florent et le désert des Agriates en toile de fond.

Patrimonio *(voir ce nom)*

La D 81 rejoint au col de San Bernardino la D 80 et ramène à St-Florent.

RESTAURATION

Auberge A Magina – *20232 Oletta -* ☎ *04 95 39 01 01 - fermé nov. à mars et lun. sf du 15 juin au 15 sept. - 18,29/23,63€.* De la terrasse ou de la salle voûtée et colorée, la vue sur le golfe de St-Florent et sur le Nebbio est très appréciée. N'oubliez pas de regarder aussi dans votre assiette ! Produits de la mer et plats corses se côtoient sur carte et menus.

Pays de collines et de vallées, le Nebbio s'étend entre la Balagne et le désert des Agriates.

itinéraire

DE ST-FLORENT À BASTIA PAR LE DÉFILÉ DE LANCONE

53 km. De St-Florent au col de San Stefano, même itinéraire que le précédent. Au col, prendre à droite la D 62 qui longe le Bevinco et s'engage dans le défilé de Lancone.

Défilé de Lancone★

Avant de se jeter dans l'étang de Biguglia, le Bevinco, fleuve descendu des hauteurs du Murato, franchit une dernière barrière montagneuse dans laquelle il a creusé de belles gorges profondes. La route surplombe les sinuosités du torrent. Au sortir du défilé, la **vue**★ se dégage sur la vallée inférieure du Bevinco, l'étang de Biguglia et la mer. En rejoignant à Casatorra la N 198, possibilité de prendre à gauche la route en montée pour admirer les vues depuis le village de Biguglia.

Le Niolo★★

U Niólu

Le Niolo est la cuvette formée par le bassin supérieur du Golo, le plus long fleuve de l'île. Ses terres sauvages longtemps enclavées où les traditions perdurent font de cette région un authentique « pays » de la Corse intérieure. Elle est dominée par le Monte Cinto (2 706 m), point culminant de l'île, d'où le regard embrasse toute l'île et même au-delà. Contrée de balades, on pourra découvrir le lac de Nino, tapissé de pelouses vert tendre (les pozzines), la forêt de Valdu-Niellu et ses superbes pins laricio, des bergeries de pierres sèches établies dans des sites grandioses.

La situation

Carte Michelin n° 90 plis 14, 15 – Haute-Corse (2B). Le fond de la cuvette du Niolo est occupée par la retenue de Calacuccia (790 m d'altitude). Elle est cernée par des montagnes hautes de quelque 1 500 m : arêtes du Cinto au Nord, de la Paglia Orba à l'Ouest, de la Punta Artica au Sud. Au Nord-Est, elle est fermée par la zone confuse, presque impénétrable, des granits de la Santa Regina. **🛈** *Rte de Cuccia, 20224 Calacuccia, ☎ 04 95 48 05 22. Lun.-ven. 9h-12h, 14h-18h.*

Les gens

Dès le début du siècle, l'alpiniste autrichien **Félix von Cube** escalada les principaux sommets du massif du Cinto et établit, après plusieurs années d'exploration des cimes vierges, une carte détaillée du massif. Un sommet du Haut-Asco, près du GR 20, perpétue son nom (anciennement le Capu Rosso, 2 043 m).

Conciliabules entre Niolins.

comprendre

La haute vallée du Golo – Le Golo, grand fleuve de la Corse, prend sa source à 2 000 m d'altitude au pied des éboulis près du col de Vergio. Après un cours de 84 km vers le Nord-Est, il se jette dans la Méditerranée à la Canonica.

Son cours supérieur draine un haut plateau cristallin de 1 000 m d'altitude. Il reçoit de nombreux affluents alimentés par un enneigement abondant et une forte pluviosité. Les versants aux sols ingrats s'élèvent en pente douce vers les hautes crêtes dénudées. Les villages accrochés, entre 800 et 1 100 m d'altitude, sur les contreforts du Monte Cinto, sont les plus hauts de l'île.

En aval de Calacuccia, le Golo quitte le Niolo par des gorges creusées dans le granit : la Scala di Santa Regina *(voir ce nom)*.

La végétation varie selon l'altitude et l'ensoleillement. Dans la partie inférieure du Niolo le châtaignier, largement planté par l'homme, ombrage les villages ; plus haut s'y associent le chêne pubescent et le chêne vert. Entre 900 et 1 600 m d'altitude croît la forêt : le sapin et le hêtre d'abord, puis le pin laricio. Près du col de Vergio, le bouleau prend une place importante. La courbe de niveau 1 200 voit apparaître l'alpage, prairies naturelles envahies par les herbes courtes, les chardons, les fougères et les buissons épineux. Les trois espèces d'aulnes y sont présentes : l'aulne vert formant des fourrés impénétrables sur des sols siliceux frais et humides, l'aulne glutineux, de 1 200 à 1 500 m d'altitude au voisinage des cours d'eau, l'aulne blanc jusqu'à 1 800 m au bord des torrents et sur les moraines glaciaires.

CLIMAT

Le Niolo jouit d'un climat méditerranéen d'altitude. La pluie déjà abondante dans la cuvette croît avec la hauteur. De même l'enneigement est particulièrement fort à partir de 1 200 m et se prolonge vers les cols jusqu'à mi-avril ; quelques névés subsistent jusqu'en août sur les flancs du Monte Cinto.

Une terre sauvage sur laquelle on prend plaisir à se balader, le Niolo.

Vie agricole et pastorale – L'enclavement de la région a contraint les Niolins à vivre repliés sur eux-mêmes pendant des siècles jusqu'à l'ouverture, à la fin du 19e s., des routes de la Scala di Santa Regina et du col de Vergio. Aussi ont-ils conservé pendant longtemps un mode de vie traditionnel fondé presque exclusivement sur l'élevage et l'agriculture. Le Niolin pratiquait surtout l'élevage transhumant. De juin à septembre (estivage), il faisait paître ses troupeaux sur les alpages. Après les fêtes du 8 septembre à Casamaccioli *(voir Calacuccia)*, bergers et troupeaux descendaient à la « plage » entre Porto et Galéria par les cols et le vieux sentier de transhumance de la vallée du Fango *(voir Galéria)*, vers la Balagne ou vers la plaine orientale par la Scala di Santa Regina. Après l'hivernage, ils reprenaient le chemin de la montagne.

Avec l'ouverture de la route, l'élevage et l'agriculture se sont modifiés. L'étendue des terres cultivées est devenue insignifiante (250 ha). Les châtaigneraies ne sont plus entretenues et s'amenuisent. L'exploitation de la forêt s'est donc organisée et la surface boisée (9 600 ha) dont la belle forêt de Valdu-Niellu est à nouveau en expansion. L'activité rurale essentielle de cette région demeure l'élevage. Le nombre des bergers a diminué mais un important travail s'accomplit pour la remise en valeur des terrains à vocation pastorale. De jeunes éleveurs s'installent à nouveau.

Artisanat rural – Autrefois, pendant les journées d'hiver, les femmes filaient ou tissaient le *pelone*, pèlerine en poil de chèvre qui tenait debout comme une petite tente et protégeait le berger des intempéries. De leur côté, les bergers fabriquaient des ustensils en racine de bruyère, en buis ou en châtaignier. Ils confectionnaient aussi des moules à fromage et à *brocciu*, des claies, des corbeilles, des pipes ainsi que des ciseaux pour la tonte, des pioches, des bêches, des charrues, des herses. Certaines de ces activités artisanales se maintiennent et parfois se développent grâce à l'affluence touristique.

L'INSURRECTION DE **1774**

La guerre d'Indépendance *(voir chapitre Histoire)* achevée en 1769, la France tenta de pacifier le pays : interdiction du port d'armes à feu et de couteaux effilés et expulsion des familles dont les chefs avaient suivi Paoli en exil. Ces mesures échauffèrent les esprits... En 1774 les troubles s'étendirent. Thomas Cervoni entraîna les Niolins, acquis aux idées de Paoli, dans une insurrection armée. Mais ni le Nebbio ni le Cap Corse ne suivirent le mouvement. Encerclés près du pont de Francardo, dans la vallée du Golo, les insurgés durent se rendre : la plupart furent incarcérés à Toulon, leurs maisons brûlées et leurs villages saccagés.

---

itinéraires

1 **DE CALACUCCIA AU MONTE CINTO★★★**

Le Monte Cinto (alt. 2 706 m), « toit de la Corse », point culminant de la longue crête qui sépare la vallée de l'Asco de celle du Golo, domine l'ensemble du Niolo.
Le versant Sud descend vers le vallon de l'Erco par des pentes modérées, tandis que le versant Nord, où des névés subsistent jusqu'à la fin de l'été, est beaucoup plus raide. Le sommet lui-même est formé d'un entassement de gros blocs de rhyolite.
Gagner en voiture Lozzi, à 4,5 km de Calacuccia.

Lozzi
Alt. 1 050 m. Le hameau se groupe au pied du massif du Monte Cinto.
Du village de Lozzi, prendre la piste PC 1040 qui monte en direction du Nord-Ouest sur environ 6 km. Elle se termine en amont des bergeries de Cesta. Laisser la voiture sur le terre-plein.

Contournant la croupe aride du Capo al Mangano, la route domine la vallée de l'Erco. Le paysage dénudé est parsemé de chaos rocheux.

Bergeries de Cesta
Alt. 1 575 m. Les cabanes en pierres sèches sont édifiées dans un site grandiose dominant le ravin de l'Erco, face au cirque glaciaire du Monte Falo (alt. 2 549 m) et aux escarpements Sud du Cinto. Derrière se profile le massif de la Scala di Santa Regina. Les petits murets en pierre sèche qui quadrillent la montagne servent d'enclos pour les animaux pendant l'été.

Ascension du Monte Cinto★★★

🏃 *À partir des bergeries de Cesta, environ 7h AR. Réservé aux personnes entraînées. Quitter Calacuccia au petit jour pour éviter les brumes qui, dès le milieu de la matinée en été, empanachent les hautes cimes de l'île. On rejoint en 20mn de marche le refuge de l'Erco (alt. 1 667 m).*

Le sentier s'engage dans le **cirque glaciaire★★★** formé par le Monte Falo et le Cinto. Il se fraye un passage parmi les énormes blocs morainiques jusqu'au bas de la paroi rocheuse du Cinto (cascade à gauche au pied du Monte Falo). Le regard suit la vallée glaciaire jusqu'aux montagnes de la Scala di Santa Regina dans le lointain.

À partir de l'Erco (face Sud), les habitués du rocher peuvent atteindre le sommet en 3h.

L'ascension se fait par l'arête Sud-Est et emprunte le passage entre le couloir de Biccarellu à droite et une tête rocheuse isolée appelée **Petra Fisculina**, à gauche. Du sommet, le **panorama★★★** embrasse toute la Corse et se développe jusqu'aux Alpes-Maritimes et aux îles de la mer Tyrrhénienne.

② BASSIN DE CALACUCCIA★★

35 km. De Calacuccia, prendre la D 84 vers le Sud-Ouest, puis la D 218. Peu avant Lozzi prendre à gauche la D 518, puis la D 318 vers Calasima.

Calasima

Le plus haut village corse (alt. 1 095 m), dominé par l'arête impressionnante de la Paglia Orba, occupe un **site★★** grandiose sur les pentes du Monte Albano.

Revenir à la D 518 que l'on prend à droite.

Albertacce

Ce village s'orne d'une belle **fontaine** (1967) de galets dont la mosaïque représente des paysannes venant chercher de l'eau.

Gagner la D 84 que l'on prend à droite ; plus loin, prendre à gauche la D 218.

Casamaccioli *(voir Calacuccia)*

Lac de barrage de Calacuccia★★

La rive Sud du lac jusqu'au barrage est décrite au chapitre Calacuccia.

Rejoindre la D 84 que l'on prend à droite. Au pont de l'Erco prendre à gauche la D 618.

St-Pancrace

🚶 *Laisser la voiture peu avant le premier hameau et prendre à droite (1/2h à pied AR) vers la chapelle du village.* De la butte rocheuse, une **vue**★ superbe s'offre sur les hameaux de Corscia et le massif de la Scala di Santa Regina.

Corscia

Au débouché de la Scala di Santa Regina, ce village dissémine ses huit hameaux au flanc de la montagne au milieu des terrasses de cultures.

③ DE CALACUCCIA AU COL DE VERGIO

24 km.

Forêt de Valdu-Niellu★★

La route s'élève de 647 m et traverse la superbe la superbe forêt de Valdu-Niellu tracée sur le flanc Nord du bassin du Golo. Elle couvre les pentes des cirques torrentiels qui forment le bassin de réception supérieur du Golo, dominé par une ligne de crête échancrée par quelques cols élevés dont celui de Vergio. Cette forêt, qui fait partie du Parc naturel régional, est la plus vaste (4 638 ha) et l'une des plus belles de l'île ; elle s'étage de 900 à 1 600 m d'altitude.

Les pins laricio composent 70 % de son peuplement ; dans la partie haute, ils se mêlent aux autres essences. Les hêtres au feuillage clair et les bouleaux blancs couvrent 10 % de sa surface.

Les rochers, les landes et les broussailles se partagent le reste du sol. Valdu-Niellu est la première forêt de l'île pour la qualité de son bois. Les chutes de neige sont abondantes en hiver au-dessus de 1 200 m.

Maison forestière de Popaghja

Alt. 1 076 m. À proximité s'élèvent les plus beaux pins laricio de la forêt. Certains sujets sont hauts de 38 m, présentent des troncs lisses jusqu'à 25 m et atteignent 5 m de circonférence ; ils sont âgés de 500 ans.

Station et col de Vergio *(voir ce nom)*

Les forêts corses sont bien souvent fréquentées par des porcs-coureurs à l'état semi-sauvage. Cet animal, particulièrement vorace, se révèle vite un redoutable prédateur. Il est donc nécessaire de ne rien laisser traîner à l'approche des porcs, ni de manifester des gestes de tendresse ou de leur donner à manger !

randonnée

④ LAC DE NINO★

4h1/2 AR au départ de la maison forestière de Popaghja.

Bergeries de Colga

3/4h à partir de la maison forestière ; sentier jalonné de marques jaunes.

Le sentier s'enfonce dans la haute futaie de Valdu-Niellu (pins laricio, hêtres et quelques bouleaux) ; il longe la moraine. En 1/2h on atteint le ruisseau de Colga encombré de blocs de rochers et que l'on franchit à gué. Le sentier s'élève alors en lacet au-dessus du torrent et gagne à 1 411 m d'altitude les bergeries de Colga.

Laisser sur la droite les bergeries (ne pas franchir le torrent).

Des bergeries commence une rude montée *(1h)* vers le col de Stazzona, à travers les éboulis du cirque glaciaire. Le sentier a désormais disparu, mais l'itinéraire est jalonné de marques jaunes et de cairns. Après avoir franchi une première crête, le chemin descend dans un vallon, puis gagne, par des dalles assez raides, le seuil rocheux du **col de Stazzona** (alt. 1 762 m), ouvert entre le Monte Tozzo (alt. 2 007 m) et la Punta Artica (alt. 2 327 m). Ce col sert de passage entre le Niolo et le Campotile. La piste descend alors *(1/4h)* au bord du lac.

> **LES BŒUFS DU DIABLE**
>
> Le col de Stazzona est marqué par de hautes pyramides de cailloux et d'énormes rochers noirs qui, d'après la légende, seraient les bœufs du diable pétrifiés par saint Martin.

LES POZZINES, UN ÉLÉMENT ORIGINAL DE LA MONTAGNE CORSE

Ce sont des pelouses tourbeuses qui entourent les lacs de montagne. Les *pozzines* (du corse *pozzi*, « trous ») constituent le dernier stade du comblement de ces lacs. Importants îlots de fraîcheur dans la montagne, ces pelouses sont le résultat de l'accumulation de végétaux non entièrement dégradés qui se recouvrent d'un tapis de gazon rendu ras par la tonte du bétail en transhumance.

La couleur est fonction du degré d'humidité : les pelouses les plus humides sont les plus sombres, colonisées par les carex. Les milieux les plus secs sont constitués de pelouses à nard. La faible teneur en azote de ces milieux végétaux a conduit à l'adaptation des plantes qui y vivent. Ainsi, on y rencontre de rares espèces carnivores, telle la drosera, qui tirent l'azote nécessaire à leur croissance des insectes qui viennent se désaltérer.

Lac de Nino★

Alt. 1 743 m. Source de Tavignano, il occupe une vaste combe gazonnée au charme bucolique. Cette nappe d'eau de 6,3 ha, aux rives plates, couvre le fond du Campotile, grande cuvette rabotée par l'érosion glaciaire, couverte de forêts et de pâturages et dominée par des montagnes aux formes peu accusées. Les nombreuses bergeries témoignent de l'activité pastorale passée.

Le lac de Nino possède les pozzines les plus étendues et les plus remarquables de l'île. Les eaux sauvages s'écoulent sur un sol spongieux couvert de graminées que viennent brouter les troupeaux pendant l'été.

Nonza★

Ce village, coiffé d'une tour de défense, est perché sur une falaise en avancée dans la mer intensément bleue. C'est une ancienne place forte médiévale, relevée par Pascal Paoli en 1758. Localité très attachante du Cap Corse, on goûtera le plaisir de flâner dans ses ruelles et sur la place accolée à l'église.

La situation

Carte Michelin n° 90 pli 2 – Schéma p. 200 – Haute-Corse (2B). On atteint Nonza par la route de la corniche (D 80) qui surplombe la côte Ouest du Cap Corse. Saint-Florent est à une vingtaine de kilomètres.

Le nom

Le nom vient sans doute de la position stratégique du village sur la côte occidentale du Cap Corse, en avancée dans la mer. En effet, Nonza en corse signifie « annonciateur » : le bourg pouvait révéler, par n'importe quel temps, toute voile ennemie à l'approche dans l'immense golfe de St-Florent.

Les gens

Julie, une jeune fille de Nonza, qui avait refusé de participer à une fête païenne, fut crucifiée dans son village sur ordre du préfet Barbarus. Sur le lieu du martyre jaillit une source miraculeuse. Le corps de la sainte, évacué en 734 devant la menace sarrasine, se trouve aujourd'hui à Brescia en Italie, mais quelques reliques en sont conservées à l'église de Nonza *(pèlerinage le 22 mai).* L'analogie de son supplice avec celui du Christ fait de sainte Julie la patronne de la Corse.

Ne manquez pas de prendre un verre en fin d'après-midi au café de la Tour, à l'ombre du vieux platane. Une craquante petite place fleurie, quelques tables disposées autour de la fontaine à l'effigie de Pascal Paoli, c'est là que l'on peut prendre l'ambiance du village. Ouv. de fin mars à fin oct.

visiter

Le village se groupe autour de l'église et sur le rocher qui porte la vieille tour. Aux environs, arbres fruitiers et jardinets en terrasses, abrités du vent, s'étagent de la mer aux premières pentes du mont Stavo. Des figuiers de Barbarie ajoutent une touche exotique à la palette des verts.

Tour génoise

Traverser le centre du village en suivant quelques ruelles en escalier bordées de maisons couvertes de lauzes. Certaines portes sont agrémentées de plaisants motifs architecturaux.

La tour, édifiée en 1550 pour surveiller le littoral alors pillé par de fréquents raids barbaresques, couronne un promontoire schisteux qui domine vertigineusement la mer de ses 160 m d'altitude.

Du pied de la tour, la **vue★** est fort étendue : à droite, le bleu profond de la mer contraste avec la teinte grise de l'immense plage de galets de schiste amiantifère accumulés ici depuis 1932. Les galets de la plage sont les déblais usés par le mouvement des vagues de l'ancienne usine d'amiante de Canari (fermée depuis 1965) mais ne présentent aucune toxicité car seule l'amiante traitée exige des précautions. Au loin se profilent le golfe de St-Florent, la Balagne et le massif du Cinto. Plus près, la vue permet d'apprécier les toits du village et la perspective de l'église avec son clocher accroché au chevet.

Accès

On accède à la grande **plage de galets** par un sentier formé de 260 marches. Il part à gauche de l'église sur la route principale (en face du magasin d'alimentation). Compter env. 15mn pour descendre, 25mn pour remonter. La plage est aussi accessible par une route carrossable, 3 km au Nord de Nonza.

Août 1768

La tour de schiste vert de Nonza subit victorieusement le siège des troupes françaises de Grandmaison chargées d'appliquer le traité de Versailles. De chacune de ses meurtrières les coups partent, parfaitement coordonnés. Mieux vaut parlementer que poursuivre et l'on convient que la garnison quittera son retranchement, libre et avec les honneurs. Alors le vieux Jacques Casella sort de la tour, boiteux et seul, mais avec quelle fierté : il avait imaginé un système de transmission qui lui permettait de manœuvrer toutes ses pièces !

Le village, veillé par sa tour génoise, est perché sur une falaise 100 m au-dessus de la mer.

Église Ste-Julie

S'adresser à la mairie. ☎ *04 95 37 82 82.*
Cette église du 16e s., pourvue en façade d'un harmonieux perron, possède un autel baroque (1694) en marqueterie de marbres polychromes. Il aurait été fabriqué à Florence en l'honneur de Notre-Dame-de-Santé dont la statue domine l'autel. Il est surmonté d'un tableau représentant sainte Julie crucifiée. La partie instrumentale de l'orgue est attribuée à Pietro Saladini (1835).

Fontaine Ste-Julie

À 50 m sur la route de Pino, 160 marches descendent (même chemin que pour la plage) à cette fontaine dont les eaux sont réputées miraculeuses. Cette agréable promenade ombragée offre un coup d'œil original sur le village et sa vieille tour.

Massif de l'**Ospédale**★

Le massif de l'Ospédale est la haute région boisée qui domine l'arrière-pays du golfe de Porto-Vecchio. Peu accidenté, il offre dans un paysage d'éboulis rocheux et de forêts de pins de nombreuses et agréables promenades.

La situation

Carte Michelin no 90 plis 7, 8 – Corse-du-Sud (2A). L'Ospédale s'étend du Sud du massif de Bavella (col de Castellucio) au Nord de la montagne de Cagna (col de Bacinu). Il est traversé par la D 368.

Le nom

L'Ospédale doit son nom à un ancien hospice ou hôpital romain qui était établi dans le village.

Les gens

De nombreux habitants de la plaine, notamment de Porto-Vecchio, montent à l'Ospédale pendant l'été pour échapper à la chaleur.

circuit

DE ZONZA À PORTO-VECCHIO★

40 km – une demi-journée. Sortir de Zonza par la D 368 en direction de Porto-Vecchio.

Forêt de Zonza

La route est sinueuse mais belle et assez large. Elle descend à travers la forêt de Zonza plantée de pins, dans un ample paysage.

HÉBERGEMENT ET RESTAURATION
Le Refuge – *À Cartalavonu - 20137 L'Ospédale - 4 km au N d'Ospédale dir. Zonza puis rte secondaire -* ☎ *04 95 70 00 39 - fermé nov. -* ✉ *- 22/28€. Veau, agneau et autres produits du terroir vous attendent sur la table de cette petite maison au cœur d'un site sauvage. Sur commande, porcelet rôti à la braise ou cuissot de sanglier. Terrasse. Quatre chambres simples et un gîte d'étape pour les randonneurs.*

Chaos de Paccionitoli

Accès par la D 67 au col de Pelza (voir Alta-Rocca). Un kilomètre après le col de Pelza (Bocca di Pelza), on a une vue très étendue vers le Sud-Ouest avec, dans le lointain, le village de Carbini et son **environnement de monts boisés.**

Forêt de Barocaggio Marghèse★

À partir du col d'Illarata (Bocca d'Illarata), la route pénètre dans cette belle forêt domaniale qui occupe la partie centrale du massif de l'Ospédale. Au-dessus de 1 000 m d'altitude, elle se compose de pins laricio harmonieusement mêlés aux pins maritimes. Bien résistant au feu et reconnu pour la qualité de son bois, le pin laricio fait l'objet d'un important effort de peuplement par les organismes forestiers.

Cette haute futaie est dominée au Nord-Ouest par la massive muraille de la **pointe de Diamant** (Punta di u Diamante, alt. 1 198 m), reconnaissable à sa forme pyramidale.

Cascade de Piscia di Gallo★

🥾 *1h1/4 AR. L'itinéraire débute par une piste en contrebas d'un parking situé 700 m avant le barrage de l'Ospedale (en venant de Zonza). Sentier balisé par des cairns revêtus d'un pictogramme représentant une cascade.*

La piste se termine au bout d'un quart d'heure de marche sur une vaste aire d'hélicoptère et laisse place à un agréable sentier qui serpente dans les pins et les bruyères. On s'enfonce ensuite vers la droite en longeant d'importants blocs rocheux pour atteindre une barre rocheuse à quelques centaines de mètres de la cascade.

La descente vers le pied de la cascade s'effectue par un sentier non balisé et très raide qui nécessite l'aide des mains. La chute d'eau à flanc de falaise forme la Piscia di Gallo (« cascade du coq ») considérée comme la source de la petite rivière Oso qui se jette dans la baie de St-Cyprien. Le débit est désormais soutenu tout l'été grâce au barrage de l'Ospédale. La beauté du site et les étonnantes marmites de géants récompensent des efforts consentis.

Barrage de l'Ospédale

Ce barrage, haut de 25 m, est construit selon la technique des levées de terre. Il retient un petit lac qui égaye l'austère paysage d'éboulis rocheux et de sapins. Ses 3 000 000 m³ d'eau constitue la principale réserve de la vallée de l'Asinao et de la région de Porto-Vecchio.

L'Ospédale

Ce hameau est constitué de chalets et de villas dissémi-nés au milieu des rochers et des pins, de part et d'autre de la route forestière.

Forêt de l'Ospédale★

La route accidentée, en lacet, tracée dans les bois de chênes-lièges et de chênes verts passe à proximité d'énormes entassements rocheux où s'accrochent les grands pins de cette vaste forêt (4 500 ha) étagée au-des-sus du golfe de Porto-Vecchio.

La route plonge sur Porto-Vecchio quittant bientôt la forêt pour frayer son parcours dans un paysage de maquis.

> **PANORAMA**
> L'Ospédale présente, à mi-pente et à hauteur de son cadran solaire, de pittoresques blocs de granit. Il offre des **vues★★** lointaines sur les golfes de Porto-Vecchio et de Santa Manza.

Le massif de l'Ospédale offre un panorama exceptionnel sur les aiguilles rouges de Bavella et les forêts de pins laricio.

Depuis le col de Sta-Maria jusqu'à la plage de l'Ostriconi, la vallée s'étire entre la Balagne, le Nebbio et les Agriates.

Cette région fertile porte encore les traces de son intense exploitation oléicole passée. Les diverses promenades qu'offre la vallée sont parsemées de vestiges de moulins. Lama, chef-lieu de la région, a su restaurer avec harmonie ses quartiers anciens.

La situation
Carte Michelin n° 90 plis 3 et 4 – Haute-Corse (2B). Les cinq villages dominant le cours de l'Ostriconi sont accessibles par des voies perpendiculaires à la N 1197 (dite la Balanina) ou par les deux routes parallèles à la vallée. Soyez vigilant au volant car des bovins peuvent divaguer sur la chaussée. ❿ *Alti d'Ostricone, 20218 Lama,* ☎ *04 95 48 21 05.*

Les gens
Réalisateurs, producteurs et cinéphiles se retrouvent à Lama chaque première semaine d'août pour le Festival du film européen.

comprendre

PARTIS EN FUMÉE
Au début du siècle, la région de Lama comptait près de 80 000 pieds d'oliviers produisant 100 000 l d'huile.
En août 1971 un immense incendie embrasa l'Ostriconi et une partie de la Balagne. En un après-midi l'ensemble des oliveraies fut réduit en cendres.

Le grenier à huile – Si l'ensemble de cette micro-région ne compte actuellement pas plus de 600 habitants permanents, elle fut longtemps le principal grenier à huile de la Corse du Nord. À la suite de la réglementation génoise imposant la plantation, chaque année, d'une des 5 espèces nobles d'arbres (châtaignier, mûrier, figuier, vigne et olivier), les oliveraies couvrirent le fond de la vallée jusqu'à remonter à mi-versant.

L'architecture porte encore l'empreinte de cette monoculture et l'on peut aisément découvrir au cours de promenades les moulins hydrauliques (*e fabrice*, en corse) le long du cours de l'Ostriconi et ceux, plus nombreux, à traction animale (*i franghj*, en corse).

Les saignées démographiques des deux guerres mondiales amorcèrent le déclin des villages corses. Le coup de grâce vint du terrible incendie de 1971. Aujourd'hui, l'élevage ovin a maintenu une grande partie de son activité. L'aménagement d'un nombre important de gîtes ruraux a permis le développement de centres de randonnées équestres.

ARCHITECTURE ITALIENNE
Les grands producteurs oléicoles envoyaient leurs enfants faire leurs études en Italie, notamment en Toscane. À leur retour, ceux-ci désiraient appliquer à leur maison familiale les éléments d'architecture qui les avaient marqués pendant leur séjour. Ainsi, une demeure affiche un inattendu et imposant belvédère florentin.

se promener

Lama★
◀ Ce village médiéval accroché à flanc de piton surplombe le grand axe routier de la « Balanina ». Une harmonieuse réhabilitation a permis de mettre en valeur deux styles d'architecture.

Le village de Lama a trouvé une nouvelle vitalité grâce au dynamisme local et au programme de réhabilitation. Il promet de belles balades dans les ruelles médiévales.

Le vieux quartier composé de petites maisons accolées au rocher et d'une succession de passages voûtés jouxte les grandes maisons du 18e s. construites pour les gros producteurs oléicoles.

Le 15 août, une illumination générale du village accompagne les festivités mariales. Une production artisanale de pâtisserie, les **« oliosi »**, renoue, pour sa part, avec la tradition oléicole.

De belles eaux turquoise dans lesquelles se jette la rivière, du sable blanc, difficile de résister à une baignade à la plage de l'Ostriconi.

alentours

Route de Pietralba à Urtaca
Au col de Sta-Maria, la D 108, à droite, permet d'accéder au village de **Pietralba**, puis épouse les sinuosités du vallon, procurant jusqu'à Lama de belles vues sur les hauteurs environnantes et l'embouchure de l'Ostriconi. En poursuivant vers le Nord, on atteint le village d'**Urtaca** qui semble fixé aux arêtes rocheuses.
D'Urtaca, possibilité de rejoindre directement la N 1197.
Le cours de l'Ostriconi finit dans la zone marécageuse des Agriates, portant le nom de plage de l'Ostriconi.

Plage de l'Ostriconi
Cette belle plage sauvage constitue le terme du sentier de randonnée décrit dans les Agriates.

randonnées

AU DÉPART DE LAMA

Monte Asto★ (Astu)
🚶 *6h environ AR (dont 4h aller) – Dénivelée 1 000 m – Randonnée sans difficulté majeure.*
Le sentier part du point le plus haut du village, à proximité d'un réservoir portant l'indication « refuge du Prunincu ». Suivre les marques jaunes, franchir une barrière (que l'on aura soin de refermer derrière soi) et atteindre un vaste plateau herbeux. Le refuge du Prunincu (bâtiment récent) permet de s'accorder une halte à peu près à mi-chemin du sommet. Un sentier bien empierré part ensuite vers le Nord-Nord-Est en direction de la ligne de crête du Monte Asto. Ces sentiers bien revêtus étaient autrefois l'œuvre des villageois exempts d'impôts qui s'acquittaient ainsi de leurs charges collectives. Du sommet (alt. 1 535 m), superbe **panorama**★ de la Balagne jusqu'au Cap Corse.

Sentier de randonnée Lama-Urtaca
🚶 *1h environ.* Cette agréable promenade emprunte un sentier sans difficulté qui se situe en contrebas de la D 108, parallèle à celle-ci. L'itinéraire procure de belles vues sur l'autre versant de l'Ostriconi et sur le littoral.

> **CONSEILS**
> Portez de préférence un pantalon à cause des buissons d'épineux et des nombreuses plantes urticantes.
> Soyez bien chaussé et emportez de l'eau.

Patrimonio

Patrimoniu

Sur les premières pentes du Nebbio, Patrimonio dissémine ses maisons et sa grande église sur les versants d'une colline prospère plantée de vergers et de vignes. De longue date, le patrimonio se classe par son cépage et par le soin apporté à son élaboration parmi les meilleurs crus élevés en Corse.

La situation

Carte Michelin n° 90 pli 3 – Schémas p. 200 et 269 – Haute-Corse (2B). Patrimonio est perché à 5 km de St-Florent en direction du Cap Corse (D 81).

Le nom

Patrimoniu veut dire « patrimoine » en corse. Au 17e s., c'est le nom qu'on donnait à un regroupement de terres.

Les gens

Ne manquez pas une rencontre avec les viticulteurs. La région fut en effet une des premières à avoir une appelation d'origine contrôlée (AOC). On compte une trentaine de petits producteurs viticoles à Patrimonio et aux alentours. Ils produisent un cru d'excellente qualité : muscat mais aussi vin rouge, blanc et rosé... Le vin attire de nombreux visiteurs ; vous pourrez faire tranquillement votre choix en allant déguster sur place.

LES FRÈRES ARENA

Ce village a donné le jour à deux adversaires de Bonaparte : **Joseph Arena** (1771-1801), député au Conseil des Cinq-Cents en 1796 qui protesta contre le coup d'État du 18 brumaire. Accusé d'avoir pris part à un complot contre le Premier Consul, il fut guillotiné le 30 janvier 1801. Son frère **Barthélemy** (1775-1829), député à l'Assemblée législative, puis aux Cinq-Cents, qui s'opposa lui aussi au coup d'État mais réussit à échapper à la police consulaire et à se réfugier à Livourne où il acheva obscurément sa vie.

se promener

Église St-Martin★

Juil.-août : dim. 9h30-10h30.

Cette église compose une des « images » touristiques les plus connues de la Corse. Ses schistes prennent au soleil couchant une chaude tonalité blond doré. Édifiée à partir de 1570, elle fit l'objet d'une importante restauration entre 1801 et 1810. Le clocher et la partie supérieure de l'église datent de cette époque.

Les versants autour de Patrimonio sont tapissés de vignobles. Procurez-vous auprès d'un office de tourisme la carte des AOC vins de Corse. Vous y trouverez la liste des caves de la région.

Un peu isolée, dominant le village, elle apparaît comme un édifice monumental avec son haut clocher, ses robustes contreforts et son fronton à volutes ; mais reste à l'état de gros œuvre avec ses murs dépourvus de parement et laissant encore **apparents les trous de boulin**. À l'intérieur, sur sa voûte peinte apparaît, dans un médaillon, saint Martin partageant son manteau. Une gracieuse marqueterie de marbres pare le maître-autel orné de l'emblème des franciscains, et le tabernacle mural situé à gauche.

Nativu★

À côté du monument aux morts, un abri protège l'énigmatique **statue-menhir** de Nativu en calcaire trouvée en 1964 dans la commune de Barbaggio à la suite de travaux de terrassement. Cette statue mesure en totalité 2,29 m et se caractérise par des épaules et des oreilles proéminentes, un menton accusé et un dessin sur le torse soulignant en creux le sternum et la taille.

La statue-menhir de Nativu aurait été élevée au 1er millénaire avant J.-C. par les Mégalithiques.

Pigna★

Pìgna

Perché sur une butte cernée d'olivaies, dominant la baie d'Algajola, cet agréable village regroupe ses ruelles escarpées autour de l'église. Depuis la fin des années 1960, Pigna est devenu un symbole du renouveau des traditions artisanales et musicales.

La situation

Carte Michelin n° 90 plis 13, 14 – Schéma p. 136 – Haute-Corse (2B). Village de Balagne, Pigna est relié aux autres localités par la D 151.

Le nom

Pigna signifie en corse « meule de blé », souvenir de l'époque génoise où la Balagne était une riche région agricole.

Les gens

Le village est habité par de nombreux artisans (potiers, graveurs, sculpteurs, etc.) et musiciens qui ont entrepris de redonner vie aux métiers d'antan et de sauver le patrimoine musical corse.

comprendre

Un foyer du renouveau culturel – Pigna est aujourd'hui un des principaux centres de la renaissance de l'artisanat corse et plus particulièrement dans le domaine musical. Regroupés dans l'association « **Arte di a musica** », des facteurs d'instruments traditionnels

carnet pratique

HÉBERGEMENT ET RESTAURATION
• *Valeur sûre*
Casa Musicale – ☎ 04 95 61 77 31 - fermé 5 janv. au 5 mars, dim. soir et lun. sf du 14 juil. au 30 août - 7 ch.: 42,69/60,98€ - ☑ 4,57€ - restaurant 32€. Les chants corses emplissent cette ancienne demeure lors de soirées musicales. Chaque chambre de l'hôtel au décor dépouillé porte le nom d'une voix. Salle à manger dans un ancien pressoir à huile d'olive pour déguster les spécialités du pays mitonnées avec beaucoup de soin.

CALENDRIER
Chaque première quinzaine de juillet, la manifestation **« Estivoce »**, organisée par l'association musicale « E voce di u cumune », regroupe sur plusieurs villages autour de Pigna un ensemble vocal de qualité et en fait l'événement incontournable de la polyphonie insulaire. ☎ 04 95 61 77 81.

(voir chapitre L'identité insulaire) ont remis à l'honneur une tradition que l'on croyait perdue et qui trouve son application jusque dans les représentations théâtrales en France métropolitaine et en Sardaigne.

se promener

Le village★★
Les ruelles tortueuses, pavées ou en escaliers, et la place joliment dallée présentent un caractère authentique.

Église de l'Immaculée-Conception
Elle se distingue par ses deux clochetons à dômes. Son chevet arrondi et la découpe en accolade de son fronton sont charmants. À l'intérieur, bel orgue du 18e s. attribué à Ferrari.

Casa di l'artigiani
Mai-juin : tlj sf w.-end 9h-12h, 14h-18h. Sur demande. Gratuit. ☎ 04 95 61 77 30.
Y sont mises en valeur les activités artisanales corses.

Dans les ruelles de Pigna.

Ponte Nuovo

Ponte Nuvo

Le 8 mai 1769, ce pont génois fut le théâtre d'un tragique affrontement entre les troupes de Pascal Paoli et l'armée française qui marqua la fin de la guerre d'Indépendance. Partiellement détruit par des bombardements allemands au cours de la Seconde Guerre mondiale, ses ruines se dressent en l'amont de l'ouvrage actuel.

La situation
Carte Michelin no 90 pli 4 – Haute-Corse (2B). Ponte Nuovo se trouve sur la route nationale qui relie Corte à Bastia, à 8 km au Nord-Est de Ponte-Leccia.

Le nom
La localité doit son nom au pont de pierre construit par les Génois pour franchir le Golo.

Les gens
Le 8 mai 1769, 2 000 patriotes corses partisans de Paoli prirent part à la bataille.

comprendre

EN SAVOIR PLUS
Un diorama très expressif de la bataille est présenté au musée A Bandera à Ajaccio.

◀**La bataille du pont neuf** – Sept mois avant la bataille du Ponte Nuovo, les Français avaient dû se résoudre à la retraite devant Borgo. Puissamment renforcée au printemps et placée sous les ordres du comte de Vaux, l'armée française ouvre les opérations dès le 1er mai : elle fait mouvement vers Rapale dans le Nebbio, obligeant ainsi Paoli à abandonner Murato, à passer sur la rive droite du Golo et à se transporter en Castagniccia.
Le 8 mai Paoli fait retraverser le Golo à 2 000 hommes qui passent imprudemment à l'attaque. Ils sont repoussés et doivent regagner le pont qu'ils ne peuvent plus franchir car il est barré par un muret de pierres sèches lui-même tenu par un contingent de mercenaires allemands fermant le passage. Pris dans cette souricière, ils sont massacrés.
Ce revers de Paoli marque la fin de la guerre d'Indépendance et décide du rattachement de la Corse à la France. Après sa défaite, Paoli, replié sur Corte, abandonne la lutte. Le 13 juin 1769, il s'embarque secrètement à Porto-Vecchio pour la Grande-Bretagne.

Le route entre Ponte Nuovo et Ponte-Leccia réserve de beaux paysages.

itinéraire

HAUTE CORNICHE DU GOLO★★

18 km de Ponte Nuovo à Ponte-Leccia – env. 1h. Quitter Ponte Nuovo au Nord et prendre la D 5 à gauche vers Lento.

La route s'élève à flanc de montagne offrant de beaux aperçus sur la vallée verdoyante aux éboulis chaotiques et sur les sommets aigus qui la dominent.

À l'entrée de Lento, prendre la D 105 à gauche.

Le regard plonge dans une gorge profonde ; la route s'élève en haute corniche.

Canavaggia

Le village aux trois pourpres se détache sur la ligne dentelée du Monte Reghia di Pozzo. Châtaigniers, fougères et cistes bordent la route ; des cyprès rivalisent en hauteur avec le clocher d'une église isolée dans son cimetière. Avant Costa-Roda apparaît la vallée du Golo.

Après Costa-Roda, la route devient caillouteuse par endroits. Dans une descente rapide, en lacet, le Golo réapparaît. De belles **vues**★ se multiplient avant ▶ d'atteindre Ponte-Leccia.

> **PANORAMA**
> Dans un tournant à 1 km de Costa-Roda, une **vue**★★ se déploie sur les chaînes neigeuses et le Monte San Petrone. Les différents plans des montagnes forment des courbes harmonieuses et estompées derrière les sombres frondaisons.

La Porta ★

A Porta

Le voyageur est ici au cœur de la Castagniccia et surprend quelques villages, perchés sur une crête dominant un océan de verdure. À La Porta s'élève la plus célèbre des églises baroques en Corse.

La situation

Carte Michelin n° 90 pli 4 – Schéma p. 216 – Haute-Corse (2B). On rejoint le village par la D 71 puis par de petites routes qui décrivent d'innombrables lacets sous les ramures des châtaigniers.

Le nom

On aurait donné le nom de La Porta au village car il correspondait à la « porte d'entrée » de l'ancienne microrégion *(pieve)* appelée Ampugnani.

Les gens

En 1772, La Porta a vu naître **Horace Sebastiani** qui devint un comte d'empire, puis un maréchal de France. D'abord officier de cavalerie, il s'illustra sur la plupart des champs de bataille d'Europe au service de Bonaparte, du Premier Consul, de l'Empereur et enfin de

La **façade**★ de l'église St-Jean-Baptiste, construite en 1707 par Baïna, peinte en ocre et blanc, reste harmonieuse avec un décor de pinacles, volutes et coquilles encadrant une fenêtre ovale. D'élégants pilastres et des colonnes entourent le portail d'entrée.

Louis-Philippe. Il remplit ensuite des missions diplomatiques et occupa des postes d'ambassadeur à Naples et à Londres. Il passe aux yeux des historiens pour être à l'origine de la partition de villages de l'île en clans rivaux. Il est inhumé aux Invalides.

visiter

◀ Église St-Jean-Baptiste★

Ce grand édifice, élevé de 1648 à 1680 sur les plans de l'architecte milanais Domenico Baïna, marque l'affirmation du baroque religieux en Corse.

Son **campanile** (1720), dû en grande partie au dessin de Baïna, paraît à la fois solide par ses puissantes assises et léger par les volutes, pointes de diamant, niches et ouvertures qui ornent ses cinq étages. Le clocher a perdu sa patine lors d'une nécessaire restauration de l'édifice.

L'intérieur présente des peintures en trompe-l'œil. La peinture de la voûte a été réalisée en 1866 par un certain Joseph Giordano. L'orgue fut construit en 1780 au couvent de Rogliano (Cap Corse) par le moine franciscain Maracci pour le couvent St-Antoine de Casabianca. En l'an VIII, le commissaire Salicetti, chargé de détruire le couvent, laissa transporter l'orgue à La Porta dont sa femme était originaire. Remarquer aussi un Christ en bois peint, du 17e s.

Porto★

Portu

Porto est au centre d'une région touristique offrant aux estivants à la fois les plaisirs de la mer et ceux de la montagne.

Des maisons taillées dans la pierre rouge, une tour génoise plantée sur un rocher à l'embouchure de la rivière Porto, un bois d'eucalyptus et, tout le long du golfe, des curiosités naturelles de toute splendeur font de cette petite station balnéaire un lieu très fréquenté.

La situation

Carte Michelin nᵒ 90 pli 15 – Schéma p. 290 – Corse-du-Sud (2A). La marine est séparée en deux par la rivière de Porto que l'on franchit (à pied uniquement) par une passerelle très arquée. En arrivant en voiture, on peut, soit gagner le côté Nord de la ville, où se concentrent les hôtels et les restaurants (parking sur la place face à l'Office de tourisme), soit rejoindre la partie Sud (port de pêche et plage) en prenant la D 81 direction Piana puis la route communale fléchée « Porto rive gauche ». **🛈** *Pl. de la Marine, 20150 Porto, ☎ 04 95 26 10 55. Juil.-août : 9h-14h, 16h-20h ; de*

La marine et le village de Porto s'étirent au fond d'un magnifique golfe, hérissé de rochers et de promontoires d'un rouge ardent.

carnet pratique

TRANSPORTS

Bus – Ligne Ajaccio-Porto-Ota et Porto- Calvi
- ☎ *04 95 22 41 99*
Ligne Porto-Corte- ☎ *04 95 48 00 04. Juil.-
août.*
Location de voitures, scooters, motos –
*En face du supermarché, dans le haut de
Porto* - ☎ *04 95 26 10 13.*

RESTAURATION

• *À bon compte*

Le Maquis – ☎ *04 95 26 12 19 - fermé
15 nov. au 15 fév. - 15/28€.* L'atout
incontestable de ce restaurant au décor
campagnard est sa très agréable terrasse
sous les canisses, d'où vous pourrez admirer
la montagne, mais aussi apercevoir au loin la
tour génoise et le bleu infini de la mer.
Cuisine régionale soignée.
La Mer – *À la Marine* - ☎ *04 95 26 11 27
- fermé déc. à fév. - 15,09/21,04€.* Tout au
bout de la marine, cette petite maison de
pierre avec ses volets bleus est charmante.
Sa vue sur le port et la tour l'est tout autant.
Spécialités de poissons servis en terrasse si le
temps le permet.
Les Galets – *Plage de Bussaglia - 20147
Serriera (Golfe) - 7 km au N de Porto par
D 81 et D 724* - ☎ *04 95 26 10 49 - fermé
oct. à avr. - 13/19€.* Vous ne pourrez qu'être
charmé par ce restaurant posé sur l'une des
plus belles plages du golfe de Porto.
Rafraîchi par la légère brise marine, vous
vous attablerez sous la tonnelle ou sur la
terrasse en caillebotis. Copieux plats du jour,
salades et pizzas.

HÉBERGEMENT

• *Valeur sûre*

Hôtel Les Flots Bleus – *À la marine* - ☎ *04
95 26 11 26 - fermé 10 oct. au 10 avr. - 20
ch.: 54/80€ - ☕ 7€.* Posez-vous sur le balcon
de votre chambre et contemplez le coucher de
soleil sur la Méditerranée et la tour génoise, le
spectacle est mémorable ! Toutes orientées
vers la mer, leur décor vient d'être mis au goût
du jour. Petit-déjeuner en terrasse.
Bella Vista – *À la marine* - ☎ *04 95 26
11 08 - fermé nov. à mars -* 🅿 *- 19 ch.:
60,98/86,90€ - ☕ 7,62€ - restaurant*

21/38€. Oui, c'est la belle vie, sur cette
corniche en surplomb de la mer. Les
chambres de cet hôtel sont simples mais
entièrement rénovées, quelques-unes avec
cuisinette pour les plus longs séjours. Salle à
manger climatisée et terrasse. Cuisine
soignée ancrée dans le terroir.
Stella Marina – *Plage de Bussaglia - 20147
Serriera (Golfe) - 6 km au N de Porto par
D 81 et D 724* - ☎ *04 95 26 11 18 -
info@hotel-stella-marina.com - fermé nov. au
15 mars - 20 ch.: 51/71€ - ☕ 8€.* Ce
sympathique établissement surplombe la
route qui mène à la grande plage de galets
de Bussaglia. Ses vastes chambres, garnies
de meubles rustiques, sont toutes équipées
d'une loggia grande ouverte sur la mer.
Plaisant restaurant en rouge et blanc.

LOISIRS

Génération Bleue – *Marine de Porto - rive
droite* - ☎ *04 95 26 24 88 ou 06 85 58
24 14 - tlj 8h45-19h30 - fermé nov.-avr.* Les
coraux rouges, les tombants de « Gorgones
bleues », sous lesquels se cache une faune
impressionnante de murènes, mérous, corbs
et langoustes, sont l'étonnant spectacle que
vous découvrirez en toute sécurité, guidé par
des plongeurs de haut niveau.
Porto Sub – *Marine de Porto - rive droite* -
☎ *04 95 26 19 47 - tlj 8h-20h - fermé nov.-
mars.* Bordé de réserves naturelles classées
Patrimoine Mondial par l'Unesco, Porto est un
lieu idyllique pour la plongée. Ce club propose
des baptêmes et des formations dans un joli
site très coloré, tandis que pour l'exploration,
22 sites attendent les plongeurs amateurs et
confirmés de la pointe de Scandola au Capo
Rosso.
Nave va – *Hôtel Cyrnée - Marine de Porto* -
☎ *04 95 26 15 16 - tlj 8h30-19h - fermé
nov.-mars.* Découvrir le village perché de
Bonifacio, traverser les réserves de Scandola
et de Girolata ou visiter les îles sanguinaires
sont autant de promenades en mer que vous
pourrez accomplir en une journée ou une
après-midi à bord de ce sympathique bateau.
Cinéma en plein air – *Derrière la plage* -
☎ *04 95 26 10 55.*

*juin à mi-oct. : lun.-sam. 9h-13h, 15h-19h ; hors sais. : lun.-
jeu. 9h-12h, 15h-18h. Demander la documentation sur les
excursions pédestres de la région.*

Le nom

Le village tire son nom du port antique qui existait à cet
emplacement.

séjourner

La marine★

On y descend par une route bordée d'eucalyptus centenaires. La plage de galets, en avant du bois d'eucalyptus,
est séparée du hameau par le Porto que l'on franchit sur
un pont de bois.
Une multitude d'hôtels et de restaurants sont groupés
derrière le rocher délimitant la minuscule rade qui, par
temps calme, abrite quelques bateaux.

Tour génoise★

*1/4h AR depuis la marine. Juil.-août : 9h30-21h30 ; de déb.
sept. à mi-oct. : 11h-21h ; de mi-avr. à fin juin : 11h-19h.
2,29€.* ☎ *04 95 26 10 05.*

> **NE PAS MANQUER**
> À Porto, il faut assister
> au **coucher du soleil** :
> les montagnes
> environnantes se parent
> de chaudes couleurs,
> tandis que le soleil
> s'abaisse à l'horizon dans
> l'échancrure du golfe.

Cette grosse tour carrée verrouillait la vallée de la petite rivière de Porto. Ce monument, l'un des plus connus de la Corse, dans un paysage de granit rose, n'a rien perdu de son charme malgré les outrages du temps. Le bâtiment a bénéficié d'une habile restauration qui lui permet d'accueillir une exposition sur les tours génoises. Les abords du côté de la mer sont escarpés.

Sentier de Castagna★

🥾 *1h AR, parcours en grande partie ombragé. Facile mais porter tout de même de bonnes chaussures car on passe au début par un petit raidillon. Emporter aussi de l'eau car on ne trouve rien au port de Castagna.*

Traverser la plage de Porto jusqu'à son extrémité Sud où débute le sentier. Le parcours est d'abord aménagé à travers les gros blocs rocheux puis grimpe rapidement à flanc de colline. On surplombe la mer. De temps en temps la végétation se découvre, laissant apparaître une superbe vue sur les eaux claires et les roches rouges du golfe. Après 25mn de marche, on rejoint une petite route goudronnée qui descend en 5mn au petit port de Castagna.

BAIGNADE
À l'arrivée, possibilité de se baigner mais il n'y a pas de plage. On peut plonger des rochers.

Golfe de **Porto**★★★

Golfu di Portu

Le golfe doit sa splendeur à son littoral bordé de falaises de granit rouge qui contrastent avec le bleu intense de la mer : au Sud, les Calanche de Piana, au Nord, la presqu'île de Girolata et la réserve naturelle de Scandola. Cet ensemble constitue la fenêtre maritime du Parc naturel régional de la Corse. Les lieux sont donc protégés et abritent une flore et une faune exceptionnelles : grande variété de plantes rares, parfois endémiques, quelques couples de balbuzards, etc.

La situation

Carte Michelin n° 90 pli 15 – Corse-du-Sud (2A). À mi-chemin entre Ajaccio et Calvi, le golfe de Porto, amplement ouvert sur le large et profond d'environ 11 km, est séparé de celui de Girolata, plus étroit et plus fermé, par l'imposant Capo Senino. Le maestrale s'y engouffre souvent avec violence, même en été, et la petite crique de Porto, exposée de plein fouet aux lames, n'est pas toujours un abri sûr pour les plaisanciers.

carnet pratique

RESTAURATION

• À bon compte

U Caspiu – *Plage de Caspiu - 20147 Partinello -* ☎ *04 95 27 32 58 - fermé 30 sept. au 1er mai - réserv. le soir - 15,26/24,43€.* Dans une petite crique tranquille, face à des eaux turquoise, ce petit restaurant de plage a bien du charme. Vous y dégusterez, en toute simplicité, des poissons du jour, des produits corses mais aussi des salades, arrosés d'un bon vin du terroir. Un vrai bonheur !

HÉBERGEMENT

• À bon compte

Hôtel Continental – *20115 Piana -* ☎ *04 95 27 89 00 - fermé oct. à mars -* ▤ *- 17 ch.: 25,92/42,69€ -* ☲ *5,34€.* Voilà un petit hôtel tout simple, dans le centre du village, proche de l'église. Les chambres au vieux parquet sont modestes mais bien tenues, d'autres plus récentes occupent l'annexe en haut d'un grand jardin.

• Valeur sûre

Hôtel Capo Rosso – *20115 Piana -* ☎ *04 95 27 82 40 - fermé 16 oct. au 31 mars -* ▤ *- 57 ch.: 60,98/91,47€ -* ☲ *8,38€ - restaurant 18/58€.* Le site est incomparable, la grande bleue à perte de vue à vos pieds, le golfe de Porto et ses fameuses Calanche de granit rose. Les chambres avec loggia surplombent ce ravissant paysage. Salle à manger panoramique et grande piscine. Demi-pension obligatoire en été.

Les Roches Rouges – *20115 Piana -* ☎ *04 95 27 81 81 - fermé nov. à mars - 30 ch.: 64€ -* ☲ *9,15€ - restaurant 20/38,11€.* Dans cette imposante bâtisse 1900, il règne une atmosphère de grand hôtel d'autrefois. Le décor est certes un peu désuet et la façade fanée mais la remarquable vue sur le golfe de Porto remporte tous les suffrages.

Sublime panorama depuis Capo Rosso qui surplombe la mer de 300 m.

circuits

① CÔTE SUD DU GOLFE★★★

31 km de Porto au Capo Rosso – environ 4h.
De Porto, suivre au Sud la D 81 vers Piana.

À 3 km, un belvédère aménagé sur la droite de la route, offre une excellente **vue**★★ sur Porto et le fond du golfe.

Les Calanche★★★ *(voir ce nom)*

Foce d'Orto et Capo d'Orto

🚶 *5h1/2 AR. En quittant les Calanche, 100 m après le pont de « Mezzanu », prendre à gauche un chemin de terre. Laisser la voiture à la fourche et continuer à pied par le chemin qui s'embranche à droite (laisser à gauche celui qui mène à un terrain de sport).*

Le tracé passe devant un château d'eau et suit la rive gauche de la Piazza Moninca. Après 1/2h, le chemin s'interrompt et laisse place à un sentier (marques orange) qui monte dans les pins en suivant la même direction générale vers l'Est. Laisser sur la gauche le sentier se dirigeant sur la Fontaine de Piazza Moninca, située à 50 m de cet embranchement (1h1/2). La pente s'accentue dans une forêt plus dense. Laisser à droite le sentier du Vitullu. Le marquage orange cesse en atteignant le col de la Foce d'Orto.

Prendre alors à gauche, c'est-à-dire vers le Nord, la direction du Capo d'Orto. Il n'y a plus de sentier. Suivre les ▶ cairns (monticules de pierres). Passer par le couloir rocheux et étroit dans une végétation de bruyère : il faut s'agripper. En haut de ce couloir, redescendre légèrement dans une sorte de plateau rocheux. Gagner le sommet (1 294 m) par une escalade facile à travers les rochers (3h).

Piana★

Situé à proximité des Calanche, ce bourg, très animé en été, domine le golfe de Porto, dans un cadre magnifique où se profile dans le lointain le Monte Cinto encore enneigé au printemps. À l'entrée du village, plusieurs eucalyptus aux troncs démesurés témoignent de la douceur du climat marin. Les placettes aux maisons blanches, l'église du 18e s. au gracieux campanile forment un ensemble agréable.

Col de Lava

Vue★★ sur les golfes de Porto et de Girolata, le massif du Cinto, en arrière-plan à droite, et, devant soi, une partie des Calanche.

Revenir sur Piana et prendre à gauche la D 624.

Route de Ficajola★★

Pénétrant au cœur des Calanche, cette route étroite et très escarpée descend jusqu'à la marine de Piana nichée dans l'anse de Ficajola. Le contraste entre le bleu de la mer et le rouge des porphyres atteint ici une rare intensité. Un sentier permet d'accéder *(1/2h à pied AR)* à une ravissante crique.

Rejoindre la D 824 que l'on prend à droite vers la plage d'Arone.

Plage d'Arone⊜

Une superbe route en corniche offre des **vues**★ sur le golfe de Porto et le Capo Rosso. Dans la descente vers la mer, la plage de sable fin apparaît, cernée de rochers roses et de maquis sur un fond montagneux.

Capo Rosso★★

UNE PETITE SOIF ?
Au point de départ de la balade du Capo Rosso, une bergerie a été restaurée en buvette, halte bien méritée au retour de l'excursion.

⬛ *3h AR. Éviter d'entreprendre le parcours l'après-midi car il n'est pas ombragé. Emporter de l'eau.*
À la sortie de Piana, prendre la direction d'Arone (D 824). Après 6 km, une parcarte « Capu Rossu » sur la droite indique le point de départ. Le sentier est tracé dans le maquis, puis une voie jalonnée de cairns monte à la tour. Une éminence de porphyre rose porte la **tour de Turghio.** *Celle-ci domine la mer de plus de 300 m ; une vue magnifique s'étend à gauche, sur la côte jusqu'à Cargèse et, à droite, sur le golfe de Girolata.*

② ROUTE DES PLAGES★★

30 km de Porto au col de la Croix – environ 1h1/2.

Sur la côte Nord, la D 81 s'accroche en corniche au-dessus du golfe puis s'enfonce vers quelques villages haut perchés. Sur la gauche, les D 724, 324 et 424 permettent de gagner la **plage de Bussaglia,** celle de **Caspio,** puis celle de **Gratelle.** Chacune d'elles constitue un petit paradis. Il faut cependant faire preuve de prudence, car elles ne sont pas surveillées et on y perd rapidement pied.

Plage de Bussaglia⊜

Les hauteurs de Capo Rosso.

Grande plage de galets, prolongée vers le Sud par des criques faciles à atteindre. Taverne et location de canoës pour l'exploration des écueils.

LE CAVIAR DE LA MÉDITERRANÉE

Depuis l'Antiquité, l'oursin comestible, appelé familièrement châtaigne de mer (en corse, U Ricciu), est apprécié pour la finesse de ses « œufs » et fait, pour cela, l'objet d'une récolte intense qui aboutit à sa raréfaction accélérée des rivages méditerranéens. Cet échinoderme se nourrit d'algues, de petits animaux et de bactéries emprisonnés dans ses piquants. Disposés autour de la bouche, des pieds terminés par une ventouse assurent la fixation de l'oursin sur le fond marin. Pour se déplacer (à la vitesse de 1 cm par minute), il utilise ses piquants comme bascule. Saisonnièrement, des maladies bactériennes lui provoquent des calvities.

La partie comestible est constituée en fait par les organes sexuels répartis en cinq branches, orange chez la femelle et blanchâtres chez le mâle. L'interdiction de la pêche de mai à fin août (les mois sans « r ») correspond à la période où l'animal est vide. La pêche professionnelle, en plongée avec bouteille, se pratique à l'aide d'un gabarit permettant de calibrer les prises supérieures à 5 cm de diamètre. Elles sont recueillies dans de grands filets contenant jusqu'à vingt douzaines d'oursins.

Pour assurer une protection plus active, des campagnes d'information sont menées par des organismes tel l'Institut océanographique Paul-Ricard établi à l'île des Embiez.

Plage de Caspio⚓

Plage de galets encadrée de rochers sombres. Taverne et fonds marins intéressants à observer du côté Sud de la cale.

Plage de Gratelle

Petite plage de galets inscrite dans un site splendide, face à Porto et au Capo d'Orto.

La route contourne la pyramide rouge du Monte Senino (alt. 619 m) avant d'atteindre le col de la Croix. Elle passe non loin d'un ancien puits de mine, témoin d'une richesse inattendue du sous-sol : à **Osani,** en effet, affleurent quelques veines de charbon. Ce gisement était exploité avant 1914, et le charbon transporté par cabotage.

Col de la Croix

On découvre de ce col une **vue**★★ qui s'étend au Sud sur le golfe de Porto et au Nord sur celui de Girolata. Un sentier conduit à la plage de **Tuara.**

Plage de Tuara

Accès à pied par le sentier muletier qui débute sur la gauche au col de la Croix, devant la buvette du parking. Compter 1h1/4 AR.

L'aller est tout en descente, le retour est donc assez pénible. À mi-chemin, la fontaine de Spana distille un mince filet d'eau (pas de taverne sur la plage !). Mais l'effort est largement récompensé : imprégné des senteurs du maquis, le randonneur débouche sur une plage de sable épais et peut profiter d'une bonne baignade, partagée par quelques nonchalantes et inoffensives bêtes à cornes.

> **CONSEIL**
> Vous pouvez poursuivre le **sentier muletier**★ jusqu'à la magnifique petite baie de Girolata (2 km, environ 1h1/4 à partir de la plage de Tuara). *Voir Scandola.*

Si le temps le permet, profitez des excursions en mer.
Vous pouvez vous rendre dans les Calanche, à Girolata et à Scandola.

se promener

EN MER

Scandola★★★ et golfe de Girolata★★
Voir Scandola. Avr.-sept. : promenade en mer (1/2 j.) au dép. de Porto (2 dép. par j.). 28,97€.

Les Calanche★★★
Promenade en mer (1h1/2) au dép. de Porto. Avr.-sept. : dép. 14h, 16h, 18h. 15,24€.

Cette promenade en mer jusqu'aux grottes de Capo Rosso parachève agréablement la visite à pied des Calanche *(voir ce nom)*. Le bateau s'approche au plus près de la côte et des récifs qui la bordent ; ce qui permet de bien apprécier la hauteur et la beauté de ces falaises. Les couleurs de la roche sont plus soutenues l'après-midi.

Porto-Vecchio⚐⚐

Portivecchju

Située au fond d'un vaste golfe très découpé et fermé, Porto-Vecchio, station balnéaire en pleine expansion, est la troisième ville de Corse. Elle est desservie par l'aéroport de Figari. Sur son littoral se nichent certaines des plus belles plages de Corse.
La ville, autrefois fortifiée, domine la mer, à 70 m d'altitude. Son site s'apprécie pleinement de la mer, de la pointe de la Chiappa et du hameau de l'Ospédale.

La situation
Carte Michelin n° 90 pli 8 – Schéma p. 297 – Corse-du-Sud (2A). Situé l'axe routier Bastia-Bonifacio. Porto-Vecchio est divisée deux parties : la ville haute qui abrite le vieux quartier et les fortifications et, en bas, la marine avec son port de plaisance et de commerce.
🛈 *R. du Député-Camille-Rocca-Serra, 20137 Porto-Vecchio, ☎ 04 95 70 09 58. De mi-juin à mi-sept. : lun.-sam. 9h-12h ; reste de l'année : lun.-ven. 9h-12h, 14h-18h, sam. 9h-12h.*

Le nom
Porto-Vecchio tient probablement son nom de « vieux port » du « portus Syracusanus » qui existait à l'époque romaine.

Les gens
10 326 Porto-Vecchiais. Porto-Vecchio, troisième ville de Corse, est un centre très dynamique. Le tourisme constitue l'activité principale soutenue par les ports de plaisance et de commerce et les nombreuses infrastructures. Les habitants tirent également leurs ressources de l'exploitation des marais salants et des chênes-lièges.

La vieille ville de Porto-Vecchio domine le port de plaisance et de commerce.

carnet pratique

Station bénéficiant d'un flux régulier d'estivants, Porto-Vecchio vit l'été à l'heure italienne et présente aussi les inconvénients de cette explosion touristique.

TRANSPORTS

Aéroport de Figari – ☎ 04 95 71 10 10. Navette pour l'aéroport sur le port, en face du café de la Marine. ☎ 04 95 71 00 11.

Compagnies maritimes – **SNCM**, liaison avec Marseille ; **Corsica Marittima**, liaison avec Livourne en Italie.

Bus des plages – Navette pour Santa Giula, ☎ 04 95 70 10 36 ; navette pour Palombaggia, ☎ 04 95 70 13 83. De mi-juin à mi-sept.

Ligne de bus Porto-Vecchio-Bastia – ☎ 04 95 70 10 36.

Ligne de bus Porto-Vecchio-Ajaccio et Bastia – ☎ 04 95 70 13 83.

Liaison-bus avec l'Alta Rocca – ☎ 04 95 70 12 31.

Port de plaisance – ☎ 04 95 70 17 93.

RESTAURATION

• À bon compte

Bar de l'Orriu – Cours Napoléon - ☎ 04 95 70 26 21 - ouv. 15 mai au 15 sept. - 8/17€. Cette boutique de fromages, de charcuteries et autres produits corses a une sacré réputation... Sous les jambons et saucissons qui sèchent, les quatre petites tables et le comptoir sont pris d'assaut pour déguster sur place les copieuses assiettes autour d'un verre de vin.

• Valeur sûre

Le Bistrot – 4 quai Pascal-Paoli - Au port de plaisance - ☎ 04 95 70 22 96 - fermé fév. à avr. et dim. d'oct. à fin janv. - 15€ déj. - 23/46€. Posez votre sac sur cette terrasse face au port et contemplez les beaux voiliers. À l'intérieur le décor évoque celui d'un vieux gréement : lambris de bois et lanternes de cuivre. Poissons frais, légumes et aromates du jardin, fromages fermiers et confitures maison combleront vos appétits.

HÉBERGEMENT

• Valeur sûre

Hôtel San Giovanni – 3 km au SO de Porto-Vecchio par rte d'Arca D 659 - ☎ 04 95 70 22 25 - fermé nov. à mars - 🅿 - 29 ch.: 70,89/89,94€ - ⌑ 7,62€ - restaurant 18€. Le patron est un amateur éclairé de jardins : son parc est superbement planté d'essences et de fleurs méditerranéennes de toutes sortes. C'est là le principal atout de cet hôtel qui, par ailleurs, est installé assez sobrement. Belle piscine. Cuisine régionale réservée aux résidents.

SORTIES

Le Bastion – 11 r. de la citadelle - ☎ 04 95 70 69 70 - hiver : mar.-dim. à partir de 22h ; avr.-oct. : tlj. Installé dans la vieille ville, ce pub propose un très grand choix de bières et de cocktails. Jeux de fléchettes pour les amateurs et concerts en fin de semaine dans la salle en sous-sol.

La Taverne du Roi – 43 r. de la Porte-Génoise - ☎ 04 95 70 41 31 - tlj 22h-5h. Cabaret des frères Marcellessi, la Taverne du Roi est un des hauts lieux de la chanson corse sur la côte orientale. Cadre rustique et proximité des musiciens créent une atmosphère particulière à cet établissement. On aime bien !

ACHATS

A Cantina di l'Orriu – Cours Napoléon - ☎ 04 95 70 26 21 - déc.-avr. : boutique : lun.-dim. ap.-midi 9h-12h30, 15h-20h ; avr.-sept : tlj 9h-23h - fermé de fin oct. à déb. déc., de mi-fév. à fin mars, j. fériés hiver et hors saison. Dans ce magasin de spécialités situé à deux pas de la place de la République, la charcuterie traditionnelle des meilleurs producteurs de l'île est à l'honneur : figatellu, coppa, lonzu ou prisuttu. De nombreuses confitures, confiseries et fromages figurent aussi parmi les bons souvenirs gustatifs à emporter. Une sélection des meilleurs vins corses est aussi proposée dans la partie «cantineta». Vins à boire au verre accompagnés de charcuteries. Une adresse à ne pas rater !

La Taillerie du corail – Rte de Bonifacio - ☎ 04 95 70 21 21 - juin-sept. : lun.-sam. 9h-13h, 15h-20h ; oct.-mai : lun.-sam. 9h-12h, 15h-19h - fermé nov. Synonyme de porte-bonheur, le corail corse de couleur rouge, d'une qualité exceptionnelle, pare ici un choix unique de bijoux. Une belle adresse pour faire plaisir à madame.

Terra Rossa – 18 r. du Gén.-de-Gaulle - ☎ 04 95 70 55 83 - nov.-déc., avr.-juin, sept.-oct. : lun. ap.-midi-dim. matin 9h30-12h30, 15h30-20h ; juil.-août : tlj 9h30-13h, 14h30-00h - fermé janv.-mars. Cette belle boutique avec son vieux moulin en pierre propose un grand choix d'huiles d'olive extra vierge ainsi que des produits dérivés (moutardes, tapenade, bois d'olivier, etc.) et vous initiera à la dégustation.

U Tavonu – 9 r. du Gén.-de-Gaulle - ☎ 04 95 72 14 03 - juin-sept : tlj 9h-12h15, 15h-19h30 ; oct.-mai : mar.-sam. 9h-12h15, 15h-19h30. Dans une rue animée proche du centre de la vieille ville, cette boutique décline toutes les saveurs du terroir : vins blancs du Cap corse, vins rouges d'Ajaccio, patrimonio, sartenais, liqueurs, charcuteries, fromages fermiers de chèvre et de brebis et confiseries.

comprendre

Des débuts difficiles – Après avoir fondé les places fortes de Bonifacio, Bastia, St-Florent, Ajaccio et Calvi, l'Office de Saint-Georges créa, en 1539, Porto-Vecchio afin de compléter le système de défense de l'île. Gênes choisit ce lieu en raison de sa situation stratégique : le port, très sûr, était en effet dominé par une arête rocheuse sur laquelle fut bâtie la citadelle que les hauteurs de la Punta di U Cerchio cachaient de la mer. Toutefois, le site était malsain (malaria) et les incursions barbaresques fréquentes. Les premiers colons génois établis en 1539 furent décimés par la maladie ; Gênes repeupla alors Porto-Vecchio en 1546, avec des Corses recrutés de force : nouvel échec, engendré par le paludisme, les raids barbaresques, l'hostilité des habitants spoliés de leurs terres et assignés à résidence forcée.

Prise par Sampiero – En 1564, Sampiero Corso, ne disposant plus de l'appui de la France, se décida à passer seul à l'attaque pour délivrer son île de la tutelle génoise. Prenant position dans le village de Vescovato, il constitua une petite armée avec laquelle il échoua devant Ajaccio. Il jeta alors son dévolu sur Porto-Vecchio et s'en empara le 30 juillet 1564.

Sampiero pouvait désormais espérer une alliance avec les Barbaresques : Porto-Vecchio devint un nid de corsaires redoutable aux Génois... Gênes prit conscience du danger et alerta son allié, le roi d'Espagne Philippe II. C'est ainsi qu'à l'automne 1564, les vaisseaux espagnols cinglèrent vers la Corse. Le 26 novembre, la cité, mal défendue, assiégée par les Espagnols commandés par le Génois Stefano Doria, capitula.

L'essor – Porto-Vecchio demeura longtemps une petite bourgade endormie, enfermée dans ses remparts. La plupart de ses habitants étaient pasteurs, commerçants en bois ou artisans. L'hiver, les bergers de Serra-di-Scopamène et de Quenza descendaient à Porto-Vecchio et logeaient dans des cabanes éparses. L'été, les habitants gagnaient la montagne. L'élevage transhumant et l'exploitation des forêts de chênes-lièges constituaient leurs principales ressources.

Au début du 20e s., l'agglomération s'étendit le long de la route Bonifacio-Bastia. La ville fut reliée à Bastia par chemin de fer en 1935. Mais ce tronçon connut une existence éphémère (8 ans) : très endommagé pendant la guerre, il fut définitivement abandonné après avoir vu sa reconstruction maintes fois différée.

Quelques industries s'implantèrent à la marine (usine de préparation du liège, réparation navale...).

Mais c'est au lendemain de la Seconde Guerre mondiale que Porto-Vecchio connut un essor particulièrement rapide dû à la disparition du moustique anophèle responsable de la malaria, à l'aménagement d'un port de commerce, à la mise en valeur de la plaine orientale et surtout au développement d'un tourisme de luxe sur la côte et les rivages du golfe. La forte fréquentation d'une clientèle italienne lui assure une activité touristique régulière.

L'exploitation du sel dans le golfe de Porto-Vecchio, attestée depuis l'Antiquité, prospéra sous le Premier Empire. Actuellement, l'activité marque une reprise après un long déclin ; la production est essentiellement utilisée pour la salaison de la charcuterie et pour le tannage.

séjourner

La vieille ville est traversée par le cours Napoléon autour duquel se regroupent des ruelles, des passages voûtés et des montées en escaliers. Dans le centre, une place ombragée est animée par les terrasses des cafés.

Les fortifications

Des anciennes fortifications génoises subsistent encore les bastions et les échauguettes dominant la marine : bastion de France, restes de la citadelle et vestiges des remparts. De la **Porte génoise**, la vue s'étend sur le port, les marais salants et le golfe.

La marine

Elle se compose d'un port de plaisance et d'un port de commerce qui exporte les bois et les lièges vers le continent. Il est le 3e port corse assurant les liaisons avec le continent. Le port de commerce est également l'escale des croisières et des lignes saisonnières avec l'Italie. À l'embouchure du Stabiacco s'étendent les salines et une belle plage de sable.

Les plages

Voir golfe de Porto-Vecchio.

Les fortifications de la vieille ville.

MATEO FALCONE

« En sortant de Porto-Vecchio et se dirigeant au Nord-Ouest, vers l'intérieur de l'île, on voit le terrain s'élever assez rapidement, et après trois heures de marche par des sentiers tortueux, obstrués par de gros quartiers de rocs, et quelquefois coupés par des ravins, on se trouve sur le bord d'un maquis très étendu.

Le maquis est la patrie des bergers corses et de quiconque s'est brouillé avec la justice. Il faut savoir que le laboureur corse, pour s'épargner la peine de fumer son champ, met le feu à une certaine étendue de bois : tant pis si la flamme se répand plus loin que besoin n'est ; arrive que pourra ; on est sûr d'avoir une bonne récolte en semant sur cette terre fertilisée par les cendres des arbres qu'elle portait. Les épis enlevés, car on laisse la paille, qui donnerait de la peine à recueillir, les racines qui sont restées en terre sans se consumer poussent au printemps suivant, des cépées très épaisses qui, en peu d'années, parviennent à une hauteur de sept à huit pieds. »

Prosper Mérimée, *Mateo Falcone*.

Golfe de **Porto-Vecchio**★★

Golfu di Portivecchju

Le golfe de Porto-Vecchio baigne dans des eaux d'une profondeur moyenne de 6 m. Mais les fleuves côtiers Oso et Stabiacco qui s'y jettent l'ensablent et en rendent l'entrée difficile. La baie abonde en grands coquillages appelés « nacres » et en huîtres sauvages de la variété « pied de cheval ». Au Nord comme au Sud, presqu'îles et petites baies accueillent de somptueuses étendues de sable fin frangées de pinèdes, telle la célèbre plage de Palombaggia.

La situation

Carte Michelin n° 90 pli 8 – Corse-du-Sud (2A). Le golfe de Porto-Vecchio s'étend sur 8,5 km dans une rade bien abritée ouverte seulement au vent du Nord-Est. Il est bordé au Sud par la splendide presqu'île de Piccovagia et au Nord par l'avant-golfe de San Ciprianu et la petite baie de Pinarellu.

Les gens

Le Nord du golfe de Porto-Vecchio conserve d'importants vestiges de la civilisation torréenne.

carnet pratique

RESTAURATION

• Valeur sûre

Costa Rica – *Au golfe de Santa Giulia - 20137 Porto-Vecchio -* ☎ *04 95 70 71 06 - fermé 15 oct. au 30 avr. - 30,49€*. Vous profiterez d'une vue splendide sur la baie de Santa Giulia en vous attablant au restaurant de l'hôtel Castell Verde, avec ses larges baies vitrées en rotonde et sa belle terrasse ombragée. Cuisine bien tournée, au goût du jour et ambiance décontractée sympathique.

HÉBERGEMENT

• Valeur sûre

San Pasquale – *20135 Conca -* ☎ *04 95 71 56 13 - fermé 2 oct. à mars -* 🚲 📶 - *10 ch.: 60,98€ -* 🍽 *5,34€*. Randonneurs épris du GR 20, ce petit hôtel accroché à la montagne est sur votre route. Chambres confortables avec terrasse pour celles qui s'ouvrent sur la Punta d'Orto. Grillades et pizzas au feu de bois en saison le soir.

• Une petite folie !

Le Moby Dick – *Au golfe de Santa Giulia - 20137 Porto-Vecchio -* ☎ *04 95 70 70 00 - fermé 21 oct. au 30 avr. -* 📶 - *114 ch.: demi-pension 121,96/176,84€ -* 🍽 *10,67€ - restaurant 35€*. Une mer turquoise, une plage de sable blanc et des parasols en paillote : vous pourriez être à l'autre bout du monde mais vous êtes en Corse, dans cet hôtel isolé sur la lagune, entre mer et étang. Chambres modernes et pavillons plus simples pour les familles.

Hôtel-Résidence U Benedettu – *À la presqu'île de Benedettu - 20137 Porto-Vecchio - 10 km au NE de Porto-Vecchio par N 198 et D 468 -* ☎ *04 95 71 62 81 -* 📶 - *13 ch.: 121,96/224,10€ -* 🍽 *11,43€ - restaurant 40/64€*. Une situation idyllique tout près de la plage pour cet hôtel et sa résidence, qui propose des pavillons pour les longs séjours. En saison, de la terrasse du restaurant, vous pourrez admirer le golfe de Porto-Vecchio en savourant une cuisine corse en parfait accord avec le paysage...

Grand Hôtel Cala Rossa – *À la Cala Rossa - 20137 Porto-Vecchio - 10 km NE de Porto-Vecchio par N 198 et D 468 -* ☎ *04 95 71 61 51 - fermé 4 janv. au 13 avr. -* 📶 - *48 ch.: 129,58/304,90€ -* 🍽 *22,87€ - restaurant 91€*. Il est des lieux rares qui laissent un souvenir inoubliable. Cet hôtel est de ceux-là. Vous savourerez chaque instant dans son jardin verdoyant, sur sa terrasse de teck au bord de l'eau, à la plage ou dans ses chambres méditerranéennes... jusqu'au dîner sous les pins, qui est un pur moment de bonheur ! Demi-pension obligatoire en été.

Le Belvédère – *20137 Porto-Vecchio - 5 km au SE de Porto-Vecchio par rte de la plage de Palombaggia :* - ☎ *04 95 70 54 13 -* 📶 - *16 ch.: 289,65/365,88€ - restaurant 46/64€*. Sur la route de Palombiagga, dans une belle nature au bord de la mer, cet hôtel profite de la vue sur la baie. Sa superbe piscine et son beau jardin verdoyant, où se répartissent les bungalows des chambres, sont ses principaux atouts. Table soignée et réputée.

ACHATS

Domaine de Torraccia – *Torraccia - 20137 Lecci -* ☎ *04 95 71 43 50 - lun.-sam. 8h-12h, 14h-18h*. Le domaine de Torracia, propriété de Christian Imbert, planté de cépages corses (Sciaccarelu, Niellucciu, Grenache...) s'étend sur 43 ha. Vins blanc et rosé sont de qualité mais c'est « l'Oriu » vin rouge à 80% de Niellucciu et 20% de Sciaccarellu, classé grand cru, qui est le grand vin du domaine.

LOISIRS

Le golfe offre de nombreuses activités : sports nautiques, plongée, équitation, VTT, tennis, etc.

Kallisté Plongée – *Rte Palombaggia - 20137 Porto-Vecchio -* ☎ *04 95 70 44 59 - de mi-avr. à mi-oct. sur demande préalable : 7h30h-19h30*. Installé sur la magnifique plage de Palombaggia, ce club de plongée affilié à la FFESSM propose des baptêmes, des explorations et des stages à faire dans les eaux limpides du golfe de Porto-Vecchio et des fonds-marins de la réserve naturelle des îles Cerbicales.

comprendre

La forêt – Composée de **chênes-lièges**, la forêt de Porto-Vecchio est la plus importante de Corse. Installée sur des sols siliceux et sur des alluvions anciennes, elle couvre environ 8 000 ha de part et d'autre de la N 198. Elle présente parfois, faute d'entretien, un sous-bois dense où prédominent les cistes et les bruyères. Certains propriétaires ont cependant débarrassé leurs parcelles du maquis pour favoriser le pâturage et la glandée. Les collines avoisinantes, recouvertes de maquis et de chênes verts, portent les séquelles de multiples incendies.

L'INDUSTRIE DU CHÊNE-LIÈGE

Le chêne-liège (appelé *suara*, en corse) exige de la chaleur et de l'humidité. Cet arbre à feuillage persistant se développe au bord de mer jusqu'à 500 m environ et s'avère particulièrement résistant au feu. Il est aisément reconnaissable à ses gros glands noirâtres et à son écorce crevassée. En Corse, les futaies exploitées présentent des sous-bois mis en pâture. Parmi leur faune typique, on note le pic épeiche, le pinson des arbres et une importante colonie de tortues d'Herman, espèce protégée. Le prélèvement de l'écorce (le démasclage) s'effectue la première fois lorsque l'arbre atteint l'âge de 25 ans, il s'agit de l'écorce mâle. Puis l'opération se répète tous les 9 à 10 ans, durée nécessaire à la reconstitution d'une nouvelle assise de liège ; on retire alors l'écorce femelle, la plus prisée par l'industrie et l'artisanat.

Démasclage du chêne-liège. Autrefois l'industrialisation du liège s'effectuait sur place ; aujourd'hui la récolte est essentiellement exportée vers la Sardaigne.

séjourner

LES PLAGES DU SUD

Traverser Porto-Vecchio en direction du Sud. À la sortie de la ville, prendre sur la gauche la route qui fait le tour de la presqu'île et parcourt de très beaux paysages encore sauvages : pins parasols, maquis, roches rouges et mer turquoise.

Plage de Palombaggia☆☆

Encadrée de rochers rouges, cette somptueuse plage de fin sable blanc s'allonge au pied des dunes ombragées de majestueux pins parasols. L'eau revêt des tonalités turquoise, bleu outremer, améthyste. La beauté des lieux attire de nombreux estivants.

Les îles Cerbicale

Classé réserve naturelle, l'archipel, composé de cinq îlots rocheux entourés d'écueils, fait face à la plage de Palombaggia. C'est le lieu de prédilection des cormorans huppés qui y nidifient par milliers.

> **D**u sémaphore de la pointe de la Chiappa★, le regard embrasse le golfe de Porto-Vecchio et son arrière-pays montagneux, notamment la baie de Stagnolo et la pointe de San-Ciprianu en face.

La plage de Santa Giulia, l'une des plus belles de l'île.

LOISIRS

Sud Corse Loisirs –
*Baie de Santa Giulia -
20137 Porto-Vecchio -*
☎ *04 95 70 22 67 -
Juin-sept. : tlj sur RV.*
Installé sur la belle
plage de Santa Giulia,
proche de magnifiques
sites sous-marins, Sud
Corse Loisirs propose
baptêmes, stages et
explorations quel que
soit votre niveau.

Plage de Santa Giulia≙≙

Au fond du paisible golfe de Santa Giulia se développe une magnifique plage de sable blanc aux eaux cristallines. Les constructions discrètes des hôtels et des restaurants bordent la plage. Nombreuses activités sportives.

LES PLAGES DU NORD

Emprunter la N 198 vers le Nord. À la Trinité, prendre sur la droite la D 468 qui dessert plusieurs plages.

Dans la grande baie bien abritée de Stagnolo, le **Golfo di Sogno** offre une plage de sable fin ombragée de pins, formée par le delta de l'Oso.

Au fond d'une jolie anse, sorte d'avant-golfe délimité par les pointes de San-Ciprianu et d'Araso, s'étire la grande **plage de San-Ciprianu**. Rangées de pins et sable blanc constituent un long cordon littoral devant l'étang d'Araso. Vers l'intérieur se profilent les aiguilles de Bavella et le massif de l'Incudine.

En poursuivant vers le Nord, on atteint le **golfe de Pinarellu**≙, plus tranquille que les précédents. Il abrite un petit port et une belle plage de sable blanc protégée par un îlot surmonté d'une tour génoise.

visiter

LES SITES PRÉHISTORIQUES

Castellu d'Araghju★

Prendre la N 198 en direction du Nord, après la Trinité, tourner à gauche et suivre la D 759 qui rejoint la D 559 1 km plus loin. Laisser la voiture en bas du hameau Nord d'Araghju (ou Araggio), le long de la D 559 et s'équiper de chaussures de marche.

À VOIR

L'enceinte, haute de 4 m
en moyenne et large de
plus de 2 m, barre
l'éperon rocheux.
Une porte monumentale
dont l'entablement
demeure donne accès
aux ruines d'un
monument à vocation
certainement cultuelle.
Dans l'épaisseur des
murs circulaires sont
aménagés des chambres
et un escalier qui conduit
à un chemin de ronde.

Bâti sur un éperon rocheux, véritable vigie au-dessus du golfe de Porto-Vecchio distant de 5 km, le *castellu* (forteresse) d'Araghju est l'un des plus représentatifs des grands édifices torréens.

🚶 *(1h AR)* Le sentier franchit un ruisselet et devient un raidillon bordé de murets tracé dans le maquis et coupé de racines d'arbres. Après un palier, la montée reprend sous les ombrages parmi les buissons épineux.

La forteresse dominait (alt. 245 m) le village torréen il y a trois millénaires. La **vue★★** s'étend sur la plaine littorale et le golfe de Porto-Vecchio.

Torre

7 km au Nord de Porto-Vecchio. Suivre la N 198 vers Solenzara et prendre, 2 km après la Trinité, le 1er chemin revêtu sur la droite qui mène au hameau de Torre.

Torre est le site qui a donné son nom aux Torréens *(voir chapitre Art et architecture)*, qui bâtirent au Sud de l'île des monuments circulaires.

Le monument préhistorique – Une construction semi-circulaire de forme tronconique subsiste, adossée à un rocher granitique de 10 m de long. Il s'agirait d'un des premiers monuments représentatifs de la culture torréenne caractéristique de l'âge du bronze insulaire. On a pu le considérer comme un monument cultuel utilisé pour des crémations d'hommes et d'animaux. L'intérieur ne contient pas de *cella* (chambre) mais un couloir à bifurcation terminale, prolongé par un conduit d'aération. À gauche s'ouvre un diverticule, à droite une niche. L'appareil de blocs d'apparence cyclopéenne présente en fait des pierres taillées.

Site de Ceccia

6 km au Sud-Ouest de Porto-Vecchio. Accès par la N 198 en direction du Sud. Prendre à droite la D 859. Tourner à gauche au village de Ceccia. Au centre du village, prendre à gauche un tronçon de route goudronnée, long de 50 m. Stationner là et emprunter le sentier mal tracé (propriété privée) qui démarre tout de suite à gauche de la dernière maison et mène au piton rocheux dominant le village.
🚶 *40mn AR.*

Un énigmatique monument circulaire d'environ 12 m de diamètre datant de 1350 avant J.-C. et réaménagé à l'époque génoise se dresse parmi les arbres, à quelques pas du piton rocheux. Une petite cella (chambre) accessible par un couloir dallé occupe le centre. À la différence des sites torréens analogues, Ceccia ne présente pas de trace d'habitat autour du monument.

L'édifice aurait pu avoir une fonction culturelle en raison de la présence de la cella. Selon une autre hypothèse, il servait de poste de surveillance par sa position de vigie sur les territoires alentour.

Le **panorama**★ se déroule vers la plaine de Sotta et, au loin, Porto-Vecchio et son golfe.

Site de Tappa

7,5 km au Sud-Ouest de Porto-Vecchio. Accès à 1,5 km de Ceccia par la D 859 vers Figari. Un chemin à gauche traverse d'anciens champs de vignes et conduit en 300 m vers l'éperon rocheux où se situe le monument de Tappa. Garer la voiture. Accéder au monument par le côté Est, plus facile. Sentier balisé.

Ce complexe monumental torréen a été fouillé et étudié dès 1960 par l'archéologue R. Grosjean. Le site fut principalement occupé entre 2200 et 1900 avant J.-C.

Ce vaste espace fortifié comportait des habitats (cabanes et abris sous roche), des passages souterrains, de petits bastions, et, en un point élevé, le monument principal, circulaire, dont la fonction demeure mal définie. Les habitants de ce hameau fortifié connaissaient la poterie (nombreux tessons retrouvés et présentés au musée de la Préhistoire de Sartène – *voir ce nom*) et vivaient d'une petite agriculture.

alentours

Chapelle San Quilico

17 km au Sud-Ouest de Porto-Vecchio. Sortir par la N 198, vers le Sud ; prendre à droite la D 859 vers Figari et la suivre sur 14 km (c'est-à-dire 1 km environ après l'embranchement de la D 59). Tourner à gauche en direction du hameau de Montilati que l'on atteint au bout de 1 km.

La chapelle San Quilico est un des très rares édifices romans de l'île à être voûté : un berceau en plein cintre est maçonné comme les murs, d'un appareil assez archaïque. L'unique fenêtre de la chapelle apparaît dans la petite abside. La toiture est en *teghje* (lauzes) posées à même les voûtes.

San Quilico (deuxième moitié du 12ᵉ s.) est sans doute la plus petite chapelle romane de Corse (7,50 m de longueur et 3 m de largeur).

GR 20

Le bourg de Conca est surtout connu des randonneurs car il marque la fin du parcours du GR 20 (ou le point de départ si l'on choisit l'autre sens).

Conca

22 km au Nord de Porto-Vecchio (6,5 km au N.-E. de Ste-Lucie-de-Porto-Vecchio, par la D 168).

Ce bourg disséminé dans un paysage de collines arides dominant la mer fut le théâtre d'un sérieux accrochage lors des combats de libération de la Corse. Le 23 septembre 1943, l'aspirant Jean-Pierre Michelin, qui avait réussi à s'embarquer clandestinement sur le sous-marin *Casabianca* transportant 109 combattants, y trouva la mort avec deux de ses compagnons du 1er bataillon parachutiste de choc.

Propriano

Pruprià

Au fond du golfe de Valinco aux eaux calmes et limpides, cet agréable petit port est aujourd'hui un centre actif de tourisme. Les sports nautiques, de nombreuses plages de sable fin et un arrière-pays riche en curiosités font de Propriano une station appréciée.

La situation

Carte Michelin nᵒ 90 pli 18 – Schéma p. 335 – Corse-du-Sud (2A). Propriano est établi au fond du golfe, entre la pointe de Campomoro dominée par une tour génoise et la petite station de Porto-Pollo. Laissez votre véhicule dans le centre, au parking du port de plaisance, le long de la rue du 9-Septembre ou de l'avenue Napoléon. *Port de plaisance, 20110 Propriano,* ☎ *04 95 76 01 49.*

Les gens

3 166 Proprianais. En 1564, **Sampiero Corso**, venu reconquérir l'île, débarqua sur la plage de Propriano avec une cinquantaine d'hommes.

ACHATS

Bocca Fina – *R. des Pêcheurs -* ☎ *04 95 76 28 10 - juin-sept. : lun.-sam. 9h-13h, 15h-21h ; reste de l'année : lun.-sam. 9h30-12h, 15h-19h, ouv. 14 juil. et 15 août - fermé nov., j.fériés sf 14 juil.et 15 août.* Dans ce petit magasin de spécialités situé à deux pas du port de commerce, une sélection des meilleurs produits de l'île y sont en vente : charcuterie traditionnelle (figatellu, coppa, lonzu, prisuttu), vins (meilleurs crus en rouge blanc ou rosé), apéritifs (muscats et Cap corse), miel, confitures, confiseries et fromages.

comprendre

Un essor tardif – Habitée dès l'âge du bronze, la région fut en relation avec les commerçants carthaginois, étrusques et grecs. Le site de Propriano donna ainsi naissance à une cité qui remonterait à la fin du 2e s. avant J.-C.

Au début du siècle dernier, Propriano n'était plus qu'un hameau dépendant de la commune de Fozzano. Ce modeste port, seul débouché du Sartenais, bien abrité des vents d'Ouest et de Nord-Ouest par le rocher du Scoglio Longo, commença à se développer vers 1906. À cette époque, furent édifiés les deux jetées, le quai accostable et le phare. Cependant, cet essor fut de courte durée et la petite ville resta endormie pendant de longues années. Ce sont finalement les continentaux en quête de soleil et de repos qui sonnèrent le réveil de ce petit port. Propriano est, à l'heure actuelle, une des principales stations balnéaires de Corse.

Propriano s'étale paisiblement à fleur d'eau, à quelques mètres des plages.

carnet pratique

TRANSPORTS

Compagnies maritimes – ☎ *04 95 76 04 36.* Liaison avec Marseille, Toulon et la Sardaigne.

Port de plaisance – ☎ *04 95 76 10 40.* Environ 400 places.

Location de voitures – **Budget** - ☎ *04 95 76 00 02.*

Citer - ☎ *04 95 76 11 84.*

Avis - ☎ *04 95 76 39 00.*

RESTAURATION

• À bon compte

A Manella – *18 r. du Gén.-de-Gaulle -* ☎ *04 95 76 14 85 - fermé 15 janv. au 15 fév. et dim. d'oct. à mai - 14,48€ déj. - 22,86€.* Tous les arômes de la cuisine corse dans votre assiette ! À déguster sur la terrasse ombragée ou dans la salle à manger aménagée dans une cave en pierre du pays et décorée d'un monumental soufflet de forge. Bon rapport qualité/prix.

• Valeur sûre

Le Cabanon – *Av. Napoléon -* ☎ *04 95 76 07 76 - fermé nov. à fév. - 16,77/27,44€.* Vanté dans la ville pour son bon rapport qualité/prix, ce petit restaurant au décor simple, avec ses chaises plastique et ses tables serrées, sert une cuisine de la mer. Comme en plus, il est bien situé sur le port, on n'hésite pas à vous le conseiller...

L'Hippocampe – *R. Pandolfi -* ☎ *04 95 76 11 01 - fermé déc., janv. et dim. de nov. à mai - 18,29/38,11€.* Ici, tout se passe dans l'assiette pour les vrais amateurs de poissons frais. Qu'ils s'installent sous la vigne vierge et les canisses de la terrasse pour déguster la pêche du jour, ils ne le regretteront pas ! À l'intérieur, décor fort simple, style bistrot.

Le Lido – *Av. Napoléon -* ☎ *04 95 76 06 37 - fermé 16 oct. au 1er mai - 27,44€.* Depuis 1932, ce restaurant reçoit les vacanciers séduits par sa situation, sur un éperon rocheux entre plage et mer. Dans un décor de croisière maritime ou sur la superbe terrasse, les produits de la mer sont à l'honneur... Chambres plaisantes au style méditerranéen.

HÉBERGEMENT

• À bon compte

Le Bellevue – *Port de plaisance -* ☎ *04 95 76 01 86 - hotel.bellevue@wanadoo.fr -* 🅿 *- 13 ch.: 34/54€ - ⬚ 4,88€ - restaurant 8€.* Face au port, cette maison colorée est une étape bretonne : une carte de crêpes vous y attend mais aussi des salades et des glaces. La partie hôtel a été bien rénovée, choisissez votre chambre côté mer pour la vue ou sur la cour pour le calme.

• Valeur sûre

Loft Hôtel – *3 r. Pandolfi -* ☎ *04 95 76 17 48 - fermé oct. au 14 avr. -* 🅿 *- 25 ch.: 53,36/57,93€ -* ⬚ *5,34€.* D'accord, dans cet hôtel moderne aux chambres un peu impersonnelles, vous ne serez pas dans un cadre typiquement corse. Mais, vous ne casserez pas votre tirelire... Dans le même esprit que les chambres des chaînes d'hôtel, mais en plus spacieux.

Hôtel l'Ibiscus – *Rte de la Corniche -* ☎ *04 95 76 01 56 -* 🅿 *- 27 ch.: 62,50€ -* ⬚ *6,86€.* Belle vue sur le golfe de Valinco et tranquillité assurées dans cet hôtel des années 1990 sur les hauteurs, en dehors de la ville. Ses chambres, toutes tournées vers la mer, sont assez spacieuses et décorées de solides meubles rustiques.

LOISIRS

Valinco Plongée – *Port de plaisance -* ☎ *04 95 76 31 01 - juin-sept. : tlj sur demande préalable - baptême : 38,11€, Plongée 24,39€ à 33,54€.* Débutants, plongeurs confirmés, c'est avec une équipe de moniteurs expérimentés que vous partirez à la découverte des splendides fonds sous-marins du golfe de Valinco et de ses environs.

«U Levante» Plongée – *Port de plaisance -* ☎ *04 95 76 23 83 - juin-sept. : tlj sur demande préalable 8h30-19h30 - fermé de mi-oct. à mi-avr.* Ce centre de plongée propose, quel que soit votre niveau, des formations personnalisées : stages pour enfants à partir de 8 ans, des baptêmes pour débutants, des plongées d'exploration de jour ou de nuit, des sorties à la journée.

Cie Maritime «I Paesi di u Valincu» – *Port de plaisance -* ☎ *04 95 76 16 78 - de avr. à mi-oct. : tlj à partir de 9h - fermé nov.-mars.* Au départ du port de plaisance, vous visiterez des réserves naturelles classées et inaccessibles par la route, comme celle de Scandola ou les sites du Conservatoire National du Littoral (60 km de côtes sauvages avec pique-nique dans un lagon) ou encore le golfe de Valinco. De plus, une inoubliable sortie nocturne, pour un spectacle son et lumière dans les calanques de Belvédère, vous comblera.

ACHATS

Marché – Un marché de fruits et légumes a lieu tous les jours. Le 1er et 3e lundi de chaque mois, on trouve également des vêtements.

séjourner

Près du quai St-Érasme, le **port de plaisance** prend de l'extension. Face au port, le long de la rue principale bordée de maisons ocre, se concentrent les restaurants, bars et hôtels dans une atmosphère qui a su rester assez familiale. Pour les plages, vous aurez l'embarras du choix ; certaines sont accessibles à pied.

Derrière le port de commerce, au-delà du phare du Scoglio Longo s'étend la **plage du Lido** prolongée par celle **du Corsaire**. Plage de sable épais, surveillée en juillet et en août, qui mérite une halte en particulier au coucher du soleil : le golfe de Valinco prend alors de superbes teintes. En ville, vous pourrez profiter de la **plage du Valincu** et de celle du **Mancinu**.

PALMARÈS

Aux alentours de la station balnéaire, la plus belle plage (longue de 3 km) est certainement celle de **Portigliolo**⚲. Site sauvage, sable fin, eaux calmes et limpides. *Quitter Propriano par la N 196 direction Sartène et prendre à droite la D 121 (environ 6 km).*

Quenza

Groupé sur un plateau couvert de châtaigniers et de chênes verts, ce village est dominé par les aiguilles de Bavella.

En hiver, Quenza est un centre de ski de fond et de randonnée nordique sur le plateau du Coscione. L'été, il se révèle un point de départ approprié pour de nombreuses randonnées pédestres et équestres dans les massifs environnants et une des principales bases d'alpinisme de la Corse-du-Sud.

La situation
Carte Michelin n° 90 Sud-Ouest du pli 7 – Corse-du-Sud (2A). À 7,5 kilomètres à l'Ouest de Zonza par la D 420. **ℹ** *R. Sorba, 20170 Levie-Alta-Rocca,* ☎ *04 95 78 41 95.*

Les gens
Les agents du Parc naturel régional ont participé, en 1985, à la réintroduction de 4 cerfs (2 mâles et 2 femelles) à Quenza. L'espèce animale avait disparu de Corse à la fin des années 1960.

séjourner

Église
Visite guidée possible s'adresser à la mairie. ☎ *04 95 78 62 11.*
Elle abrite une chaire en bois sombre sculpté, soutenue par des dragons et un masque maure (endommagé). À gauche, dans la chapelle Ste-Bernadette, deux panneaux peints sur bois, du 16e s., représentent des saints et des évêques.

Chapelle de Santa-Maria-Assunta
1/4h à pied du village sur la route de Serra-di-Scopamène. Elle se dresse, isolée, dans un enclos comportant encore quelques tombeaux. Remarquer, à l'extérieur, le chevet qui a conservé sa couverture de *teghje* traditionnelles de granit. De belles **fresques★**, estimées de la fin du 15e s. et récemment mises à jour, recouvrent l'abside. On y remarque un Christ en majesté, séparé du registre inférieur par une bande bicolore composée de losanges fleuris.

randonnées

Au départ de Quenza, de nombreux sentiers de pays, balisés en orange par le Parc régional, sillonnent la vallée. Les propositions ci-dessous ne comportent pas de difficultés et peuvent être l'occasion de baignades dans les torrents.

Au milieu de la nef, observez la statue de saint Étienne brandissant une palme aiguë comme une épée.

carnet pratique

Hébergement et Restauration
• *Valeur sûre*
Sole e Monti – ☎ *04 95 78 62 53 - fermé 16 oct. au 30 avr. -* **P** *- 20 ch.: 76,22/121,96€ -* ⚏ *7,62€ - restaurant 23/27€.* En traversant le village, faites une halte dans cette auberge familiale. Ses chambres sont simples mais bien tenues et leur petit balcon ouvre sur le jardin coquet. Le chef et patron est une figure de l'île et vous mitonnera une cuisine du terroir.

Achats
Jean Orsatti – *Villa Antonia -* ☎ *04 95 78 61 17 - tlj : 9h-12h ;14h-19h - fermé j.fériés.* Lors de votre visite sur le site de Bavella, faites une halte chez Jean Orsatti, apiculteur, vous pourrez y déguster et acheter un des meilleurs miel de Corse classé AOC. Comme Nicolas Hulot, Yves Duteil, Édouard Balladur ses clients les plus connus, vous apprécierez ses différents miels (anthylis-bruyère, germandrée-thym corse, arbousier).
François Susini – *«Chedi Agnulellu» - 20152 Sorbollano -* ☎ *04 95 78 60 77 - téléphoner pour RV.* De passage dans ce petit village haut perché, ne manquez pas de rendre visite à François Susini qui pourra vous proposer ses excellentes charcuteries traditionnelles (prisuttu, coppa, salamu, lonzo...).

De Quenza à Zonza par St-Antoine
⤢ *Environ 4h1/2. Départ vers l'Est sur la D 420.*

De Quenza à Serra-di-Scopamène
⤢ *5h (possibilité de gite à Serra).* Traversée de nombreux cols et passages de bergeries à Ghjallicu et Lavu-Donacu.

Plateau du Coscione★
⤢ Ce vaste plateau, où prennent source deux des principaux fleuves corses, le **Taravo** et le **Rizzanese**, est caractérisé par un climat méditerranéen de haute montagne, particulièrement rigoureux en hiver avec des enneigements jusqu'à fin avril. Avec une altitude moyenne de 1 500 m, le plateau vallonné constitue le plus grand ensemble de hautes plaines de la Corse. Jusqu'à ces dernières décennies, c'était encore une zone de transhumance importante pour les troupeaux du Sud de l'île. Actuellement, ce sont surtout les randonneurs pédestres et équestres qui utilisent les sentiers de transhumance.
La partie Nord du plateau est décrite à l'Incudine.

Q

RANDONNÉES
J.-P. Quilici – 20122 Quenza - ☎ 04 95 78 64 33, mobile 06 16 41 18 53. Ce guide de haute montagne, figure emblématique de l'alpinisme insulaire, vous emènera à travers monts et vaux.

Gorges de la **Restonica**★★

Parallèle au Tavignano, la Restonica prend sa source à 1 711 m d'altitude dans le massif du Rotondo, l'un des plus hauts de l'île. Après 14 km d'une course mouvementée à travers de belles gorges profondes qui forment des piscines naturelles, elle rejoint à 400 m d'altitude le Tavignano dans le « sillon de Corte ».

La situation
Carte Michelin n° 90 plis 5, 15 8 – Haute-Corse (2B). Les gorges sont accessibles à partir de Corte. Prendre au Sud la D 623 : 15 km de route étroite et sinueuse où les croisements sont difficiles relient Corte aux bergeries de Grotelle.

Le nom
Une légende raconte qu'une année de forte sécheresse, seule la Restonica continuait de couler. Le nom de *Restonica* serait apparu à cette période où l'on disait de la rivière « elle reste unique ».

NUMÉROS UTILES
Météo montagne – ☎ 08 36 68 02 20. Secours en montagne – ☎ 04 95 46 04 81.

itinéraire

LES BERGERIES DE GROTELLE (GRUTELLE) PAR LA ROUTE
15 km – environ 1/2h. Quitter Corte par la route d'Ajaccio qui franchit le pont sur le Tavignano et prendre tout de suite après, sur la droite, la D 623.

Site protégé depuis 1996, les gorges de la Restonica font partie du Parc naturel régional.

carnet pratique

ACCÈS RÉGLEMENTÉ À LA VALLÉE DE LA RESTONICA

Le site classé des Gorges de la Restonica est parcouru par une route départementale de 16km reliant Corte aux bergeries des Grotelle. Pendant la période estivale, la forte fréquentation de ces sites, combinée aux risques d'incendie et de crues subites, a conduit à des mesures restrictives d'accès en voiture.

En cas de saturation des parkings des Grotelle et de Lamaghjosu, dont la capacité est limité, la montée de tous véhicules sauf véhicules de secours, sera interdite à partir du Pont de Tragone pour pouvoir assurer la sécurité du public.

Le stationnement est strictement interdit sur la chaussée dans toute la vallée, en dehors des emplacements aménagés.

L'accès des camping-cars et caravanes ainsi que de tout véhicule de plus de 4,5 t et de 1,9 m de large est interdit au delà du camping de Tuani.

Une équipe motorisée de saisonniers règle le contrôle des flux et donne sur place aux automobilistes les directives nécessaires en cas de saturation des aires de stationnement de la haute vallée.

LOISIRS

Les rivages de la Restonica offrent de nombreuses vasques d'eau translucide. Au programme : baignade rafraîchissante, plongeon, sieste sur les rochers à l'ombre des pins. Les lieux sont assez fréquentés en juillet et août mais c'est un bon moyen d'allier plaisir de la marche et de la baignade.

La route pénètre dans le **Parc naturel régional** en remontant la vallée encaissée de la Restonica ouverte entre la Punta di Zurmulu et la Punta di u Corbo.

Forêt de la Restonica★

Aux châtaigniers succèdent bientôt les pins laricio *(voir Vizzavona)* notamment sur les versants exposés au midi à partir de 700 m d'altitude.

LES PINS DE CORTE

Ils apparaissent sur les versants exposés au Nord et dans les fonds de vallées. Ce pin maritime particulier à la Corse est un grand arbre au fût droit, à la cime étroite et conique, dont la silhouette rappelle celle du laricio. De caractère plus montagnard que le pin maritime de Provence, il exige une plus grande humidité de l'air et peut atteindre une taille plus élevée. Sa cime est plus claire, ses aiguilles plus fines, ses cônes allongés souvent solitaires. Un maquis très combustible forme son sous-bois.

Encadrée par de grandes aiguilles de roche ocre couronnées de pins, la vallée se rétrécit progressivement pour former des gorges. Au fond, le torrent se brise au milieu de gros blocs de rochers.

Après le pont de Tragone, la D 623 longe la rive droite de la Restonica. Dominé par des sommets dépassant 2 000 m, il grimpe dans un paysage âpre où peu à peu les arbres disparaissent.

Bergeries de Grotelle

Grand parking, payant et surveillé, au-dessus des bergeries. Alt. 1 375 m. La route carrossable s'arrête un peu au-dessus des bergeries, vieilles constructions en pierres sèches qui furent la halte traditionnelle des troupeaux sur le sentier du lac de Melo. Un **paysage★★** alpestre se dessine : à droite se profile la longue crête du Capo au Chiostro (alt. 2 295 m), à gauche le massif du Rotondo (alt. 2 622 m), devant soi, barrant la vallée, se dessine la silhouette dentelée du Lombarduccio (alt. 2 261 m). On remarque, un peu en amont des bergeries, quelques beaux spécimens de pins de Corte.

randonnées

L'AULNE ODORANT

Il s'agit d'arbustes de plus de 2 m de hauteur, qui constituent une des formations végétales les plus caractéristiques de la montagne corse. L'aulne odorant forme des fourrés denses difficilement pénétrables ; ses feuilles poisseuses imprègnent durablement les vêtements des randonneurs.

LA HAUTE VALLÉE★★★

🔲 *2h AR jusqu'au lac de Melo ; promenade facile sur un chemin bien balisé. Départ des bergeries de Grotelle.*

Suivre le sentier jalonné de marques jaunes et grises qui prolonge vers le Sud la route des gorges et remonte la vallée de la Restonica.

Le tableau d'orientation du Parc, installé en bordure du parking payant, permet de s'orienter et de découvrir les nombreuses possibilités de randonnées.

Comme toutes les vallées glaciaires, la haute vallée de la Restonica présente des flancs abrupts et un fond plat encombré de moraines. Son parcours offre une succession de rétrécissements et d'épanouissements, et des cuvettes souvent occupées par des lacs et bosses rocheuses (« verrous ») barrant la vallée.

Après avoir longé la moraine, on atteint, vers 1 500 m, une vaste cuvette herbeuse. Emprunter le sentier qui s'élève vers le Sud, bien tracé sur la rive gauche du torrent. On atteint bientôt un plateau couvert d'aulnes.

Le sentier, balisé par des traces jaunes, mène au pied de la grande barre rocheuse retenant le lac de Melo *(1/2h depuis le parking)*. La végétation florale se remarque essentiellement en saison par les saxifrages aux fleurs blanches et la pinguicule corse ou grassette, qui est une plante insectivore. Tous ces végétaux sont protégés et interdits à la cueillette.

Lac de Melo (Melu)★

Depuis la barre rocheuse, 1/2h aller ; itinéraire déconseillé aux personnes accompagnées de chiens ou d'enfants en bas âge, non autonome.

Alt. 1 711 m. Deux passages, équipés de mains courantes et de chaînes, permettent de franchir ce dénivelé et d'accéder au lac. Par temps de pluie ou lorsque la fonte des neiges imprègne fortement le sol, ce passage est rendu glissant ; il faut être prudent.

Un autre itinéraire, plus long, est alors possible. Il s'élève sur la rive droite du torrent et contourne la barre rocheuse par son rebord gauche *(compter alors environ 1h)*.

Origine de la Restonica, c'est un des sept lacs du Monte Rotondo. Il est dominé par des escarpements de plus de 2 000 m, notamment par la Punta Capitello et l'arête du Lombarduccio où, en été, subsistent quelques névés. Aleviné en truites et saumons de fontaine, ce lac est très apprécié des pêcheurs.

Lac de Capitello (Capitellu)★

🚶 *1h AR depuis lac de Melo. Chemin balisé avec quelques passages abrupts.*

Alt. 1 930 m. Ce lac, qui ne se trouve qu'à 600 m à vol d'oiseau du lac de Melo mais à une altitude supérieure de 219 m, est gelé huit mois sur douze. Enchâssé dans un cirque de sommets supérieurs à 2 000 m, il est un des joyaux de la montagne insulaire.

Le retour vers Grotelle s'effectue par le même chemin.

PRATIQUE

Point d'eau à droite du sentier principal juste avant la rive du lac de Melo.
Un sentier fait le tour du lac par l'Ouest.
L'importante fréquentation estivale (la plus forte de la montagne corse) a amené le Parc régional à préserver du piétinement une partie de la pelouse placée derrière une clôture.

Les murailles plongent à pic dans le lac de Capitello. C'est le lac le plus profond de l'île avec 42 m.

Rogliano ★

Roglianu

La commune de Rogliano, habitée dès l'époque romaine, est formée de sept hameaux disséminés sur plusieurs éperons : Campiano, Bettolacce, Magna, Soprana et Sottana, Olivo, Vignale, Querciolo.

Rogliano étage ses tours, les façades de ses églises et ses hautes demeures anciennes dans une conque verdoyante à l'abri du Monte Poggio.

La situation

Carte Michelin n° 90 pli 1 – Schéma p. 200 – Haute-Corse (2B). La commune est éparpillée sur un sommet du Nord du Cap Corse et domine les environs. De Macinaggio, on y accède par la D 353 et en venant de l'Ouest du Cap, par la D 53.

Le nom

La commune doit peut-être son nom à l'antique bourg romain appelé *Pagus Aurelianus*, le village d'Aurélien, du nom d'un empereur du 3ᵉ s. Puis on parla d'*Auriglianu.* Certains disent aussi que le nom viendrait du latin *aurum* signifiant l'or, en référence à la couleur des épis de blé qui couvraient les grands domaines agricoles de la région.

Les gens

458 Roglianais. Du 12ᵉ au 16ᵉ s., Rogliano fut la capitale de la **famille da Mare** qui régnait sur une partie du Cap et entretenait des liens profitables avec Gênes. Mais en 1553, un membre de cette famille, **Giacomo Santa da Mare**, se lia avec Sampiero Corso *(voir Bastelica)* et avec le maréchal de Thermes. Il fut promu colonel de la cavalerie franco-corse. Ses faits d'armes furent nombreux, mais il succomba à un coup d'arquebuse au col de Tende dès l'année suivante.

LA VISITE DE L'IMPÉRATRICE

Le 2 décembre 1869, le yacht impérial *l'Aigle*, qui ramenait l'impératrice Eugénie d'Égypte où elle avait présidé les fêtes de l'inauguration du canal de Suez, essuie, aux approches du Cap Corse, une tempête qui le contraint à mouiller à Macinaggio.

À la grande joie de la population, l'impératrice, ses dames d'honneur, le prince Murat gravirent à pied, dans la soirée, les trois kilomètres qui mènent à Rogliano.

La souveraine se rendit à l'église où le curé et la population entonnèrent un vibrant Te Deum.

LE DON DE L'IMPÉRATRICE

L'impératrice Eugénie préleva sur sa cassette de quoi faire construire la route qui traverse Rogliano et s'appelle depuis « **chemin de l'Impératrice** ».

se promener

Tour d'Agnello

Propriété privée. Belle tour ronde qui domine les hautes maisons de Bettolacce, principal hameau du village.

Le village de Rogliano est bâti sur une hauteur, bien exposée au soleil levant, qui dévale sur quelque 250 m vers la mer et la marine de Macinaggio.

Église St-Agnel

Fermé temporairement.
L'église fut érigée au 16ᵉ s. puis agrandie au 18ᵉ s. À l'intérieur, le maître-autel en marbre blanc de Carrare fut élevé grâce aux fonds envoyés par la colonie corse de Porto Rico, originaire de Rogliano. L'élégante clôture du chœur est un cadeau de l'impératrice Eugénie reconnaissante aux Roglianais de leur accueil. On remarque aussi l'autel en marbre polychrome de St-Antoine-de-Padoue, témoignage de l'amour d'un jeune Roglianais pour une jeune fille de Florence.

Église St-Côme-et-St-Damien

Fermé au public.
Cette ancienne église, ravagée par un incendie en 1947, ▶ est bâtie dans un vallon au Sud de Bettolacce, sur un site déjà habité à l'époque romaine. La nef est la partie la plus ancienne.

UN CAMPANILE DE TRAVERS
L'originalité de cet édifice vient du curieux campanile rectangulaire, isolé et placé de biais par rapport à la façade.

Ruines de San Colombano

Accès par Olivo et Vignale. De Vignale la **vue★** sur la mer et les autres hameaux de Rogliano est fort belle.
À gauche, sur un éperon, se détachent les ruines du château fort de San Colombano. Cette forteresse, propriété ▶ de la famille da Mare, aurait été élevée, vers la fin du 12ᵉ s. Mais, en 1554, à la suite du ralliement de Giacomo Santo au parti français, le château fut démantelé par les Génois. Quelques années plus tard, Jacques de Negroni, ancien coseigneur de San Colombano, fit élever un nouveau *castellu*, incendié en 1947.

LE MAUVAIS CHÂTEAU
San Colombano fut aussi appelé *u castellacciu* (mauvais château), en raison de la fidélité à Gênes de ses seigneurs.

Couvent de St-François

Ne se visite pas. Ce couvent, dont l'église est en ruine, s'élève près du château fort. Il est précédé d'une haute **tour carrée** avec mâchicoulis, rendue célèbre par l'assassinat, à la fin du 16ᵉ s., du gouverneur génois qui administrait les terres de la châtelaine Barbara da Mare.

Golfe de **Sagone**★

Golfu di Savone

Cette vaste baie s'ouvre entre le golfe d'Ajaccio et celui de Porto. Se perdant dans de larges deltas, la Sagone, le Liamone et la Liscia s'y jettent et sont à l'origine des vastes plages de sable qui s'étirent à leur embouchure. Des collines couvertes de maquis, de chênes verts et d'oliviers ceinturent le golfe. Pourtant ses rives sont mélancoliques. Le golfe de Sagone prend toute sa valeur sous un ciel plombé : la mer revêt alors des lueurs métalliques, les vagues ourlent ses rivages grisâtres.

La situation

Carte Michelin nᵒ 90 pli 16 – Corse-du-Sud (2A). Délimité au Nord par la pointe de Cargèse et au Sud par le Capo di Feno, le golfe de Sagone s'enfonce assez profondément dans les terres au niveau de la pointe Capigliolo pour former le petit golfe de la Liscia. **🛈** *Rte des Plages, 20118 Vico, ☎ 04 95 28 05 36. Été : lun.-sam. 9h30-12h30, 15h-19h ; hiver : lun., mer. et ven. 9h-12h, 14h-17h.*

Les gens

Primitivement cité romaine, Sagone fut le siège, dès le 6ᵉ s., de l'un des cinq premiers évêchés de Corse. Son importance s'accrut au Moyen Âge au point de pousser sa juridiction territoriale jusqu'à Calvi ; au 12ᵉ s., son titulaire, qui relevait de l'archevêque de Pise, fit bâtir la cathédrale dont des fouilles récentes ont livré les fondations. Mais au 16ᵉ s. la cité détruite par les Sarrasins et l'insalubrité gagnant l'embouchure du fleuve justifièrent l'installation de l'évêché à Vico. L'abandon définitif du site décida, en 1625, du transfert de l'évêché à Calvi.

carnet pratique

RESTAURATION

• *Valeur sûre*

Auberge « Chez Léon » – *20167 Appietto - accès par D 81, suivre fléchage -* ☎ *04 95 22 87 16 -* ⬚ *- réserv. obligatoire - 25€.* Suivez bien le fléchage pour dénicher cette adresse située dans un village du bout du monde. Vous y serez accueilli dans une salle à manger aux tons clairs, dotée d'une cheminée. La cuisine n'utilise que les produits de la ferme et les légumes du jardin.

LOISIRS

Club Subaquatique Hôtel Cyrnos – *Golfe de Sagone - 20118 Sagone -* ☎ *04 95 28 00 01 - mai-sept. : tlj - fermé de fin sept. à déb. mai.* Ce club de plongée affilié à la FFESSM propose des baptêmes, des explorations et des stages à faire dans les eaux limpides du golfe ou sur le littoral de Sagone. Il organise aussi des croisières sur la côte occidentale de la Corse dans les golfes de Girolata, Porto, Sagone, Ajaccio et Propriano.

---

séjourner

Sagone⌂

Sagone offre une vaste plage un port de plaisance et divers sports nautiques (école de voile, école de plongée).

La **tour génoise**, à l'Ouest de l'agglomération, surveille l'anse de Sagone et le port.

itinéraire

DE CARGÈSE AU GOLFE DE LAVE

53 km – environ 2h. Ajouter 3h pour la balade à pied au rocher de Gozzi.

Cargèse★ *(voir ce nom)*

De Cargèse au golfe de Lava, les routes D 81 et D 381 longent le plus souvent un littoral accidenté et franchissent quelques fleuves côtiers à proximité des plages de sable (plages **Ménasina** et **Stagnoli**, *voir Cargèse*).

Sagone⌂ *(voir ci-dessus)*

Le golfe de Sagone s'étend entre Cargèse au Nord et Capo di Feno au Sud.

Tiuccia
Cette petite station balnéaire s'allonge au fond du golfe de la Liscia ; elle est dominée par les ruines du château de Capraja qui appartint aux comtes de Cinarca. Promenades en mer vers le Capo Rosso, les Calanche de Piana et Girolata.

Golfe de la Liscia⌂
Entre les deux tours génoises d'Ancone et de Capigliolo, ce petit golfe dessine une côte rocheuse propice à la plongée sous-marine.
Plusieurs criques de galets sont accessibles à pied à partir du chemin côtier de la tour d'Ancone. Au Nord, une plage de sable s'étend à l'embouchure du fleuve.

Col de San Bastiano
Du col même (alt. 411 m), la vue est restreinte sur le ▶ golfe de Lava ; en gagnant la butte derrière la chapelle, **coup d'œil★** sur le golfe de Sagone et la Cinarca.
Au col de Listincone (alt. 232 m), prendre à gauche la petite route vers Appietto.

Appietto
Ce village d'où sont originaires les comtes de la Cinarca *(voir ce nom)* compte trois hameaux étagés sur les pentes d'une montagne couverte de maquis. Son église est élégante.

Rocher de Gozzi★
🚶 *3h à pied AR au départ d'Appietto par le chemin muletier qui s'amorce à droite, juste avant le dernier hameau du village.*
À hauteur d'un calvaire, obliquer à droite pour descendre à la fontaine d'Appietto ; sur l'autre versant, le chemin monte vers les ruines d'un château médiéval ayant appartenu aux comtes de Cinarca. Du haut du rocher (alt. 708 m), **panorama★** sur le golfe de Sagone, la vallée de la Gravona et Ajaccio.
De retour au col de Listincone, reprendre la D 81 vers le Nord, puis tourner à gauche sur la D 381.

Golfe de Lava
La route longe le torrent de Lava et serpente dans un paysage de pâturages vide d'habitations ; elle aboutit à la belle plage de sable ouverte entre le Capo di Feno et le golfe de Sagone.

circuit

La Cinarca
51 km au départ de Tiuccia – environ 2h. Voir ce nom.

LA MÉDITERRANÉE EN BALLON
Au col, une stèle en granit rose commémore la première traversée aérienne de la Méditerranée effectuée par **Louis Capezza** et **Alphonse Fondère**. Partis de Marseille le 14 novembre 1886 à 16h30 à bord d'un vieux ballon, le *Gabizoz*, ils atterrirent en pleine nuit et sous la tempête, près d'Appietto.

ACHATS
Le petit praliné – *Bragalina – 20167 Appietto* – ☎ *04 95 10 82 33 - tlj 8h30-12h, 15h-19h.* Cette petite entreprise artisanale fabrique de succulents nougats. Pendant la visite du laboratoire et lors de l'explication de la fabrication, vous pourrez déguster et comparer les cinq types de nougats (miel, figue et miel, orange confite, châtaigne et eau de vie de myrte) proposés par la famille Esteban. Le nougat à la châtaigne a obtenu récemment le « trophée de l'Innovation ».

Saint-Florent★

San Fiurenzu

Au creux d'un très beau golfe★ auquel elle a donné son nom, St-Florent est bâtie sur une légère hauteur au Nord de l'embouchure de l'Aliso. C'est la capitale commerciale du Nebbio, mais aussi une station balnéaire très orientée vers les activités nautiques. Les remparts de sa citadelle génoise dominent le port de plaisance bordé de vieilles maisons colorées.

La situation

Carte Michelin n° 90 pli 3 – Schémas p. 200 et 269 – Haute-Corse (2B). St-Florent est traversé au Nord-Est par la nationale venant de Bastia. Cette route mène à la **place des Portes**, lieu central de la cité. Laissez votre véhicule sur le grand parking qui borde cette place. La ville se visite très facilement à pied. Les **vieux quartiers** et la citadelle s'étendent vers l'Ouest. Au Sud-Ouest, la « route de la plage » conduit à la longue **plage de la Roya** (env. 2 km). Au Nord, derrière la citadelle se trouve une plage tapissée de galets **(plage d'Olzo)**.
🛈 *Centre administratif, 20217 St-Florent, ☎ 04 95 37 06 04. Sur la gauche de la RN dir. de Bastia, à côté de la poste. Juil.-août : 8h30-12h30, 14h30-19h ; le reste de l'année : lun.-sam. matin 9h-12h, 14h30-17h.*

Le nom

La ville de Saint-Florent est souvent appelée le Saint-Tropez de la Corse.

Les gens

1 474 Saint-Florentins. Selon les mœurs religieuses de l'époque, monseigneur Guasco, évêque du Nebbio de 1770 à 1773, voulut donner à son diocèse une sainte relique. Ainsi, en 1771, la dépouille d'un martyre romain du 3ᵉ s. fut transportée de Rome à St-Florent. La relique fut baptisée du nom patronymique de **saint Flor** et fut placée dans la châsse de la cathédrale.

> **CALENDRIER**
> Célébrée à St-Florent tous les 3 ans, le lundi de Pentecôte, une fête honore la relique de St-Florent.

comprendre

La capitale du Nebbio – Occupé dès le néolithique, urbanisé par les Romains qui y fondèrent la cité de **Nebium**, le site de St-Florent fut sans doute dès le 4ᵉ s. le siège de l'évêché du Nebbio et le resta jusqu'au 18ᵉ s. Il fallut attendre le 15ᵉ s. pour que la ville se développe, autour de la citadelle fondée par les Génois en 1439.
Le site était insalubre, car dans ces basses terres mal drainées sévissait la malaria ; mais St-Florent bénéficiait de l'abri sûr de son golfe et d'une position stratégique. Aussi fut-elle âprement disputée par les Français, les Corses et les Génois durant les conflits (1553-1563) qui précédèrent le traité de Cateau-Cambrésis.

Ancienne cité génoise, Saint-Florent est aujourd'hui une station balnéaire très prisée.

carnet pratique

TRANSPORTS

Hertz – ☎ 04 95 37 16 19. Location de voitures.

Port de plaisance – *Capitainerie* - ☎ 04 95 37 00 79 - Saison : 7h-21h ; hors sais. : 8h-12h, 15h-18h. 790 places.

Bus – Liaison **St-Florent-Bastia** tte l'année, service plus fréquent en juil.-août, ☎ 04 95 37 02 98. Liaison **St-Florent-Île-Rousse** en juil-août.

Navettes maritimes le Popeye et le Saleccia – ☎ 04 95 37 19 07 ou 04 95 36 90 78. *De mi-juin à déb. sept. :* navettes reliant la plage du Loto au port de St-Florent. 8,38€ AR.

RESTAURATION

• À bon compte

Ind'è Lucia – *Pl. Doria* - ☎ 04 95 37 04 15 - *fermé le midi de juil. à oct. - réserv. conseillée en été -* 16/25€. Il fait bon s'attarder sous la tonnelle de « chez Lucia » ou, sous l'acacia, près de la fontaine de la placette. Le menu a vraiment l'accent corse : soupe, jambon, terrines maison, gibiers en saison, omelette au brocciu et à la menthe... Les habitués ne s'y trompent pas !

• Valeur sûre

La Rascasse – *Prom. des Quais* - ☎ 04 95 37 06 99 - *fermé oct. à mars et lun. sf du 15 juin au 15 sept. -* 18,29€. Les petites terrasses ne sont pas si nombreuses à St-Florent, et la carte de ce restaurant, situé sur le petit port, fait la part belle aux poissons... Alors, laissez-vous tenter...

La Gaffe –*Port de plaisance* - ☎ 04 95 37 00 12 - *fermé 15 nov. au 31 janv. et mar. sf le soir du 15 juin au 17 sept. -* 23€ déj. - 31/46€. Sur le port de plaisance, face au golfe paisible et au Monte Castagne, embarquez pour un voyage de saveurs marines. Langoustes et pêche locale se dégustent dans une salle lumineuse et climatisée à déjeuner, qui s'ouvre à l'air du large le soir.

HÉBERGEMENT

• Valeur sûre

Hôtel Treperi – *Rte de Bastia* - ☎ 04 95 37 40 20 - *fermé nov. à fév. -* 18 ch.: 45/84€ - ☐ 6,50€. Entouré d'un parc de 2 ha planté de lauriers, bougainvilliers, eucalyptus, figuiers de Barbarie... quel plaisir d'admirer le matin, le spectacle reposant du golfe de St-Florent. Chambres simples avec terrasses privatives, accueil chaleureux et piscine bordée de vignes.

Hôtel Maxime – *Rte de la Cathédrale* - ☎ 04 95 37 05 30 - ☐ - 19 ch.: 54,88/57,93€ - ☐ 6,10€. Amarrez votre bateau - s'il n'est pas trop grand - au ponton prévu à cet effet. Le petit canal au pied de l'hôtel vous conduira jusqu'à la mer à 100 m. Les chambres avec petite loggia sont fonctionnelles.

ACHATS

Salge et Fils – *Pl. du Monument* - ☎ 04 95 37 00 43 - *été : tlj 6h30-13h30, 16h-20h30 ; reste de l'année : mar.-dim. 7h-12h30, 15h-19h.* Toujours en quête de nouvelles saveurs, José Salge a su marier la variété gastronomique de son île et son exigence de qualité en créant de délicieuses glaces aux parfums du terroir : herbes du maquis, châtaigne, Brocciu, Muscat de Patrimonio...

LOISIRS

Aqua Do – *Quai de l'Aliso* - ☎ 04 95 37 27 43 - *mai-sept. : tlj 8h30-19h30 ; oct.-avril : sur demande préalable.* Ce centre de plongée est tenu par une biologiste passionnée qui vous fera découvrir les superbes sites qui bordent St-Florent. Baptêmes, explorations, plongées de nuit... vous pourrez également suivre, hors saison, des stages de biologie sous-marine.

St-Florent demeura une cité de garnison et de pêcheurs jusqu'à la fin du 17e s. Son déclin brutal survint après la décision génoise de raser les remparts (1667) dont l'entretien coûteux n'était plus justifié, la sécurité maritime semblant acquise. Victime aussi de la malaria, la ville fut désertée pendant près de deux siècles.

Il fallut attendre le Second Empire pour que St-Florent renaisse : des travaux d'urbanisme et l'assèchement des marais furent entrepris et se prolongèrent sous la IIIe République. La création d'un port de plaisance en 1971 a contribué grandement à l'essor de la cité.

SENTIER DU LITTORAL
Un sentier★★ longe la côte des Agriates et permet d'atteindre l'Ostriconi en passant par la plage du Loto⏃ et celle de Saleccia⏃. Point de départ : à l'extrémité Ouest de la plage de la Roya *(voir les Agriates)*.

se promener

La **vieille ville**★ se rassemble autour de l'église dont le clocher domine le port de pêche et de plaisance abrité par une longue jetée. On flâne avec plaisir à travers ses ruelles tortueuses bordées de vieilles maisons et ses placettes fleuries de lauriers-roses.

Place des Portes

Séparant les rues sombres de la vieille ville et les espaces dédiés à l'activité balnéaire, elle est le véritable centre d'animation de la cité. Son espace est partagé entre les terrasses des cafés et les terrains occupés par les joueurs de boules assidus.

Citadelle

PANORAMA
Après avoir franchi le portail, avancez-vous sur la gauche du parapet pour découvrir une vue surprenante sur les vieilles maisons bâties à fleur d'eau.

Bâtie par les Génois sur un promontoire calcaire, elle domine la ville et le port. La citadelle a été plusieurs fois remaniée depuis sa fondation en 1439 par Tomasino de Campo Fregoso qui érigea celle de Bastia, 41 ans plus tard. Le donjon circulaire *(en cours de restauration, ne se visite pas)* est un remarquable exemple d'architecture militaire génoise. La citadelle était la résidence du gouverneur du Nebbio.

Plage de la Roya

Par la route, à environ 2 km au Sud-Ouest du centre. Prendre la D 81 et franchir la rivière l'Aliso. Longue plage offrant de multiples activités nautiques (location de bateaux, planches, pédalos, etc.).

alentours

Ancienne cathédrale du Nebbio★★ (église Santa-Maria-Assunta)

1 km par la petite rue face au monument aux morts vers Poggio-d'Oletta. Juil.-août : tlj ; sept.-juin : s'adresser au Syndicat d'initiative pour les visites.

MÈRE ET FILLE
Par ses dimensions et son plan basilical à trois nefs, l'église Santa-Maria accuse sa filiation avec la cathédrale de la Canonica. Elle s'en distingue cependant par sa recherche décorative : double étage d'arcatures de la façade et corniches ouvragées à la base des toitures. À l'intérieur, alternance de piliers et de colonnes surmontées de chapiteaux ornés de crochets, de coquillages et de curieuses sculptures d'animaux.

L'église Santa-Maria occuperait en partie l'emplacement de l'ancienne cité romaine. C'est l'un des plus importants témoignages de l'architecture religieuse en Corse.

Postérieure à celle de la Canonica qui lui servit de modèle, cette ancienne cathédrale, représentative de la seconde période du roman pisan dans l'île fut probablement achevée vers 1140. Elle présente un appareillage soigné de moellons de marbre tarentin d'une belle finesse de grain. Elle s'élève sur un large terre-plein bien dégagé.

Une châsse vitrée abrite les reliques de saint Flor, soldat romain qui subit le martyre au 3e s.

Plage de Loto⏃

Somptueuse plage des Agriates, elle est accessible à pied (en 4h1/2) ou en bateau depuis St-Florent. Une excursion à ne pas rater ; emporter des provisions d'eau *(voir le carnet pratique et le chapitre les Agriates pour d'autres précisions).*

Sainte-Lucie-de-Tallano★

Santa Lucia di Tallà

Dominant la vallée du Rizzanèse, ce gros village très typé groupe ses hameaux dans la verdure au milieu des oliviers et autres arbres fruitiers. Ses hautes maisons de granit recouvertes de tuiles orangées sont agencées autour d'étroites ruelles. La commune, soucieuse de développer le tourisme rural, a entrepris un gros travail de réhabilitation du vieux quartier et d'aménagement d'un « sentier du patrimoine ». Cette belle promenade, guidée par des panneaux signalétiques, vous fera découvrir les aspects historiques, botaniques, géologiques et culturels du village.

carnet pratique

RESTAURATION

• À bon compte

Santa Lucia – ☎ 04 95 78 81 28 - fermé dim. hors sais. - 12,96/21,34€. Un petit restaurant comme on les aime, sur une place de village avec sa fontaine chantante et rafraîchissante. C'est aussi le café du coin, avec véranda et terrasse ombragée. Ambiance conviviale et cuisine corse en toute simplicité.

PETITE PAUSE

Jacques Léandri – Moulin à huile d'Omiccia Village - ☎ 04 95 78 81 94 - tlj 9h-12h, 15h-19h. Dans une échoppe d'un autre temps, Jacques Léandri vous fera découvrir par la dégustation les différentes huiles d'olive (à leur différent stade de mûrissement) qu'il élabore suivant des méthodes totalement artisanales. Ses spécialités : l'Ogliu di Missiau (l'huile de grand-père), des huiles de noix, noisette et amande.

La situation

Carte Michelin nº 90 pli 8 – Corse-du-Sud (2A). Entre mer et montagne, Ste-Lucie-de-Tallano se trouve sur l'axe Propriano-Sartène-Bavella, à 450 m d'altitude.

🗎 *Mairie, 20212 Ste-Lucie-de-Tallano,* ☎ 04 95 78 80 13. *Lun.-ven. 9h-12h, 14h-17h.*

Le nom

Le nom corse *Tallà* signifie « région pentue », en référence à la vallée du Rizzanèse que le village surplombe. Une autre explication peut être donnée au nom du village : une légende raconte qu'un chef arabe se serait extasié devant cette contrée verdoyante en s'écriant « At Allah ! », « Don de Dieu ».

Les gens

Ste-Lucie développe une importante vie associative. Depuis quelques années, les villageois privilégient une politique de projets structurants : eau, assainissement, rénovation des oliveraies, conservation et valorisation du patrimoine culturel et architectural.

Ste-Lucie-de-Tallano, un beau village corse situé au cœur des montagnes de l'Alta-Rocca.

se promener

Place du Monument-aux-Morts (ou place de l'Ormeau)

Au cœur du bourg, face à l'église paroissiale, cette place agréablement ombragée abrite bars et restaurants ; un panneau d'informations signale les curiosités du village. Elle constitue un beau point de vue plongeant : au premier plan, le hameau de Poggio ; un peu plus loin, sur un mamelon couronné d'un bois de chênes verts, émerge le toit de tuiles rouges de la superbe église romane St-Jean-Baptiste ; au fond, la vallée du Rizzanèse et Loreto-di-Tallano.

Le monument aux morts, harmonieuse allégorie féminine, mérite une attention particulière pour le bel échantillon de **diorite orbiculaire** qui sert de socle à sa statue. Cette roche rarissime a rendu célèbre le village dans le monde des minéralogistes pour son filon longtemps exploité dans une carrière des environs.

Église paroissiale

S'adresser au bar-tabac Ortoli, place de l'Église.

L'intérieur révèle un édifice rénové dans la bonne tradition baroque du 17e s. : nef rectangulaire, avec six chapelles latérales. On remarquera au fond de l'église un bénitier de marbre aux armes des della Rocca (fin 15e s.). Adossé à un pilier de gauche, le bas-relief en marbre blanc a été offert en 1498 par le comte Rinuccio della Rocca qui y fit graver ses armoiries. Cette gracieuse Vierge portant l'Enfant sur ses genoux évoque l'art des sculpteurs florentins du 15e s.

Offert par Rinuccio della Rocca au couvent St-François, le **retable de la Crucifixion** (16e s.) dénote une influence espagnole dans l'expression des visages, la finesse des traits et les riches draperies, associée au goût flamand pour les détails réalistes. Il ne s'agit, malheureusement, que d'une copie de taille réduite ; l'original se trouve à Ajaccio et n'est pas visible.

LA DIORITE ORBICULAIRE

C'est une roche éruptive sombre de couleur gris-vert : la cristallisation particulière de ses composants dessine des figures concentriques. Se prêtant admirablement à la taille, elle fut utilisée comme pierre d'ornementation, notamment dans la chapelle des Médicis à Florence.

La commune a remis en valeur l'activité oléicole dans la micro-région avec la restauration d'un moulin à huile.

Maison forte

Situé derrière l'église, cet étonnant bâtiment presque cubique servait autrefois de refuge à la population en cas de danger (d'où le nom corse *casatorre*). Huit bretèches plaquées sur les murs austères permettaient de contrôler les abords. Sous chaque bretèche, une bouche à feu venait compléter ce dispositif.

Moulin à huile

Accessible par un chemin en contrebas de la place, à environ 200 m. De juin à fin sept. : visite guidée (1/2h) tlj sf dim. 10h-12h, 15h-18h. Fermé j. fériés. 0,76€. ☎ 04 95 78 80 13. Cet ancien moulin a été réhabilité et transformé en écomusée.

Couvent St-François

Situé à la sortie du village en direction de Levie, sur la droite. Fermé pour travaux.

C'est sans doute à la dévotion d'un puissant seigneur de la région, le comte Rinuccio della Rocca, qu'il faut attribuer la fondation et la construction de ce couvent en 1492. Édifiés sur une plate-forme dominant le village de Ste-Lucie, non loin de la route de Levie, la haute et sobre église et ce qui reste du bâtiment conventuel ont encore de l'allure. On peut imaginer ce que fut le cloître puisque subsiste une partie de galerie avec cinq belles arcades, d'une nudité toute franciscaine.

alentours

Chapelle St-Jean-Baptiste★

🏃 *500 m jusqu'au hameau de Poggio-di-Tallano, puis 1h AR à pied. À la sortie Nord du hameau, prendre le sentier qui part en biais sur la gauche, après la dernière maison.*

Cet ancien chemin muletier serpente dans un sous-bois plein de fraîcheur. En plusieurs points, de belles vues se dégagent sur Ste-Lucie et la vallée du Rizzanèse. On passe à gué un ruisselet. La chapelle surgit dans son cadre sauvage et touffu de chênes-lièges et d'oliviers. Cette église, construite sans doute peu avant 1150, présente beaucoup de points communs avec l'église piévane de Carbini (une vingtaine de kilomètres plus à l'Est) qui a dû lui servir de modèle.

L'édifice, de dimensions relativement imposantes, est construit dans un bel appareil de dalles dorées. La sobriété des murs est rehaussée d'un décor d'arcatures appuyées sur des modillons dont certains représentent des masques humains et d'autres des têtes de bovidés. Le fronton occidental est également décoré d'arcatures sous les rampants du toit.

À l'intérieur, il faut prendre le temps de s'habituer à la relative pénombre pour apprécier la pureté des volumes et la beauté du chœur semi-circulaire.

CALENDRIER

Le village organise chaque année (mi-mars) **« a festa di l'oliu novu »**, grande foire régionale de l'huile d'olive qui se déroule sur 2 jours et regroupe une soixantaine d'artisans. Nombreuses animations. Une deuxième foire a lieu en juillet. ☎ 04 95 78 80 13.

Mela

4 km à l'Est de Ste-Lucie sur la route de Levie. Ce minuscule village s'étire tout en longueur sur une arête, dominant un paysage verdoyant de cultures en terrasses et de chênaies. L'habitat présente une belle unité architecturale avec ses maisons en granit et le clocher carré de son église, coiffé d'un lanternon. On en a une belle vue depuis le premier virage de la D 268 après le couvent de Ste-Lucie.

Pianu de Levie *(voir ce nom)*

Les îles **Sanguinaires**★★

Pour les voyageurs arrivant en Corse par Ajaccio, les îles Sanguinaires marquent l'achèvement de la traversée et composent l'illustration type évoquant la Corse. Ces îlots de porphyre d'un rouge sombre prolongent la pointe de la Parata et se disposent en sentinelles à l'entrée du golfe. Au coucher du soleil, ils se parent d'une chaude couleur ocre rouge.

La situation

Carte Michelin n° 90 pli 17 – Schéma p. 112 – Corse-du-Sud (2A). L'archipel baigne dans l'entrée Nord du golfe d'Ajaccio. Pour approcher au plus près des Sanguinaires en voiture, quitter Ajaccio par l'Ouest et prendre la route des Sanguinaires (12 km) qui mène à la pointe de la Parata. Le mieux bien sûr est d'entreprendre une excursion en bateau.

Le nom

On a dit que le nom de l'archipel faisait allusion au sang noir *(i sangui neri)* des malades atteints de la lèpre. Mais il semble qu'il n'y ait jamais eu de lépreux au lazaret des Sanguinaires, ceux-ci étant interdits en Corse. Le nom proviendrait plutôt de *Sagonarii,* îles qui protègent l'entrée du golfe de Sagone.

Les gens

Alphonse Daudet habita le phare des Sanguinaires en 1863 et consacra à la grande île une des *Lettres de mon moulin.*

La pointe de la Parata offre une belle vue sur les îles Sanguinaires.

se promener

EN MER★★

De déb. avr. à fin oct. : accès en vedette au dép. du port d'Ajaccio, quai Napoléon, face à la pl. Mar.-Foch dép. 15h30, retour 18h avec arrêt sur l'île. 18,29€. Compagnie Nave Va. ☎ *04 95 21 83 97.*

Cette promenade en vedette permet d'avoir une vue d'ensemble de la ville d'Ajaccio. Le bateau longe la côte Nord du golfe. Puis il passe au large de la pointe de la Parata couronnée d'une tour génoise pour accoster la **Grande Sanguinaire.** C'est le plus éloigné du rivage et le plus important des quatre îlots qui constituent cet archipel. Sur la Grande Sanguinaire s'élèvent un phare à éclipses, un ancien sémaphore et une tour en ruine. L'îlot a conservé sa physionomie, mais on n'y voit plus d'aigle, de chèvres sauvages ni de petits chevaux. La Grande Sanguinaire fut concédée par Gênes en 1503 à la famille ligure des Ponte « sous la condition qu'elle y plante 800 ceps de vigne et 600 arbres fruitiers ».

> ► **G**agner l'extrémité de l'îlot en longeant le bord de mer ou monter au phare. De ces deux endroits, on découvre une **vue**★★ splendide sur le golfe d'Ajaccio.

LETTRES DE MON MOULIN

« Figurez-vous une île... d'aspect farouche : le phare à une pointe, à l'autre une vieille tour génoise où, de mon temps, logeait un aigle. En bas, au bord de l'eau, un lazaret en ruine envahi de partout par les herbes ; puis des ravins, des maquis, de grandes roches, quelques chèvres sauvages, de petits chevaux corses gambadant, la crinière au vent ; enfin, là-haut, tout en haut, dans un tourbillon d'oiseaux de mer, la maison du phare avec sa plate-forme en maçonnerie blanche... ». A. Daudet, *Lettres de mon moulin.*

San Michele de Murato★★

L'église San Michele, séduisante image du tourisme et de l'art en Corse, se dresse, isolée, à 475 m d'altitude sur un petit plateau qui domine le bassin du Bevinco. L'harmonie exceptionnelle de cet édifice est rehaussée par le cadre montagnard et sauvage d'une grande beauté dans lequel il se détache.

La situation

Carte Michelin n⁰ 90 pli 3 – Schéma p. 269 – Haute-Corse (2B). Le village de Murato est établi à environ 17 km au Sud de St-Florent (emprunter la D 82). L'église San Michele s'élève à 1 km au Nord-Est du bourg, dans un superbe site où la vue s'étend jusque St-Florent et le désert des Agriates.

Le nom

Murata signifie « maçonnerie » en corse. Peut-être faut-il y voir un lien avec le remarquable travail de construction et de composition des murs bichromiques de l'église.

se promener

Murato

Ce vigoureux bourg du Nebbio répartit ses quartiers anciens de part et d'autre de la départementale.
L'**église de l'Annonciation** possède de belles stalles et une intéressante œuvre de l'école du Titien représentant sainte Madeleine repentante.
En contrebas de la D 5 se dresse la vaste demeure en pierre, percée de passages voûtés qui abrita le premier **hôtel de la monnaie**. En 1766, l'établissement fut transféré à Corte.

visiter

San Michele de Murato★★

Visite sur demande auprès de la mairie de Murato. Prêt de la clé en échange d'une pièce d'identité. ☎ *04 95 37 60 10.*
Construite aux alentours de 1280, l'église San Michele appartient à la fin de la période du roman pisan en Corse. Elle se caractérise par une **polychromie originale et harmonieuse★** et par un développement de l'œuvre sculptée. Une cordelière court sous le rampant du toit au chevet et à la façade.
La **sculpture★**, parfois gauche, souvent naïve et plus soignée que dans les autres églises de l'île, s'accorde discrètement à l'édifice.

RESTAURATION

La Ferme de Campo di Monte – *20239 Murato -* ☎ *04 95 37 64 39 - ouv. jeu. soir, ven. soir, sam. soir et dim. midi -* ✉ *- réserv. obligatoire - 38,11€.* De cette authentique ferme de 1630, entourée de chênes verts et de châtaigniers, admirez l'église San Michele et le golfe de St-Florent. Dans ses petites pièces intimistes, les maîtres de maison servent un repas bien ancré dans le terroir. Une adresse très courue...

LA TÊTE DE MAURE
C'est dans l'hôtel de la monnaie que **Paoli** fit battre la monnaie corse à l'effigie de la tête de Maure. La réunion des métaux précieux nécessaire à cette opération fut possible grâce à la collecte, dans chaque paroisse, d'une partie du trésor religieux et des bijoux personnels donnés à fondre.

L'architecte a trouvé dans la vallée du Bevinco une serpentine vert sombre et un calcaire blanchâtre faciles à équarrir en moellons de dimensions fort diverses. Le maçon s'est plu à agencer ces pierres, avec un art qui bannit toute monotonie.

On observe, sur la façade Ouest, les **consoles sculptées** d'animaux ou de personnages grossièrement ébauchés ; aux appuis et aux encadrements des étroites fenêtres latérales, des rinceaux et des entrelacs ; au chevet, des consoles et des modillons ouvragés. L'intérieur couvert en charpente présente, à l'arc triomphal, des restes de **fresques** datant de 1370 et représentant l'Annonciation. Au 19e s., la tour carrée a malheureusement été surélevée, ce qui rompt un peu les proportions de l'édifice.

Sant'Antonino★★

Sant'Antuninu

Culminant à 500 m d'altitude, sur les dernières pentes de la Balagne, le village en nid d'aigle est un harmonieux dédale de ruelles pavées et de passages voûtés. Sa restauration très réussie en fait un des pôles d'attraction du tourisme et de la renaissance de l'artisanat corse.

On dit souvent que Sant'Antonino est le plus vieux village de l'île. Le jour de la Saint-Antoine, les moines viennent bénir les maisons.

La situation
Carte Michelin no 90 pli 13 – Schéma p. 137 –Haute-Corse (2B). À 15 km au Sud de l'Île-Rousse, ce village de plan à peu près circulaire domine toute la Balagne et la mer. Laissez votre véhicule sur le terre-plein devant l'église et poursuivez à pied par la ruelle pavée qui grimpe au village.

Les gens
Le village fut l'un des fiefs de la famille des Savelli, comtes de Balagne. Ils abritaient la population dans leur forteresse lorsque les voiles barbaresques pointaient à l'horizon.

se promener

Le village domine un petit plateau herbeux sur lequel s'élèvent isolées l'église et sa chapelle de confrérie, toutes deux de style baroque.
Dans le dédale des ruelles étroites, tortueuses, pavées de galets, et des multiples passages sous voûtes, quelques hautes maisons de granit sombre ont été restaurées avec goût. Quelques boutiques d'artisanat se sont installées (poteries, bijoux, spécialités gastronomiques, etc.). Contourner le village dans le sens des aiguilles d'une montre pour admirer le remarquable **tour d'horizon**★★ sur la vallée du Regino, la Balagne vallonnée de Belgodère à Lumio, les hautes montagnes enneigées, le bassin d'Algajola et la mer.

Le Sartenais★

U Sartenesu

Cette zone particulièrement riche en vestiges mégalithiques représente un des grands foyers de la préhistoire corse.
Outre son aspect historique, la région offre depuis la
pointe de Campomoro jusqu'à Roccapina une
remarquable côte préservée, essentiellement accessible par bateau.

La situation
Carte Michelin n° 90 pli 18 – Corse-du-Sud (2A). Le Sarte-
nais, forme un triangle entre la pointe de Roccapina au
Sud, et le cap Tizzano à l'Ouest et Sartène au sommet.

Les gens
Terre fertile, le Sartenais est une région de viticulteurs.
Sous l'appellation « sartène », une des 8 AOC de Corse,
on déguste essentiellement des vins rouges bien char-
pentés mais aussi quelques vins rosés et blancs parfumés à souhait.

**HÉBERGEMENT ET
RESTAURATION**
Le Golfe – 20100
Tizzano - ☎ 04 95 77
14 76 - fermé nov. à
mars - 🅿 - 17 ch.:
83,85/88,42€ - 🍵
6,10€. Un paradis
d'émeraude et de
rochers échancrés
autour de cet hôtel
familial tourné vers la
mer. Les chambres ont
une terrasse pour le
petit-déjeuner dans la
fraîcheur matinale.
Produits de la mer à
savourer dans la salle à
manger au-dessus de
l'eau.

circuits

1 LES MÉGALITHES DE CAURIA ET LE FORT DE TIZZANO★

*Circuit de 53 km. Quitter Sartène par la route de Bonifacio
(N 196). À 2,5 km, à Bocca Albitrina prendre à droite la D 48
vers Tizzano.*

La route descend la vallée du Loreto et traverse une zone
de maquis jonchée de gros blocs de rochers. Le long de
la route prospèrent des vignobles.

*À 10 km obliquer à gauche par la route en montée et suivre
la signalisation « Cauria ».*

Après 4,5 km, on atteint le plateau de Cauria où un bel
ensemble mégalithique se trouve dispersé.

*À droite s'ouvre un chemin sablonneux mais carrossable
(signalé : Dolmen et menhirs) que l'on suit sur 1 km. Laisser la voiture sur une aire de stationnement à côté de l'alignement de Stantari.*

Cauria regroupe trois surprenants sites mégalithiques : l'alignement de Stantari, celui de Renaggiu et le dolmen de Fontanaccia.

Alignement de Stantari
Panneau indicateur. Une vingtaine de menhirs sont alignés dans un enclos. Plusieurs statues-menhirs représentent des hommes en armes de l'âge du bronze, avec leur grande épée verticale en relief.

Alignement de Renaggiu
À 300 m. Panneau indicateur ; franchir deux haies de branchages et passer un portail. Au pied de la Punta Cauria, une quarantaine de menhirs, orientés Nord-Sud, sont **disséminés sous un petit bois**.

Revenir à l'alignement de Stantari et prendre à gauche la direction du dolmen.

Dolmen de Fontanaccia
Panneau indicateur. Franchir une petite échelle entre deux chênes-lièges, puis 200 m plus loin, une autre au-dessus d'une haie de branchages située sur la gauche. Elle donne accès à un sentier à travers le maquis.

La croyance populaire considérait les mégalithes comme le théâtre de pratiques endiablées durant la nuit. Ainsi, le dolmen de Fontanaccia porte également le nom de *stazzona del Diavolo*, « la forge du diable ». Ce dolmen, signalé en 1840 par Prosper Mérimée, est remarquablement conservé. Six piliers verticaux supportent l'entablement de granit. La chambre funéraire ainsi formée mesure 2,60 m de longueur sur 1,60 m de largeur pour une hauteur de 1,80 m.

Revenir sur la D 48 que l'on prend sur la gauche, direction Tizzano.

Tizzano⌂
Cette charmante petite « marine » s'abrite à l'entrée d'un goulet et offre une magnifique plage de sable ainsi que de nombreuses criques. C'est un lieu réputé pour la chasse et la plongée sous-marines.

Le fort
6 km AR. Accès par un chemin de terre carrossable qui débute au bout du hameau, contourne le goulet puis s'élève sur la colline. Il se dirige vers une plage : peu avant, bifurquer à gauche ; le fort est à 300 m sur la hauteur à gauche, émergeant du maquis.

Bien qu'en partie ruiné, ce fort demeure un intéressant témoin de l'architecture militaire des 16e et 17e s. Il gardait l'entrée du goulet de Tizzano, abri très sûr les jours de gros temps. Son enceinte cantonnée de tours rondes enserre un donjon dont le sommet a volé en éclats. Sans doute est-ce le résultat d'une explosion dans sa chambre haute.

Le retour à Sartène s'effectue par la D 48, puis la N 196.

② SITE PRÉSERVÉ DE ROCCAPINA
24 km au Sud de Sartène par la N 196 en direction de Bonifacio.

La route parcourt une région couverte de vignobles avant d'atteindre la côte Sud, rocheuse et déchiquetée. Du **col de Roccapina** (Bocca di Roccapina), face au restaurant *L'Oasis du Lion*, une belle vue s'offre sur le golfe de Roccapina et le **rocher du Lion★**.

LE LION SCULPTÉ
Sur le promontoire, près d'une tour génoise, une monumentale sculpture naturelle en forme de lion couché se découpe entre ciel et mer : le rocher du Lion★ *(il est déconseillé d'escalader).* La vaste cavité formant la « gorge » du lion a été autrefois aménagée en deux pièces probablement utilisées comme dépôt de blé.

Le domaine de Roccapina

L'accès au littoral (2,5 km) se fait depuis la piste fléchée « Camping de Roccapina » située à la droite du restaurant Curali, au col de Curali (Bocca di Curali).

Le secteur s'étendant du cap de Roccapina jusqu'au promontoire au Sud enserrant la cala di Roccapina est une zone protégée, librement accessible mais dotée d'une réglementation particulière pour les véhicules à moteur et le camping. Cette zone humide abrite un nombre important d'oiseaux aquatiques. Près de la plage, la dune, entièrement protégée, est en partie colonisée par des genévriers. Du pied de la tour génoise, le **panorama**★★ s'étend au Sud vers les îlots des Moines, vers l'Est, sur les contreforts de la montagne de Cagna, et à l'Ouest sur la vallée de l'Ortolo et son marais à tamaris.

Le sentier qui part à proximité de l'auberge mène au bout de 3 km à la **Cala di Roccapina**, magnifique plage de sable fin très appréciée des estivants en saison.

Réserve naturelle des îles Bruzzi et des îlots des Moines

Accès interdit de nov. à mi-sept.

À quelques centaines de mètres au Sud de la tour d'Olmeto, les îles granitiques **Bruzzi**, proches d'une prairie de posidonies sont fréquentées par une grande variété de poissons de roches (sars, rascasses et labres), tandis qu'araignées et cigales de mer viennent s'y reproduire. Ces îles sont le seul site de nidification du cormoran huppé sur la côte occidentale de la Corse.

LE NAUFRAGE DU TASMANIA

Face au Lion de Roccapina, les îlots des Moines furent le témoin le 17 avril 1887 d'un tragique naufrage. Parti de Bombay, le *Tasmania*, trois-mâts arborant les couleurs de l'Empire britannique, cinglait de toutes ses voiles vers Londres pour permettre à ses 300 passagers d'assister au jubilé de la reine Victoria. Au cœur de ses cales, le somptueux trésor d'un maharajah, cadeau à sa souveraine, d'une valeur de 25 millions de francs-or, soit près de 8 fois le prix du navire. À trois milles du rivage, l'imposant voilier se brisa sur les récifs à la suite d'une fausse manœuvre de l'officier de quart. Malgré des pertes humaines, la plupart des passagers et l'équipage furent sauvés par les bergers de Roccapina, témoins du désastre. L'impératrice des Indes témoigna sa reconnaissance aux sauveteurs en leur faisant parvenir des pièces d'or.

Sartène★

Sartè

Sartène est bâtie en amphithéâtre au-dessus de la vallée du Rizzanèse, à 13 km de Propriano, son port naturel.

« La plus corse des villes corses », selon Prosper Mérimée, a conservé beaucoup de caractère avec ses vieilles demeures austères et ses traditions : la procession du Catenacciu est sans doute la cérémonie la plus ancienne de l'île.

La situation

Carte Michelin nᵒ 90 pli 18 – Schémas p. 318 et 335 – Corse-du-Sud (2A). À une quinzaine de kilomètres au Sud-Est de Propriano (par la N 196), Sartène dresse ses hautes façades au-dessus du golfe de Valinco.

La place de la Libération est le lieu central de la ville ; le vieux quartier Santa Anna se concentre au Nord de cette place. **🄸** *6, r. Borgo, 20100 Borgo, ☎ 04 95 77 15 40. Juil.-sept. : lun.-sam. 9h-12h, 15h30-19h ; hors sais. : lun.-ven. 9h-12h.*

carnet pratique

RESTAURATION
• Valeur sûre
Ferme-auberge A Tinedda – *Rizzanèse - 5 km au N de Sartène par N 196 (dir. Propriano)* - ☎ *04 95 77 09 31 - fermé 1er nov. au 1er juin - ⬜ - 22,89€.* Amateurs de cuisine familiale authentique, préparée avec de bons produits de la ferme, cette auberge est pour vous... La treille près du jardin, la salle voûtée aux murs de granit et son vieux pressoir sauront vous séduire. Chambres au calme de la campagne, en demi-pension l'été.

Auberge Santa Barbara – *Rte de Propriano* - ☎ *04 95 77 09 06 - fermé 16 oct. au 14 mars et lun. sf le soir en sais. - 24,39€.* Derrière sa façade anodine, cette auberge à la sortie du village dissimule une terrasse qui ouvre sur un beau jardin verdoyant. De là, vous pourrez admirer le village de Sartène et savourer la cuisine de la patronne qui pianote gentiment sur les saveurs d'ici...

HÉBERGEMENT
• Valeur sûre
Domaine de Croccano – *Rte de Granace - 3,5 km au NE de Sartène par D 148* - ☎ *04 95 77 11 37 - christian.perrier@wanadoo.fr - fermé déc. - 4 ch.: 46/68€ - repas 20€.* Lors d'un séjour équestre ou d'une simple étape dans sa confortable maison de granit, partagez avec ce couple attachant leur amour pour la nature et les chevaux, parmi les chênes-lièges et les oliviers. Chambres douillettes, convivialité et préparations soignées à la table d'hôte.

Hôtel Villa Piana – *Rte de Propriano* - ☎ *04 95 77 07 04 - fermé 16 oct. au 31 mars - 🅿 - 31 ch.: 68,60/79,27€ - ⬜ 6,40€.* Que rêver de mieux à quelques minutes des plages de Propriano : face au ravissant village de Sartène, cet hôtel vous ouvre ses délicieuses chambres... Quelques terrasses privatives bordées de lauriers roses et une très belle vue depuis la piscine à débordement.

PETITE PAUSE
A Cantinetta – *29 r. Borgo* - ☎ *04 95 77 08 75 - juin-sept. : tlj 9h-18h.* Cet établissement rappelle les « cantines » d'autrefois. C'est dans son cadre rustique, son ambiance conviviale que vous pourrez découvrir et déguster des vins sartenais et surtout des vins et liqueurs de myrte, de pêche, d'orange ou de clémentines. Possibilité de prendre une assiette de charcuteries ou de fromages pour accompagner la découverte des vins sartenais.

Le nom
Certains chercheurs affirment que Sartène aurait la même étymologie que Sardaigne et viendrait de *Sardes*, ville d'Asie Mineure.

Les gens
3 410 Sartenais. Le Grand Pénitent ou **Catenacciu** est le personnage le plus important de la grande procession du Vendredi saint. Il interprète la Passion du Christ en conservant son anonymat.

comprendre

Une ville convoitée – Sartène tient une place à part dans l'histoire de la Corse. Au Moyen Âge, elle fut le fief des puissants **seigneurs de la Rocca**. Plus tard, dirigée par une classe de grands propriétaires terriens, les « **Sgiò** », elle manifesta longtemps son respect du pouvoir établi et son hostilité aux idées et influences venues de l'extérieur.

Hautes et sévères comme des forteresses, les demeures de Sartène sont coiffées de toit rouge. Quelques fleurs aux fenêtres et des guirlandes de linge apportent parfois une touche de gaieté à cette ville austère.

Giovanni della Grossa – Né à Grossa près de Sartène en 1388, notaire et historien, Giovanni entra au service du parti aragonais et participa, aux côtés de Vincentello d'Istria, à la bataille de Biguglia en 1426. Dix ans plus tard, Gênes l'emportait dans sa rivalité avec l'Aragon ; il se plaça alors sous la protection de Simone da Mare *(voir Rogliano)*. En 1447 les Génois le nommèrent vicaire de la Cinarca. À la fin de sa vie, il se retira à Grossa où il écrivit ses précieuses chroniques qui restent les principales sources de l'histoire médiévale de l'île.

De multiples incursions – La côte, d'accès facile, fut longtemps fréquentée par les Barbaresques.

En 1565, Sartène fut assiégée par les partisans de Sampiero Corso qui massacrèrent la garnison.

À peine une vingtaine d'année plus tard, en 1583, les pirates d'Alger pillèrent la ville et prirent en esclavage près de 400 habitants.

Au cours de la guerre d'Indépendance, le général Giafferi s'empara, le 17 mars 1732, de Sartène dont la population était favorable aux Génois. Les Barbaresques revinrent au 18e s. et ruinèrent les villages voisins.

La cité fut longue à reconnaître le gouvernement de Paoli. Mais en 1763, la consulte de Sartène, présidée par Paoli lui-même, rallia les notables de la Rocca.

De hauts fonctionnaires – À la fin du 19e s., et en particulier sous le Second Empire, la famille sartenaise **Pietri** donna à la France des hommes politiques et de hauts fonctionnaires comme Pierre-Marie Pietri (1810-1884) et son frère Joseph-Marie (1820-1902), tous deux préfets de police sous le Second Empire ; puis Nicolas Pietri, administrateur et ami de Clemenceau.

La procession du Catenacciu★★ – *Le soir du Vendredi Saint, l'accès en véhicule à la vieille ville et le stationnement sont strictement réglementés. La procession part de l'église Ste-Marie à 21h30 et se déroule, durant trois heures, dans la ville illuminée de chandelles (son itinéraire est indiqué en vert sur le plan de la ville).* Chaque année, cette cérémonie commémore la montée au calvaire et exprime la double tendance de la piété corse : s'identifier au Christ portant la croix et adorer le Christ au tombeau.

L'écrivain Lorenzi di Bradi s'est fait le chroniqueur de cette ferveur populaire.

La procession est conduite par le Grand Pénitent ou **Catenacciu** (signifiant l'enchaîné) qui vient de passer en prières la nuit et la journée précédentes au couvent de St-Damien et a reçu en fardeau la croix et les chaînes exposées dans l'église Ste-Marie.

Le Catenacciu a sollicité, parfois depuis plusieurs années, du curé de Sartène, le secret honneur de cette pénitence anonyme et non renouvelable. Vêtu d'une robe rouge, pieds nus, la tête dissimulée sous une cagoule, il s'identifie au Christ.

Le **pénitent blanc** l'assiste, comme Simon de Cyrène aida le Christ. Suivent huit pénitents noirs portant, sur un linceul et sous un dais noir, la statue du Christ mort. Viennent ensuite le clergé et les fidèles. Le lent cheminement du cortège se déroule dans une atmosphère d'angoisse, d'excitation et de ferveur religieuse.

VENDETTAS

Au 19e s., quelques grands propriétaires régentaient la vie du Sartenais. Divisés en clans, ils se livraient de véritables guerres où la population se trouvait entraînée. L'honneur, les rivalités amoureuses, la politique nourrissaient les vendettas. De 1830 à 1834, deux quartiers de la ville, le Borgo et Santa Anna, vécurent sur le pied de guerre. Un traité de paix, signé en 1834 dans l'église Ste-Marie, mit fin aux hostilités.

Le Catenacciu porte à la cheville une chaîne de 14 kg et, sur le dos, une immense croix de chêne (31,5 kg). Ce fardeau entrave sa marche, le faisant trébucher par trois fois, comme le Christ, sur le chemin du Golgotha.

se promener

LA VIEILLE VILLE★★

Visite : 1h1/2.

Place de la Libération (Ancienne place Porta)

Ombragée de palmiers et d'ormes, elle est avec ses cafés et son marché, le lieu le plus animé de la ville. Le monument aux morts s'élève sur la place dominée par l'hôtel de ville et l'imposante église Ste-Marie.

Bradi (Passage de) 2
Carababa (Impasse) 3
Caramana (R.) 4
Croce (R. A.) 6
Frères Bartoli (R. des) 7
Giovanni (Pl. Antoine de) 9
Licciola (R.) 10
Loi (R. A.) 12
Maggiore (Pl.) 13
Maggiu (Pl. du) 15
Marché (R. du) 16
Marchi (R. F.) 17
Purgatoire (R. du) 19
Scalella (Pont de la) 20
Tafanelli (R. J.) 22
Valere-de-Peretti (R.) 24
Vargiola (Pl.) 26
Voûtes (R. des) 27

Échauguette du 16ᵉ siècle . **B**
Hôtel de ville . . . . **H**
Musée
de la préhistoire corse **M**

SARTÈNE

0   100 m

Église Ste-Marie

Construite en gros appareil de granit, elle présente un clocher à trois étages ajourés, surmonté d'un dôme.
Le chœur s'orne d'un de ces imposants maîtres-autels baroques en marbre polychrome importés au 17ᵉ s. de Ligurie et de Toscane. Beau Christ au-dessus de l'autel.

Hôtel de ville

Tlj sf w.-end 8h30-12h, 14h-18h. Fermé j. fériés. Gratuit. ☎ *04 95 77 05 11.*

C'est l'**ancien palais des gouverneurs génois** dont le passage voûté fait communiquer la place de la Libération avec celle du Maggiu dans la vieille ville. La façade principale porte les **armoiries sculptées** de Sartène.

Quartier de Santa Anna★

En passant sous la voûte de l'hôtel de ville, on pénètre dans ce quartier qui a conservé son aspect moyenâgeux. Il offre un dédale de sombres venelles, dallées, reliées entre elles par des escaliers et des voûtes, bordées de maisons de granit gris, aux murs épais et aux persiennes closes.

À 100 m de l'hôtel de ville, en descendant la ruelle de gauche, on aperçoit sur la droite une échauguette du 16ᵉ s., rare vestige des murailles qui enserraient jadis la ville.

Sur la petite place du Maggiu s'ouvre le **passage de Bradi**, extrêmement étroit (2ᵉ rue à gauche à partir de la voûte de l'hôtel de ville), qui mène à la **place Angelo-Maria-Chiappe**. Elle offre une vue étendue sur le golfe de Valinco.

La **rue des Frères-Bartoli**, en cul-de-sac, est également très curieuse avec ses passages étroits en escaliers qui s'ouvrent de part et d'autre.

La **rue Caramana** qui descend jusqu'à la place Chiappe, la petite **place Maggiore**, la charmante **impasse Carababa**, ainsi que la **rue des Voûtes** donnant sur le cours Bonaparte séduiront les amateurs de pittoresque.

> **LA CROIX DU PÉNITENT**
> À gauche de l'entrée principale de l'église Ste-Marie sont accrochées au mur la croix et la chaîne portées par le pénitent rouge du Vendredi saint.

visiter

Musée de Préhistoire corse★

Fermé pour travaux jusqu'en 2003.

◄ Dominant la ville, ce musée est installé dans une ancienne prison (1843). Il abrite des objets provenant des fouilles de l'île (7000 avant J.-C. au 16ᵉ s.).

À l'étage, une enfilade de petites salles présente les pièces les plus caractéristiques de la préhistoire et de la protohistoire insulaires. Le **néolithique ancien** (6000 à 4500 avant J.-C.) est représenté par des silex, des quartz et des poteries à incisions. Le **néolithique récent** et l'**âge du cuivre** (4000 à 2500 avant J.-C.) s'illustrent par des pierres taillées et des vases en pierre polie caractéristiques de la culture " basienne ".

Les archéologues ont recueilli du mobilier dans les sépultures de l'époque **mégalithique** (3000 à 1500 avant J.-C) : céramique noire et lustrée, petits poignards, bijoux d'or ou d'argent.

Dans la grande salle, des photos de sites archéologiques et une vitrine retracent la succession des cultures dans l'île. La **civilisation des *torre*** est représentée par une série de statues-menhirs et du mobilier recueilli dans les complexes torréens de Ceccia, Argiusta, Alo Bisucce... La maquette du monument de Cucuruzzu complète la documentation sur cette période essentielle de l'histoire de l'île *(voir chapitre Art et architecture)*.

L'**âge du fer** (à partir de 700 avant J.-C.) se signale par des céramiques à fibres d'amiante, des parures en pâte de verre, des colliers en perles " porcelainiques " et bien sûr des armes et outils en fer. Le mobilier d'une sépulture à incinération, située à San Simione près d'Ajaccio, forme un ensemble particulièrement intéressant.

La **période romaine** est évoquée notamment par des monnaies de la fin du Bas-Empire, et le Moyen Âge par de beaux plats ou vases colorés, au décor profus.

alentours

Couvent de St-Damien

À la sortie de Sartène sur la route de Bonifacio. Ne se visite pas. Ce grand couvent franciscain du 19ᵉ s. domine la ville et la vallée du Rizzanèse. Il abrite une communauté de moines belges **qui ont restauré ses bâtiments**.

Route du Monte Rosso jusqu'à Mola★

8,5 km au Sud-Est par la D 50. Après avoir passé le col ◄ de Suara, belle vue sur le minuscule village de **Mola** niché dans les oliviers et sur la montagne de Cagna (alt. 1 339 m), longue barrière rocheuse dominant la large vallée de l'Ortolo et principal massif du Sud de la Corse. 2 km après le village, à la hauteur d'un tombeau, on aperçoit sur la droite l'éminence rocheuse coiffée des ruines du **château de Baracci,** fief de Giudice de Cinarca au 13ᵉ s.

Spin'a Cavallu★

9 km au Nord par la D 69, puis à droite la D 268. Voir L'Alta-Rocca.

Alo Bisucce

9,5 km à l'Ouest par la N 196, la D 48 en direction de Tizzano, puis la D 21 vers Grossa. Pour visiter, s'adresser à la personne qui habite la bergerie isolée, à droite.

Cet éperon rocheux occupé dès le début de l'âge du bronze est connu sous le nom de Castello d'Alo. Fortifié par une double enceinte cyclopéenne, il présente à son sommet un **monument** de l'âge du bronze (1 700 avant J.-C.), de 8 m de diamètre. Quatre diverticules rayonnent de la *cella* centrale et présentent un plan en croix gammée facile à observer de la plate-forme.

Défilé de la **Scala di Santa Regina**★★

Le défilé de la Scala di Santa Regina est l'un des plus célèbres et des plus sauvages de l'île. Il parcourt le désert de pierres qui verrouille le Niolo au Nord-Est. La route, taillée par endroits dans la paroi rocheuse, domine les gorges. Le paysage aride et tourmenté offre une physionomie grandiose : la roche à nu, érodée par les vents et les eaux d'orages, se découpe en aiguilles. Seules quelques touffes de végétation réussissent à s'agripper aux anfractuosités. Sous le soleil le défilé s'embrase ; dans l'obscurité, il devient inquiétant.

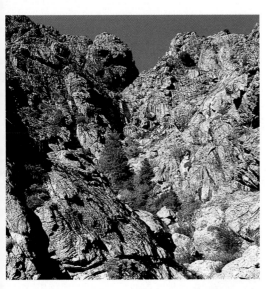

Voie d'accès à la région du Niolo, Scala di Santa Regina est un étrange ravin de granit où coule le Golo.

La situation
Carte Michelin n° 90 plis 4, 14 – Haute-Corse (2B). On longe la Scala di Santa Regina en suivant la D 84 sur 21 km entre Calacuccia et Francardo.

Le nom
Scala di Santa Regina signifie « l'escalier de la Sainte Reine » en raison de la légende de saint Martin qui fut sauvé du diable en invoquant la Vierge *(voir encadré ci-dessous)*.

Les gens
De nos jours encore, au printemps et en automne, les **bergers niolins** et leurs troupeaux transhument par la route de la Scala di Santa Regina.

**SAINT MARTIN ET LE DIABLE,
OU COMMENT NAQUIT SCALA DI SANTA REGINA ?**

De temps immémorial, les Niolins ont situé dans le massif de Santa Regina des épisodes de combat entre les forces du Bien et celles du Mal.
Par exemple, on raconte qu'un jour, alors que saint Martin labourait dans la région, il fut invectivé par le Malin qui lui arracha sa charrue et la lança vers le haut-Golo. Aussitôt les éléments se déchaînèrent, la montagne se disloqua et des pans entiers de rochers roulèrent vers le fond de la vallée. Devant ce spectacle d'épouvante, le saint invoqua la Vierge... Les parois de granit se disposèrent alors de façon à endiguer le fleuve et à ouvrir un accès vers le bassin fermé du Niolo. Saint Martin donna à ce passage escarpé le nom de Scala di Santa Regina, **l'escalier de la Sainte Reine**.
Les prodiges de saint Martin et du diable ont nourri pendant des siècles une littérature orale et populaire particulièrement riche qu'ont recueillie plusieurs chercheurs.

itinéraire

DE CALACUCCIA À FRANCARDO

21 km par la D 84 – environ 1h.

Au départ de Calacuccia la vue se révèle, à droite, sur le site du village.

Barrage de Calacuccia *(voir ce nom)*

La D 84 domine d'abord le torrent de près de 80 m, puis longe la retenue du petit barrage de Corscia.

◄ **Pont de l'Accia**

Le pont enjambe un affluent rive gauche du Golo.

Centrale électrique de Castirla

Alt. 350 m. Elle « turbine » les eaux retenues par les barrages de Calacuccia et de Corscia et produit l'énergie électrique distribuée dans toute l'île : quelque 100 MWh en année moyenne.

Franchir le pont de Castirla, puis aussitôt, prendre à gauche.

Le paysage change lorsque le Golo traverse les formations calcaires des alentours de Francardo, au Nord du sillon de Corte.

Réserve naturelle de **Scandola**★★★

Façade maritime du Parc naturel régional de Corse, la réserve figure sur la liste du patrimoine mondial de l'UNESCO depuis 1983.

Créée en 1975, Scandola couvre 919 ha de superficie terrestre et plus de 1 000 ha de surface maritime.

L'érosion marine et éolienne, et la différence de résistance des roches ont donné naissance à des paysages grandioses : alternances de grottes, de fissures ponctuées de murailles dressées vers le ciel et de pitons acérés où balbuzards pêcheurs (aigles de mer) ont construit leurs aires. Sur les falaises rouges s'accroche une végétation de myrtes, de lentisques, d'euphorbes et de cistes.

La situation

Carte Michelin n° 90 Ouest plis 14, 15 – Schéma p. 290 – Corse-du-Sud (2A). La presqu'île de Scandola se dresse jusqu'à 560 m d'altitude entre la Punta Rossa au Sud et la Punta Nera au Nord. Elle se visite exclusivement par bateau au départ de Porto, de Calvi, de Propriano ou d'Ajaccio.

Les gens

Le balbuzard pêcheur est le gardien symbolique de Scandola. Cet aigle (*alpana* en corse) nichant sur des pitons rocheux est devenu un emblème de la politique de protection de la faune du Parc régional. Il se nourrit de poissons pêchés à la surface même de la mer. Actuellement, la réserve de Scandola abrite une vingtaine de couples.

LE TROTTOIR NATUREL DE LA PUNTA PALAZZU

Parmi l'étonnante richesse d'espèces d'algues présentes dans la réserve, l'une d'elles, nommée lythophyllum, offre une particularité unique. Cette algue calcaire forme des coussinets très durs et parvient à construire le long des rochers des « encorbellements » en forme de trottoir. Ainsi, à la Punta Palazzu, a été édifié naturellement un trottoir de plus de 100 m de long sur une largeur de 2 m (le plus long connu de la Méditerranée). Les scientifiques ont déterminé son âge à près de 1 000 ans.

---

comprendre

Un refuge d'espèces rares – À fleur d'eau se développe une algue calcaire qui s'agglomère au fil des ans pour former, dans certaines grottes, de véritables trottoirs. En tout, plus de 450 espèces d'algues ont été recensées, dont certaines n'existent nulle part ailleurs en Méditerranée. La transparence et la pureté de l'eau permet le foisonnement de la vie sous-marine. L'**herbier de Posidonie**, poumon de la Méditerranée, y prospère jusqu'à – 45 m. La réserve permet l'étude d'**oiseaux rares** qui séjournent ou nichent à Scandola et en font un site d'intérêt exceptionnel : balbuzards pêcheurs, cormorans huppés, faucons pèlerins, puffins cendrés...

UN MASSIF VOLCANIQUE

Cette masse rocheuse se caractérise par une grande diversité géologique : rhyolites rouges, coulées ignimbritiques, basaltes, formations en prismes, en filons, en épanchements...

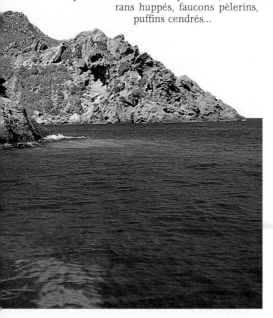

Paysage côtier de Scandola : les porphyres couleur rouge sang, tachetés de quelques touffes de maquis créent de magnifiques contrastes avec les eaux outremer.

visiter

TRANSPORTS
Des excursions en
bateau sont organisées
depuis Porto, Propriano,
Ajaccio et Galéria (pour
les plongeurs sous-
marins). *Se reporter aux
carnets pratiques de ces
noms.*

EN BATEAU

Au Nord du golfe de Girolata, le bateau s'approche de la **pointe Muchillina** (pointe Ouest de la Punta Rossa), longeant les indentations de la côte ; des coulées claires en diagonale tranchant sur la roche éruptive aux sommets aigus. Des aiguilles jaillissent vers le ciel, des îlots forment d'énormes blocs, des pointes s'avancent dans la mer, certaines couronnées d'une tour. Quelques plaques verdoyantes, au loin, étonnent le regard. L'îlot de Garganello accompagne l'île de Gargalo dont le phare marque la partie la plus occidentale de la Corse.

La **punta Palazzu**, palais minéral hérissé de rochers et la Punta Nera encadrent le ravin d'Elbo au Nord de la réserve. Le bateau pénètre dans une calanque étroite, burinée par les embruns, puis dans une grotte aux eaux exceptionnellement transparentes avant de virer de bord. La vie s'accroche sur les parois extrêmes : des arbustes et même des arbres s'y sont adaptés. Sur les pitons, embusqués dans leurs nids de branchages, guettant leurs proies, les balbuzards pêcheurs semblent être les sentinelles de cet univers sauvage.

Golfe de Girolata★★

Le bateau, sur le chemin du retour, dépasse la Punta Scandola et pénètre dans le golfe de Girolata.

Dans un **site**★ reposant, Girolata, petit **village**★ isolé sur un promontoire dominé par un fortin génois à tour carrée *(chemin privé),* vit de la pêche à la langouste et du tourisme. Sa magnifique et paisible petite baie aux eaux translucides abrite quelques maisons de pierre rouge, un gîte et des restaurants. Trois pontons de bois permettent aux bateaux d'amarrer le long de la plage de petits galets. Le village n'est accessible, par voie de terre, que par un **chemin muletier**★ au départ du col de la Croix au Sud-Est (🏃 *environ 1h3/4 aller)* ; il marque aussi une des étapes du sentier Mare e Monti.

Girolata n'est accessible que par bateau ou à pied par un joli sentier muletier.

Solenzara☼

Sulinzara

Cette station balnéaire à l'embouchure de la Solenzara sépare la côte rocheuse des Nacres au Sud, de la côte plate, au Nord. Solenzara offre un port de plaisance et allie les plaisirs de la mer avec ceux de la montagne toute proche. Au Nord de la rivière s'étend une grande plage de sable fin bordée d'eucalyptus plantés sous le Second Empire pour assainir la région alors marécageuse.

La situation

Carte Michelin n° 90 pli 7 – Corse-du-Sud (2A). Construite à l'embouchure du fleuve du même nom, Solenzara est traversée par la route nationale. Elle offre un agréable

À Solenzara, la mer est omniprésente, même sur les murs. Chaque année, au mois de mai, on fête la mer pendant 3 jours : joutes nautiques, animations culturelles, musique.

bord de mer et un accès direct aux montagnes : la D 268 conduit au col de Bavella (30 km).

🖥 Office de tourisme de la Côte des Nacres, RN, 20145 Sari-Solenzara, ☎ 04 95 57 43 75. Juil.-août : 9h-12h, 17h-23h ; juin : 9h-12h, 15h-19h ; le reste de l'année : lun.-ven. 9h-12h. Documents sur les activités nautiques et sur les balades en montagne.

Le nom

La ville porte le nom de la rivière Solenzara qui vient du nom corse *sole* signifiant « soleil ».

Les gens

À 9 km au Nord de Solenzara est implantée une importante base militaire. Base de l'OTAN dans les années 1950, elle accueille aujourd'hui l'armée de l'air française. En cas de besoin, les militaires interviennent aussi dans le cadre du service public : incendies, accidents, plans ORSEC.

carnet pratique

TRANSPORTS

Port de plaisance – *Capitainerie* - ☎ *04 95 57 46 42* - Été : 7h-21h ; hiver : 8h-12h, 14h-18h. 450 emplacements.
Budget – ☎ *04 95 57 30 75*. Location de voitures.
Corsica plaisance – ☎ *04 95 57 47 11*. Location de bateaux.

RESTAURATION
• À bon compte
A Mandria – *Rte de Ghisonaccia* - ☎ *04 95 57 41 95* - *fermé déc.* - *14,48/19,06€*. Les moutons ont déserté cette ancienne bergerie de pierre. Voilà donc un restaurant où pour des prix très doux, vous dégusterez des spécialités insulaires. Salles à manger campagnardes ou terrasse ombragée selon le temps.

HÉBERGEMENT
• Valeur sûre
Hôtel Maquis et Mer – ☎ *04 95 57 42 37* - *fermé nov. à mars* - *42 ch.: 60,98/182,94€* - 🍽 *7,62€*. Avec sa façade blanche, ses volets bleus et ses balcons fleuris, cet hôtel est à 50 m de la mer. Les chambres ne sont pas vraiment au goût du jour mais elles sont spacieuses.
Solenzara – ☎ *04 95 57 42 18* - 🅿 - *28 ch.: 70,13/85,37€* - 🍽 *6,10€*. Cette

imposante bâtisse du 18e s. de style génois avec son jardin, sa piscine et sa terrasse face à la mer vous feront vite oublier la proximité de la nationale. Préférez les chambres avec vue sur la grande bleue, elles sont plus agréables, même si celles côté route sont climatisées.

ACHATS
Domaine de Solenzara – ☎ *04 95 57 89 69* - *juin-sept. : tlj 9h-12h, 16h30-19h ; oct.-mai : mar.-sam. 9h-12h*. Seul vignoble de Solenzara, d'une superficie de 16 ha, il est classé AOC Porto-Vecchio. A partir de cépages traditionnels (Nielluccio, Sciacarello, Vermentinon...), ce domaine produit des vins blanc, rosé et rouge que Mme Lucchini se fera un plaisir de vous faire découvrir lors d'une dégustation.

LOISIRS
Subaquatique club de la côte des Nacres – *Port de plaisance - B.P. 12* - ☎ *04 95 57 44 19* - *juil.-août : tlj à partir de 8h30 ; sept.-juin : sam.-dim.* Ce club associatif organise des baptêmes pour les novices et des explorations pour les plongeurs plus aguerris que vous ferez dans les merveilleux fonds sous-marins de cette côte orientale de la Corse.

séjourner

◄ La ville, très animée l'été, est dotée d'un mignon port de pêche et de plaisance. De l'extrémité de la jetée s'offre la plus belle **vue**★ de Solenzara : au-dessus de la ville se découpent les aiguilles de Bavella.

La longue **plage de Scaffa Rossa** (sable fin) s'étale au Nord, à l'embouchure de la Solenzara. Vous pouvez alterner natation dans la Méditerranée et baignade dans les eaux pures et fraîches de la rivière.

alentours

Sari-di-Porto-Vecchio

7 km au Sud-Ouest par la D 68. Ce village pittoresque, perdu dans le maquis, domine Solenzara. Il offre de belles vues sur la côte et sur les aiguilles de Bavella.

C'est là que naquit le **commandant Poli**, héros du Fiumorbo.

Plage de Canella

7 km au Sud. Direction Le Grand Bleu et La Dolce Vita. Belle petite baie arrondie tapissée de sable fin.

itinéraire

Route de Bavella★★★ *(voir aiguilles de Bavella)*

Gorges de **Spelunca**★★

Ce célèbre ravin a été creusé par le ruisseau d'Aitone et la rivière de Tavulella dont les eaux, grossies de celles de l'Onca, forment le Porto. L'itinéraire décrit permet de découvrir le massif montagneux qui sert d'écrin au golfe de Porto. Les vues sur les gorges sont spectaculaires par l'ampleur des perspectives et l'intensité des couleurs, des roses en particulier.

La situation

Carte Michelin n° 90 pli 15 – Corse-du-Sud (2A). Les gorges se déploient entre Ota et Évisa, au-dessus du golfe de Porto.

Le nom

Spelunca signifie « antre », en référence à la profondeur des gorges.

circuit

LES PONTS GÉNOIS

27 km de Porto à Évisa – 3h. Quitter Porto par la D 124, direction Ota.

Ota

Chef-lieu dont dépend Porto, ce paisible village, adossé aux murailles rouges du Capo d'Ota, domine la rivière de Porto. Loin de l'agitation estivale du golfe, Ota constitue un lieu de séjour et point de départ de randonnées qui a conservé son authenticité.

Pont génois de Pianella★

Environ 3 km après Ota, en contrebas de la route.
Ouvrage d'art constitué d'une arche superbe. Traverser le pont et marcher quelques instants sur la rive opposée, vers l'amont, pour apprécier le pont dans son cadre magnifique.

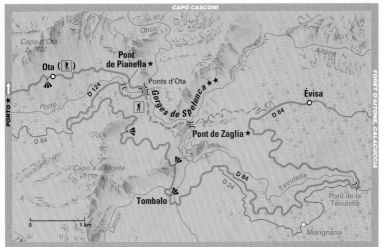

Reprendre la route jusqu'aux deux ponts d'Ota, qui franchissent les ruisseaux d'Aitone et de l'Onca. Laisser la voiture.

Pont génois de Zaglia★

🚶 *1h1/2 AR. Emprunter, après le deuxième pont, le sentier qui remonte le cours du torrent d'Aitone sur la rive gauche.* Ce mauvais sentier muletier donne une idée précise de ce que pouvaient être les déplacements dans la Corse génoise. Le chemin, bien balisé (itinéraire Mare e Monti), pénètre profondément dans les gorges. Vues nombreuses sur les hauteurs roses qui dominent Porto. L'aspect très sauvage des gorges, les odeurs de maquis, la transparence des eaux couleur émeraude donnent beaucoup de charme à ce parcours.

Le chemin muletier continue en lacet au-delà du pont de Zaglia, vers le cimetière d'Évisa. En s'élevant, des vues magnifiques embrassent le golfe de Porto et le village d'Ota. L'ascension est pénible.

Poursuivre la D 124 qui rejoint la D 84, prendre à gauche.

Tombalo

La **vue**★★ s'étend sur le site montagneux où le Capo Casconi culmine à 1 091 m et plonge vers les gorges de Spelunca.

La route évolue à travers les châtaigniers, avec de vertigineux à-pics dominés par des surplombs rocheux rose orangé. On aperçoit les gorges de la rivière Tavulella avec des villages perchés et des cultures en terrasses.

Évisa *(voir forêt d'Aitone)*

Véritable canyon creusé dans un site montagneux.

Vallée de la **Tartagine**★

Isolée et très sauvage, la vallée de la Tartagine est parallèle à celle d'Asco. Elle occupe un vaste cirque jalonné de crêtes élevées : Monte Padro (alt. 2 393 m), Monte Corona (alt. 2 143 m) au-dessus des sources de la Tartagine, et Capo a Dente (alt. 2 032 m).

Les forêts de Tartagine et de Melaja offrent de vastes possibilités de randonnées. Des sentiers, balisés en orange par le Parc régional, permettent de partir à la découverte de villages parfois désertés, mais plein de charme.

La situation

Carte Michelin nᵒ 90 plis 13, 14 – Haute-Corse (2B). La Tartagine se jette dans le bas Golo au Nord de Ponte-Leccia. La D 963, qui se détache de la N 197 à l'Est de Belgodère, est la seule voie qui pénètre dans la vallée.

Les gens

L'acteur **Robin Renucci** vit entre Paris et son village natal de Pioggiola dans la région de Giussani. Depuis 1998, il organise chaque été les **rencontres théâtrales internationales de Haute-Corse**. Ces ateliers, destinés à encourager les vocations, se déroulent à Olmi-Capella et dans les villages alentours.

se promener

LE GIUSSANI

Cette région montagneuse située entre la haute Balagne et la vallée de l'Asco comprend une multitude de petits villages et les bourgades de Olmi-Capella, Poggiola et Mausoleo.

Olmi-Cappella

Bâti sur une colline, au-dessus de la haute vallée, dans les chênes verts et les châtaigniers, ce bourg vit de l'élevage des ovins, des bovins et des chevaux, de sa production de miel et de l'exploitation forestière.

Gorges de la Tartagine★

Tracée dans les pins à mi-pente, la route grimpe au-dessus de gorges formées par la Tartagine et son affluent la Melaja. Aux grands escarpements s'accrochent des genévriers et de petits pins rabougris. Au fond des gorges surgit la tache verte de la forêt de Melaja constituée de chênes verts, de châtaigniers et de pins. Avec l'altitude, les chênes verts cèdent la place aux pins laricio. La route franchit la Melaja dans un grand lacet avant de s'enfoncer dans la forêt domaniale de Tartagine-Melaja qui s'étend sur 2 643 ha, peuplée de magnifiques pins laricio, de pins maritimes et de quelques chênes verts. Elle suit le cours de la Tartagine jusqu'à la maison forestière (alt. 717 m).

randonnées

Col de l'Ondella

🔏 *6h AR au départ de la maison forestière.*
Alt. 1 845 m. Le sentier *(balisé de marques jaunes)* remonte le torrent de la Tartagine sur la rive droite. Au fond du cirque, prendre à gauche dans un vallon *(chemin balisé en vert).*

Col de Tartagine

🔏 *6h AR au départ de la maison forestière.*
Alt. 1 852 m. Le chemin *(balisé de marques jaunes)* remonte le torrent de Tartagine sur la rive droite *(pêche interdite).*

Vallée du **Tavignano**★

Valle di Tavignanu

De Corte à Aléria, le Tavignano serpente au milieu du maquis, des châtaigniers et des chênes-lièges. Il creuse des gorges dans les schistes lustrés avant de s'étaler dans la plaine orientale. Ses nombreux affluents descendus de la Castagniccia ont morcelé le relief de cette région de moyenne montagne. Sur les versants Nord de la vallée, d'étroites routes sinueuses se développent en corniche, desservant de vieux villages disséminés à flanc de montagne à 600 m ou 700 m au-dessus du fleuve.

La situation

Carte Michelin nº 90 pli 5 – Haute-Corse (2B). Le Tavignano prend naissance au lac de Nino à 1 743 m d'altitude dans les massifs cristallins du centre de l'île ; jusqu'à Corte c'est un torrent de montagne. La N 200 suit la vallée du Tavignano, à partir de Corte jusqu'à l'embouchure du fleuve à Aléria.

Le nom

La vallée du Tavignano constitue, avec celle de la Restonica et la moyenne vallée du Golo, le sillon cortenais.

Les gens

À Altiani, près de Corte, une station d'élevage ovin exerce son activité en vue de l'amélioration de la race.

circuit

DE CORTE À ALÉRIA PAR LA VALLÉE★

60 km – environ 1h1/2 – schéma p. 176.
Quitter Corte par la route d'Ajaccio (N 193) et, devant la gare, prendre à gauche la N 200.
La route longe la rive droite du fleuve ; à 17 km de Corte, elle l'enjambe sur un beau **pont génois**★ à arche triple, construit à la fin du 17ᵉ s. et élargi par les ingénieurs français au 19ᵉ s.
À la tête du pont se trouve une **chapelle**. Ce modeste édifice du 10ᵉ s., dédié à saint Jean Baptiste, est appareillé avec des rangées de pierres monumentales alternées avec des lits de pierres plates, selon la technique mise en honneur par l'art roman pisan. La chapelle sert maintenant de bergerie.
Juste après la chapelle St-Jean, prendre à gauche la D 314 qui monte en lacet vers Altiani.

> **À PIED**
> **DANS LA VALLÉE**
> Un **sentier**★ a été aménagé au départ de la forteresse de Corte. Il longe la vallée sauvage et offre quelques baignades rafraîchissantes. En 2h environ, il rejoint la passerelle du Rossolino. *Renseignements auprès de l'Office du tourisme de Corte,* ☎ *04 95 46 26 70.*

Pont génois d'Altiani. Le tablier du pont a dû être aplani lors d'une restauration. Le surhaussement de la chaussée, visible au-dessus des arches latérales, atténue le classique dos-d'âne des ponts génois.

Altiani

Ses maisons s'accrochent sur un éperon au milieu de gros blocs de rochers, dans un sauvage paysage de montagne. On y exploitait autrefois le liège. D'Altiani, on jouit d'une bonne perspective sur la plaine d'Aléria, la chaîne centrale de l'île et le Monte d'Oro.

Au-delà d'Altiani vers l'Est, la route tracée en corniche (D 14) domine le Tavignano d'environ 600 m.

Piedicorte-di-Gaggio

◀ Ce village s'élève sur un promontoire dominant la vallée du Tavignano. L'église paroissiale présente une façade du 18e s. et un clocher massif à la base duquel est encastrée une archivolte romane du 12e s., décorée de quatre monstres ailés et surmontant un linteau orné d'entrelacs.

À l'entrée du village de **Pancheraccia,** vue sur la plaine orientale dont on peut apprécier l'étendue des terres mises en valeur.

La route sinueuse s'abaisse ensuite vers la plaine.

> **TOUR D'HORIZON**
> Du village, on découvre un vaste **panorama**★ sur la plaine d'Aléria et la mer Tyrrhénienne, tandis qu'à l'Ouest se détachent le Monte d'Oro et le Monte Rotondo.

Golfe de **Valinco**★

Golfu di Valincu

Des rochers abrupts, des collines couvertes d'oliviers et de charmantes plages de sable fin bordent les rivages de ce véritable lac maritime.

Trois fleuves côtiers se jettent dans le golfe. Les deux principaux : le Tavaro au Nord et le Rizzanèse au Sud ont, au cours des millénaires, édifié de larges plaines alluviales. Tout au fond du golfe, le Baracci, plus modeste, est à l'origine de la vaste plage qui s'étire à l'entrée de Propriano.

La situation

Carte Michelin n° 90 pli 18 – Corse-du-Sud (2A). Délimité au Nord par le Capo di Muro qui le sépare du golfe d'Ajaccio et au Sud par la pointe de Campomoro, le golfe de Valinco est le plus méridional des grands golfes de la côte Ouest. Il se resserre au niveau de la pointe de Porto-Pollo face à celle de Campomoro. Ces deux presqu'îles forment ainsi à l'intérieur de celui-ci un autre golfe très fermé dont l'ouverture atteint à peine 7 km.

Les gens

Campomoro est le village natal de l'écrivain **Lorenzi di Bradi** (1869-1945). Sur la façade de sa maison *(à droite de l'église du village)* une inscription rappelle la mémoire de cet auteur corse qui chanta le maquis et consacra de belles descriptions à sa région natale, notamment dans les *Veillées corses* et dans *La Corse inconnue.*

circuits

> **DÉTENTE**
> Établissement des sources de Baracci – ☎ 04 95 76 30 40 - *Basse sais. : 9h-12h, 14h-19h ; haute sais. : 9h-12h, 15h-20h.* Piscine à 40°, jacuzzi, douches pression, baignoires. Piscine, 3,81€. Baignoire avec jacuzzi, 7,62€. Tennis et aire de jeux.

① CÔTE NORD DU GOLFE★

61 km de Propriano à Porto-Pollo – environ 3h1/2.

Quitter Propriano par la N 196 en direction d'Olmeto. À 2 km, prendre à droite la route qui remonte la vallée du Baracci (D 557).

Sources thermales de Baracci

Sur la rive gauche, à 1 km de l'embranchement, jaillissent à 52° des sources sulfureuses et salines, déjà connues dans l'Antiquité.

Poursuivre la route qui franchit la rivière et prendre à gauche celle d'Olmeto.

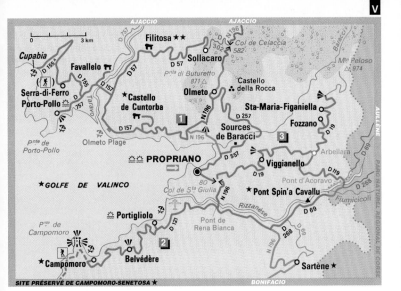

Olmeto

Ce gros bourg, traversé par la N 196, groupe en étages ses belles maisons de granit sur la forte pente du versant méridional de la Punta di Buturettu (alt. 870 m). On y voit encore, face à la mairie, la maison où mourut à l'âge de 96 ans, Colomba Bartoli *(voir Fozzano)*.

Sur la colline isolée qui fait face au village à l'Est, se dressent les ruines du **Castello della Rocca** d'où partit la première grande révolte contre Gênes conduite par **Arrigo della Rocca,** l'arrière-petit-fils de Giudice de la Cinarca *(voir la Cinarca)*. Fuyant le succès du parti populaire de Sambucuccio d'Alando *(voir Bozio)*, Arrigo s'était exilé en Espagne en 1362, mais il revint en 1376 et réussit à enlever l'île, ne laissant aux Génois que Calvi et Bonifacio. Proclamé comte de Corse à Biguglia, il gouverna pendant 12 ans en vassal du roi d'Aragon.

La descente vers Propriano par la N 196 révèle de beaux **coups d'œil★** sur le golfe de Valinco et sur la plaine de Baracci couverte d'oliviers. Au premier embranchement, après un lacet à gauche, prendre à droite la D 157, sinueuse, tracée en corniche au-dessus du golfe. La route descend vers l'embouchure du Taravo.

À 4,5 km de l'embranchement de la D 157, prendre la petite route (D 157 ^{A}) qui monte sur la droite. La suivre sur 1,3 km ; arrivé sur un replat, tourner à gauche à angle droit et suivre le chemin de terre sur 200 m jusqu'à une petite aire.

Castello de Cuntorba★

Ouvrir la barrière à l'entrée d'un champ sur la droite et la refermer soigneusement : le castello se voit à 50 m. Propriété privée, visite admise sous condition du respect des lieux.

Érigé sur une butte, dans un cadre de chênes verts et d'oliviers, le castello de Cuntorba offre un exemple très lisible des monuments circulaires torréens *(voir chapitre Art et architecture)* élevés à l'âge du bronze dans le Sud de la Corse. On distingue une partie centrale dominant des vestiges d'habitat et une enceinte. L'ensemble est antérieur de 1 200 ans à notre ère. Le granit brut du castello, la terre ocre-rosé alentour, l'environnement végétal verdoyant et fleuri se détachent dans un contraste saisissant sur le bleu intense du golfe de Valinco.

Faire demi-tour en direction de la D 157. Remonter le Taravo par la D 57 jusqu'à Filitosa.

Filitosa★★ *(voir ce nom)*

Sollacaro

Dans une clairière ouverte parmi les châtaigniers, le village domine la basse vallée du Taravo. Elle fut au Moyen Âge la résidence des seigneurs d'Istria dont un représentant, Vincentello, fit, au début du 15ᵉ s., lourdement peser son autorité sur le Sartenais.

Reprendre la route en sens inverse. La D 157 traverse le Taravo pour rejoindre la D 757 que l'on suit sur la droite pendant 1 km pour gagner Favallelo.

L'AGENT DE SA GRACIEUSE MAJESTÉ

En octobre 1765, l'écrivain écossais **James Boswell** arrivait à Sollacaro à la recherche de Paoli. Il fut durant plusieurs jours l'hôte du général, revêtit un costume corse, devint pour les patriotes *ambasciadore Inglese* et représenta à Paoli les avantages qu'offrirait l'alliance anglaise. Trois ans plus tard il publiait un essai sur l'*État de la Corse, Journal de voyage dans l'île* et des *Mémoires de Pascal Paoli* dont l'écho en Angleterre fut d'autant plus grand que la Corse pouvait, avec Gibraltar, constituer un solide point d'appui en Méditerranée.

Serra-di-Ferro

Accueillant petit village perché au-dessus de la baie de Cupabia et du golfe de Valinco, où on peut acquérir de beaux couteaux de fabrication artisanale. Le sentier de randonnée **Mare e Monti Sud** *(signalé par des panneaux de bois et un balisage orange)* permet deux promenades agréables et faciles à travers le maquis bas :

– l'une, vers Porto-Pollo (🚶 *2h AR)*, révèle la tour de Capannella avant de ménager des **vues**★ étendues sur le golfe, le marécage de Tanchiccia et la plaine cultivée du Taravo ;

– l'autre conduit à la grande plage de sable fin de **Cupabia** (🚶 *1h1/4 AR)*, site enchanteur jusqu'ici heureusement préservé, également accessible en voiture par la D 155ᴬ.

La baie est parsemée de récifs et la plage, où s'est établie une taverne, se double à l'Ouest d'une importante crique.

Porto-Pollo⌂

Cette petite station balnéaire s'étire au pied de coteaux couverts d'oliviers et de figuiers, dans une baie ouverte sur le golfe de Valinco et abritée des vents d'Ouest par la pointe de Porto-Pollo.

De sa plage de sable, la vue s'étend sur Propriano et la côte Sud du golfe délimité par la pointe de Campomoro.

② CÔTE SUD DU GOLFE★

17 km de Propriano à Campomoro – environ 1h1/2.
Quitter Propriano par la N 196 en direction de Sartène jusqu'au pont de Rena-Bianca sur le Rizzanèse que l'on franchit pour prendre tout de suite à droite la D 121.

La côte Sud du golfe de Valinco est la plus sauvage. Elle abrite la belle plage de Portigliolo.

Portigliolo

Cette longue plage (4 km) de sable fin s'étend à l'embouchure du Rizzanèse. Les lieux sont restés sauvages : absence de construction et route cachée par la végétation.

Belvédère

Ce village offre une belle **vue**★ sur le golfe et son arrière-pays montagneux. En contrebas, la côte rocheuse avec ses eaux claires est propice à la plongée sous-marine.

Construite au 16e s., la tour génoise de Campomoro est la plus imposante du rivage corse.

Campomoro★

Un petit bois d'eucalyptus précède ce village attachant, situé au fond d'une anse bien abritée par la pointe de Campomoro. Une belle plage de sable, quelques barques de pêche et des voiles multicolores au large complètent ce décor.

À l'extrémité du village, au-delà de la plage, gagner le sommet de la pointe de Campomoro (🚶 *1/2h à pied*) où se dresse la massive **tour génoise**. L'enceinte, munie de bouches à feu, est couronnée d'un chemin de ronde. En saison ont lieu des expositions du Conservatoire du littoral. Un escalier extérieur monte à la porte principale ; on découvre ensuite la salle de séjour avec ses réserves. De la plate-forme supérieure un beau **panorama**★ se déploie sur le golfe de Valinco.

La superbe plage de sable fin en contrebas est un lieu propice à l'observation sous-marine de la faune.

Site préservé de Campomoro-Senetosa★

La côte sauvage s'étendant de la Punta di Campomoro jusqu'au phare du Capu di Senetosa alterne, sur près de 20 km, criques et promontoires rocheux à l'écart des axes de communication. Elle constitue un des sites préservés les plus vastes de l'île avec celui des Agriates. Les plaisanciers y trouvent des anses bien abritées, parfois très étroites comme celle d'Aguglia, qui possèdent généralement à leur extrémité une minuscule plage de sable.
🚶 On peut effectuer des randonnées d'une journée le long du littoral : de la pointe de Campomoro à l'anse d'Aguglia, ou bien du phare de Senetosa jusqu'à la pointe d'Eccica. Munissez-vous d'une provision suffisante d'eau.

③ VALLÉES DU RIZZANÈSE ET DU BARACCI

43 km au départ de Propriano – environ 1h1/2.

◀ *Quitter Propriano par la route de Sartène (N 196). Après le pont sur le Rizzanèse, prendre à gauche la D 268 route d'Aullène, en direction de Levie. À 4,5 km à gauche se dresse un des plus célèbres pont génois. Stationner sur l'emplacement à droite face au pont.*

Spin'a Cavallu★ *(voir l'Alta-Rocca)*

Franchir le Fiumicicoli, puis le Rizzanèse sur le pont d'Acoravo et prendre sur la gauche la D 119.

La route s'élève dans les chênes-lièges au-dessus du Rizzanèse, offrant un joli coup d'œil sur le village perché d'Arbellara.

Fozzano (Fuzzà)

Fozzano occupe un éperon de la Rocca. En 1833, il fut le théâtre d'une vendetta qui opposa deux familles voisines, les Carabelli et les Durazzo. Le village et ces événements passèrent à la postérité grâce au succès du roman de Mérimée (1803-1870). Au cours de son voyage en Corse, en 1839, ce dernier, alors inspecteur des Monuments historiques, rencontra à Fozzano **Colomba Bartoli**, née Carabelli. Elle était âgée de 64 ans, veuve et auréolée du prestige que lui conféraient les événements dont elle avait été l'âme : deux Durazzo avaient été tués ainsi que son propre fils. De cette rencontre naquit une nouvelle, *Colomba* (1840), dans laquelle Mérimée unissait l'intransigeance de Colomba et la beauté de sa fille Catherine. L'écrivain prend prétexte de la narration ◀ d'une vendetta pour offrir une vision romantique de la Corse au 19e s. Ce roman a contribué à ancrer dans les mentalités une image réductrice des coutumes corses et de la vie dans l'île. La **maison de Colomba** se trouve dans une ruelle en contrebas de la route.

COLOMBA OU LA CORSE ROMANTIQUE

« J'ai passé plusieurs jours dans la ville classique de la schiopetta, Sartène. [..] J'ai vu encore une héroïne, Madame Colomba, qui excelle dans la fabrication des cartouches et qui s'entend fort bien pour les envoyer aux personnes qui ont eu le malheur de lui déplaire. J'ai fait la conquête de cette illustre dame, qui n'a que soixante-cinq ans et en nous quittant nous nous sommes embrassés à la corse. Pareille fortune m'est arrivée avec sa fille, héroïne aussi, mais de vingt ans, belle comme les amours, avec des cheveux qui tombent à terre et trente deux perles dans la bouche… ».

Notes d'un voyage en Corse (1840), Prosper Mérimée.

Santa-Maria-Figaniella

C'est le principal village de la **Rocca,** province dont les seigneurs furent puissants au Moyen Âge.

◀ De style roman pisan du 12e s., l'**église Santa-Maria** présente un appareil très soigné en moellons de granit.
Au Nord de Santa-Maria, la route offre de belles **vues★** sur la vallée du Baracci et le golfe de Valinco.

Faire demi-tour pour regagner Arbellara et prendre à droite la D 19.

Viggianello

Ce village offre une belle **vue★** d'ensemble sur le golfe de Valinco.

Retour sur Propriano par la D 19.

### Sidebar

PALMARÈS

Outre **Spin'a Cavallu**, d'autres constructions remarquables méritent une visite :
- **Asco** (à la sortie Ouest du village),
- **Pianella** (près d'Ota),
- **Zaglia** (près d'Évisa),
- **Ponte di a Trinità** (près de Zevaco),
- **Zipitoli** (à la sortie de Bastelica),

enfin le pont d'**Altiani** (à la sortie de Corte).

VENDETTA

Les maisons fortes des familles rivales de Fozzano, appelées « tours sarrasines », subsistent ; l'une se trouve en contrebas, ruelle en escalier, l'autre borde la route *(à gauche, en venant d'Arbellara)*.

Remarquer le bandeau d'arcatures qui ceinture l'église à la base du toit et les dents d'engrenage sur lesquelles repose sa corniche.
Le chevet a conservé sa couverture d'origine.

Valle-d'Alesani

Valli d'Aliggiani

Cette commune aux hameaux disséminés au cœur de la Castagniccia abrite, dans un vallon accessible par une route difficile, le couvent d'Alesani. Ce dernier fut le théâtre d'un des événements les plus surprenants de l'histoire de la Corse.

La situation

Carte Michelin nº 90 Sud du pli 4 (16 km à l'Ouest de Cervione) – Schéma p. 217 – Haute-Corse (2B). On accède à Valle-d'Alesani par la D 71, route étroite et sinueuse. Pour rejoindre le couvent, prendre la route de Piazzali (6 km par la D 217), puis celle de Perelli (D 17) qui s'ouvre à droite, à la sortie du village.

Le nom

Le nom viendrait d'Alexiu (*Alessio* en corse) comme semble l'indiquer l'importance accordée à ce saint dans la région. Chaque 17 juillet un pèlerinage a lieu à la chapelle Sant'Alessio, isolée dans les hauteurs du village.

Les gens

Théodore Ier fut couronné roi de Corse au couvent d'Alesani le 15 avril 1736.

comprendre

Théodore Ier, roi de Corse – Né en 1694 à Cologne, **Théodore de Neuhoff**, baron westphalien, grandit à la cour de la princesse palatine dont il devint le page avant de proposer ses services à plusieurs cours européennes. En Italie, à Livourne, il fit la connaissance d'exilés corses qui lui dépeignirent le pitoyable état de leur île. L'aventurier promit son aide si on le nommait roi.

Le 12 mars 1736, il débarqua sur la plage d'Aléria avec un chargement d'armes et de munitions acheté à Tunis. Le 15 avril, une consulte se réunit au couvent d'Alesani où le baron fut couronné roi de Corse sous le nom de Théodore Ier, tandis qu'une nouvelle constitution était adoptée. Une diète assista le roi. Agostino Giafferi et Hyacinthe Paoli furent nommés ministres.

LES BONNES « HISTOIRES » DE GROSSO-MINUTO

Cette pittoresque figure de la Castagniccia est née en 1715 à Parelli-d'Alesani. Pauvre marchand ambulant, affligé d'une constitution chétive, Minuto se vengea des quolibets par ses reparties restées célèbres. Vers la cinquantaine, son embonpoint lui attira, en plus de nouvelles railleries, le surnom de Grosso, mais sa force de caractère lui permit toujours de rire de ses malheurs. Rallié à Paoli dont il fut le compagnon et le bouffon, il mourut à 86 ans.

L'âne amoureux – En plein midi, Minuto grimpait avec son âne la côte de Chiatra. L'animal, chargé et fatigué, se mit soudain à braire avec force.

– Ami, dit alors une femme à Minuto, votre âne est amoureux. Il semble qu'il prenne le mois de septembre pour le mois de mai.

– Tu te trompes, répliqua Minuto. C'est parce qu'il a flairé la présence d'une ânesse ! ...

Rire et pleurer – Après une grave maladie qui l'avait retenu durant de longs mois chez lui, Minuto reprit enfin la route.

Poussant son âne devant lui, il arriva au village de Moïta. Rapidement, ses nombreux amis l'entourèrent.

– Nous avons bien cru devoir te pleurer, lui dit l'un d'eux.

– J'ai été mis au monde pour faire rire et non pour faire pleurer ! répliqua Minuto.

(Pour plus de détails, lire : Grosso-Minuto, l'esprit et les reparties d'un Corse de légende. *Traduit par J.-B. Nicolaï. Éditions Baconnier).*

L'âne amoureux.

Au grand étonnement des chancelleries européennes, le royaume s'organisa. Le régime bâtit monnaie et proclama la liberté de conscience afin d'attirer les commerçants juifs du continent pour relancer l'activité économique de l'île.

La résistance génoise, la méfiance des généraux corses et le manque de ressources obligèrent Théodore 1er à rembarquer à Solenzara, le 11 novembre 1736. Il erra alors à travers l'Europe et ses tentatives pour reconquérir son royaume échouèrent. Finalement, il se fixa à Londres où il mena une vie misérable qui prit fin dans une arrière-boutique de fripier, à Soho, le 5 décembre 1756.

visiter

Le couvent

Le couvent d'Alesani s'élève sur la droite peu avant le hameau. Sa fondation remonte aux premiers temps de l'ordre franciscain en Corse. Mais les bâtiments actuels, désaffectés et en mauvais état, sont d'époque beaucoup plus récente.

Vierge à la cerise, de Sano di Pietro.

Décorée de peintures vives, l'**église conventuelle** conserve une copie d'un beau primitif de l'école de Sienne, la **Vierge à la cerise**★, attribué au peintre siennois Sano di Pietro et datant de 1450. La chaire repose sur une élégante colonne torsadée. Le clocher, écroulé en 1943, a été reconstruit en 1994 et les deux cloches Marie-Gabriel et Marie-François remises en place.

Venaco

Venacu

Adossé au Monte Cardo dans un paysage où prédomine le châtaignier, ce bourg au cœur de la Corse est une agréable station climatique d'été (alt. 600 m). De la terrasse de son église baroque, la vue s'étend sur la vallée du Tavignano et sur les monts du Bozio. Dans les environs on pratique la chasse et la pêche à la truite.

La situation

Carte Michelin n° 90 pli 5 – Schéma p. 113 – Haute-Corse (2B). Venaco est établi sur l'itinéraire Ajaccio-Bastia, entre Vizzavona et Corte.

Le nom

Venaco viendrait de la racine pré-celtique *ven* signifiant « montagne ».

Les gens

657 Vénacais. Venaco fait partie d'une région de bergers et de chasseurs.

se promener

Col de Bellagranajo

2,5 km par la N 193 qui s'élève en lacet vers Corte et un chemin carrossable derrière le calvaire qui se dresse à droite de la route.

Du promontoire, à 500 m de la route, parmi les cistes et les framboisiers se révèle un **panorama**★★ sur Venaco accroché aux premières pentes du Monte Cardo, à gauche sur le hameau de Poggio, en face sur la vallée du Vecchio et, au loin, sur les montagnes et les villages perchés de la rive gauche du Tavignano.

Col de **Vergio**

Bocca di Verghju

À 1 477 m d'altitude, le col sépare les futaies d'Aitone et de Valdu-Niellu, souvent fréquentées par les cochons en liberté. Au printemps et en été, la région réserve de belles excursions à l'ombre des immenses pins laricio et le long de la cascade du Gradule ; en hiver, elle attire les skieurs.

La situation
Carte Michelin n° 90 pli 15 – Schéma p. 274 – Sur la ligne de partage entre la Haute-Corse et la Corse-du-Sud. Le col s'ouvre dans la grande ligne de crêtes (Punta Minuta, Paglia Orba, Monte Tozzo, Monte Rotondo) qui partage les eaux courantes entre le littoral Est et Ouest de la Corse. Il est traversé par la route (D 84) qui rejoint Porto à Calacuccia. À l'Ouest du col s'épanouit la forêt d'Aitone ; à l'Est (1,5 km) se trouve la station de Vergio.

Les gens
Selon la légende, le diable serait passé dans la région. Le Capo Tafonato (au Nord du col de Vergio), rocher percé d'une immense ouverture, serait une de ses créations.

> **CONSEIL**
> Pour faire étape dans les environs et profiter des randonnées, choisissez le village d'**Évisa** *(voir forêt d'Aitone)* qui offre un bon choix d'hôtels et de restaurants.

se promener

Du **col de Vergio**, la vue porte au Nord sur la Punta Licciola et à l'Est sur la haute vallée du Golo. Poursuivre à 200 m environ en aval du col, sur la route de Calacuccia, à hauteur des premiers bouleaux : le **panorama**★★ est plus large. On distingue alors nettement devant soi la percée naturelle du **Capu Tafonato** (alt. 2 343 m), ainsi que l'arête rocheuse de la Paglia Orba (alt. 2 525 m) en arrière de la Punta Licciola, la vallée du Golo en enfilade avec le lac de Calacuccia et, derrière soi, le Monte Tozzo et la Punta Artica.

Station du Vergio
Alt. 1 404 m. À 1,5 km en contrebas du col et à la lisière de la forêt de Valdu-Niellu, ce petit centre de sports d'hiver, pourvu d'un hôtel, de six téléskis, de quelques chalets et baraquements de location de matériel de ski, accueille, de novembre à avril, jusqu'à 2 000 skieurs pendant les week-ends. La route peut être coupée en hiver par la neige entre Évisa et la station.

Le Capu Tafonato et l'arête rocheuse de la Paglia Orba depuis le GR 20.

TROUÉE DU TAFONATO (CAPU TAFUNATO)

La légende raconte que cette gigantesque ouverture (large de 53 m et haute de 12 m) à travers laquelle filtre la lumière, aurait été forée par la percussion du soc de la charrue du diable.

Pour faire pièce, comme laboureur, au zèle apostolique de saint Martin, berger dans le Niolo, Satan s'était forgé au col de Stazzona une charrue à toute épreuve avec laquelle il creusait dans la montagne des tranchées larges comme des vallées. Mais saint Martin se mit à ironiser sur la rectitude de ses sillons. Piqué, le Malin aiguillonna son attelage de bœufs géants... et brisa sa charrue sur un rocher. La fureur de l'humiliation exacerba alors sa force et il projeta vers la mer le soc détérioré qui rencontra sur sa trajectoire l'échine du Tafonato, tandis que ses bœufs furent pétrifiés sur place par saint Martin. Les géologues qui ont étudié les propriétés de la rhyolithe (porphyre granitique) et les formes d'érosion qui la caractérisent émettent quelques réserves sur une telle origine...

randonnée

Bergeries et cascade de Gradule★

🚶 *2h AR. Niveau assez facile ; être tout de même bien chaussé et emporter de l'eau. L'itinéraire emprunte le GR 20.*
Point de départ : 500 m au-dessus de l'hôtel de Vergio, en direction du col, un grand panneau en bois signale l'amorce du GR 20, jalonné de marques rouge et blanche, qui s'enfonce dans le sous-bois à droite (environ 1h pour rejoindre les bergeries).

Le sentier s'engage à travers les pins laricio et les bouleaux, descend légèrement pour passer quelques ruisselets, puis remonte, toujours en sous-bois, pour franchir une petite crête (ancienne moraine) que domine un vaste cirque boisé fermant le Niolo à l'Ouest. De là, on aperçoit, en face, parmi les arbres, la cascade de Gradule.

Le **GR 20** contourne sur la gauche ce cirque encombré de dépôts morainiques pour atteindre *(1/4h)* les **bergeries de Gradule** (alt. 1 370 m) dans un **site★** remarquable.

Des bergeries, on descend à la **cascade de Gradule** (alt. 1 350 m) située au débouché du défilé. Cet itinéraire emprunte en partie la piste de transhumance traditionnelle qui reliait le Niolo au Filosorma par les cols de Guagnerola et de Capronale. Ce sentier est encore utilisé par les muletiers ravitaillant les refuges situés sur le GR 20. Au-delà de la rive opposée, le GR 20 amorce une montée sévère à travers des pierriers, ce qui la réserve aux randonneurs chevronnés.
Retour par le même chemin.

Vico

Vicu

Ce gros bourg aux maisons serrées est la capitale du Liamone, région de moyenne montagne aux multiples itinéraires touristiques. Il fut au 16e s. la résidence des évêques de Sagone et une éphémère sous-préfecture du département du Liamone, à l'époque révolutionnaire.

La situation

Carte Michelin nº 90 Sud du pli 15 – Corse-du-Sud (2A). Vico est établi à 15 km à l'Est du golfe de Sagone par la D 70.

Le nom

Vicu veut dire « sillon » en corse, certainement en raison de la haute vallée encaissée du Liamone.

carnet pratique

RESTAURATION
• À bon compte
Pippa Minicale – *Col de St-Antoine* – ☎ *04 95 26 61 51 - fermé nov., lun., mar. et mer. - ⊟ - réserv. obligatoire en hiver - 13/26€.* Une halte bienvenue que cette ferme-auberge située juste en face de la curieuse statue-menhir d'Apricciani décrite pour la première fois par Prosper Mérimée. Intérieur champêtre réchauffé, l'hiver, d'une belle cheminée en pierre. Cuisine corse.

HÉBERGEMENT
• Valeur sûre
U Paradisu – ☎ *04 95 26 61 62 - fermé 1er janv. au 15 mars - 21 ch.: 65,55€ - �*□ 6,86€ - restaurant 17/21€.* En retrait du village, cet hôtel promet un séjour tranquille avec sa piscine bordée de transats. Chambres simples mais confortables. Repas dans la salle à manger aux allures de pension de famille ou sur la terrasse couverte.

Les gens
898 Vicolais. La romancière **Marie Susini** est née en 1916 à Renno, au Nord de Vico. Albert Camus l'incita à relater son enfance corse. De 1953 à 1955, elle publia sa trilogie corse *Plein soleil, La Fiera, Corvara*. Par la suite, elle collabora à un album illustré sur son île, *La Renfermée, la Corse*. Décédée en 1993, elle repose au cimetière de Vico.

LE « NETTOYAGE » DU MAQUIS EN **1931**
En novembre 1931 débarquent à Ajaccio près de 600 gardes mobiles, une dizaine d'automitrailleuses, des chiens policiers et un imposant matériel de campagne. Les forces de l'ordre bouclent immédiatement un secteur compris entre Vico, Guagno et Sainte-Marie-Sicché. Il s'agit « d'épurer le maquis », selon les instructions du gouvernement dirigé par Pierre Laval, faisant alors fonction de ministre de l'Intérieur. La presse parisienne envoie des « correspondants de guerre », parle de « corps expéditionnaire », au grand dam des confrères corses. Cependant, la plupart des célèbres hors-la-loi tels Romanetti en Cinarca, Castelli à Orezza ou Bartoli avaient déjà été abattus plusieurs années auparavant ; seul Spada, le « roi du palais-vert », persistait à plastronner. Il sera le dernier à être jugé et exécuté en 1935. La mission qui consistait à désarmer les habitants des villages occupés laissa beaucoup d'amertume dans les vallées, mais sonna le glas des « bandits du maquis corse ».

---

se promener

Couvent St-François
1 km à l'Est de Vico par la route d'Arbori. Visite : 1/2h. 8h-20h. Gratuit. ☎ *04 95 26 83 83.*
Bâti dans les châtaigniers sur un ressaut de la montagne au-dessus de la vallée du Liamone, le couvent fut édifié en 1481 par le comte Gian Paolo de Leca. Après le départ des franciscains en 1793, les oblats de Marie-Immaculée s'y installèrent en 1836.
L'église conventuelle date du 17e s. Sous le Christ repose ▶ le tombeau du père D. Albini, missionnaire de la Corse au 19e s. Remarquer également le tabernacle en marbre polychrome (1698) du maître-autel et le meuble de la sacristie en châtaignier (1664).

> **UN CHRIST TRÈS ANCIEN**
> L'église conventuelle abrite un grand **Christ en bois**★ sculpté à la manière du 15e s. Il serait le plus ancien de Corse. Observer l'expression du visage aux yeux clos, la bouche entrouverte, et le dessin des côtes très marquées.

La Sposata
À l'Est de Vico, au-delà du Liamone, se dresse la montagne de la Sposata (« la mariée »). Son nom perpétue le souvenir légendaire d'une jeune et pauvre bergère de la région qu'un seigneur de la Cinarca avait choisie pour épouse. Perdue par cette promotion sociale inespérée, la jeune orgueilleuse quitta la maison en dépouillant sa mère. La mère, désespérée de cette ingratitude, jeta sa malédiction sur sa fille qui fut aussitôt pétrifiée avec sa monture, sur l'arête de la montagne. On y voit encore sa silhouette.

Gorges du Liamone★
8 km par la D 1 jusqu'à Arbori. La D 1 longe en corniche, dans les châtaigniers et les arbousiers, la haute vallée encaissée du Liamone. Sur les grands escarpements de

la rive opposée se découpe la silhouette de la Sposata. **Arbori,** entouré d'oliviers et de vignobles, domine la vallée du Liamone, face à la Sposata.

Lac de Creno (Crenu)★

🚶 *18 km à l'Est par la D 23, puis 2h1/2 à pied AR. Voir ce nom.*

circuit

ROUTE DU COL DE SEVI

22 km de Vico à Évisa par les D 23 et 70.

À la sortie du bourg, la D 70 offre une vue d'ensemble sur le bassin de Vico, le couvent St-François et la vallée du Liamone dominée par la Sposata. Puis elle s'élève en lacet parmi les châtaigniers et les chênes verts au-dessus de la Catena, affluent du Liamone.

À 2 km de la chapelle St-Roch, prendre à droite la route de Renno.

Renno

Ce village disperse ses hameaux à 950 m d'altitude dans une châtaigneraie centenaire. Noyers, chênes verts et vergers ombragent sa campagne riante. Ses pommes reinettes sont réputées. Renno pratique l'élevage des porcs, des ovins et des caprins.

Regagner la D 70.

CALENDRIER
La grande foire de St-Roch se déroule chaque année à Renno, les 16, 17 et 18 août.

Col de Sevi

Alt. 1 101 m. Il fait communiquer le bassin du Liamone avec celui du Porto. Le tracé de la route de Sevi remonte à l'époque génoise. Elle servait à transporter les fûts d'Aitone vers le petit port de Sagone. L'abbé de Germanès écrit, en 1774, dans son *Histoire de la Corse* : « Les Génois, qui avaient un grand besoin de bois pour la marine, ont dépensé cent mille écus pour aplanir sur la croupe des montagnes un chemin qui, de la forêt, va jusqu'au bord de la mer... »

Au-delà du col, la **vue★** se dégage sur Cristinacce.

Cristinacce

De ce village bâti en terrasse dans une châtaigneraie, au-dessus de la vallée du Porto, on découvre au loin les grandes murailles rouges hérissées d'aiguilles qui dominent le golfe : Capo d'Orto et Capo d'Ota.

Après Cristinacce, la route procure de très belles **vues★★** sur le golfe de Porto et sur Évisa, enfouie dans les châtaigniers au pied des immenses parois rocheuses du Capo Ferolata.

Évisa *(voir forêt d'Aitone)*

Vivario★

Vivariu

Ce bourg entouré de châtaigniers et de prairies domine de 200 m les gorges du Vecchio. Son altitude de 650 m en fait une station climatique très fréquentée en été et permet la pratique du ski de fond en hiver. Dans les environs, la pêche à la truite dans le Vecchio et, la saison venue, la chasse au sanglier, aux bécasses et aux pigeons ramiers sont très prisées.

La situation

Carte Michelin n° 90 pli 5 – Haute-Corse (2B). Le village se trouve sur le tracé de la N 193, à 12 km au Nord de Vizzavona.

TRANSPORTS
Gare ferroviaire – *Au Nord du village -* ☎ 04 95 47 20 13.

Le nom

Vivario viendrait du mot latin *vivarium* signifiant « vivier », pièce d'eau où l'on nourrit le poisson.

Les gens

509 Vivariais. **Gustave Eiffel** ne nous a pas laissé que sa célèbre tour. L'ingénieur français s'est également distingué dans la construction de ponts : le viaduc de Garabit dans le Cantal, et, au Nord de Vivario, la passerelle métallique qui supporte la ligne de chemin de fer Bastia-Ajaccio.

Le double pont du Vecchio sur lequel huit trains en moyenne passent chaque jour.

comprendre

On connaît mal les origines de Vivario. À l'époque romaine, ce bourg a probablement été un gîte d'étape pour les légions qui, débarquées à Aléria, remontaient la vallée du Tavignano et pénétraient au cœur du pays. L'importance stratégique de Vivario laisse supposer qu'un village indigène existait déjà à cet emplacement. Avec la prospérité des cités romaines de la côte orientale, Vivario perdit de son importance : bon nombre de ses habitants émigrèrent vers Aléria pour participer au bien-être de la colonie jusqu'aux invasions vandales (5e s.) et aux incursions sarrasines (du 8e au 11e s.).

Aussi, les habitants de Vivario restèrent-ils longtemps en contact étroit avec Aléria et la plaine. Un grand nombre d'entre eux cultivaient des terres et menaient paître en hiver leurs troupeaux aux environs de l'ancienne cité, tandis qu'en été, pour échapper aux fortes chaleurs et aux miasmes de la plaine orientale, les habitants d'Aghione, la plus proche commune d'Aléria, émigraient à Vivario.

RESTAURATION
Ferme-auberge L'Inzecca – *20227 Pinzalone* - ☎ *04 95 56 62 62 - fermé lun. au jeu. d'oct. à mi-juin - 21,34€.* À l'entrée du défilé de l'Inzecca, c'est une ancienne bergerie restaurée. Tout est fait maison : charcuterie, tripettes, veau et cochon... Seule la truite est d'élevage. Ambiance familiale dans la salle de pierre ou en terrasse avec vue sur les montagnes et la forêt.

se promener

Le village

Sur la place centrale, une fontaine surmontée d'une Diane se dresse au-dessus de la vallée du Vecchio, face au cirque montagneux dominé par le Monte Cardo. Le village fait face, au Sud-Ouest, au Monte d'Oro.

Fort de Pasciolo

⤴ *20mn AR à pied. 1 km au Sud de Vivario, en direction du col de la Serra par la N 193. Laisser la voiture sur l'aire de repos aménagée dans le grand virage et prendre le chemin de terre qui conduit au fort.*

Les ruines de ce fort sont surtout intéressantes pour l'histoire qui leur est attachée et pour la beauté sauvage du site.

◀ Dominant les gorges très encaissées du Vecchio, les ruines se dressent comme une vigie, face à un immense cirque montagneux. Bâti vers 1770 par les Français, ce fort confortait la position de celui de Vizzavona. Sous le Consulat, il acquit une sinistre réputation du fait de sa transformation en prison par le général Morand, à qui avait été confiée l'administration de la région. Les rebelles du Fiumorbo y furent un temps enfermés.

On aperçoit une sorte de goulet, appelé « **pont du sauvage** », seul endroit des gorges où la rivière puisse être franchie par un saut de 3 m. Il doit son nom à un jeune garçon qui, enfui de chez lui après une réprimande, retourna à l'état sauvage, au début du 19e s.

alentours

Double pont du Vecchio★

4,5 km au Nord par la N 193. Ce pont routier fut construit entre juin 1825 et octobre 1827 sur la grand-route Ajaccio-Bastia. Lancé sur le Vecchio en une seule arche de pierre, il est dominé par les hautes piles du viaduc métallique du chemin de fer construit par Gustave Eiffel vers 1888. L'ingénieur français (1832-1923) appliqua ici les perfectionnements techniques qu'il avait apportés au lancement des tabliers de ponts en porte-à-faux. La ligne Ajaccio-Bastia fut entièrement terminée et ouverte au trafic en 1894. Cet intéressant ouvrage d'art enjambe le Vecchio à 96 m de hauteur.

La **vue**★ sur les deux ponts, les gorges profondes et mouvementées du torrent, le cadre montagneux dépassant 2 000 m, et facilement enneigé, mérite un arrêt.

circuit

FORÊT DE ROSPA-SORBA★

Circuit de 59 km – environ 2h1/2.
Quitter Vivario par la route de Vezzani (D 343).

Muracciole

Ce village occupe un site d'éperon, dans le vallon d'un petit affluent du Vecchio, sur un replat cultivé en terrasses.

Après le village, le regard s'étend, en arrière, sur la vallée du Vecchio et la grande ligne de crête centrale de l'île.

Col de Morello

Alt. 824 m. **Vue**★★ étendue sur la vallée du Vecchio, le Monte Cardo à l'Ouest et les montagnes du Cortenais.

L'Occhio-Vario

🚶 *25mn AR depuis le col de Morello, par un sentier de chèvres qui suit la crête au Nord du col. Stationner au col.*

Le sommet de la crête est matérialisé par une petite
◀ borne géodésique de granit blanc (866 m) et porte localement le nom d'Occhio-Vario (« œil varié ») : de ce **point de vue**★★, on peut en effet distinguer par temps clair une bonne quinzaine de villages, dont Castiglione, niché dans les rochers. À l'Ouest, on aperçoit dans le lointain le pont Eiffel enjambant le Vecchio. À l'Est, les monts sauvages s'étendent à perte de vue.

La route s'engage ensuite dans le massif forestier de Rospa-Sorba comprenant les forêts de Rospa-Sorba, Noceta, Rospigliani et Vezzani ; il fut malheureusement endommagé par un incendie en août 1985 (forêt en voie de repeuplement). À ses superbes pins laricio se mêlent quelques châtaigniers.

Après le pont de Catarello, la **fontaine de Padula** sourd dans un beau site au milieu des pins. La descente du col d'Erbajo s'effectue à travers les pins laricio.

Reprendre la D 343 et tourner à droite en direction de Vezzani.

Actuellement, les quelques pommes de pin encore exploitées sont traitées à la sécherie de Muracciole.

Vezzani

Ce gros bourg, situé à 800 m d'altitude à la lisière de la forêt, s'était fait autrefois une spécialité de l'exploitation des cônes de pin (pommes de pin) laricio. En outre, une mine de cuivre fut exploitée à la sortie Sud du bourg, de 1897 à 1910. On en a extrait 6 000 t de minerai brut, d'une teneur en cuivre de 10 %. On s'est demandé si le minerai de Vezzani n'aurait pas alimenté l'activité de fonderie attestée dans l'Antiquité à Aléria, proche de 30 km à l'Est. Remarquez l'église paroissiale avec sa plaisante façade baroque en moellons de schiste.

Après Vezzani, la route, en bordure de la forêt, domine au Nord la vallée de la Tagnone.

À Pinzalone, prendre à droite vers Ghisoni.

Défilé de l'Inzecca★

Il a été creusé dans un verrou rocheux par le Fium'Orbo qui conserve là son caractère de torrent montagnard impétueux. En amont, le bassin de Sampolo est planté d'oliviers et de châtaigniers.

Défilé de Strette

Cette gorge étroite et sinueuse est creusée par le Fium'Orbo.

Ghisoni *(voir ce nom)*

Au Nord-Ouest de Ghisoni, la route remonte la vallée du Regolo qui sépare les grands massifs forestiers de Vizzavona et de Rospa-Sorba.

Col de Sorba

Alt. 1 311 m. C'est l'un des plus hauts cols routiers de l'île. Par temps clair, la **vue**★ y est grandiose sur la vallée du Vecchio et le Monte d'Oro à l'Ouest, sur les défilés des Strette et de l'Inzecca à l'Est.

La route descend ensuite à travers de beaux peuplements de pins laricio.

Forêt de **Vizzavona**★★

La forêt de Vizzavona, qui s'étend entre le Monte d'Oro (2 389 m) et le col de Palmente, constitue l'une des plus belles forêts de Corse. 43 km de sentiers et de routes forestières serpentent à travers les pins laricio et les hêtres. Traditionnelle étape de mi-parcours du GR 20, elle est bien connue des randonneurs.

La situation

Carte Michelin n° 90 plis 5, 6 – Haute-Corse (2B). Dans le sens Ajaccio-Bastia, la N 193 franchit le col de Vizzavona avant de pénétrer dans la forêt qu'elle traverse sur 8 km jusqu'à Tattone. La forêt est aussi accessible par le chemin de fer qui passe par le minuscule village de Vizzavona. Le hameau se trouve en-dessous de la nationale, caché au milieu des pins. On l'atteint par une route qui part à environ 4 km du col sur la gauche.

Les gens

Dans la gare de Vizzavona, le célèbre bandit **Antoine Bellacoscia**, à l'âge de 75 ans, se rendit en grande cérémonie à la justice. Au siècle dernier, la forêt de Vizzavona était réputée périlleuse car de nombreux bandits la fréquentaient.

comprendre

La forêt – La forêt de Vizzavona couvre 1 633 ha et s'étage de 800 à 1 650 m d'altitude. Elle est composée pour l'essentiel de pins laricio (48 % de sa superficie) et de hêtres (38 %). Elle bénéficie d'une température moyenne de 10° et reçoit 2 236 mm d'eau répartis sur 115 jours par an, surtout en hiver. La forêt offre de nombreux sentiers aux promeneurs ; les truites de l'Agnone, du Fulminato, de l'Ominima, du Speloncello et du Vecchio aux amateurs de pêche ; le domaine skiable de Muratello (1 500-2 000 m d'altitude), enneigé de mi-décembre à fin avril, aux fervents de sports d'hiver ; les pentes du Monte d'Oro (2 389 m d'altitude) aux alpinistes.

Le pin laricio – Différent du pin de Corte, il peuple les magnifiques futaies d'Aitone, de Valdu-Niellu, de Vizzavona et du centre de l'île. C'est l'un des plus grands arbres d'Europe. Ce résineux, qui réclame une certaine humidité, croît sur les sols granitiques entre 700 m d'altitude sur les versants exposés au Midi et 1 500 m sur certains versants d'exposition Nord. Il est fréquemment associé au hêtre à partir de 900 m, au pin maritime entre 700 et 1 000 m, au sapin et au bouleau aux altitudes supérieures. Ses branches, peu nombreuses et assez courtes, sont régulièrement étagées et groupées surtout au faîte de l'arbre. Dans les endroits ventés comme au col de Bavella, elles prennent une curieuse allure tourmentée. Chez les sujets âgés, la cime apparaît courte, aplatie et étalée. Les cônes ou « pommes de pin », longs de 6 à 8 cm, sont disposés presque horizontalement sur les branches.

Le laricio, imputrescible, constitue un excellent bois de charpente et de menuiserie. À l'époque de la marine à voile, ses fûts étaient utilisés à la fabrication des mâts. Plus tard, l'Angleterre l'importa pour fabriquer ses traverses de chemin de fer.

Il contribue à maintenir, grâce à ses racines puissantes, un équilibre biologique en altitude par sa capacité de croître sur des crêtes ou de fortes pentes aux sols très maigres, voire dans les cailloux et les rochers. Moins vulnérable au feu que le pin maritime, il peut se régénérer après un incendie, ou être replanté avec succès.

MAJESTUEUX LARICIO
Son fût parfaitement rectiligne dépasse souvent 40 m de hauteur et atteint parfois 2 m de diamètre. Très robuste, il peut vivre 600 ans.

se promener

Vizzavona★

Située au cœur de la forêt et dominée par la silhouette massive du Monte d'Oro, c'est une agréable petite station climatique qui offre aux estivants, en plus du calme, un grand choix de promenades en forêt et de courses en montagne. Composée de quelques chalets, 3 ou 4 hôtels et refuges groupés autour de la chapelle et de la gare (alt. 910 m), elle comprend en outre le hameau de La Foce situé à 3,5 km sur la N 193 près du col de Vizzavona. La voie ferrée passe sous un tunnel rectiligne de 4 km.

Fontaine de Vitulo

🏃 *1/4h AR au départ du col de Vizzavona*. Cette fontaine donne naissance au ruisseau de Foce, affluent de la Gravona.

carnet pratique

Col de Vizzavona

À 1 163 m d'altitude, le col permet à la grande route d'Ajaccio-Bastia de passer du bassin de la Gravona, tributaire du golfe d'Ajaccio, dans celui du Tavignano qui irrigue la plaine orientale d'Aléria.

Le col offre des aires de stationnement ombragées de ▶ tilleuls, avec tables et bancs rustiques, dans une vaste clairière semée de blocs granitiques.

randonnées

Monte d'Oro★★★

⬥ *10h AR au départ de Vizzavona. Randonnée longue et contraignante, nécessitant un très bon entraînement physique. Accès par les cascades des Anglais (voir ci-dessus). La fin de l'itinéraire est souvent enneigée jusqu'au début de juillet.*
Cette incomparable promenade permet d'admirer toute la variété de paysages qu'offre la montagne corse : forêts de pins laricio, de hêtres, torrents...

De Vizzavona jusqu'aux cascades des Anglais (3/4h), suivre l'itinéraire décrit ci-dessous. De là, le GR 20, jalonné de marques rouges et blanches, mène près des bergeries de Porteto (alt. 1 364 m), invisibles du sentier et situées à quelques mètres au Sud, au milieu de superbes hêtres *(2h)*. Le sentier franchit à gué l'Agnone *(2h1/4)*, puis gravit les pentes caillouteuses du Monte d'Oro *(montée pénible)* vers le col du Porc *(5h1/4)* d'où l'on gagne le sommet *(6h1/4 – la montée au sommet exige de bonnes connais-* ▶ *sances en alpinisme)*.

Revenir à Vizzavona *(3h1/2)* par le sentier balisé de marques jaunes qui contourne l'autre versant du Monte d'Oro par les bergeries de Puzzatelli, puis franchit le ravin de Ghilareto, le ruisseau de Tineta à gué et l'Agnone. Entre 2 150 m et 2 000 m, le couloir appelé « la Scala », raide et souvent glissant, demande prudence et attention.

Cascades des Anglais★

⬥ *1h1/2 AR au départ de La Foce, à gauche de la N 193, après le col de Vizzavona en descendant vers Corte. Un panneau sur le bord de la route annonce les cascades. Le chemin conduit à l'Agnone où l'on rejoint le GR 20 que l'on suit tout droit.*
Longer la rive droite du torrent jusqu'à une série de cascatelles qui ont creusé des piscines dans la roche.
Dans cette gorge sauvage dominée sur la droite par le Monte d'Oro, il est possible de remonter le cours du torrent sur un assez long parcours.

Pour admirer la vue★ sur la vallée de la Gravona et le château démantelé se détachant sur la masse imposante du Monte d'Oro, emprunter la route qui s'élève au Sud, dans les hêtres, vers un relais hertzien *(1/4h à pied AR)*.

UN GRAND SOMMET
Le Monte d'Oro, à 2 389 m d'altitude, est l'un des grands sommets de la Corse cristalline ; il appartient à la ligne de crête qui partage les eaux entre les rivages Est et Ouest de l'île. Son nom proviendrait des multiples sources qui dévalent ses flancs.

TOUR D'HORIZON
Le panorama★★★, assez tôt dans la matinée et par temps clair, embrasse tous les hauts sommets de l'île : au Nord le Monte Cinto et le Monte Rotondo, au Sud le Monte Renoso ; à l'Est la mer et les îles de Toscane.

Ceux qui ne craignent pas l'eau froide pourront se baigner dans les piscines naturelles creusées par les cascades des Anglais.

Torrent de l'Agnone

 1h au départ de La Foce pour gagner, à travers la forêt, le village de Vizzavona. Emprunter le même chemin que pour les cascades des Anglais, mais tourner à droite dans le GR 20 qui traverse l'Agnone sur un pont de bois. Descendre ensuite sur la rive gauche du torrent jusqu'au niveau de Vizzavona où l'on traverse à nouveau l'Agnone, puis le Fulminato avant d'arriver en vue des premières maisons.

Col de Palmente★

4h AR au départ de la N 193, à 200 m au-dessous de la maison forestière de Vizzavona, en direction de Bastia et à proximité d'une maison isolée. Le **GR 20** *(balisé de marques rouges et blanches)* monte en lacet dans les pins de la forêt de Vizzavona, offrant une belle vue sur le Monte d'Oro. Ce tronçon constitue, avec celui du col de Vergio, les deux sections du GR 20 praticables aisément par tout promeneur. Le large sentier grimpe en pente douce à l'ombre des pins et des hêtres. Au bout d'environ 25mn de marche, prendre le chemin de gauche *(toujours suivre les marques rouges et blanches du GR)*. 20mn plus tard, on traverse une forêt de hêtres. Au bout de 1/2h, le GR 20 sort de la forêt et s'élève vers la crête. On atteint, en 1/2h de montée plus raide dans ◄ un paysage dénudé, le col de Palmente (alt. 1 645 m).

Du col de Palmente, la vue★ s'étend sur le Monte d'Oro et le Monte Renoso. Ce col, entre la forêt de Vizzavona et le versant oriental du massif du Renoso, était autrefois la voie empruntée par les bergers pour se rendre à Ghisoni.

La Madonuccia★

1h1/2 AR au départ du col de Vizzavona. Balisé de points ronds jaunes. Suivre la route vers le relais hertzien, puis le chemin vers les bergeries des Pozzi *(abri bivouac)*. De là, on peut grimper sur la crête, constituée d'un amas de rochers, visible de la route et qui évoque une statue de la Vierge : vue sur la vallée de la Gravona et le Monte d'Oro.

Fort de Vizzavona

3/4h au départ du col de Vizzavona par un chemin à droite gravissant le plateau et un sentier à travers bois. Les **ruines** de cette forteresse d'origine génoise qui protégeait le col sont impressionnantes ; le donjon éventré révèle les fragments de son escalier en colimaçon. Le paysage sur la moraine glaciaire envahie par le maquis et cernée par la forêt est saisissant. Le **site** de ces ruines atteste de l'ancienneté de cette voie de passage et de son importance stratégique.

En fin d'après-midi, les lignes de crêtes visibles depuis la Madonuccia prennent de belles teintes gris-bleu.

Zicavo

Zicavu

C'est un gros bourg étendu, à mi-chemin entre les cols de Verde et de la Vaccia. Sa position au centre de l'île en fait un bon point de départ d'excursions.

La situation

Carte Michelin n° 90 pli 7 – Schéma p. 255 – Corse-du-Sud (2A). Situé en plein cœur de l'île, Zicavo est accessible par de longues et sinueuses routes départementales.

Les gens

237 Zicavais. Zicavo est le berceau de la famille Abbatucci qui donna à la France plusieurs députés, un ministre et trois généraux dont **Charles Abbatucci** (1771-1797), général à 25 ans, tué à 26 ans au siège de Huningue (Haut-Rhin).

comprendre

Des envies d'indépendance – En 1739, à l'appel du curé, le village soutint la cause du baron Frédéric, neveu du roi Théodore, qui relança l'idée de l'indépendance. L'échec des chefs de l'insurrection comme Giafferi et Ornano ne désarma pas les Zicavais : alors que les femmes et les enfants s'étaient réfugiés sur le plateau du Coscione, les hommes affrontèrent durant un mois les régiments du marquis de Maillebois. Mais ils durent se résoudre à déposer les armes. Après des semaines de vie montagnarde, le baron Frédéric s'embarqua pour Livourne muni d'un sauf-conduit.

alentours

Bains-de-Guitera

7 km de Zicavo par la D 757A. Cette petite station thermale est située sur la rive droite du Taravo. Ses eaux sulfureuses sont utilisées dans le traitement des rhumatismes et des affections cutanées.

Ste-Marie-Sicché

27,5 km à l'Ouest de Ziccavo par la D 83. Le village divisé en hameaux est le berceau de la famille d'Ornano.

VANNINA D'ORNANO TUÉE PAR SON MARI

En 1545, Sampiero Corso épousait vers l'âge de 50 ans Vannina d'Ornano âgée de 15 ans, mariage qui anoblissait le colonel et le faisait entrer dans l'une des plus grandes familles de l'île. Mais en 1563, il étrangla son épouse de ses propres mains : complicité de Vannina avec la république de Gênes, jalousie ou intérêt ? Cette justice expéditive n'offusqua guère la cour de France. Découvrant ses blessures devant Catherine de Médicis, Sampiero se serait exclamé : « Qu'importe au Roi et à la France que Sampiero ait vécu d'accord ou non avec sa femme ! »

Palazzo Sampiero *(au hameau de Vico)* – Sa maison de Bastelica ayant été brûlée par les Génois, Sampiero fit bâtir, en 1554, cette maison forte en gros appareil de granit, aujourd'hui en ruine. Une inscription et un buste en marbre dans une niche évoquent le héros.

Tour Vannina-d'Ornano – Dans le bas du vieux bourg, au lieu-dit Casabianca, tout près de la route de Grossetto, s'élève la demeure natale de Vannina, du 15e s. Le hameau de **Zigliara** est fréquenté pour son établissement thermal.

Monte Incudine★★★ *(voir ce nom)*

HÉBERGEMENT ET RESTAURATION

Le Tourisme – ☎ 04 95 24 40 06 - ⌷ - 15 ch.: 30,49/36,59€ - ⌷ 3,05€ - restaurant 12/18€. Dans un petit village paisible, un hôtel familial de montagne très modeste mais bien tenu où s'arrêtent cyclistes et randonneurs. Les chambres sont très simples ainsi que la cuisine.

Zonza

Ce gros bourg, bâti en terrasses (alt. 784 m) au-dessus de la vallée de l'Asinao au milieu des châtaigniers, des pins et des chênes verts, est à la croisée d'itinéraires touristiques réputés : au Nord et à l'Ouest les routes de Bavella, Quenza et Aullène ; au Sud, la route de l'Alta-Rocca riche en préhistoire, et celle du massif de l'Ospédale. Un réseau dense de sentiers balisés rayonne autour du village et fait de Zonza un centre de villégiature et de randonnées pédestres, équestres, et de vélo tout terrain.

La situation
Carte Michelin n° 90 Sud du pli 7 – Corse-du-Sud (2A). Zonza est à l'intersection de 4 routes : Bavella au Nord, Quenza à l'Ouest, Levie au Sud et, vers l'Est, la D 368 qui rejoint l'Ospédale et Porto-Vecchio.

Les gens
En 1952, Zonza accueillit durant 5 mois Mohamed V, le sultan déposé du Maroc, exilé par le Gouvernement français.

séjourner

Le village★
La place centrale est ombragée de tilleuls. L'église Sainte-Marie, bâtie au siècle dernier dans le style néogothique, étonne par son importance ; son clocher est orné d'un bel appareil en blocs de granit taillé.

Durant l'été, des touristes et les Corses revenus au pays entretiennent une joyeuse animation. En septembre, au moment de la fête du village, pétards, feux d'artifice, concours de pétanque, tournois de cartes se succèdent.

Aux environs de Zonza, on peut pêcher la truite et, la saison venue, aller chasser les sangliers, les bécasses et les palombes.

Sur une colline, en face du village, se dresse la chapelle de Ste-Barbe qui rassemble les jours de pèlerinage les habitants des villages alentour.

circuits

Chaos de Paccionitoli
Circuit de 20 km. Suivre la D 268 vers Levie. À San-Gavino-di-Carbini, tourner à gauche vers Paccionitoli. Voir l'Alta-Rocca.

Col de Bavella★★★
9 km au Nord-Est. Quitter Zonza par la D 268 vers Bavella et Solenzara. Voir aiguilles de Bavella.

carnet pratique

Sources iconographiques

Index

Porto (Golfe) . . . . Villes, curiosités et régions touristiques.
Paoli (Pascal). . . . . Noms historiques et termes faisant l'objet d'une explication.
Les curiosités isolées (châteaux, abbayes, grottes...) sont répertoriées à leur propre nom.

A Capulatta (parc) 116
Abatesco (vallée). 244
Abbatucci (Charles). 351
Agave d'Amérique 60
Agnello (tour) 262
Agnone (torrent) 350
Agosta (plage) 113
Agriates 94
Aitone (cascades) 98
Aitone (forêt) 97
Ajaccio 99
   A Bandera (musée) 109
   Assemblée territoriale de Corse 106
   Bibliothèque 107
   Bonaparte (maison) 108
   Bonaparte Premier Consul (statue) 105
   Capitellu (musée) 110
   Casanova (Danielle) 103
   Cathédrale 105
   Chapelle des Grecs 111
   Chapelle impériale 108
   Cuneo d'Ornano (hôtel) 105
   Fesch (musée) 106
   Madonuccia (statue). 105
   Milelli (maison) 110
   Napoléonien (musée) 109
   Pozzo di Borgo (hôtel) 105
   Rossi (Tino) 106
   Saint-Érasme (église) 105
Ajaccio (golfe). 110
Alando 177
Albertrace 273
Albo (marine) 205
Aléria 117
Alesani (barrage). 218
Alesani (couvent) 340
Algajola 121
Alo Bisucce. 324
Aloès 60
Alta-Rocca 123
Alta Rocca (musée) 124
Altiani 334
Anglais (cascade) 349
Antisanti 126
Aphanius 65
Appietto. 309
Araghju (castellu) 298
Arbousier 61
Aregno 138
Arena Rossa (golfe) 114
Argent (plage) 113
Arone (plage) 290
Artisanat 44
Asco (gorges) 129
Asco (pont génois) 130
Asco (réserve) 128
Asco (vallée). 127
Asphodèle 61
Aullène 130
Aulne odorant 62, 304
Avapessa 138
Aziana (cascade). 142
Aziminu 90

Bains-de-Guitera. 250, 351
Balagne 132
Balbuzard 65, 327
Baracci (source thermale). 334
Baracci (vallée) 338
Barcaggio. 203
Bardiana. 247
Barocaggio-Marghèse (forêt) 278
Bastelica. 139
Bastia. 143
   Biguglia (étang). 155
   Borgo 156
   Cardo 151
   Corniche supérieure. 154
   Ethnographie corse (musée) 153
   Furiani 156
   Giafferi (Agostino) 146
   Gouverneur (relève) 151
   Gouverneurs (ancien palais). 152
   Immaculée-Conception (oratoire) 149
   Jardin Romieu 152
   Lomellini (Leonello) 143
   Miomo. 154
   Monserrato (oratoire) 155
   Palais de justice 152
   Saint-Charles (église) 152
   Saint-Jean Baptiste (église) 149
   Saint-Roch (oratoire de la confrérie) 151
   Sainte-Croix (chapelle) 153
   Sainte-Lucie (église) 155
   Sainte-Marie (église). 153
   Scala Santa. 155
   Terra-Nova 152
   Terra-Vecchia 149
   Vieux Port 151
Bavella (col et aiguilles) 157
Bavella (forêt) 158
Belgodère. 137
Bellacoscia (Antoine) 348
Bellagranajo (col) 340
Bellevalle (col). 114
Belvédère 337
Bicchisano 132
Bobbia (Marguerite) 161
Bocca Bassa (col). 139
Bocca di Vezzu (col) 94
Bocca Reza (chaos) 174
Bocognano. 159
Bonaparte (Napoléon) 70, 102
Bonelli (Antoine et Jacques) 159
Boniface (marquis) 160
Bonifacio 160
Bonifato (cirque) 174
Borgo. 156
Bosco. 167
Boswell (James). 265, 336
Le Bozio 176
Bradi (Lorenzi di). 334
Brocciu 45, 90
Bruzzi (îles). 320
Bussaglia (plage) 290
Bustanico 177

Cagna (montagne) 179
Cala di Paragnano (plage) 170
Calacuccia (bassin) 273
Calacuccia (village et lac) 180
Calalonga (plage) 171
Calanche 182
Calasima 273
Calcatoggio 226
Caldane (source) 124
Caldarello 240
Calenzana (forêt) 174
Calenzana (village) 185
Calvi 186
Calycotome 61
Campana 215
Campodonico 221
Campoloro (port) 225
Campomoro-Senetosa 337
Canari 205
Canavaggia 285
Canella (plage) 267, 330
Canistrelli 91, 189
Cannelle 203, 223
Canoë-kayak 35
La Canonica (église) 194
Canyoning 35
Cap Corse 196
Capandula 262
Capanelle (bergeries) 248
Capezza (Louis) 309
Capitello (lac) 305
Capitello (tour) 113
Capo d'Orto 289
Capo Rosso 290
Caprera (île) 172
Capu Tafonato 341
Capula 259
Carbini 125
Carcheto 207
Carco (Francis) 115
Carcopino (Jérôme) 115, 119
Cargèse 208
Cargiaca 132
Carozzu (refuge) 175
Carrozzica (forêt) 130
Carticasi 220
Casa Musicale 283
Casabianca (capitaine) 211
Casabianca (sous-marin) 96, 210
Casabianda (réserve) 121
Casaglione 226
Casamaccioli 181
Casamozza 210
Casardo (col) 178
Casella 178
La Casinca 210
Caspio (plage) 291
Cassano 135
Castagna 288
La Castagniccia 212
Castellare-di-Casinca 212
Castelli (François-Marie) 207
Castello 239
Castifao 129
Castiglione 235
Castirla 235, 326
Catena (plage) 170
Catenacciu 321, 322
Cateri 135
Cattaciolo (Dominique) 161
Cauria (mégalithes) 318
Ceccaldi (Andrea Colonna) 211
Ceccaldi (Marc-Antoine) 211
Ceccia (site) 299
Cédratier 60
Centuri 221

Cerbicale (îles) 297
La Cerca 238
Cerf 64
Cervione 223
Cesta (bergerie) 272
Cetera 88
Chasse 36
Chasse sous-marine 36
Châtaignier 62, 214
Chemin de fer de la Corse 32
Chêne vert 61
Chêne-liège 61, 297
Chenova (col) 114
Chiavari (forêt) 114
Chiuni (plage) 210
Chjama è respondi 87
Cimetière marin 167
La Cinarca 225
Cipriani (château) 223
Cirneo (Pietro) 218
Ciste 61
Cocavera (col) 99
Colomb (Christophe) 187
Colonna d'Istria (Paulin) 131
Conca 300
Conrad (Marcelle) 62
Coppa 90
Corail 171
Corbara 226
Cormoran huppé 65
Corniche Paoli 254
Corscia 274
Corso (Sampiero) . . . 67, 140, 142, 294, 300
Corte 228
Corte (arche) 236
Cortone (col) 114
Coscione (forêt) 255
Coscione (plateau) 256, 303
Coscione (vallée) 132
Coti-Chiavari 114
Creno (lac) 237
Cricheto (col) 142
Cristinacce 344
la Croix (col) 291
Cucuruzzu (castello) 259
Cuntorba (castello) 335
Cyclamen 61
Cyrna-Gliss (parc aquatique) 113

Da Mare (famille) 306
Daudet (Alphonse) 315
De la Cinarca (Giudice) 225
Della Grossa (Giovanni) 322
Della Rocca (Arrigo) 226
Diane (étang) 120
Diorite orbiculaire 59, 313
Dragut 161

Eccica-Suarella 142
Eiffel (Gustave) 345
Elbe (île) 46
Elliot (Sir Gilbert) 265
Équitation 36
Erbajolo 178
Erbalunga 238
Ersa 203
Escalade 37
Eucalyptus 60, 114
Eugénie (l'impératrice) 306
Euprocte 65
Évisa 97

Falculelle 91
Fango (vallée) 246
Fautea 267
Favone (anse) 267
Felce 218

Feliceto 138
Fiadone 91
Ficajola (anse) 289
Figarella (bassin) 134
Figari (golfe) 239
Figatelli 90
Figuier de Barbarie 60
Filippini (Anton Pietro) 211
Filitosa 240
Finocchiarola (îles) 261
Le Fiumorbo 243
Flaubert (Gustave) 146
FLNC 73
Foce d'Orto 289
Fondère (Alphonse) 309
Fontanaccia (dolmen) 319
Fozzano 338
Franceschini (Marthe) 228
Fritella 91
Furiani 156

Gaffori (général) 229, 233
Galéria 246
Gallura 172
Garibaldi (Giuseppe) 172
Genévrier 61, 63, 127
Ghisonaccia 244
Ghisoni 248
Giottani (marine) 205
Giovannali 125, 248
Giraglia (île) 262
Girolata (golfe) 328
Le Giussani 332
Goéland d'Audouin 65
Golo (corniche) 285
Golo (vallée) 271
Gouvernail de la Corse 168
Gozzi (rocher) 309
GR 20 41
Gradule (cascade) 342
Grain de sable 163, 169
Grand Capo (plage) 113
Granitula 189
Gratelle (plage) 291
Gravona (vallée) 115
Grosso-Minuto 339
Grotelle (bergeries) 304
Guano 251
Guano-les-Bains 250
Guardiola (pointe) 114
Gypaète barbu 65, 128

Haut-Asco 130
Herminier (commandant) 267
Huître 120

Ifana (cime) 94
Île-Rousse 252
Incendie 61
Incudine 255
Indépendantisme 73
Inzecca (défilé) 347
Isolella (presqu'île) 113
Istria (Vincentello) 226, 228

Jason 95
Julie (Sainte) 276

Kayak de mer 37

Lama 280
Lamenti 87
Lancone (défilé) 270
Langue corse 88
Larone (col) 157
Lava (col) 289
Lava (golfe) 309

Lavasina 199
Lavatoggio 135
Lavezzi (île) 256
Lentisque 61
Levie (Pianu de) 258
Levie 124
Lézard 65
Liamone (gorges) 343
Libio (forêt) 251
Lion (rocher) 319
Liscia (golfe) 309
Lonzu 90
Loreto 132
Loreto-di-Casinca 212
Loto (plage) 96, 312
Lozari 95
Lozzi 272
Lumio 136
Luri 204
Lythophyllum 327

Macinaggio 260
Maddalena (île) 172
Madonuccia 350
Malfaco (anse) 96
Manicella (via ferrata) 129
Manso 247
Maquis 61
Marcasso (couvent) 135
Mare a Mare (sentiers) 42
Mare e Monti (sentiers) 42
Mare e Sole (plage) 113
Mariana 195
Marinella (plage) 112
Marmano (forêt) 250
Matra (fort) 119
Mattei (moulin) 203
Maupassant (Guy de) 183
Méduse 40
Mégalithes (art des) 80, 241
Mela 315
Melo (lac) 305
Ménasina (plage) 210
Menta (col) 142
Mérimée (Prosper) 125, 295, 338
Mérou 65
Minaccia (anse) 115
Minestra 90
Moines (îlots des) 320
Mola 324
Moltifao 129
Monte Asto 281
Monte Cecu 235
Monte Cinto 272
Monte d'Oro 349
Monte Renoso 249
Monte Rotondo 263
Monte San Petrone 221
Monte Sant'Angelo 228
Monte Stello 201
Montegrosso (collines) 134
Montemaggiore 135
Monticello 254
Morello (col) 346
Moriani-Plage 219
Morosaglia 264
Morsiglia 204
Mortella (tour) 96
Mouflon 64, 129
Muro 138
Murracciole 346
Myrte 61

Nacres (côte) 266
Nanne 87
Nativu (statue-menhir) 283
Navigation 37

Nebbio (cathédrale). 312
Le Nebbio. 268
Neuhoff (Théodore). 72, 339
Nevera (pointe). 225
Nino (lac) 274
Le Niolo 270
Nonza 276
Notre-Dame-de-la-Serra. 193

Occhio-Vario 346
Office national des forêts 35
Olcani (chapelle). 206
Oletta 269
Olmeta-di-Capo-Corso 206
Olmeta-di-Tuda. 269
Olmeto. 335
Olmi-Capella. 332
Omessa 235
Ondella (col). 332
Orezza (couvent). 217
Orezza (eaux) 218
Orinella (plage) 170
Orto. 251
Ospédale (massif) 277
Ostriconi (plage) 96, 281
Ostriconi (vallée) 280
Ota 330
Oursin 291

Paccionitoli (chaos) 125, 278
Paccionitoli 353
Padulone (plage). 120
Paghjella. 51, 87
Pagliaghj 85, 94
Pailler 85, 94
Palazzu (punta). 328
Palmente (col). 350
Palombaggia (plage) 297
Paoli (Pascal) 72, 229, 261, 264
Paolo (Pietro) 337
Parapente. 39
Parata (pointe) 112
Parc naturel régional de la Corse 33
Pascala. 137
Patrimonio 282
Pêche. 39
Penta-di-Casinca. 212
Peri 116
Pero (plage) 209
Pertusato (cap) 169
Petreto. 131
Piana 289
Pianella (pont génois) 330
Pianona (promenade) 158
Piantarella (plage) 170
Piedicorte-di-Gaggio 334
Piedicroce. 217
Pietra (bière). 45, 90
Pietra-Piana (refuge) 264
Pietracorbara (marine) 201
Pietralba. 281
Pietrapola. 245
Pifane 88
Pigna 283
Pin de Corte 304
Pin laricio 62, 97
Pinarellu (golfe). 298
Pineta (forêt) 142
Pinia (domaine). 121
Pino 205
Pirio (maison forestière) 247
Pirule 88
Piscia a l'Onda (cascade) 251
Piscia di Gallo (cascade). 278
Piverunata 91

Plateau d'Ese 141
Plongée sous-marine 39
Poli (Théodore) 97
Polischellu (cascades). 158
Polyphonie 87
Pont génois 84
Ponte-Leccia 214
Ponte Nuovo. 72, 284
Popolasca. 235
La Porta 285
Porticcio 113
Portigliolo (plage) 301, 337
Porto 286
Porto (golfe) 288
Porto-Pollo 336
Porto-Vecchio 292
Porto-Vecchio (golfe) 295
Pozzine. 63, 275
Prato (col) 221
Prisuttu 90
Propriano 300
Prunelli (gorges) 141
Prunelli-di-Fiumorbo 245
Pulenta 91
Punta de Revellata (domaine). 194

Quenza 302
Quint (Charles) 165

Randonnées pédestres 41
Regino (bassin) 136
Renaggiu (alignement) 319
Renno 344
Restonica (forêt) 304
Restonica (gorges). 303
Rizzanèse (vallée) 338
Roccapina. 319
Rocce (pont). 247
Rogliano 306
Roi-d'Aragon (escalier). 161, 167
Rondinara (baie) 171
Rospa-Sorba (forêt) 346
Rostino (couvent) 266
Ruppione (plage). 113

Sagone (golfe) 307
Saint-Antoine (grotte) 168
Saint-Barthélemy (puits). 168
Saint-Eustache (col) 131
Saint-Exupéry (Antoine de) 156
Saint-Florent. 310
Saint-François (couvent, Corse-du-Sud). . 343
Saint-François (couvent, Haute-Corse) . . 269
Saint-François (esplanade) 167
Saint-Jean (église et baptistère) 234
Saint-Jean-Baptiste (chapelle). 314
Saint-Jean-Baptiste (église, La Porta). . . . 286
Saint-Julien (couvent) 169
Saint-Laurent (chapelle). 281
Saint-Marcel (église) 120
Saint-Martin (chapelle, Cap Corse). 201
Saint-Michel (chapelle, Cap Corse). 201
Saint-Pancrace (chapelle). 274
Saint-Rainier (chapelle) 135
Saint-Roch (col). 163
Sainte-Christine (chapelle) 224
Sainte-Lucie-de-Tallano 312
Sainte-Marie-Majeure (église). 166
Sainte-Restitude (église). 186
Saleccia (plage). 96
Saliceto 219
Salto (col). 99
Sambucuccio 176
San Bastiano (col) 309

San Cervone (col) 178
San Ciprianu (plage) 298
San Giovanni Battista 125
San Giovanni-di-Moriani 218
San-Martino-di-Lota 154
San Michele de Murato 316
San Nicolao (chapelle, Sermano) 177
San Nicolao (village et église) 218
San Pantaleon (chapelle) 219
San Parteo (église) 196
San Petruculo d'Accia (chapelle) 215
San Pietro di Verde (forêt) 250
San Quilico (chapelle) 299
San Quilico de Cambia (chapelle) 220
San Stefano (col) 268
Sanguinaires (îles) 315
Sanguinaires (route) 111
Sansonnet 91
Sant'Alberto (cascade) 142
Sant'Ambroggio (marine) 139
Sant'Antonino 317
Santa di Niolo 180
Santa Giulia (plage) 298
Santa-Lucia-di-Moriani 219
Santa Manza (golfe) 171
Santa Maria (chapelle) 262
Santa-Maria de Corsoli (chapelle) 220
Santa Maria de Valle-di-Rostino
   (chapelle) 215
Santa-Maria-Assunta (chapelle) 177
Santa-Maria-Assunta (église) 312
Santa-Maria-Figaniella 338
Santa-Reparata-di-Balagna 254
Santa-Teresa-di-Gallura (Italie) 172
Santo-Pietro-di-Tenda 268
Sardaigne (Italie) 46, 172
Sari-di-Porto-Vecchio 330
Sari-d'Orcino 226
Sarrola-Carcopino 115
Le Sartenais 318
Sartène 320
Sauli (Alexandre) 223
Savelli (famille) 317
Savelli (Guy) 227
Scala di Santa Regina (défilé) 325
Scandola (réserve) 326
Sdragonato 168
Sebastiani (Horace) 285
La Sémillante 258
Sénèque (tour) 204
Serinati 87
Sermano 177
Serra-di-Pigno 206
Serra-di-Ferro 336
Serra-di-Fiumorbo 245
Sevi (col) 344
Sisco 201
Sittelle (sentier) 98
Sittelle 65, 128
Ski 43
Smeralda (côte, Italie) 172
Soccia 251
Sogno (golfe) 298
Solenzara 328
Sollacaro 336
Sorba (col) 347
Spasimata (passerelle et sentier) 175
Speloncato 138
Spelunca (gorges) 330
Spérone (pointe) 170
Spin'a Cavallu (pont) 123
La Sposata 343
Stagnoli (plage) 210
Stantari (alignement) 319
Stazzona 218

Ste-Marie-Sicché 351
Strette (défilé) 347
St-Thomas de Pastoreccia (chapelle) 215
Stufatu 91
Susini (Marie) 343

***T**affoni* 183
Tamarone (plage) 261
Tappa (site) 299
Taravo (vallée) 132
Tarco (anse) 267
Tartagine (gorges et vallée) 332
La Tasmania 320
Tavera (statue-menhir) 117
Tavignano (gorges) 236
Tavignano (vallée) 333
Teghime (col) 206
Testa (cap) 172
Thalassothérapie 43
Théophile (Saint) 229
Thermalisme 43
Tizzano 319
Tolla 142
Tombalo 331
Tomino 201
Tonnara (plage) 170
Torre 298
Torréens 80, 241
Tortue d'Hermann 65
Tortues (village) 129
Tours génoises 84, 199
Tova (forêt) 157
Trinité (église) 138
Trinité (ermitage) 169
Trou de la Bombe 159
Tuani (couvent) 137
Tuara (plage) 291
Tuarelli 246

***U**cciani (pont)* 116
Uomo di Cagna 179
Urbino (étang) 121
Urtaca 281

***V**aldu-Niellu (forêt)* 274
Valinco (golfe) 334
Valle-d'Alesani 339
Vecchio (pont) 345
Venaco 340
Vendetta 86
Vents 38
Venzolasca 211
Verde (col) 250
Vergio (col et station) 99, 341
Vero 116
Vescovato 211
Veta (capu di a) 194
Vezzani 347
Vico 342
Viggianello 338
Vins corses 91, 282
Vitulo (fontaine) 348
Vivario 344
Vizzavona 347
Vizzavona (fort) 350
Voceri 87
Voile de la Mariée (cascade) 159
VTT 43

***Z**aglia (pont génois)* 331
Zicavo 351
Zilia 134
Zipitoli (pont génois) 142
Zonza 352
Zuani 177

LE GUIDE VERT a changé, aidez-nous à toujours mieux répondre à vos attentes en complétant ce questionnaire.

Merci de renvoyer ce questionnaire à l'adresse suivante :
Michelin Éditions des Voyages / Questionnaire Marketing G. V.
46, avenue de Breteuil — 75324 Paris Cedex 07

---

1. Est-ce la première fois que vous achetez LE GUIDE VERT ?   oui   non
Si oui, passez à la question n° 3. Si non, répondez à la question n° 2.

---

2. Si vous connaissiez déjà LE GUIDE VERT, quelle est votre appréciation sur les changements apportés ?

	Nettement moins bien	Moins bien	Égal	Mieux	Beaucoup mieux
La couverture					
Les cartes du début du guide					
Les plus beaux sites					
Circuits de découverte					
Lieux de séjour					
La lisibilité des plans					
Villes, sites, monuments.					
Les adresses					
La clarté de la mise en pages					
Le style rédactionnel					
Les photos					
La rubrique Informations pratiques en début de guide					

---

3. Pensez-vous que LE GUIDE VERT propose un nombre suffisant d'adresses ?

HÔTELS :	Pas assez	Suffisamment	Trop
Toutes gammes confondues			
À bon compte			
Valeur sûre			
Une petite folie			

RESTAURANTS :	Pas assez	Suffisamment	Trop
Toutes gammes confondues			
À bon compte			
Valeur sûre			
Une petite folie			

---

4. Dans LE GUIDE VERT, le classement des villes et des sites par ordre alphabétique est, d'après vous, une solution :

Très mauvaise	Mauvaise	Moyenne	Bonne	Très bonne

5. Que recherchez-vous prioritairement dans un guide de voyage ?
Classez les critères suivants par ordre d'importance (de 1 à 12).

6. Sur ces mêmes critères, pouvez-vous attribuer une note entre 1 et 10 à votre guide.

	5. Par ordre d'importance	6. Note entre 1 et 10
Les plans de ville		
Les cartes de régions ou de pays		
Les conseils d'itinéraire		
La description des villes et des sites		
La notation par étoile des sites		
Les informations historiques et culturelles		
Les anecdotes sur les sites		
Le format du guide		
Les adresses d'hôtels et de restaurants		
Les adresses de magasins, de bars, de discothèques...		
Les photos, les illustrations		
Autre (spécifier)		

7. La date de parution du guide est-elle importante pour vous ?   oui   non

8. Notez sur 20 votre guide :

9. Vos souhaits, vos suggestions d'amélioration :

Vous êtes :   Homme   Femme   Âge

Agriculteur exploitant	Employés
Artisan, commerçant, chef d'entreprise	Ouvriers
Cadre et profession libérale	Préretraités
Enseignant	Autres personnes sans activité professionnelle
Profession intermédiaire	

Nom et prénom :

Adresse :

Titre acheté :